A GRANDE MÃE

ÍSIS
Túmulo de Tutmés IV; Tebas, XVIII Dinastia.

Erich Neumann

A GRANDE MÃE

Um Estudo Histórico sobre os Arquétipos, os Simbolismos e as Manifestações Femininas do Inconsciente

Tradução
Fernando Pedroza de Mattos
Maria Sílvia Mourão Netto

Editora
Cultrix
SÃO PAULO

Título do original: *Die Grosse Mutter – Eine Phänomenologia der Weiblichen Gestaltungen des Unbewussten.*

2ª edição 2021.

Editor: Adilson Silva Ramachandra
Gerente editorial: Roseli de S. Ferraz
Gerente de produção editorial: Indiara Faria Kayo
Editoração eletrônica: Join Bureau
Revisão: Adriane Gozzo

Dados Internacionais de Catalogação na Publicação (CIP)
(Câmara Brasileira do Livro, SP, Brasil)

Neumann, Erich
A Grande mãe: um estudo histórico sobre os arquétipos, os simbolismos e as manifestações femininas do inconsciente / Erich Neumann; tradução Fernando Pedroza de Mattos, Maria Sílvia Mourão Netto. – 2. ed. – São Paulo: Editora Pensamento-Cultrix, 2021.

Título original: Die Grosse Mutter – Eine Phänomenologia der Weiblichen Gestaltungen des Unbewussten
Bibliografia.
ISBN 978-65-5736-075-0

1. Arquétipo 2. Mitologia 3. Psicologia I. Mattos, Fernando Pedroza de. II. Netto, Maria Sílvia Mourão. III. Título.

21-54625 CDD-150

Índices para catálogo sistemático:

1. Psicologia 150

Aline Graziele Benitez – Bibliotecária – CRB-1/3129

Direitos de tradução para a língua portuguesa adquiridos com exclusividade pela EDITORA PENSAMENTO-CULTRIX LTDA., que se reserva a propriedade literária desta tradução.
Rua Dr. Mário Vicente, 368 — 04270-000 — São Paulo, SP
Fone: (11) 2066-9000
http://www.editoracultrix.com.br
E-mail: atendimento@editoracultrix.com.br
Foi feito o depósito legal.

AO AMIGO E MESTRE
C. G. JUNG

"Todos somos forçados a continuar investindo nos nossos objetivos,
enquanto assim nos permitirem as nossas forças,
para que no final não desfrutemos nada além daquilo que elas nos permitam."
(Bachofen, Prólogo e Tanaquil)

Sumário

SEGUNDA PARTE

Prefácio

Este livro surgiu, originalmente, da proposta do Prof. C. G. Jung e da sra. Fröbe-Kapteyn para que eu escrevesse um prefácio à primeira publicação do material do Arquivo Eranos para a Pesquisa do Símbolo, em Ascona, na Suíça. Este volume seria dedicado às manifestações, na arte e na cultura, do arquétipo da "Grande Mãe".

Ao fundar o Arquivo Eranos, a sra. Fröbe-Kapteyn realizou, pela primeira vez, o significativo trabalho de localizar, reunir e organizar o material arquetípico que havia encontrado na arte uma forma de expressão fecunda.

Minha gratidão não é somente pela proposta original, mas também pela generosidade da sra. Fröbe-Kapteyn ao concordar com a ampliação do primeiro projeto. Verificou-se de imediato que o trabalho estava passando por uma transformação em minhas mãos e que, para mim, o texto escrito – a descrição do arquétipo do Feminino na totalidade – estava ganhando uma importância muito maior. Tendo em vista sua correlação, as gravuras do Arquivo Eranos – das quais provêm aproximadamente a metade das utilizadas neste volume – foram utilizadas para a ilustração do texto.

No entanto, não se deve pensar que a fascinação exercida pelas gravuras do Arquivo Eranos tenha sido apenas uma primeira centelha da inspiração para o texto; pelo contrário, durante todo o tempo em que trabalhei neste livro, foram elas que mantiveram vivo meu interesse e determinaram todo o conteúdo e ritmo de minhas ideias. Nesse sentido, este livro, na forma como está publicado, pode ser considerado uma apresentação do Arquivo Eranos.

Meus agradecimentos à Fundação Bollingen, que possibilitou a realização deste empreendimento.

Aos vários assistentes, que me ajudaram na composição e na correção dos textos e preferiram não ter os nomes mencionados, minha gratidão.

E. N.

PRIMEIRA PARTE

INTRODUÇÃO À PRIMEIRA PARTE

Uma das tarefas principais da Psicologia Analítica são a análise estrutural de determinado arquétipo e a apresentação de sua constituição interior, de sua dinâmica, do conjunto de seus símbolos – como se manifesta através das imagens e dos mitos da humanidade.

A dificuldade prática e teórica de compreender o que a Psicologia Profunda entende por arquétipo mostra-se extraordinariamente grande para aqueles que ainda não vivenciaram, numa análise, a realidade dos arquétipos.

Nossa exposição utiliza vasto material mitológico e estético; apesar disso, o mesmo necessariamente se ateve a um aspecto da interminavelmente complexa constituição da humanidade. Nosso critério de seleção consistiu propositadamente em que cada ilustração pudesse ser substituída por outra e que cada mito permitisse sua substituição por outro semelhante ou correspondente a ele. Entretanto, não foram arbitrárias – acreditamos – a disposição, a montagem e a diferenciação do material que tentamos apresentar na segunda parte, pois esta se baseia na psicologia e na análise estrutural do arquétipo cujo teor será desenvolvido na primeira parte deste trabalho.

O leitor que não tiver interesse pela natureza densa e teórica do trabalho de pesquisa da Psicologia Profunda poderá, sem receio, iniciar sua leitura pela segunda parte, onde a abundância da matéria e das ilustrações literárias e visuais talvez facilite sua compreensão do mundo arquetípico. Aqueles que, não obstante, buscam aprofundamento de sua experiência e orientação essencial perante a riqueza do inconsciente coletivo não podem prescindir da leitura da primeira parte, mesmo que o façam depois de terem lido a segunda.

Essa observação, porém, não deve ser mal interpretada como se a primeira parte fosse unicamente dirigida a um círculo restrito de psicólogos ligados à pesquisa científica. Nosso empenho objetivou, ao contrário, possibilitar àqueles seriamente interessados uma introdução ao mundo dos arquétipos e facilitar a compreensão da matéria como ocorre em todo início de aprendizado. Por esse motivo, incluímos alguns esquemas na apresentação da primeira parte, o que a experiência nos mostrou ser de extraordinário proveito para a maioria das pessoas – mas não necessariamente para todas – no sentido de lhes facilitar a compreensão do contexto.

Nosso trabalho não trata de um arquétipo em geral, mas de um muito especial, o do Grande Feminino, ou, mais especificamente, o arquétipo da "Grande Mãe".

Este livro, que foi precedido por um pequeno volume com outros trabalhos sobre o mesmo tema e por um comentário sobre o conto de Apuleio, "Amor e Psiquê",* é a primeira parte de uma "Psicologia Profunda do Feminino" (cuja edição o autor aguarda ansiosamente). A investigação das peculiaridades da psique feminina é tarefa das mais necessárias e importantes a que se propõe a Psicologia Profunda, a quem compete o fecundo labor do restabelecimento e desenvolvimento criativos de cada ser humano.

A problemática do Feminino tem exatamente o mesmo significado para os psicólogos da cultura, que reconhecem que a ameaça à humanidade atual assenta-se, em grande medida, no desenvolvimento patriarcal unilateral da mentalidade masculina, que não é mais compensado pelo mundo "matriarcal" da psique. É nesse sentido que a apresentação de um mundo psíquico-arquetípico do Grande Feminino, que tentamos com nosso trabalho, é também uma contribuição para o estabelecimento de uma futura terapia da cultura.

A sociedade ocidental precisa, a qualquer custo, chegar a uma síntese que inclua o mundo feminino, igualmente unilateral quando isolado. Somente assim o ser humano individual poderá desenvolver a totalidade psíquica urgentemente necessária para que o homem ocidental possa estar psiquicamente atento para os perigos que ameaçam por dentro e por fora sua existência.

O modelo ideal da Psicologia Profunda do futuro é o desenvolvimento do indivíduo até que ele atinja a totalidade psíquica, na qual o consciente esteja criativamente unido ao conteúdo do inconsciente. Somente essa integração total de um indivíduo pode tornar possível uma qualidade de vida melhor para a sociedade. Se, num determinado sentido, o corpo são é a base de um espírito e de uma psique sadios, mais ainda um indivíduo sadio serve de base a uma sociedade igualmente saudável. É o fato básico da vida humana coletiva, tão frequentemente ignorado, que confere ao trabalho psicológico com o indivíduo seu significado social e sua relevância para a terapia da cultura humana. Apesar da aparência anacrônica, distante da realidade cotidiana, o trabalho com o mundo arcaico dos arquétipos serve de fundamento a qualquer tipo de psicoterapia e abre ao homem uma visão de mundo a partir da qual não só ele pode se modificar como também lhe oferece uma nova perspectiva da vida e da humanidade como um todo. A assimilação do universo arquetípico leva a uma forma interior de humanização que, por não ser um conhecimento da consciência, mas, sim, uma vivência do ser humano total, se mostrará ainda mais confiável que a forma de humanismo que conhecemos, desprovida de bases psicológicas profundas. Parece-me que um dos sintomas decisivos dessa nova humanização é o desenvolvimento, no indivíduo e na comunidade, de uma consciência psicológica sem a qual é impensável uma futura evolução da humanidade ameaçada.

* Publicado pela Editora Cultrix, São Paulo, 1990.

Capítulo Um

A ESTRUTURA DO ARQUÉTIPO

Quando a Psicologia Analítica se refere à imagem primordial ou ao arquétipo da "Grande Mãe", não se refere à existência de uma imagem concreta existindo com tempo e espaço, mas a uma imagem interior em operação na psique humana. A expressão simbólica desse fenômeno psíquico são as figuras e as imagens da Grande Deusa, reproduzidas nas criações artísticas e nos mitos da humanidade.

O aparecimento desse arquétipo e seu efeito podem ser observados ao longo de toda a história da humanidade, porquanto estão presentes nos rituais, nos mitos e nos símbolos desde os primórdios do homem, e igualmente nos sonhos, nas fantasias e nas realizações criativas de indivíduos enfermos e sadios do nosso tempo.

Para esclarecer o que a Psicologia Analítica compreende por "arquétipo",[1] devemos estabelecer a diferença entre seus componentes dinâmicos ou emocionais, seu simbolismo, seu componente material, sua estrutura.

A dinâmica, o efeito do arquétipo, manifesta-se, entre outros, por processos energéticos no interior da psique, processos esses que operam tanto no inconsciente como entre o inconsciente e a consciência. Esse efeito aparece, por exemplo, em emoções negativas e positivas, em fascinações e projeções e também no medo; além disso, no sentimento de que o ego está sendo subjugado e nos estados maníacos e de depressão. Cada um desses estados, quando se apodera da personalidade como um todo, representa o efeito dinâmico de um arquétipo, independentemente do fato de esse efeito ser aceito ou rejeitado pela consciência humana, de permanecer inconsciente ou de alcançar a consciência.

O simbolismo do arquétipo é a maneira como ele se manifesta sob a forma de imagens psíquicas específicas, que são percebidas pela consciência e peculiares a cada

[1] Jolande Jacobi, "Komplex, Archetyp, Symbol", in: *Schweiz. ZS für Psychologie*, Berna, 1945, vol. IV (Edição comemorativa). [*Complexo, Arquétipo, Símbolo*. Editora Cultrix, São Paulo, 2ª ed., 1991.] (fora de catálogo)

arquétipo. Há que notar que os vários aspectos de um arquétipo aparecem também em imagens diferentes. Dessa forma, o aspecto assustador do arquétipo manifesta-se através de outras imagens que não correspondem às de seu aspecto vivificante e "bondoso". Contudo, o aspecto assustador de um arquétipo, por exemplo a Mãe Terrível, manifesta-se também nos símbolos de algum outro arquétipo, por exemplo, um aspecto negativo do *animus*.

Compreendemos por componente material do arquétipo seu conteúdo significante apreendido pela consciência. Quando, porém, dizemos que um conteúdo arquetípico do inconsciente é elaborado ou assimilado, essa elaboração – se descontamos o teor emocional do arquétipo – diz respeito ao seu componente material.

A estrutura do arquétipo, por outro lado, é a complexa estrutura da organização psíquica, que abrange seu dinamismo, seu simbolismo e seu conteúdo significante, cujo centro e fator unificador inapreensíveis são o próprio arquétipo.[2]

A dinâmica do arquétipo manifesta-se principalmente pelo fato de ele determinar o comportamento humano de maneira inconsciente, mas de acordo com leis e independentemente das experiências de cada indivíduo. "Como condição *a priori*, os arquétipos representam a instância psicológica especial que os biólogos chamam de 'padrão de comportamento', que confere a cada ser vivo sua natureza específica."[3] Esse componente dinâmico do inconsciente exerce no indivíduo, que é guiado por ele, uma pressão irresistível e sempre vem acompanhado por um forte componente emocional.

Portanto, aliado à constelação de um arquétipo sempre existe um estado de comoção biopsíquica. Esta pode desencadear uma modificação das pulsões e dos instintos, e também da paixão e da afetividade, e, num nível mais elevado, da tonalidade afetiva da personalidade – sobre a qual atua o arquétipo. A atuação dinâmica do arquétipo estende-se mais além da reação instintiva inconsciente e desenvolve-se como determinação inconsciente da personalidade, que vai influenciar de maneira definitiva sua disposição, suas inclinações, suas tendências e, por fim, suas opiniões, suas intenções e seus interesses, bem como sua consciência e a forma e direção específicas do seu intelecto.[4]

Quando o conteúdo atuante do inconsciente é reconhecido, impõe-se à consciência, assumindo a forma simbólica de uma imagem. Pois, "qualquer coisa anímica pode ser um conteúdo consciente, isto é, pode ser representado, mas somente se for capaz de representação e se possuir a qualidade de uma imagem".[5]

---

[2] Essa formulação não é uma definição, pois o paradoxo "natureza dos arquétipos" é indefinível. Para esse fim, vale o mesmo simbolismo aplicado à divindade que, descrita como um círculo que abrange o centro e sua periferia, não pode ser definida.

[3] Carl Gustav Jung, "Versuch zu einer psychologischen Deutung des Trinitätsdogmas"; in: *Symbolik des Geistes*, Zurique, 1953, p. 374 – nota.

[4] Não nos ocuparemos aqui com o fato de que este efeito dinâmico do arquétipo determinante desempenha um papel na enfermidade psíquica, especialmente na psicose, mas também na neurose.

[5] Jung, "Geist und Leben"; in: *Seelenprobleme der Gegenwart*, Zurique, 1931, p. 334.

Por esse motivo, até os instintos, dominantes no psiquismo, que, de todos os conteúdos inconscientes, são da mais ampla significação para a totalidade psicológica, parecem estar ligados às representações de imagens. A função do caráter simbólico da imagem na psique é sempre agir profundamente sobre a consciência, "de forma tão eficaz quanto possível", que, obrigatoriamente, a impressão lá permaneça. Assim, por exemplo, uma imagem psíquica cuja finalidade é suscitar a atenção da consciência para, digamos, provocar fuga deve surtir um tal impacto que seu efeito seja infalível. O grau de impressionabilidade, de significação, de carga energética e de numinosidade do símbolo-imagem arquetípico corresponde, portanto, ao valor original do instinto de sobrevivência do indivíduo.

Designamos por "numinoso"[6] o efeito de entidades e forças que a consciência dos homens primitivos vivenciou como fascinantes, terríveis e avassaladoras e que, por esse motivo, foram por ela atribuídas a uma fonte com vago caráter transpessoal e divino.

A representação dos instintos na consciência, ou seja, sua manifestação em imagens, é uma das condições primordiais da consciência em geral,[7] e a gênese da consciência como órgão psíquico vital está decididamente vinculada a este reflexo do processo psíquico inconsciente, que ocorre naquele órgão. Essa constelação fundamental é, em si, um *produto* do inconsciente, que assim constela a consciência, e não apenas uma "atividade" da própria consciência. A este propósito diz Jung: "Poderíamos adequadamente descrever a imagem primordial como uma concepção que o instinto faz de si mesmo ou como uma autoimagem do instinto".[8]

Dessa forma, estão relacionados o plano instintivo das pulsões e o pictórico da consciência, apesar de seu aparente antagonismo, pois "o homem se vê simultaneamente sendo levado a agir e, ao mesmo tempo, estando livre para refletir",[9] e o arquétipo, "além de ser uma imagem em si, é também um dinamismo".[10]

O plano pictórico no qual o arquétipo se revela visível à consciência é o plano do símbolo, onde a atividade do inconsciente se manifesta, na medida em que é capaz de atingir a consciência.[11]

As imagens simbólicas, como representações arquetípicas, devem ser distinguidas do "arquétipo em si".[12] O "arquétipo em si" é "um fator ininteligível, uma disposição que

---

[6] Rudolf Otto, *Das Heilige*, Munique, 1932.

[7] Erich Neumann, *Ursprungsgeschichte des Bewusstseins*, Zurique, 1949. [*História da Origem da Consciência*, Editora Cultrix, São Paulo, 1990.] (fora de catálogo)

[8] Jung, "Instinkt und Unbewusstes"; in: *Über psychische Energetik und das Wesen der Träume*, Zurique, 1948, p. 273s.

[9] Jung, "Theoretische Überlegungen zum Wesen des Psychischen"; in: *Von den Wurzein des Bewusstseins*, Zurique, 1954, p. 566.

[10] Ibid., p. 574.

[11] Jung, *Psychologische Typen*, Zurique, 1921, Def. "Symbol". Cf. Jacobi, "Komplex...", loc. cit.

[12] Jung, "Theoretische Überlegungen"..., loc. cit., p. 577.

começa a atuar num dado momento do desenvolvimento da mente do indivíduo, em que ele passa a organizar o material da consciência em figuras definidas".[13]

Por esse motivo, Jung diz que "os arquétipos existem de modo pré-consciente e, provavelmente, formam as estruturas dominantes da psique em geral, sendo comparáveis ao reticulado cristalino invisível que existe em potencial na solução saturada".[14] Em outras palavras, o "arquétipo em si" é um fenômeno nuclear que transcende a consciência e cuja "presença eterna"[15] é não visível. Contudo, ele não só atua como campo magnético, dirigindo o comportamento inconsciente da personalidade através dos padrões de comportamento estipulados pelos instintos; também surge como *padrão de visão* na consciência, organizando o material psíquico como imagens-símbolo.

Designamos os símbolos que pertencem a um arquétipo como grupo de símbolos ou cânone simbólico. Surge, porém, uma dificuldade, porquanto essa coordenação não é inequívoca. O fato é que os arquétipos não estão isolados uns dos outros no inconsciente; ao contrário, encontram-se num estado de contaminação, de completa interpenetração e fusão recíproca.[16] A contaminação é tanto maior quanto mais fraca é a capacidade de diferenciação da consciência e vai diminuindo à medida que a consciência se desenvolve, e – o que acaba sendo a mesma coisa – torna-se capaz de fazer distinções com maior clareza.

Assim, uma manifestação diferenciada do inconsciente, de seus arquétipos e símbolos corresponde a uma manifestação mais diferenciada da consciência.[17] Durante o processo de desenvolvimento da consciência surge uma vasta gama de manifestações do inconsciente, que vão desde a absoluta "invisibilidade" do "arquétipo em si", passando pelos paradoxos pictóricos, dificilmente definíveis, de sua primeira manifestação – em que imagens que parecem mutuamente exclusivas aparecem lado a lado –, até o "arquétipo primordial".

O termo "arquétipo primordial" merece explicação por parecer um pleonasmo. Utilizamos o conceito de arquétipo com o mesmo significado que o fez Jung, de forma clara, em seus últimos estudos,[18] como um conceito estrutural significando "presença eterna". Porém, visto que para a prática psicoterapêutica, assim como para a compreensão da história da consciência, é significativa uma diferenciação do "arquétipo" no sentido de seu "desenvolvimento" no âmago da psique, atribuímos ao termo "arquétipo primordial" uma conotação ontológica, definindo-o, assim, como a forma que

---

[13] Jung, "Trinitätsdogma", loc. cit., p. 374.

[14] Ibid./Notas.

[15] Jung, *Psychologie und Alchemie*, Zurique, 1944, p. 303.

[16] Jung, "Archetypen des kollektiven Unbewussten"; in: *Von den Wurzeln des Bewusstseins*, loc. cit./p. 52.

[17] Neumann, *História da Origem da Consciência*, loc. cit., p. 348s.
Observação: As constantes referências feitas no texto à *História da Origem da Consciência* remetem às páginas da edição alemã de 1949, e não às páginas da edição Cultrix.

[18] Em especial em "Theoretische Überlegungen"..., loc. cit.

surge na fase inicial da consciência humana, antes de sua diferenciação em arquétipos particulares. O processo da "diferenciação" dos fenômenos arquetípicos, que designamos por "fragmentação dos arquétipos" na *História da Origem da Consciência*, subentende que arquétipos individuais emergem de uma grande massa complexa e levam à formação de grupos arquetípicos coerentes.

A diferenciação dos símbolos e sua organização ocorrem paralelas a esse desenvolvimento. Os símbolos são a visibilidade manifesta do arquétipo, correspondendo à invisibilidade latente deste. Enquanto, por exemplo, podemos encontrar lado a lado no arquétipo primordial os símbolos mais variados e contraditórios, que para a consciência são mutuamente exclusivos – como positivo e negativo, masculino e feminino –, eles depois se separam e se organizam, segundo o princípio dos opostos.

Os símbolos dispõem, como o próprio arquétipo, de um componente dinâmico e de um componente material. Abrangem a totalidade da personalidade humana por eles estimulada e fascinada, induzindo a consciência a interpretá-los.

O componente material do símbolo coloca a consciência em movimento; através da mobilização suscitada pelo mesmo, volta para ele seu interesse a fim de compreendê-lo. Isto quer dizer que o símbolo é visto, além do efeito dinâmico como "transformador de energia",[19] também como "moldador da consciência", impelindo a psique à assimilação do(s) conteúdo(s) inconsciente(s), contido(s) no símbolo.[20] Essa assimilação leva à formação, pela consciência, de concepções, orientações e conceitos; embora provenham originariamente do conteúdo significante dos símbolos e, assim, do inconsciente coletivo, de que faz parte o arquétipo, eles, agora independentes de suas origens, reivindicam a própria existência e legitimidade.[21]

Tomemos como exemplo o arquétipo do "caminho". Pelo que sabemos, esse arquétipo surgiu pela primeira vez na Pré-história, no homem da era glacial. Esses homens primitivos, num ritual em grande parte inconsciente, eram conduzidos a cavernas nas montanhas em cujos interiores, ocultos e de difícil acesso, erigiam seus santuários adornados com imagens de animais no momento de serem abatidos e de cuja caça dependia sua subsistência.

O significado mágico-sagrado dessas pinturas, assim como o das cavernas, é hoje incontestável. Igualmente claro é que o "caminho difícil e perigoso, único acesso para se chegar aos santuários, pertence à realidade ritual dos templos nas montanhas que hoje vemos nas cavernas".[22]

---

[19] Jung, *Über psychische Energetik...*, loc. cit., p. 80.

[20] Neumann, *História da Origem da Consciência*, loc. cit., p. 392.

[21] Ernst Cassirer, *Die Philosophie der symbolischen Formen*, 3 vols.; Berlim, 1923-1931. Vol. II: Das Mythische Denken.

[22] Neumann, "Zur psychologischen Bedeutung des Ritus"; in: *Kulturentwicklung und Religion* (Umkreisung der Mitte, vol. I), Zurique, 1953, p. 9s.

Em níveis culturais posteriores nos quais a consciência estava mais desenvolvida, esse arquétipo assumiu a forma de ritual consciente do caminho, encontrado, por exemplo, no precinto do templo – desde os templos egípcios ao de Boro Budur, no Ceilão –, onde o fiel é obrigado a percorrer um trajeto ritual, desde a periferia até o centro, em direção ao santuário, consumando, assim, o ritual do caminho. As procissões religiosas de todos os povos, como forma de ritual coletivo, levam ainda hoje essas pessoas aos seus santuários. A Via-Crúcis – o caminho do Calvário de Cristo – é outra forma mais altamente desenvolvida desse arquétipo; nele, o caminho do destino torna-se o caminho da salvação e, com suas notórias palavras "Eu sou o caminho", esse arquétipo atinge nova fase, em que se torna completamente interior e simbólico. Esse nível determina todos os comportamentos das gerações seguintes de "fiéis" que "trilharam" o caminho cristão interior. Sobretudo, o símbolo do caminho arquetípico tem exercido influência universal na consciência e na orientação ideológica do homem moderno. Aceitamos como verdadeiras expressões como "caminho interior de desenvolvimento" e também os símbolos correlatos da "orientação" e da "desorientação", que pertencem ao mesmo contexto, assim como dizemos que existem "tendências" ideológicas, políticas ou artísticas. Todas essas formulações linguísticas baseiam-se na realidade do arquétipo do "caminho", cujo padrão determina o comportamento originalmente inconsciente do indivíduo que se encaminha rumo ao objetivo de atingir o sagrado.

A dificuldade em descrever a estrutura de um arquétipo individual reside, em parte, no fato de que o arquétipo e o símbolo irrompem frequentemente ao mesmo tempo em múltiplos planos. A fenomenologia das manifestações arquetípicas estende-se desde a pulsão instintiva do indivíduo primitivo, pertencente a um grupo, até as formulações de conceitos e ideais nos sistemas filosóficos da vida moderna. Em outras palavras, uma infinidade de formas, símbolos e imagens, aspectos e conceitos que se sobrepõem e se excluem mutuamente, e se complementam, manifestam-se aparentemente independentes uns dos outros. Todos eles, porém, estão ligados a *um* arquétipo – por exemplo, o da Grande Mãe, fato que se impõe ao observador interessado em descrever ou, ainda, em compreender o que seria um arquétipo, ou esse arquétipo em particular. Conquanto essa pluralidade seja, em última análise, "variações em torno de um tema principal",[23] sua variedade é tão grande e os elementos opostos nele reunidos são tão multifacetados que devemos falar de uma polivalência simbólica do arquétipo, além de citar sua "presença eterna".

A manifestação do arquétipo como expressão simbólica do inconsciente pode, na relação com o homem, ser formulada a partir de dois pontos de vista que, apesar de parecerem contraditórios, são, na realidade, complementares. O arquétipo pode se manifestar de forma "espontânea" ou se manter numa relação de compensação com a

---

[23] Jung, *Von den Wurzeln...*, loc. cit., p. 576.

consciência da pessoa na qual ele surge. Quando o arquétipo se apresenta como expressão espontânea do inconsciente, age de maneira independente da situação psíquica do indivíduo e do grupo, como força autônoma que determina a situação real. Isto é mais pronunciado em fenômenos de irrupção, como é o caso da psicose, em que os fenômenos arquetípicos irrompem inesperadamente e com a estranheza do "totalmente outro", estado em que é impossível que haja relações satisfatórias entre o conteúdo que irrompe e a vítima da irrupção. Mas, até mesmo nesses casos, podemos comprovar, ao menos parcialmente, ligações compreensíveis entre o tipo e o conteúdo da psicose e a personalidade do indivíduo afetado.

Isso significa, contudo, que a manifestação arquetípica não é isolada; ao contrário, é determinada – devemos dizer para complementar o quadro – pela constelação total do inconsciente coletivo. Ela não depende apenas da raça, do povo e do grupo, do período histórico e da situação vigente, mas também e definitivamente da situação do indivíduo em quem se dá.

> Quando dizemos que os arquétipos e os símbolos são espontâneos e independentes da consciência, nos referimos ao fato de que o ego, como centro da consciência, não tem participação ativa nem intencional na formação e no surgimento do símbolo ou do arquétipo, isto é, que a consciência não pode "fazer"[24] um símbolo nem "escolher" a vivência de um arquétipo. Isso não impede, contudo, uma relação entre o arquétipo ou o símbolo com a totalidade da personalidade, assim como com a consciência. Com efeito, as manifestações do inconsciente não consistem meramente numa expressão espontânea de processos inconscientes, mas também são reações à situação da consciência da pessoa; essas reações são um fator de compensação, assim como frequentemente ocorre conosco nos sonhos. Isso significa que o surgimento de símbolos e imagens arquetípicas também é em parte determinado pela estrutura tipológica e individual do sujeito, pela situação que atravessa, por sua atitude consciente, sua idade etc.

À medida que se desenvolve a individualização da humanidade, devemos ter em mente a originalidade da situação individual para a compreensão da reação arquetípica, quando pesquisamos, por exemplo, a relação de um artista como Leonardo da Vinci com o arquétipo.[25] Quanto mais se tratar de expressão espontânea do inconsciente coletivo, e quanto mais coletiva for a constelação do inconsciente – como era nos primórdios da humanidade –, mais poderemos prescindir do conhecimento de uma situação individual quando desejarmos atingir o conhecimento de uma estrutura arquetípica.

---

[24] Mesmo no caso excepcional da formação do "símbolo unificador" (Jung, *Psychologische Typen*, loc. cit., Def., p. 51), existe uma atividade do ego e da consciência, mas, nessas circunstâncias, o ego também não "faz" nada ao contrário, apenas participa da constelação do inconsciente.

[25] Comp. c/ Neumann, "Leonardo da Vinci und der Mutterarchetyp"; in: *Kunst und schöpferisches Unbewusstes* (Umkreisung der Mitte, vol. III), Zurique, 1954.

Porque certas relações constantes são demonstráveis na psicologia profunda da humanidade, e porque até certo ponto é possível a coordenação entre os fenômenos psíquicos e os estágios históricos no desenvolvimento da consciência humana, a análise estrutural de um arquétipo particular é possível.

O termo "Grande Mãe", como aspecto parcial do "Grande Feminino", é uma abstração posterior, que já pressupõe a existência de uma consciência especulativa altamente desenvolvida. Inclusive, a designação do Grande Feminino como *magna mater* surge relativamente tarde na história da humanidade. Ela, no entanto, já era venerada e representada em imagens milhares de anos antes de esse termo ter aparecido. Mesmo numa designação relativamente tardia como essa, está evidente que não é meramente conceitual a combinação das palavras "mãe" e "grande", mas que esta consiste na reunião de símbolos coloridos pelo emocional. "Mãe", neste caso, refere-se não só à relação de filiação, mas também a uma complexa condição psíquica do ego, da mesma forma que o termo "grande" expressa o caráter simbólico de superioridade que a figura arquetípica possui em comparação com o que está presente em todos os homens e, aliás, em todas as criaturas. Se, no Egito, a deusa Toeris (Ta-urt) é chamada "a Grande", esta é, portanto, a expressão simbólica do anonimato impessoal do arquétipo, análoga à forma "As Mães" empregada no plural por Goethe.

Antes de ocorrerem os abrangentes fenômenos ligados à *figura* humana da Grande Mãe, verificamos o surgimento espontâneo de vasta gama de símbolos, que se referem à sua imagem ainda não determinada e amorfa. Tais símbolos, especialmente os da natureza em todos os seus reinos, estão, de certa forma, marcados pela imagem do Grande Maternal, que vive neles e lhes é idêntica, sejam eles uma pedra, uma árvore, um lago, uma fruta ou um animal. Aos poucos eles se unem à figura da Grande Mãe como atributos e criam o círculo de aspectos simbólicos que cinge a figura arquetípica e se manifesta no rito e no mito.

Esse círculo de imagens simbólicas, porém, envolve não apenas *uma* figura, mas uma pluralidade de figuras de "Grandes Mães", as quais a humanidade se incumbiu de difundir através dos hábitos, dos rituais, dos mitos, das religiões e das fábulas, sob a forma de deusas e fadas, demônios femininos e ninfas e de entidades graciosas ou malévolas. Todas são formas de manifestação de um só Grande Desconhecido, a "Grande Mãe", que é o aspecto central do Grande Feminino.

Um traço fundamental do "arquétipo primordial" consiste no fato de que ele reúne em si atributos positivos e negativos e, ao mesmo tempo, grupos de atributos. Essa *coincidentia oppositorum* (união de opostos) do arquétipo primordial, sua ambivalência, é a característica da situação original do inconsciente que a consciência ainda não conseguiu dissecar em antíteses. O homem pré-histórico vivenciou a paradoxal simultaneidade de bom e mau, de amistoso e terrível, como qualidades atribuídas à divindade como unidade; com o correr do tempo, durante o processo de desenvolvimento da consciência, a deusa bondosa e a deusa má passaram a ser reverenciadas cada uma à sua vez, como seres dotados de poderes diferentes.

O arquétipo primordial pertence a uma consciência e a um ego ainda incapazes de diferenciação. Seus efeitos e suas manifestações são ainda mais fortes e desconcertantes quanto maiores forem as contradições nele envolvidas. A natureza do arquétipo primordial é paradoxal, indiscernível e irrepresentável, uma vez que, contendo em si uma grande quantidade de motivos e símbolos contraditórios, essa pluralidade se resume no um – ele próprio.

Por esse motivo, a numinosidade do arquétipo na fase primeva da consciência ultrapassa de tal forma a capacidade de representação humana que elimina, a princípio, qualquer tipo de configuração, e, mais tarde, se o arquétipo primordial atinge uma forma na imaginação do homem, suas representações surgem com um aspecto monstruoso, colossal e desumano. Surgem, nessa fase, as figuras quiméricas compostas de vários animais e criaturas semi-humanas, como as gárgulas, as esfinges, as harpias etc., do mesmo modo que aparecem monstruosidades como figuras maternas fálicas e barbadas. A miscelânea de todos os símbolos vigentes no arquétipo primordial só se dissipa quando a consciência é capaz de se distanciar e quando aprendeu a reagir com mais sutileza, tendo adquirido uma capacidade de distinção e percepção mais diferenciadas; é assim que se tornam reconhecíveis os grupos e conjuntos de símbolos característicos de um arquétipo individual ou de um grupo de arquétipos correlatos. No decorrer de longos períodos de desenvolvimento, as forças da tradição interna e externa se tornam tão fortes que as imagens intuitivas do arquétipo adquirem, finalmente, contorno formal característico que possibilita ao homem a moldagem de imagens sagradas.

Teremos que ampliar bastante o âmbito da nossa observação ao tentarmos descrever a estrutura do arquétipo da "Grande Mãe" ou o "Grande Feminino" utilizando grande número de ilustrações. Só podemos chegar a uma compreensão dos arquétipos e dos símbolos individuais pela amplificação, que é um método da Psicologia Comparativa e Morfológica, através do qual se busca a interpretação de material análogo, procedente das mais diversas áreas da História da religião, da Arqueologia, dos estudos da Pré-história, da Etnologia, e assim por diante. Contudo, nosso tema é a representação simbólica do self arquetípico, que, tendo-se servido do homem como veículo, fala a nós nas obras de arte, moldadas em parte conscientemente, em parte inconscientemente.

Os arquétipos do inconsciente coletivo se manifestam, como Jung descobriu há muitos anos,[26] nos "motivos mitológicos", os quais podem se apresentar de forma análoga ou idêntica em todas as épocas e em todos os povos, e podem até mesmo

[26] Jung, *Wandlungen und Symbole der Libido*, Leipzig e Viena, 1912.

surgir de forma espontânea – sem nenhum conhecimento consciente – do inconsciente do homem moderno.

Visto que não podemos pressupor o conhecimento dessa descoberta básica, decisiva para a Psicologia Profunda moderna, precisamos lançar mão de um exemplo para ilustrar esse fato e, afora isso, remeter o leitor à extensa obra de Jung, na qual a descoberta do inconsciente coletivo ocupa lugar central. Em nome da simplicidade, extraímos literalmente o exemplo da dissertação feita por Jung em "A estrutura da psique".[27] Jung conta sobre um dia em que viu um homem com problemas mentais no corredor do sanatório olhando o sol pela janela e piscando as pálpebras e, ainda, movendo estranhamente a cabeça de um lado para o outro:

> Ele me segurou logo pelo braço e disse que queria me mostrar uma coisa. Disse ele que eu deveria piscar as pálpebras e olhar para o sol, pois eu veria o pênis solar. Disse ainda que, se eu movesse a cabeça de um lado para o outro, o pênis do sol também se movimentaria, e que esta era a origem do vento. Fiz essa observação por volta de 1906. Durante o ano de 1910, quando me dedicava a estudos de mitologia, chegou-me às mãos um livro de Dieterich, que era uma versão revista de um trecho do assim chamado "Papiro mágico de Páris". Dieterich considerava o trecho da obra que ele havia pesquisado uma liturgia do culto a Mitra. O texto em questão consistia em uma série de preceitos, invocações e visões. Uma dessas visões é descrita, literalmente, da seguinte maneira: "De forma semelhante ver-se-á o tubo, que é a origem do vento ativo. Verás, portanto, algo semelhante a um tubo pendendo do disco solar e que está dirigido à região ocidental, como se fosse soprado por uma corrente interminável de vento leste. Entretanto, se o outro vento soprar em direção ao Oriente, verás de forma semelhante que a visão voltar-se-á para aquela direção".
>
> A palavra grega αὐλόζ para designar tubo significa instrumento de sopro e, na combinação utilizada por Homero, αὐλόζ παχύζ, é "um forte jorro de sangue". É evidente que uma corrente de vento sopra através do tubo que parte do sol.
>
> A visão que meu paciente tivera em 1906 e o texto grego, editado pela primeira vez somente em 1910, estavam suficientemente distantes no tempo, de modo que podemos excluir a possibilidade de uma criptomnésia, da parte dele, e de uma transmissão de pensamento, de minha parte. Não se pode negar o paralelismo evidente que existe entre as duas visões; não obstante, podemos argumentar que se trata de uma semelhança meramente casual. Não poderíamos, portanto, esperar que nesse caso houvesse ligações com ideias análogas, nem que houvesse um sentido inerente à visão. Essa expectativa, porém, não é válida, considerando-se que em certas pinturas medievais esse tubo é efetivamente representado, inclusive como um tipo de mangueira de regar que pende do céu e penetra sob as vestes de Maria no momento da *conceptio immaculata*, descendo por ele o Espírito Santo sob a forma de uma pomba, para fecundar a Virgem. O Espírito Santo é representado na

[27] Jung, "Die Struktur der Seele"; in: *Seelenprobleme*..., loc. cit., p. 143ss.

> tradição antiga, como sabemos pelo milagre de Pentecostes, como um vento uivante poderoso, o πνεῦμα (pneuma) – "O vento sopra aonde ele quer" – τί πνεῦ μα πνεῖ ὅπου ϑέλει. *Animo descensus per orbem solis tribuitur*: Diz-se que o "Espírito desce pelo círculo solar". Essa concepção é comum a toda filosofia clássica antiga e medieval.[28]

Esse exemplo deve ser suficiente para esclarecer que o arquétipo é um motivo mitológico e que, como conteúdo "eternamente presente" do inconsciente coletivo – ou seja, comum a todos os homens –, pode aparecer tanto na teologia egípcia como nos mistérios helenísticos de Mitra, no simbolismo cristão da Idade Média e nas visões de um doente mental dos dias de hoje.

O arquétipo não é somente um dinamismo (*dynamis*), uma força condutora que, como a religião, exerce influência sobre a psique do homem, mas também corresponde a uma "concepção", a um conteúdo inconsciente. Na imagem simbólica do arquétipo existe determinada coerência de significado, cuja compreensão só pode ser alcançada – e com muito esforço – por uma consciência altamente desenvolvida. É por isso que a seguinte frase de Jung ainda é válida para a consciência moderna: "O mitologema é a linguagem primordial desses processos psíquicos e nenhuma formulação intelectual consegue sequer aproximar-se da profundidade e da força de expressão das imagens míticas. Trata-se de imagens primordiais cuja representação faz-se melhor e da forma mais sucinta utilizando-se a linguagem figurativa".[29] Essa "linguagem figurativa" é a linguagem dos símbolos, a linguagem original do inconsciente e da humanidade.

Como expusemos em outra ocasião,[30] o homem ancestral – assim como a criança – percebe o mundo "mitologicamente", isto é, vivencia o mundo predominantemente formando imagens arquetípicas que projeta nele. A criança, por exemplo, vivencia na mãe, em primeiro lugar, o arquétipo da Grande Mãe, ou seja, a realidade de um Feminino numinoso e onipotente do qual essa criança é totalmente dependente, e não a realidade objetiva e pessoal dessa mãe – a mulher historicamente individual –, aquela que surgirá como figura da mãe para essa criança, quando mais tarde ela tiver desenvolvido o ego e a consciência. Da mesma forma, o homem primitivo não se refere a "condições meteorológicas" da mesma forma que o faz o homem moderno, pois para aquele tais fenômenos eram manifestações divinas ou de um poder semelhante, das quais dependia seu destino e às quais seu comportamento estava ligado de forma irracional, mágica ou ético-religiosa. Basta, por exemplo, que consideremos

---

[28] A forma mais antiga que conhecemos dessa concepção arquetípica encontra-se – como de costume – no Egito, mais especificamente na união de Rá, o "Deus-Sol" – que lá é representado como o Criador por excelência – com Amon, o "Sopro de Vida", dando origem à figura de "Amon-Rá". Sobre esse assunto, comp. c/ Henry Frankfort, *Kingship and the Gods*, Chicago, 1948, p. 160s.

[29] Jung, *Psychologie und Alchemie*; loc. cit., p. 44.

[30] Neumann, *História da Origem da Consciência*; loc. cit., p. 54s.

a chuva e sua conotação de fertilidade, frequentemente associadas a decisões relativas à vida e à morte. As orações, as procissões etc., realizadas com a intenção de pedir chuva, são, até hoje, expressão dessa mentalidade aperceptiva mitológica que orientou quase por completo a vida da cultura nos primórdios.

Inicialmente, a vida humana é determinada num grau muito maior pelo inconsciente que pelo consciente. É regida antes por imagens arquetípicas que por conceitos, pelos instintos mais que pelas decisões voluntárias do ego. O homem é, a princípio, mais uma parte do grupo a que pertence que um indivíduo particular. Da mesma forma, ele não vivencia o mundo inicialmente a partir do que é percebido pela consciência, mas, sim, com o inconsciente o experimenta.[31] Em outras palavras, ele percebe o mundo não através das funções da consciência, como um mundo objetivo, o qual pressupõe a separação entre sujeito e objeto, mas, sim, mitologicamente, em imagens arquetípicas, em símbolos, que são uma expressão espontânea do inconsciente e ajudarão a psique a se orientar no mundo, e ainda, na qualidade de motivos mitológicos, vão configurar as mitologias de todos os povos.

Isto significa que os símbolos não se relacionam com o ego individual como o fazem as funções da consciência, mas, sim, com a totalidade do sistema psíquico, que abrange a consciência e o inconsciente. Por esse motivo, encontram-se no símbolo não só elementos conscientes e inconscientes, mas também, com os símbolos e os elementos simbólicos que a consciência consegue elaborar de forma relativamente rápida, estão aqueles elementos que só podem ser assimilados no decurso de longo período de desenvolvimento. E ainda há os que não são assimilados de forma nenhuma e permanecem irracionais e mais além do alcance da consciência.[32]

A autonomia do símbolo natural em relação à consciência também se manifesta na medida em que sua própria estrutura representa o caráter do inconsciente de onde se origina. Enquanto a separação entre Eu e Tu, entre sujeito e objeto é característica da consciência, no símbolo são retomados os atributos fundamentais da "situação original" do inconsciente. Não só os elementos racionais e irracionais, conscientes e inconscientes, oriundos tanto do mundo interior como do exterior, fundem-se no "símbolo", como o próprio termo conota; além disso, aqueles elementos aparecem no símbolo como unidade original e natural.

As imagens simbólicas do inconsciente são a fonte criativa do espírito humano em todas as suas realizações. Não são só a consciência e os conceitos referentes à sua compreensão filosófica do mundo que têm origem no símbolo; a religião, o rito e o culto, a arte e os costumes também nascem dele. E, mais ainda, considerando-se que o processo de formação dos símbolos no inconsciente é a origem do espírito humano, a língua, cujo nascimento e desenvolvimento histórico é quase idêntico à gênese e à

---

[31] Isso também se aplica, de forma mais branda, ao homem moderno, na medida em que essa modalidade funcional, apesar de menos proeminente, nunca deixou de existir.

[32] Jung, *Psychologische Typen*; loc. cit., Def. 51.

evolução da consciência humana, também é, a princípio, uma linguagem simbólica. A propósito, diz Jung: "Tudo aquilo que um conteúdo arquetípico exprime é, antes de qualquer coisa, uma *figura de linguagem*. Se ela fala do sol e identifica-o com o leão, com o rei, com o tesouro vigiado pelo dragão e com a vitalidade ou 'potencial de saúde' dos homens, não é especificamente nem uma coisa nem outra, mas um terceiro elemento desconhecido, que se expressa de maneira mais ou menos adequada através de todos esses símiles. Entretanto, para o perpétuo constrangimento do intelecto, aquilo permanece desconhecido e informulável".[33]

Esse exemplo nos serve para esclarecer, mais uma vez, o que entendemos por apercepção mitológica, bem como ilustra a tendência dos símbolos em unir elementos contraditórios a partir de entrelaçamentos, sobreposições e intersecções, pondo assim em contato os vários domínios da vida. O símbolo indica, sugere e estimula. Dessa maneira, põe a consciência em movimento, levando, com isso, ao emprego de todas as suas funções para uma assimilação do símbolo, pois, com efeito, uma elaboração meramente conceitual deste se mostra totalmente ineficiente. O sentimento, a intuição e a sensação são igualmente envolvidos pelo símbolo, de maneira mais ou menos intensa. Nesse caso, o efeito do símbolo manifesta-se de maneira distinta no homem primitivo e no homem moderno.

Enquanto o efeito do símbolo compensa a preponderância da consciência no homem ocidental contemporâneo, no homem primitivo tal efeito era não só revigorante para a consciência como decididamente era seu próprio dinamismo criador. Através do símbolo, a humanidade eleva-se de uma fase ancestral de ausência de formas e imagens, e de uma cegueira da psique limitada ao inconsciente, para o estágio da criação das formas, em que a atividade criativa da mente é condição essencial para o surgimento e o desenvolvimento da consciência.[34]

---

[33] Jung e Karl Kerényi, "Das göttliche Kind. Zur Psychologie des Kind-Archetypus"; in: *Einführung in das Wesen der Mythologie*, Amsterdã e Leipzig, 1942, p. 114s.

[34] Neumann, *História da Origem da Consciência*, loc. cit., p. 390.

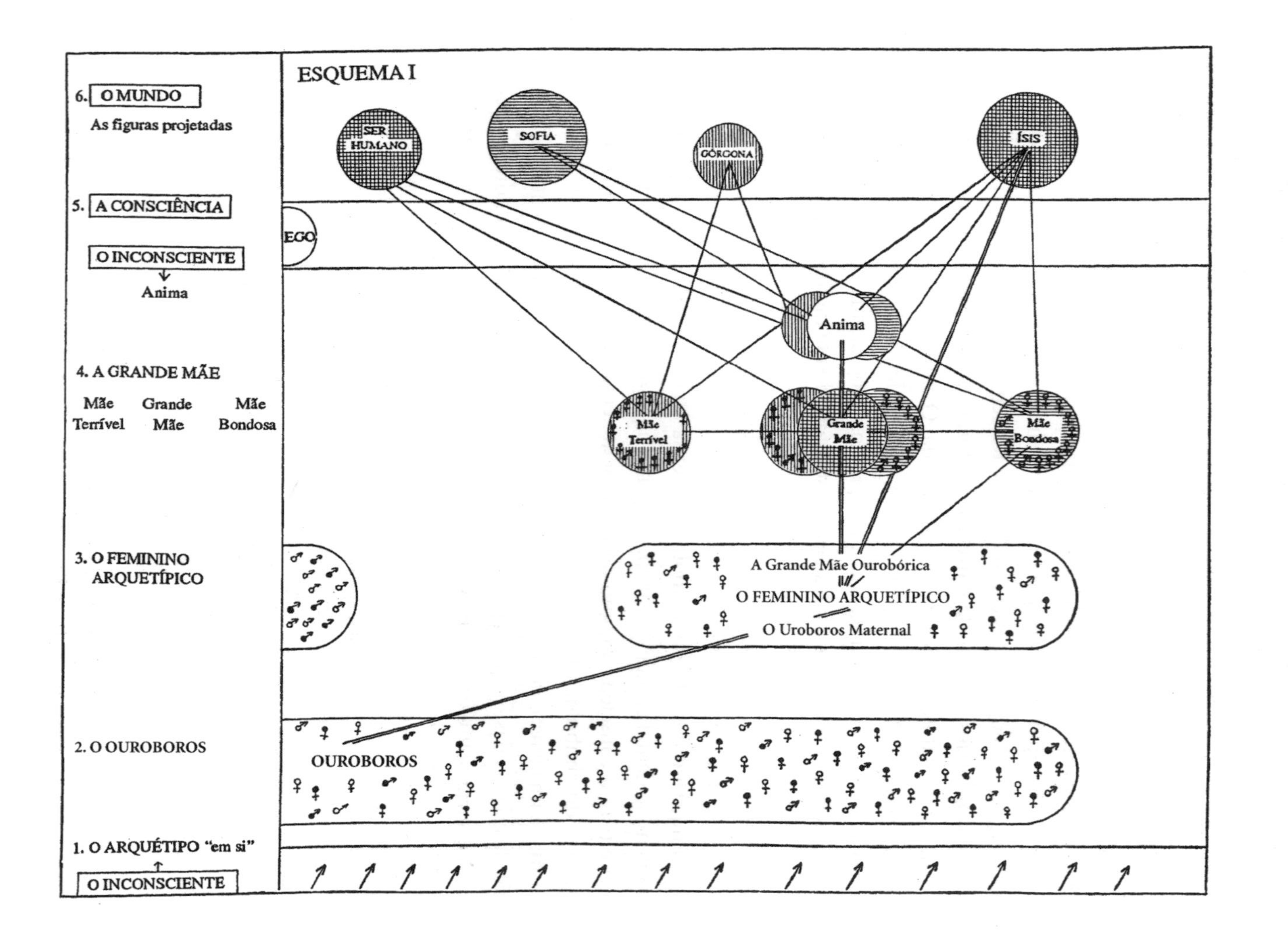
ESQUEMA I
6. O MUNDO
As figuras projetadas
5. A CONSCIÊNCIA
O INCONSCIENTE
Anima
4. A GRANDE MÃE
Mãe Terrível
Grande Mãe
Mãe Bondosa
3. O FEMININO ARQUETÍPICO
2. O OUROBOROS
1. O ARQUÉTIPO "em si"
O INCONSCIENTE
SER HUMANO
SOFIA
GÓRGONA
ÍSIS
EGO
Anima
Mãe Terrível
Grande Mãe
Mãe Bondosa
A Grande Mãe Ourobórica
O FEMININO ARQUETÍPICO
O Uroboros Maternal
OUROBOROS

Capítulo Dois

O GRANDE FEMININO E A GRANDE MÃE

Com este primeiro esquema, tentaremos esclarecer como ocorre o processo de formação de imagens, apresentando seu desenvolvimento desde o estágio do ouroboros, passando pelo Grande Feminino, até chegar à Grande Mãe e a outras diferenciações.

Para a compreensão deste esquema, precisamos esclarecer o significado de alguns conceitos fundamentais nele utilizados. O ouroboros, a imagem da serpente circular que morde a própria cauda – como foi minuciosamente apresentado em outra ocasião –,[1] é o símbolo do estado psíquico inicial e da situação primordial, em que a consciência e o ego do ser humano ainda são infantis e não desenvolvidos. O símbolo da origem e dos opostos nela contidos é o "Grande Círculo", no qual se fundem e interpenetram o positivo e o negativo, o masculino e o feminino, os elementos pertinentes à consciência – e os hostis a ela – e os elementos inconscientes. Nesse sentido, o ouroboros também é um símbolo da ausência de diferenciação entre o caos, o inconsciente e a totalidade da psique, a qual será vivenciada pelo ego como estado limítrofe.

A totalidade urobórica (ou ourobórica), que também surge como símbolo dos pais primordiais unidos, os quais se dividem posteriormente na figura do Grande Pai e da Grande Mãe, é, assim, o exemplo mais perfeito do "arquétipo primordial" ainda indiferenciado. Embora o caráter paradoxal e polivalente de suas imagens não se faça perceber no símbolo aparentemente simples da serpente circular, este se torna imediatamente evidente assim que procuramos diferenciar a multiplicidade inesgotável de significados nele embutidos.[2]

---

[1] Neumann, *História da Origem da Consciência*, loc. cit., capítulo "Die Grosse Mutter", p. 53ss.

[2] Os símbolos mais antigos que surgiram na humanidade são também os mais simples e, em geral, os designamos "abstratos", a saber, o círculo, a cruz etc. Estão mais próximos da invisibilidade do "arquétipo em si" e devem ser interpretados como forma inicial pré-concreta e pré-pictórica, cuja simplicidade é elementar e não abstrata. Ao longo do desenvolvimento psíquico, sua estrutura esquemática adquire cada vez mais conteúdos significantes. Todavia, com a continuação do processo de desenvolvimento da consciência; eles se desemocionalizam progressivamente, para, por fim, serem vivenciados como símbolos

O ouroboros, como símbolo da origem, situa-se entre o fenômeno amorfo e meramente efetivo do "arquétipo em si" e as figuras já especificadas do arquétipo primordial, por exemplo, o do "Grande Feminino" ou o do "Grande Masculino". Mas são fluidas as transições entre o "ouroboros" e o arquétipo primordial do "Grande Feminino", assim como o são entre este último e o arquétipo da "Grande Mãe". Pois o grau de interpenetração dos arquétipos entre si e a dificuldade de discernir umas das outras figuras ainda quase amorfas aumentam à medida que penetramos mais fundo no inconsciente coletivo – ou seja, quanto mais antigo é o símbolo e menos desenvolvida é a consciência da personalidade, em cuja psique emerge esse símbolo. Quando nos referimos a um "ouroboros maternal", isso significa que no "Grande Feminino" desta fase a ênfase recai no elemento urobórico ou ourobórico, sendo o maternal apenas secundário. Em compensação, falamos de uma "Grande Mãe Ourobórica" se a figura arquetípica do ouroboros transparece, de fato, através da figura da Grande Mãe, revelando seu simbolismo peculiar e seu modo de agir característico. Entretanto, a realidade configurada da "Grande Mãe" é dominante.

Para tornar nossa descrição do arquétipo primordial tão "aconceitual" quanto sua realidade psíquica, evitamos especificar em nosso esquema símbolos, atributos, padrões de comportamento etc. Contentamo-nos em fazer distinções entre atributos "masculino" e "feminino", "positivo" e "negativo": a cor branca designa atributos "positivos", e a cor preta, atributos "negativos"; também empregamos os símbolos mais comumente usados para indicar masculino e feminino.[3]

Para a compreensão do nosso primeira esquema é de fundamental importância o conhecimento do conceito de "projeção".[4] Assim como um aparelho cinematográfico projeta uma imagem atrás do espectador na tela à sua frente – o "plano da projeção" –, da mesma forma os conteúdos do inconsciente são inicialmente "projetados" indiretamente como conteúdos do "mundo exterior", e não vivenciados diretamente como conteúdos do inconsciente. Assim, por exemplo, um "demônio" não se refere a uma parte da pessoa para quem ele surge, mas é visto como um ser que existe no mundo exterior, onde atua.

Além do "plano exterior de projeção" existe também um "plano interior de projeção", no qual os conteúdos do inconsciente se refletem. Como fenômenos "internos", não se destinam a algum mundo exterior, mas conservam, como os sonhos, seu caráter de projeção. Por esse motivo, o mundo onírico mostra-se ao ego onírico como algo

---

abstratos da consciência. É como se o aspecto essencial do arquétipo abarcasse por igual a maior profundidade e as mais elevadas dimensões do desenvolvimento da consciência humana, uma vez que os signos que foram utilizados por ele, no início, como símbolos da multiplicidade ainda inarticulada e em estágio informe serão empregados, por fim, para a abstração conceitual subsequente.

[3] Tendo em vista que o simbolismo do que deve vir a ser designado como "feminino" é o tema principal deste livro, sua definição não se esgota numa primeira apresentação.

[4] Jung, *Psychologische Typen*, loc. cit., Def. 43.

exterior, e os conteúdos do "plano de projeção interior" são, de fato, "conteúdos psíquicos" vivenciados pelo ego onírico, na projeção, como conteúdos de fora.

O Esquema I divide-se em três camadas: o inconsciente, a consciência e o mundo. Tomemos em primeiro lugar o inconsciente, cuja representação está dividida em seis níveis:

1) Este plano é a realidade não visual e a atuação do "arquétipo em si".
2) O ouroboros, do qual está representada apenas uma metade (a direita), posto que nosso interesse está voltado somente para o desenvolvimento do aspecto feminino. Ele contém, como exemplos de sua polivalência simbólica, quatro elementos-símbolo, aos quais nosso esquema recorrerá para representar o desenvolvimento: masculino positivo ♂, feminino positivo ♀; masculino negativo ♂ e feminino negativo ♀. Todos eles agem lado a lado desordenadamente, isto é, o ego infantil que pertence à situação original vivencia a proteção feminina maternal (♀) e, ao mesmo tempo, a agressão assassina (♂). Através do mesmo "objeto", que é o portador do ouroboros – independentemente do fato de se tratar de uma pessoa ou de uma divindade –, o pequeno ego pode vivenciar tanto a força devoradora feminina (♀) como também uma força que protege ativamente sua consciência e seu ego (♂). A mistura de todos estes elementos corresponde ao caráter não visual da situação, a qual a consciência não consegue apreender de forma adequada, e se revela por uma imagética paradoxal dos símbolos. (A quantidade de elementos não é relevante.)
3) Ocorre uma diferenciação em o "Grande Feminino" e o "Grande Masculino".[5] O Grande Feminino contém traços do "Ouroboros maternal" e da "Grande Mãe Urobórica". Nele residem, essencialmente, os elementos do Feminino (♀♀), mas desordenadamente, e, por isso, imprevisíveis e inapreensíveis à vivência do ego. Nesse "arquétipo primordial" do Feminino também existem, ao lado da preponderância de elementos femininos, determinantes masculinos positivos e negativos (♂♂).
4) Uma forma configurada da "Grande Mãe" destaca-se do arquétipo primordial, e nela torna-se visível uma organização dos elementos. Ela assume três formas: a Mãe Bondosa, a Mãe Terrível e a Mãe Bondosa-Má. Os elementos femininos (e masculinos) bons configuram a "Mãe Bondosa", que, tanto quanto a "Mãe Terrível", detentora dos elementos negativos, também pode emergir de forma independente da unidade da Grande Mãe. A terceira forma é aquela da "Grande Mãe" que é boa e má e permite a união de atributos positivos e negativos.

[5] Não daremos prosseguimento aqui à evolução correspondente do Masculino arquetípico para o Grande Pai etc.

A Grande Mãe, a Mãe Bondosa e a Mãe Terrível formam um "grupo arquetípico"[6] homogêneo.

5) O quinto estágio do nosso esquema refere-se ao plano entre o mundo e a consciência ligada ao inconsciente. A esse plano pertence o ego como centro do sistema da consciência. O ego pode observar e vivenciar, de forma direta ou indireta, as constelações arquetípicas do inconsciente. Ele o faz diretamente quando as distingue como imagens psíquicas no plano interior da projeção e indiretamente quando as vivencia projetando-as no mundo. O homem moderno, dotado de consciência reflexiva, fala de uma experiência psíquica direta quando um conteúdo da psique – por exemplo, um arquétipo – surge no sonho, numa visão ou na fantasia. Para nós, uma experiência psíquica indireta refere-se a uma situação na qual um conteúdo psíquico é vivenciado como elemento do mundo exterior – por exemplo, quando se considera um demônio como o espírito que dá vida a uma pedra, a uma árvore etc.[7]
6) O sexto plano do nosso esquema é a camada extrapsíquica, posto que a descrevemos como o "mundo". Nosso diagrama, porém, se considera ao mundo somente como plano externo de projeção, no qual serão vivenciadas as imagens internas nele projetadas.

A experiência indireta das imagens arquetípicas pela consciência ocorre no "mundo", especialmente através de figuras ou pessoas (as que se referem a situações determinadas, objetos isolados, símbolos etc. não serão consideradas neste caso). Compreendemos por experiência através de "figuras" preferencialmente as experiências relativas a divindades. Representamo-las pelo exemplo de divindades femininas: a Ísis egípcia, a Górgona greco-helenística e Sofia, ou sabedoria, que é uma figura da tradição helenística e judaico-cristã.

As figuras dos deuses são vivenciadas pela personalidade como "exteriores", isto é, como aquilo que o ego normal designa como "real". Assim, para os gregos, o Olimpo e seus deuses eram "exteriores" e consistiam num "mundo", ao contrário de nós, que os consideramos uma realidade psíquica "interior" helenística. Uma vez que as "figuras", sob o ponto de vista psicológico, são imagens interiores projetadas, indicaremos no esquema, através de traços, quais delas estão ligadas a estruturas arquetípicas no inconsciente.

---

[6] O estágio da *anima* em seus aspectos positivos e negativos, e cuja figura se separou da Grande Mãe, será analisado mais adiante.

[7] Essa distinção não é válida para a consciência mais ingênua e incapaz de reflexão do homem primitivo ou, inclusive, é possível que tenha sentido exatamente oposto. Para o ponto de vista claramente extrovertido do homem primitivo passa como experiência direta, por exemplo, o surgimento de um deus na "realidade exterior". Por outro lado, sua aparição no sonho ou nas visões terá valor menor como experiência indireta se o deus surgir "somente" no sonho e não "frente a frente" para esse homem.

Assim, a figura assustadora da Górgona, cuja cabeça é coberta por víboras serpenteantes e cujo olhar petrificava a vítima, é uma projeção da Mãe "Terrível", enquanto a figura de Sofia é uma projeção da Mãe "Bondosa". A figura de Ísis, que une em si os traços da Mãe Terrível e da Mãe Bondosa, corresponde, portanto, ao arquétipo da Grande Mãe. Indo mais além, podemos encontrar em sua composição indicações do arquétipo primordial do "Grande Feminino" e do "ouroboros".[8]

Não só com as "figuras" sobre-humanas, mas também com as pessoas nas quais eles são projetados ocorre uma experiência indireta dos arquétipos. No esquema, os exemplos referentes às figuras encontram-se no espaço relativo ao mundo, indicado pelos algarismos romanos I, II e III. Encontramos, portanto, em (I) o âmbito pessoal da Górgona, que ao ser projetada numa mulher fará com que se sinta imobilizada pelo terror da neurose de ansiedade a pessoa que com ela se relacionar. Imaginemos, da mesma forma, pessoas em (II) e (III), as quais vivenciam inconscientemente, a partir de uma projeção, as figuras de Sofia e de Ísis, respectivamente. Os fenômenos de projeção dessa natureza são, como revelou a moderna Psicologia Profunda, cruciais tanto para um desenvolvimento normal como no tocante à origem das psiconeuroses e para sua terapia.

A análise estrutural do arquétipo da Grande Mãe é, naturalmente, de interesse fundamental para uma psicologia do Feminino em geral. Mas, antes de tentarmos acompanhar o desenvolvimento arquetípico, será igualmente indispensável tornar bem claro aquilo que entendemos por "Feminino".

---

[8] Compare com Neumann, *História da Origem da Consciência*, loc. cit., Índice, vrf. "Ísis".

Capítulo Três

O DUPLO CARÁTER DO FEMININO

Distinguimos dois tipos de caráter do Feminino, os quais podem se interpenetrar, coexistir ou se hostilizar reciprocamente e são essenciais à natureza do Feminino. Denominamo-los caráter *elementar* e caráter de *transformação* do Feminino.

A representação do Feminino por esses dois aspectos é uma tentativa de interpretar, de maneira uniforme, tanto a experiência peculiar que o Feminino tem de si como a experiência que o Masculino tem do Feminino.

A equação pessoal, que significa que todas as declarações feitas dependem da psicologia pessoal de quem fala, de seus condicionamentos inconscientes, de seus preconceitos etc., aplica-se especialmente às declarações feitas sobre o sexo oposto. É exatamente nesse caso que o fenômeno da projeção desempenha papel extraordinário, porque as instâncias contrassexuais específicas da psique de quem fala, a *anima* no homem e o *animus* na mulher,[1] serão vivenciados como a realidade do sexo oposto.

A existência de instâncias interiores contrassexuais, que toda estrutura humana exibe psicologicamente como qualidades hermafroditas, é exatamente o que possibilita uma vivência "independente" do sexo oposto. O homem tem uma vivência interior do Feminino, ainda que esta seja, a princípio, inconsciente, da mesma forma que a mulher vivencia o Masculino.[2] A vivência do outro sexo é mais ainda objetivada por intermédio da relação viva e direta com ele, algo que se tornou usual no mundo

[1] Jung, *Die Beziehungen zwischen dem Ich und dem Unbewussten*, Darmstadt, 1928, p. 117ss.

[2] Esse fato torna-se claro quando a situação cultural é marcada pela dinâmica psicológica de um dos sexos, como no matriarcado ou no patriarcado. Como apresentamos em outra ocasião, vemos que no patriarcado – apesar da diversidade das psicologias masculina e feminina – a posição masculina da consciência e sua evolução mostram-se válidas para a mulher moderna capaz de desenvolver uma consciência contemporânea e para aquela que a desenvolveu. O contrário também é válido, isto é, em uma situação onde a psicologia do matriarcado é dominante, a psicologia feminina da "consciência matriarcal" também será eficaz para o homem.

moderno e que tornou possível, em particular ao psicólogo, a introvisão da estrutura profunda do sexo oposto.

A questionabilidade das declarações feitas sobre o sexo oposto é substancialmente minimizada quando o material sobre o qual se apoiam tais depoimentos tiverem sua origem no inconsciente coletivo, tal como se dá com a análise estrutural do Grande Feminino. É tão grande a objetividade deste estrato profundo, sua impermeabilidade a qualquer tipo de influência humana, que sobra relativamente pouco espaço para distorções causadas por inadequações do observador. Mesmo que nossa interpretação esteja exposta a todas as objeções capazes de serem levantadas contra um ponto de vista subjetivo, é exatamente na abundância do material apresentado que reside a garantia de uma objetividade pelo menos relativa.

Designamos por *caráter elementar*[3] o aspecto do Feminino que, como o "Grande Círculo" e o "Grande Continente", demonstra a tendência de conservar para si aquilo a que deu origem e envolvê-lo como substância eterna. Tudo o que dele nasceu lhe pertence, continua sujeito a ele, e, mesmo quando o indivíduo se torna independente, o Grande Feminino relativiza essa autonomia, tornando-a uma variante secundária de seu existir, como Grande Feminino.

Bachofen assinalou, de forma insuperável, que esse caráter elementar é típico do matriarcado e é permanente o valor de suas descobertas quando são compreendidas segundo um ponto de vista psicológico e não sociológico.

O caráter elementar do Feminino estará sempre em evidência quando o ego e a consciência ainda forem infantis e não desenvolvidos e o inconsciente for dominante. É por isso que o caráter elementar contém, quase sempre, um determinante "maternal". Em relação a ele, o ego, a consciência e o indivíduo, quer sejam masculinos ou femininos, são infantis, dependentes e submissos. A característica marcante do caráter elementar é a função de "conter". Outrossim, ele se manifesta de forma positiva como provedor de alimento, de proteção e de calor e, de forma negativa, como repúdio e privação.

O caráter elementar, apesar de ser intrinsecamente tão relativo e ambíguo quanto o caráter de transformação – isto é, embora possua, como este, um aspecto "bom" e outro "mau" –, é a base para o lado conservador, estável e imutável do Feminino, que prevalece no Maternal.

Há que notar a existência de uma "gravitação psíquica" na relação entre o ego e o inconsciente, como uma tendência do ego a retornar ao estado inconsciente

---

[3] Quando falamos de "caráter" do Feminino, nos referimos a duas coisas distintas: de um lado, um "caráter do Feminino" vivenciado em sua projeção, por exemplo, através da Divindade, do mundo, da vida. Por outro lado, o "caráter" é, ao mesmo tempo, um atributo da psique e corresponde a estruturas e processos psíquicos que interpretamos e devemos invocar para a compreensão dos fatos simbólicos da mitologia. Numa explicação, esses dois aspectos nem sempre podem ser diferenciados, principalmente porque a autonomia do "caráter" funciona como a de um complexo, ou a de uma pessoa, e deve ser descrita desse modo.

original.[4] Essa tendência é inversamente proporcional à força do ego e da consciência. Quanto maior for a carga energética da consciência e quanto mais libido estiver à disposição do ego sob a forma de vontade e interesse, menor será a influência da tendência à inércia, que é a expressão da gravitação psíquica. Entretanto, quanto mais frágeis forem a consciência e o ego, mais evidente será o vigor da gravitação psíquica, que tende ao restabelecimento do estado inconsciente. Nesse caso, é possível que o ego e a consciência não estejam suficientemente desenvolvidos para resistir à gravitação – como nos homens primitivos e nas crianças –, ou podem estar enfraquecidos para "evitá-la" por causa de doença, de alguma lesão, de fadiga ou de quaisquer outras constelações.

A energia que mencionamos se refere a tensões entre as cargas energéticas dos sistemas da consciência e do inconsciente e entre seus conteúdos. Também é válido, para este caso, o princípio de atração da massa maior, que, no âmbito psíquico, se manifesta como a carga energética de maior força. O desenvolvimento da consciência tende a criar um sistema independente e relativamente fechado, em cujo centro está o complexo do ego. Quando a consciência está alimentada por uma carga suficiente, o conteúdo ali permanece, isto é, ele é consciente e acessível à consciência. Mas, quando ocorre diminuição na carga do sistema consciente e, ainda, redução na tensão do seu campo, seus conteúdos respondem com atração aos componentes energeticamente mais carregados do inconsciente, dos complexos e dos arquétipos: o conteúdo torna-se inconsciente outra vez.

Com isso, temos uma situação energética na qual certos conteúdos se movimentam como complexos num campo psíquico que, por sua vez, será determinado pela carga energética dos conteúdos e pela sua direção. Esse tipo de relação, porém, manifesta-se na psique não só como processo dinâmico, mas também como acontecimento simbólico visível.

Uma depressão psíquica, por exemplo, é caracterizada por um *abaissement du niveau mental*, caracterizada pela perda de libido da consciência, que se expressa por falta de entusiasmo e de iniciativa, debilidade da vontade, fadiga, incapacidade para concentrar-se e trabalhar e por conteúdos "negativos", como ideias de morte e fracasso, desencanto pela vida, tendências suicidas. Frequentemente, no entanto, esse acontecimento psíquico também se torna visível. Aparece, por exemplo, no simbolismo familiar da luz, do sol, da lua e do herói sendo tragados pelas trevas sob a forma de noite, abismo, inferno, monstros, e assim por diante.

Uma análise psicológica profunda revela, então, que se trata da irrupção de um arquétipo, como o da Mãe Devoradora Terrível, cuja atração psíquica é tão grande, em virtude da carga energética, que a carga do complexo do ego, incapaz de lhe fazer frente, "sucumbe" e é "tragada".

---

[4] Neumann, *História da Origem da Consciência*, loc. cit., p. 300.

Uma reação contrária pode ser representada simbolicamente da seguinte maneira: o herói devorado pelo monstro corta-lhe um pedaço do coração e, assim, o mata. Esse processo simbólico corresponde à conscientização, no plano da imagem. Um processo correspondente se desenrola no nível da consciência quando, através da "fragmentação do arquétipo",[5] o ego chega até a consciência, ou seja, a consciência chega a "compreender" partes dos conteúdos arquetípicos e, assim, os incorpora a si. Desta forma, o ego se fortalece e a consciência se expande. Desse modo, a consciência não só recupera do arquétipo a libido que havia perdido para ele como ainda adquire uma nova libido, advinda da porção "cindida" ou "fragmentada" do arquétipo, ao "assimilá-la", quer dizer, digerindo-a.

Nos símbolos que apresentamos como exemplo, a identificação da consciência com a figura do herói masculino não é casual, assim como também não o é a do inconsciente devorador com a figura do monstro feminino. Essa coordenação ocorre de forma geral, como já apontamos extensamente em outra ocasião.[6] Em ambos os sexos, o ego-consciência ativo é caracterizado por um simbolismo masculino, e a totalidade do inconsciente, por um simbolismo feminino.

O fenômeno da "gravitação psíquica", isto é, a inércia natural no âmago da psique, mantém inconscientes os conteúdos do próprio inconsciente e permite que aqueles pertinentes à consciência se tornem inconscientes. Tal fenômeno, com o fenômeno simbólico da feminilidade predominante do inconsciente na relação com a consciência, cria as bases daquilo a que denominamos "caráter elementar do Feminino".

Nos termos da energia psicológica, o caráter elementar do Feminino e seu simbolismo expressam a situação original da psique, a qual podemos, portanto, designar por matriarcal. Nela, ocorre o domínio psíquico total do inconsciente sobre todos os conteúdos e tendências individuais. Essa unidade do inconsciente determina, em grau tão elevado, todos os processos psíquicos, que mesmo o ego, como complexo particular da psique, está sujeito a não atingir qualquer tipo de autonomia, nesta fase. Vezes seguidas, o ego torna a sucumbir, a retornar ao inconsciente, em resposta à gravitação psíquica, ou fica girando como satélite em torno de um centro, que aparece como arquétipo do Grande Feminino.

Torna-se mais fácil compreender essa constelação se retomarmos, do ponto de vista psicológico, a semelhança relativamente forte entre os homens primitivos e os animais. (Não podemos fornecer datas históricas para esta fase, embora saibamos que ela, sem dúvida, existiu.) O considerável papel dos instintos e das pulsões nas criaturas desta fase significa que elas existem essencialmente como parte da espécie e que, em nossa terminologia simbólica, se encontram ainda sob o completo domínio da Grande Mãe. O advento da individualidade na história da evolução surge, na verdade,

[5] Idem, p. 343s.
[6] Idem, p. 56.

de forma paulatina, e nela o ego está ligado a uma consciência inicialmente ainda muito frágil e de funcionamento intermitente.

Posto que o ego é o centro da consciência, isto significa que, nesta fase, a consciência depende, em grande parte, das diretrizes do inconsciente. O conflito, assim como a tensão viva entre o inconsciente e o ego-consciência, só pode começar quando esse ego-consciência se tornar relativamente forte e independente, no âmbito da evolução da humanidade.

O *caráter de transformação* do Feminino, ao contrário do caráter elementar, é a expressão de outra constelação psíquica fundamental. No caráter de transformação enfatiza-se o elemento dinâmico da psique, o que, ao contrário da tendência conservadora do caráter elementar, coloca em movimento algo já existente e leva a uma modificação, em suma, à transformação.[7] Durante o desenvolvimento psíquico, o caráter de transformação da psique projetado no Feminino encontra-se primeiro submetido ao "domínio anterior" do caráter elementar e só aos poucos vai se desligando daquela supremacia para adquirir forma própria e independente. O caráter de transformação já está nitidamente em ação como a função básica do Feminino-maternal, ao atuar na gestação e na parturição da criança. Da mesma forma, atribui-se a função da alimentação tanto ao caráter elementar como ao caráter de transformação, conforme a ênfase recaia na tendência de preservar o que existe ou na amplificação do ser e em sua modificação. Esses dois tipos de caráter não se excluem desde o início; ao contrário, integram-se e interligam-se sob múltiplas formas, e somente em constelações muito raras e extremas conseguimos detectar um caráter isoladamente. No entanto, apesar de ambos estarem presentes ao mesmo tempo grande parte das vezes, observa-se, quase sempre, a dominância de um deles.

O fato de o caráter elementar ser totalmente dominado pelo "Grande Círculo" significa que este, inicialmente, também integra em si o caráter de transformação. Mesmo quando leva a uma transformação – e, desde o início, a vida está ligada à transformação –, o caráter elementar se incumbe de reconduzir o que está por se modificar e o que já se modificou de volta ao próprio círculo de eterna igualdade.

No caráter elementar, a relação com a prole será mantida como ligação indissolúvel entre mãe e filho. Essa *participation mystique* entre mãe e filho é a situação original entre contido e continente. É o começo da relação do Grande Feminino com a criança e determina, igualmente, a "relação" do inconsciente materno com o ego infantil e a consciência, desde que ambos os sistemas não estejam separados um do outro.[8]

---

[7] O destaque dado ao caráter de transformação pelas forças atuantes no inconsciente, que surgem sob o símbolo do Masculino, só pode ocorrer numa situação posterior.

[8] Sob um ponto de vista estritamente psicológico, isto significa que a vida psíquica é predominantemente estática e constante, e que todos os processos de variação e transformação levam sempre de volta à situação original que serviu de base para estes. Por esse motivo é que por trás de todos os estados psíquicos ligados à tradição encontramos sempre a atuação do caráter elementar do Feminino, expresso sob a forma de dogmas, igrejas etc., entre outros.

A sensação de vida de todo ego-consciência que vivencia suas forças como diminutas perante os poderes é dominada pela supremacia da transformação contida no Grande Círculo. Esse arquétipo pode vir a ser vivenciado externamente como o mundo ou a natureza, ou internamente como o destino e o inconsciente. O caráter elementar feminino que, nesta fase, ainda contém em si o caráter de transformação é "telúrico"; dele depende o existir (*Dasein*) natural com todas as suas mudanças regulares. O símbolo central dessa constelação é a unidade da vida durante a mudança das estações do ano e durante a transformação do ser vivo nesses períodos. Aquilo que Bachofen descreveu como o caráter de morte do material-maternal é uma expressão desse domínio arquetípico que a natureza e o inconsciente exercem sobre a vida e, igualmente, sobre um ego e uma consciência infantis e não desenvolvidos ou juvenilmente desamparados. Nesta fase, o Grande Feminino não só gera e orienta a vida como um todo, e o ego em particular, como também recebe de volta em seu útero de origem e de morte tudo aquilo que dele nasceu.

Nessa primeira fase, o movimento dinâmico no interior desse Grande Círculo – que pertence ao caráter de transformação do Feminino – ainda não assume forma nem contorno próprios. O movimento que se estabelece é apenas o da mudança no interior da serpente circular do ouroboros, pois o ouroboros inicial não é apenas o Círculo, mas também a roda que gira em torno de si mesma e a Serpente que, simultaneamente, gera, pare e devora.

Psicologicamente, isto significa que, quando predomina o caráter elementar, todos os processos de transformação ainda ocorrem no interior do inconsciente, e que, mesmo tendo se iniciado a formação de uma consciência e de uma qualidade de ego, estes têm existência própria muito curta, tornando a se dissolver no inconsciente.[9]

Todavia, na medida em que a personalidade se diferencia e emerge da inconsciência pura, o caráter de transformação também se torna independente e é vivenciado como tal. O caráter de transformação atua de maneira a impelir ao desenvolvimento, ou seja, gera movimento e inquietação. Por isso ele não será vivenciado pela consciência como estritamente positivo, assim como o caráter elementar não o será como apenas negativo. Ambos os tipos de caráter são portadores da ambivalência típica do Grande Feminino e da Grande Mãe, é uma característica original de todo arquétipo.

Ainda que o caráter elementar, assim como o de transformação, seja vivenciado na projeção como qualidade do mundo, surge, sobretudo, como qualidade psíquica, precisamente do Feminino. Devemos distinguir, nesse ponto, a vivência do caráter de

[9] Essa constelação manifesta-se mitologicamente, por exemplo, no predomínio das estações do ano, no curso fixo e predestinado das estrelas ou na vulnerabilidade fatalista às forças numinosas e aos deuses, dos quais depende a vida humana, de forma quase definitiva e inexorável. Por outro lado, a magia ativa, como esforço do ego humano, assim como de sua consciência e de sua vontade, representa uma tentativa decisiva de romper esse anel da instância determinadora para estabelecer a existência independente do humano, especialmente a do ego-consciência humano.

transformação pelo homem da vivência que a mulher tem de si mesma. Acima de tudo, a mulher vivencia seu caráter de transformação de forma natural e irrefletida durante a gravidez, na relação com o crescimento do bebê, e no parto. Nesse caso, a mulher é o órgão e o instrumento da transformação tanto de sua própria estrutura como do infantil, dentro e fora de si. Eis por que, para a mulher, o caráter de transformação – e também de sua própria transformação – está ligado, desde o início, ao problema do relacionamento com o *Tu*.

Os mistérios da transformação da mulher são, essencialmente, mistérios de transformação ligados ao sangue, os quais a conduzem à experiência pessoal da própria fecundidade e surtem no homem essa impressão numinosa.[10] Esse fenômeno tem raízes no desenvolvimento biopsicológico. A transformação da menina em mulher é muito mais acentuada que o desenvolvimento correspondente do garoto em homem adulto.

A menstruação, o primeiro mistério de sangue da transformação feminina, é, em todos os sentidos, um momento de importância muito maior que a primeira emissão de sêmen do rapaz. Desta, o homem raras vezes se recorda, enquanto o início da menstruação tem, por toda parte, o justo valor de um momento fatídico na história de vida de cada mulher.

A gravidez é o segundo mistério de sangue. De acordo com a noção primitiva, o embrião se constitui a partir do sangue recebido da mãe, sangue este que – como denuncia a própria interrupção da menstruação – não mais será eliminado durante o período de gravidez.[11]

Já o crescimento da criança é vivenciado por uma modificação correspondente na personalidade feminina. Quando ocorre o nascimento e com ele se conclui a transformação da mulher em mãe, põe-se em atividade uma nova constelação arquetípica, a qual remodela a vida da mulher até as camadas mais profundas.

Nutrir e proteger, manter aquecido e carregar no colo são as funções em que atua o caráter elementar do Feminino em relação à criança, e mais uma vez essa também é a relação básica para que a mulher vivencie a própria transformação. Robert Briffault[12] observou, como é bastante conhecido, que o relacionamento da mãe com a criança e o comportamento do grupo feminino estruturado sobre tal relacionamento são os fundamentos da vida social e, assim, da cultura humana. Essa hipótese, bastante fundamentada, tem outra fonte de corroboração na observação biológica, segundo a qual a espécie humana é a única em que a criança, nos primeiros anos de vida, é considerada um "embrião fora do ventre materno".

---

[10] Neumann, "Über den Mond und das matriarchale Bewusstsein"; in: *Zur Psychologie des Weiblichen* (Umkreisung der Mitte, vol. II), Zurique, 1953.

[11] Robert Briffault, *The Mothers*, 3 vols., Londres e Nova York, 1927, vol. II, p. 444. Durante a gravidez, a mulher experimenta a conexão entre o caráter elementar e o caráter de transformação.

[12] Idem, vol. I, p. 195s.

Isto significa que ele conclui sua vida embrionária extrauterina num ambiente social essencialmente determinado pela mãe.[13] Essa circunstância realça o significado da mãe para a criança e fortalece o apego que há nela com respeito ao filho, cuja dependência embrionária servirá como base para sua solicitude maternal consciente e inconsciente.

Depois do parto, dá-se o terceiro mistério feminino do sangue, a transformação do sangue em leite, que é a base para os mistérios primordiais da transformação do alimento.[14]

Ao lado dessas situações em que a mulher vivencia o caráter de transformação em nível do próprio corpo, estão aquelas em que o caráter de transformação exerce influência no relacionamento com o *Tu*. O homem vivencia esse lado do Feminino direta e indiretamente como provocante, como uma força que o coloca em movimento e o impele à transformação. Nesse caso, é indiferente se a transformação do homem pelo Feminino foi causada por uma fascinação positiva ou negativa ou se ocorreu por algum tipo de atração ou repulsa da parte da mulher. A Bela Adormecida e a princesa cativa, bem como a inspiração ativa e a força auxiliadora do Feminino que presidem o novo que está por nascer, são expoentes do caráter de transformação, que alcança sua forma mais pura na figura da *anima*. A *anima*,[15] a "imagem da alma" que o homem descobre no Feminino, é a própria feminilidade interior daquele homem, sua espiritualidade, uma instância da própria psique. Nesse ponto a *anima* se delineia – conforme Jung assinalou desde o início – em parte pela experiência arquetípica, em parte pela vivência pessoal que o homem tem do Feminino. É por esse motivo que a figura da *anima* do homem, encontrada no mito e na arte de todas as épocas, é fonte da experiência genuína da natureza do Feminino, e não só uma simples manifestação de projeções masculinas sobre a mulher.

Já nos referimos à coordenação entre o processo de independência do ego e da consciência e o de evidenciação e diferenciação recíproca das figuras arquetípicas entre si. O processo por meio do qual a *anima* se destaca do arquétipo da mãe tem significação que corresponde, também, à diferenciação do caráter de transformação a partir do caráter elementar.

Quando, em seguida, considerarmos o relacionamento do homem com a *anima* como protótipo da relação da consciência com o caráter de transformação do Grande Feminino, isso não significará, em absoluto, que esse relacionamento tem valor apenas para o homem. A relação especificamente diferente da mulher com o caráter de transformação será nosso objeto de reflexão na segunda parte, no segmento referente aos mistérios de Elêusis.

---

[13] Adolf Portmann, *Biologische Fragmente zu einer Lehre vom Mensche*, Basileia, 1944; p. 68ss.

[14] Veja adiante cap. XIV, p. 249ss.

[15] Comp. c/Jung, *Die Beziehungen...*, loc. cit., p. 117ss., e *Psychologische Typen*, loc. cit., Def. 48.

A *anima* é o veículo, por excelência, do caráter de transformação.[16] É a movimentadora e o impulso à transformação, cuja fascinação impele, seduz e estimula o masculino a todo tipo de aventuras da alma e do espírito, da ação e da criação no mundo interior e exterior.

Com a emergência de algo que é "como a alma" – *anima* –, a partir do Grande Feminino (o inconsciente), modifica-se não só o relacionamento do ego com o inconsciente, e do homem com o Feminino, como também a atuação do inconsciente dentro da psique adquire formas novas e criativas.[17] Enquanto por sua preponderância o caráter elementar do Grande Feminino sempre tende à dissolução do ego e da consciência, no inconsciente o caráter de transformação da *anima* fascina, mas não aniquila; ele coloca a personalidade em movimento, faz com que ela se modifique e leva-a, finalmente, à transformação. Esse processo também corre perigo, frequentemente um perigo de morte; mas, quando realmente leva à submersão do ego, isso ocorre por causa de uma predominância da Grande Mãe, ou mesmo do ouroboros maternal sobre a *anima*, isto é, o processo de separação da *anima* em relação ao arquétipo da mãe está incompleto.[18]

Também a figura da *anima* tem um lado positivo e outro negativo. Conserva a estrutura ambivalente do arquétipo e cria, como a Grande Mãe, uma unidade onde constelações positivas, negativas e ambivalentes coexistem em equilíbrio.

Quando uma personalidade é englobada pelo caráter de transformação do Grande Feminino, entrando em conflito com ele, o significado psicológico desse fato é que essa personalidade já dispõe de certa autonomia como ego e como consciência. Esse tipo de constelação não é mais só natural como também já é especificamente humana. Enquanto o caráter de transformação está contido no caráter elementar, o ego e a consciência são dependentes, e o processo de transformação – assim como o da vida embrionária – flui sem apresentar conflitos, como se fosse decretado pela natureza ou pelo destino; mas, quando a personalidade entra em conflito com o caráter de transformação do Grande Feminino, parece que – formulando mitologicamente – depende do Feminino manter o ego como parceiro. A *anima*, como acontece em incontáveis contos de fada, prepara uma "prova" para o ego heroico, pela qual ele deverá passar.

---

[16] Escolhemos a designação "caráter de *anima*" para o caráter de transformação porque a figura e a função da *anima* têm sido amplamente representadas na Psicologia Analítica e, ainda, porque a compreensão do caráter de transformação pode se tornar mais rica a partir desses dados.

[17] Neumann, *História da Origem da Consciência*, loc. cit., p. 215ss., e *Ein Beitrag zur seelischen Entwicklung des Weblichen. Ein Kommentar zu Apuleius' Amor und Psyche*, Zurique, 1952. [*Eros e Psiquê*, Editora Cultrix, São Paulo, 2ª edição, 2017.]

[18] Por razões que não podem ser apresentadas aqui, situações confusas desse tipo são, muitas vezes, características de certo tipo de homem criativo. (Comp. c/ Neumann, "Leonardo da Vinci", loc. cit.) O Romantismo, por exemplo, foi completamente dominado por essa constelação, em que o arquétipo da mãe do inconsciente coletivo apodera-se da figura da alma e conduz, por seu poder de fascinação, ao incesto urobórico do desejo de morte ou da loucura.

Todavia, mesmo quando o caráter de transformação do Feminino aparece como elemento negativo, hostil e provocador da personalidade, ele a força a uma tensão, a uma modificação e a uma intensificação. Dessa maneira, será exigido do ego o máximo de esforço, assim como será "estimulada", direta e indiretamente, sua capacidade para uma transformação criativa.[19] Naturalmente, não devemos compreender o caráter de transformação como uma intenção consciente do Feminino, da forma como surge na imagem mitológica; ele chega a este saber só mais tarde e na forma mais elevada de feminilidade. Não obstante, até mesmo a atividade inconsciente do caráter de transformação do Feminino também leva o Masculino à produtividade e à transformação. Mesmo quando o Feminino não planeja conscientemente a "prova" – como em vários mitos e contos –, ela é imanente ao relacionamento do Masculino com o caráter de transformação do Feminino.

A figura da *anima*, porém, apesar do grande perigo ligado a ela, não tem o mesmo significado terrível da Grande Mãe, para quem nada importa a autonomia do indivíduo ou do ego. Mesmo quando a *anima* é aparentemente negativa e "planeja", por exemplo, envenenar a consciência masculina, pô-la em risco através do êxtase, ainda assim é possível uma reversão para o positivo, pois para a figura da *anima* sempre existe a possibilidade de vir a ser derrotada. No momento em que a feiticeira Circe (a que transforma os homens em animais) encontra a figura superior de Ulisses, ela não dá fim à própria vida, como a Esfinge cujo enigma Édipo decifrou; ao contrário, convida-o a dividir com ela seu leito.

As várias princesas cujos enigmas devem ser decifrados de fato matam os pretendentes incapazes. Mas agem dessa forma apenas a fim de se darem, de bom grado, ao vencedor que consegue desvendar o enigma e que, por essa superioridade, resgata a própria princesa – que é o enigma. Em outras palavras, mesmo a *anima* aparentemente "mortal" contém a potencialidade positiva do caráter de transformação.

O inconsciente, como caráter elementar do Grande Feminino, existe inteiramente "por si" e "em si", como nas manifestações espontâneas do inconsciente coletivo, que podem ser apontadas até nas doenças mentais. Isto significa que os processos do inconsciente ocorrem aqui sem estarem relacionados com a personalidade humana em que se manifestam. O doente, na verdade, não "tem" visões etc.; o que ocorre é que elas se produzem nele como um processo natural e autônomo. A estrutura do caráter de transformação já se encontra relacionada a uma personalidade que engloba a espontaneidade da consciência. Ela se relaciona com uma possível constelação futura da personalidade total e comunica um conteúdo ou uma experiência de importância vital para o desenvolvimento posterior da personalidade. A função prospectiva e antecipatória do inconsciente, que existe no caráter de transformação da *anima*, tornou-se personificada e configurada; confrontando o ego com o não ego, o atrai e

[19] Isso é válido tanto para a personalidade masculina como para a feminina, cujo ego consciente se apresenta sob forma masculina ao inconsciente, na maior parte das vezes.

exerce sobre ele efeito hipnótico. Inicialmente, o ego não vivencia essa fascinação de maneira direta em relação à própria psique, mas indiretamente, projetada como exigência ou estímulo exterior, que, para o homem, é representada, na maioria das vezes, por uma figura de *anima*. O efeito da figura do *animus* como guia da alma tem papel análogo para a mulher.

O anonimato do inconsciente, característico da situação matriarcal e do Grande Feminino, é superado ao longo do processo em que a *anima* se torna independente. O Feminino que adquiriu forma no caráter de *anima* distanciou-se ao máximo da ausência de forma e da inumanidade urobóricas, que são as manifestações iniciais do Grande Feminino. É a figura mais próxima da consciência e do ego em que o Feminino pode se revelar na psique masculina.

As mulheres em quem o caráter elementar é dominante relacionam-se com o parceiro de forma apenas coletiva; não estão ligadas a ele por um vínculo pessoal e vivenciam nele somente uma situação arquetípica. Assim, no patriarcado – por exemplo –, a mulher se relaciona com o marido, que desempenha o papel do pai arquetípico, gera filhos e pode garantir sua segurança – de preferência também a financeira –, se responsabiliza por ela e pela prole e pode proporcionar situação social para sua *persona*.

Em compensação, a mulher em quem o caráter de transformação é dominante apresenta, quanto ao desenvolvimento do Feminino, estágio superior ou aprimorado conquanto tardio. Nela foi superado o caráter matriarcal do Feminino em que o relacionamento com o parceiro e o ego e o indivíduo ainda não se encontram desenvolvidos.[20] Com efeito, se o caráter de transformação do Feminino é uma vivência consciente da mulher, e se esta tiver deixado de ser somente portadora inconsciente de tal caráter e, ao contrário, o houver realizado em si, então nela vai predominar um tipo de relação individual com o parceiro, isto é, ela estará apta a estabelecer um relacionamento autêntico.

No Esquema I tentamos representar mais além a evolução psicológica subsequente. A evolução desde o ouroboros até o surgimento das figuras grupais da Grande Mãe é levada, assim, mais uma etapa adiante. Ao mesmo tempo, ela vai se diferenciar pela introdução dos dois tipos de caráter do Feminino, onde as linhas verticais designam o caráter elementar, e as horizontais, o caráter de transformação.

A Grande Mãe está entre o Grande Feminino – que ainda, como ouroboros maternal, denuncia sua proximidade do nível primordial – e a *anima*, que já é parte da personalidade, e, nesse sentido, ocupa lugar entre o inconsciente coletivo e a singularidade do indivíduo.

---

[20] A maneira e a época em que essa fase precisa ser relativamente vencida, no desenvolvimento da mulher moderna, será tratada mais adiante em meu *Psychologie des Weiblichen*.

Em nome da simplicidade, evitamos indicar a projeção da *anima* sobre as figuras e as pessoas. (No esquema, indicamos que o caráter de transformação é uma característica básica do Feminino ao representá-lo contido tanto na Grande Mãe como no Grande Feminino.)

O esquema inteiro corresponde psicologicamente à diferenciação de estruturas psíquicas, as quais existem e atuam como caracteres desde o princípio, mas que se tornam visíveis somente ao longo da evolução. Sua diferenciação está sempre ligada a uma alternância de predomínio do caráter elementar para o caráter de transformação, à qual compete, por sua vez, uma estruturação mais intensa da personalidade como ego e como consciência.[21] A indiferenciação do inconsciente como Grande Feminino (ouroboros) corresponde, a princípio, à personalidade indiferenciada, mas com a formação da psique humana e o desenvolvimento de suas instâncias[22] os dois tipos de caráter do Grande Feminino também se tornam evidentes. Com isso, fica claro que os "caracteres" são concepções da consciência reflexiva, as quais têm seu fundamento no simbolismo do Grande Feminino, mas que não existem como "estruturas", como as instâncias psíquicas – o *Self*, o Velho Sábio ou a Sombra. As instâncias são estruturas parciais da psique, coloridas pelo fator pessoal; os caracteres são princípios ordenadores da consciência, que correspondem a tendências psíquicas.

Dispomos agora de fundamentos mais amplos para a caracterização e a interpretação do Grande Feminino. Até agora só nos referimos ao fato de uma pessoa ou figura possuir uma característica urobórica ou traços da Grande Mãe, da Mãe Terrível ou da Mãe Bondosa. Doravante, podemos mostrar um atributo a mais: ora prevalece o caráter elementar, ora o caráter de transformação.

Assim, por exemplo, uma deusa pode ser uma "Mãe Bondosa" quando domina o caráter elementar; por outro lado, pode apresentar traços da Mãe Terrível, com predomínio do caráter de transformação. Ambas as características são significativas para a situação do ego e da consciência. A "Mãe Bondosa" pode, por exemplo, estar ligada a um ego infantil e, portanto, típico de uma situação de desenvolvimento negativo. Um exemplo válido para ilustrar o que acabamos de expor é o da bruxa no conto dos irmãos Grimm, "João e Maria". Exteriormente, a casinha da bruxa é toda decorada de pães de mel e outras guloseimas, mas, na verdade, ela é uma devoradora de crianças. Por outro lado, a Mãe Terrível, coligada à tendência ao caráter de transformação, pode estar orientada no sentido da *anima* e sua aparição propiciar um desenvolvimento positivo, em que o ego passa por uma masculinização e é estimulado a lutar contra o dragão, impedindo-se, assim, a uma evolução e transformação

[21] Por essa razão, encontramos a psicologia do caráter de transformação do feminino realizada, sobretudo, no desenvolvimento ocidental, onde o relacionamento do homem com a *anima* se torna o destino. (Comp. c/ Neumann, "L. da Vinci", loc. cit.) Em culturas patriarcais puras, como na Índia, o caráter elementar maternal do Feminino permanece dominante.

[22] Comp. c/ Jung, *Die Beziehungen...*, loc. cit., e Neumann, *História da Origem da Consciência*, loc. cit., p. 373ss.

positivas. Existem vários mitos típicos dessa constelação, entre os quais o de Perseu, em que o assassinato da Mãe Terrível é a condição prévia para a libertação de Andrômeda.[23]

As características referentes à coexistência, à hostilização e à cooperação recíprocas dos dois tipos básicos de caráter, assim como seu predomínio alternado, podem ser comprovadas em todas as etapas do desenvolvimento do Grande Feminino. Entretanto, um mesmo símbolo, que constitui o núcleo simbólico do Grande Feminino, e que sempre em novas variações estabelece o centro de suas manifestações, engloba os dois tipos de caráter, isto é, o símbolo do vaso.

---

[23] Neumann, *História da Origem da Consciência*, loc. cit., p. 234ss.

Capítulo Quatro

O SIMBOLISMO CENTRAL DO FEMININO

O núcleo simbólico do Feminino é o vaso. Desde os primórdios da evolução até seus estágios mais recentes, encontramos esse símbolo arquetípico como a essência do Feminino. A equação simbólica básica MULHER = CORPO = VASO corresponde, talvez, à experiência básica mais elementar da humanidade em relação ao Feminino, em que este, além de vivenciar a si próprio, também será vivenciado pelo Masculino.

A vivência do corpo como vaso é comum a todo ser humano e não só restrito ao Feminino. Aquilo que designamos por "simbolismo metabólico"[1] é a expressão do fenômeno do corpo como vaso.

Todas as funções vitais básicas, principalmente o "metabolismo", ocorrem neste esquema corpo-vaso, cujo "interior" é desconhecido. Suas zonas de entrada e saída têm significado muito especial, pois, da mesma forma que o alimento e a comida são colocados para dentro desse vaso desconhecido, dele mesmo "nascerão" coisas de todas as funções criadoras, desde as excreções e o sêmen até a respiração e a palavra.

Todos os orifícios corporais – olhos, ouvidos, nariz, boca (umbigo), reto, área genital –, assim como a pele, considerados locais onde ocorrem as trocas entre o interior e o exterior, tinham aspecto numinoso para o homem primitivo. Por esse motivo, também são destacados como áreas de "ornamentação" e proteção e, nas autorrepresentações artísticas, têm papel especial como ídolos.[2]

A concretude física do corpo-vaso, cujo interior permanece sempre obscuro e desconhecido, é a realidade do indivíduo, o local onde vivencia todo o mundo instintivo do inconsciente. Tal processo se inicia com as experiências básicas do recém-nascido de fome e sede, que o incomodam de dentro para fora – a partir da escuridão do corpo-vaso –, como todo tipo de ânsia, dor e pulsão. Ao mesmo tempo, tanto o ego

[1] Neumann, *História da Origem da Consciência*, loc. cit., p. 41ss e p. 311ss.

[2] Ludwig Klages, *Der Geist als Widersacher der Seele*, 3 vols., Leipzig, 1929-1932, vol. III.

como a consciência ocupam tipicamente seus lugares na mente, onde serão apercebidas, por essas instâncias, reações estranhas, oriundas do interior do corpo-vaso.

A equação arquetípica corpo-vaso é de importância fundamental para a compreensão do mito e da simbologia e, além disso, para a compreensão da imagem de mundo do homem primitivo. Todavia, o significado da equação corpo-vaso não se restringe apenas às zonas de saída que tornam "nascido" tudo aquilo que sai do corpo, desde cabelo-vegetação até respiração-vento. O interior desse corpo-vaso também está ligado a um simbolismo central.

O interior do corpo é arquetipicamente idêntico ao inconsciente, ao "local" dos fenômenos psíquicos que, para o ser humano, ocorrem "dentro" dele e "nas trevas", as quais, como a noite, são um símbolo típico do inconsciente.

O simbolismo do corpo como vaso ainda está vivo para o homem moderno, na medida em que acredita na existência de uma alma contida no corpo. Também falamos de nossa "interioridade" como o mundo interno, nossos valores mais íntimos etc., quando desejamos nos referir a conteúdos da alma ou do espírito, como se eles existissem "dentro" de nós, em nosso corpo-vaso, e como se pudessem "sair" dele. Na realidade, os conteúdos do inconsciente coletivo estão "do lado de fora", no mesmo sentido que o mundo dos objetos; com efeito, podemos situá-los tanto "fora" como "acima" de nós, tanto "abaixo" como "dentro" de nós. Assim, a humanidade vem projetando, desde o início dos tempos, parte do mundo arquetípico "interior" no "céu" e outra no "inferno". Entretanto, o vínculo característico com a imagem do corpo-vaso, "dentro" do qual vive o conteúdo, permanece claramente resguardado, apesar dessas projeções.

Esse vínculo com o corpo-vaso se manifesta essencialmente sob duas formas. Na primeira, o exterior é vivenciado como *mundo-corpo-vaso*. Assim, quando um "conteúdo inconsciente" é vivenciado pela apercepção mitológica como entidade cósmica, um deus ou um astro, o mesmo é visto como um fato que se desenrola "no ventre" da mulher celeste. Nesse sentido, o conteúdo belicoso-afetivo de Nergal-Marte,[3] por exemplo, que designamos pulsão agressiva, é, ao mesmo tempo, "exterior" como astro e entidade cósmica e "interior" no ventre da mãe celeste. Essa dupla natureza simbolicamente paradoxal do que foi projetado corresponde exatamente à realidade psicológica formulada pela nossa consciência, quando ela sugere se tratar de um componente "coletivo", *trans*pessoal, mas que, ao mesmo tempo, está *dentro* da psique, ou seja, o inconsciente coletivo.

O homem primitivo que, sem ter a consciência de fazê-lo, ocupa um lugar no centro do mundo, a partir do qual passa a relacionar tudo a si e à sua pessoa com tudo à sua volta, preenche com as imagens do inconsciente o mundo que o cerca. Agindo assim, projeta-se em três regiões da superfície interna do mundo-vaso ao seu redor.

[3] Nergal é o deus da guerra babilônico que corresponde ao deus Marte, romano, e ao deus Ares, grego.

Essas três regiões onde as imagens do próprio inconsciente tornam-se-lhe visíveis como imagens do mundo são o céu acima dele, a terra onde vive com os outros seres vivos e o reino que vivencia como um espaço obscuro "abaixo" dele, o mundo inferior, o interior da terra.

Enquanto a primeira relação com o símbolo do corpo-vaso consiste na projeção cósmica no mundo como mundo-corpo-vaso, a segunda relação, cuja importância não é menor, manifesta-se na concatenação de certas dimensões, direções, constelações, deuses e demônios cósmicos, com as regiões e os órgãos do corpo. Essa correlação é tão universal para a sociedade primitiva que a correspondência mundo-corpo pode ser considerada, categoricamente, uma lei de concepção primitiva de mundo.

Essa ancestral concepção mágico-psíquica do corpo e do mundo externo não está vinculada somente a poderes específicos, mas também a cores, a lugares, a plantas, a elementos etc. A subsequente *participation mystique* do mundo em determinadas regiões e órgãos do corpo manifesta-se numa mútua dependência mágica,[4] em que as influências do universo mítico atingem o homem e as regiões do seu corpo, e, por outro lado, as regiões do corpo humano e suas substâncias peculiares passam para esse universo mítico de forma mágica.[5]

Encontramos o esquema corporal como arquétipo do homem primitivo – segundo cuja imagem o mundo foi criado tanto no Egito como no México, na Índia e na China, nos textos da Gnose e na Cabala.[6] Enquanto a consciência moderna interpreta esses fenômenos como projeções e vivência exterior de imagens arquetípicas, o homem primitivo vivia em meio a esse espaço psicofísico alma-mundo, no qual o exterior e o interior, o mundo e o ser humano, os poderes e as coisas estão ligados entre si numa unidade indissolúvel.

O símbolo dessa situação psíquica original é a cobra circular, o ouroboros[7] que, como "Grande Círculo" ou esfera na totalidade, ainda indiferenciada, é também a grande caverna e o grande vaso do mundo, que contém em si a existência inteira do homem primitivo, e assim se transforma no Grande Feminino, em que dominam o simbolismo do vaso e o caráter elementar.[8]

---

[4] Utilizamos o conceito de *participation mystique*, de Lévy-Brühl, na forma ampliada, como apareceu nos estudos de C. G. Jung e com a significação psicológica utilizada para a compreensão da *História da Origem da Consciência*. Nesse sentido, compare com o conceito análogo de "consubstancialidade" utilizado por Frankfort em "Frühlicht des Geistes", *Wandlungen des Weltbildes im alten Orient*, Zurique, 1954.

[5] Explica-se, assim, parte do efeito mágico de substâncias como a saliva, a urina, as fezes, o cabelo, o suor, e assim por diante.

[6] Comp. c/ Neumann, *História da Origem da Consciência*, loc. cit., p. 38s, e com o conceito de "magischen anatomie" (anatomia mágica), de Theodor Danzel, *Magie und Geheimwissenschaft*, Stuttgart, 1924 e Cassirer, loc. cit.

[7] Neumann, *História da Origem da Consciência*, loc. cit., p. 19ss.

[8] Os componentes masculinos, igualmente contidos no ouroboros, e dos quais vamos nos ocupar mais adiante, não mantêm qualquer conexão simbólica com o caráter de vaso do Grande Círculo.

Encontramos o ovo como símbolo arquetípico que orientou várias concepções sobre a criação do mundo. Considerando-se que contém opostos, pode ser separado em duas metades – preta e branca, por exemplo –, tendo-se o céu como a metade superior e a terra como a inferior. Esse é o ovo órfico, cujo significado simbólico foi esclarecido por Bachofen.[9]

É compreensível que justamente o Feminino seja vivenciado como o vaso, por excelência. A mulher como corpo-vaso é a expressão natural da experiência humana do Feminino, que traz a criança dentro de si, e do homem, que a "penetra" durante o ato sexual.

Uma vez que a identidade da personalidade feminina com o corpo-vaso abrangente – em que a criança está protegida – pertence aos alicerces da existência da mulher, o Feminino não é apenas o vaso que, como qualquer corpo, contém algo dentro de si. É, ainda, tanto para si como para o Masculino, a "vida-vaso como tal". É o recipiente onde se forma a vida, continente de todas as coisas vivas, as quais depois descarrega no mundo.

O caráter elementar do Feminino é vivenciado de forma especialmente natural no símbolo do vaso. Com efeito, como equivalente ao Grande Círculo, é o vaso que preserva, contém e protege. Além disso, também é o vaso provedor que fornece o de comer e o de beber ao nascituro e ao nascido.

Somente depois de termos apreendido toda a extensão das funções básicas do Feminino – a quem cabe "nutrir", dar calor, proteger e amparar, sem mencionar as funções do dar vida e do parir – pode-se compreender por que é tão central o significado e o símbolo do Feminino e por que o caráter de "grandeza" está, desde o início, ligado a ele. O Feminino parece ter essa "grandeza" porque aquilo que é contido, protegido e nutrido, que recebe calor e amparo, é sempre o pequenino, o desamparado e o dependente, completamente à mercê do Grande Feminino. Em nenhum outro caso fica tão evidente que o Masculino deve vivenciar a "grandeza", como no da mãe. A simples observação de um recém-nascido ou de uma criança reitera e confirma sua posição como "Grande Mãe" ou como "Grande Feminino". Sua superioridade numinosa constela, exatamente, a situação característica do recém-nascido humano em oposição a qualquer tipo de animal, que logo depois do nascimento é inigualavelmente mais independente e autossuficiente.

Enquanto entre os animais aparece um tipo de consciência sensorial logo após o nascimento, a consciência humana surge ao longo dos primeiros anos de vida, e sua manifestação será, em parte, moldada pela ligação social do recém-nascido como grupo, mas em especial com a representante suprema desse grupo, a mãe.[10]

---

[9] Johann Jakob Bachofen, *Versuch über die Gräbersymbolik der Alten* (Obras completas, vol. IV), Basileia, 1954. Ver "Ei"/Índice.

[10] Veja Cap. 3.

Se unirmos a equação corpo-mundo da sociedade primitiva, em suas primeiras e ainda inespecíficas formas, à equação básica do Feminino, mulher = corpo = vaso, chegaremos a uma fórmula universal simbólica dos primórdios da humanidade:

Mulher = Corpo = Vaso = Mundo

Essa é a fórmula básica do estágio de vida matriarcal, isto é, de uma fase da humanidade em que há o predomínio do "Grande Feminino" sobre o Masculino e em que o inconsciente domina o ego e a consciência.

Gostaríamos primeiro de tentar representar o simbolismo matriarcal do Grande Círculo, em toda a sua extensão universal, com base no símbolo do vaso e suas numerosas e profundas conexões simbólicas. Essa espécie de levantamento nos possibilitará compreender melhor o significado decisivo do Grande Feminino em sua realidade concreta e na medida em que ele nos confronta nos mitos e ritos, nas imagens e nas atitudes religiosas da humanidade primitiva.

Não podemos nos esquecer, para esse fim, que "humanidade primitiva" e "estágio matriarcal" não são entidades históricas nem arqueológicas, mas, sim, realidades psicológicas cujo poder decisivo sobre o destino ainda está vivo no âmago da psique do homem moderno. A saúde e a criatividade de todo ser humano dependem, consideravelmente, do fato de sua consciência poder viver em paz com essa camada do inconsciente ou de consumir-se em hostilidades contra ela.

Mais uma vez, procuraremos aqui nos orientar através de um esquema geral (Esquema II). Na segunda parte, onde as gravuras e as ilustrações mostram como se desdobra a estrutura do Grande Feminino, vamos completar e complementar essa orientação esquemática básica.[11]

Na parte central do esquema encontra-se o grande vaso do corpo feminino, que de fato concebemos como o vaso real.[12] Seus elementos simbólicos principais são a boca, o seio e o útero. Para efeito de simplificação, destacamos a área do "ventre", que simboliza a totalidade do que está contido no corpo-vaso e, como símbolo do "interior", utilizamos o órgão adequado para tal designação, o coração.

Começamos pelo território do ventre, que representa, da maneira a mais enfática, o caráter elementar e continente do vaso. A ele pertence o útero como símbolo de entrada nessa região. O nível mais profundo da zona do ventre é o mundo inferior, que está contido no "ventre" ou no "útero" da terra. A esse mundo pertencem não apenas as trevas subterrâneas, como a noite e o inferno, mas também os símbolos da fenda, da caverna, do abismo e do precipício, assim como o do vale e das

---

[11] Considerando que o simbolismo utilizado nos esquemas é arquetípico, ele poderá ser identificado nos mitos e nos ritos, nas lendas e na arte de todas as épocas, bem como na religião e no folclore do mundo inteiro, o que, naturalmente, não pode ser realizado nos limites deste trabalho.

[12] Comp. c/ as ilustrações 22, 23, 26-28, 33, 34 etc. e com as gravuras 19, 24, 31, 32, 50 etc.

profundezas, que, em inumeráveis ritos e mitos, desempenham o papel de útero da terra a ser fecundado.[13]

Da mesma forma, a caverna, na relação com a montanha, que congrega em si o caráter de vaso, ventre e terra, também pertence ao território obscuro do mundo inferior. Rocha e pedra têm o mesmo significado que montanha e terra.[14]

Essa é a razão pela qual não só a montanha é venerada como Grande Mãe como também as pedras que a representam.

O caráter elementar do Grande Feminino não contém, de maneira nenhuma, somente traços positivos. Assim como a "Grande Mãe" não é só a Mãe Bondosa, mas também a Mãe Terrível, o Grande Feminino não é só doador e protetor da vida, mas, como continente, também retém e retoma; é, ao mesmo tempo, a deusa da vida e da morte. Como indica o símbolo do ovo-mundo preto e branco, o Grande Feminino contém os opostos, e o mundo efetivamente vive pelo fato de que combina em si a terra e o céu, a noite e o dia, a vida e a morte.

A terra participa do caráter elementar e do caráter vaso não só como mundo inferior e inferno, mas também como túmulo e caverna. A caverna é tanto habitação como túmulo; o caráter vaso do Grande Feminino não só protege o nascituro no vaso do corpo e o já nascido no vaso do mundo; ele também toma aquele que morreu de volta para si, no vaso da morte, na caverna ou no esquife, no túmulo e na urna.

Prosseguindo com o simbolismo do ventre-vaso, devemos fazer uma distinção entre os símbolos em que a função dominante é a de conter, daqueles em que a função de proteger aparece em primeiro plano. O simbolismo associado ao "conter" rege o símbolo vegetal da fruta, por exemplo no caso da romã e da papoula, nas quais a abundância das sementes acentua o "estar contido". Contudo, também a vagem e – por abstração – a cornucópia são características quanto a esse aspecto, e no mundo animal temos criaturas como o porco, a lula, o marisco e a coruja. No porco, o destaque é dado à fertilidade; no marisco sobressai o formato fechado; em relação à lula e à coruja, destacamos seus corpos, que se assemelham ao útero. Entre os símbolos culturais desse âmbito, mencionamos os recipientes de vários tipos, em especial o barril, mas também a caixa, o cesto, o bolso, o baú, a gamela e o saco.

Outro grupamento simbólico em que o caráter materno feminino do "estar contido" é acentuado inclui o ninho, o berço, o leito, o navio, a carroça e o esquife. Esse grupo simbólico – sem mencionar sua ligação com a madeira, da qual ainda vamos

---

[13] Comp. c/ a Parte II.

[14] Rocha e pedra são o "mesmo" que montanha, de acordo com a lei do *pars-pro-toto*, que rege tudo o que está ligado numa *participation mystique* e, segundo a qual, onde quer que haja um processo inconsciente de identificação mútua entre pessoas e objetos podem-se estabelecer uma ligação e uma interação também entre uma parte das pessoas ou dos objetos. Uma vez que cada parte contém o todo ao qual pertence, pois o todo age ou sofre a ação da parte, o homem, por exemplo, pode ser enfeitiçado pelo inimigo que obteve as aparas de suas unhas, assim como o caçador pode influir de modo mágico no animal cuja imagem ele possui.

tratar – representa uma passagem para os símbolos onde a função protetora sobrepuja a de conter. Essa função de proteger, ainda bastante relacionada com o caráter elementar do vaso, torna-se bastante clara na ideia de montanha, que, no alemão (*Berg*, substantivo masculino), está relacionada simbolicamente ao "conter em si" (*in sich bergen*), "esconder" (*sich verbergen*), assim como pode estar associada a "segurança" (*Geborgenheit*) e a castelo (*Burg*). A montanha como "túmulo" também implica a função de proteger e salvaguardar.

As cavernas protetoras, como parte integrante da montanha, representam, do ponto de vista histórico-evolutivo, a forma natural de símbolos culturais como o templo e o *temenos*, a cabana e a casa, a aldeia e a cidade, além da grade, da cerca e do muro, que significam proteção e limite. Aqui, o portão e as portas são o acesso ao útero do vaso materno.

Aliados a estes temos os símbolos culturais ligados à proteção, igualmente importantes e relacionados ao caráter vaso do Feminino, a saber, vestimentas como a camisa, o vestido, o casaco e o véu, e utensílios como a rede e, por fim, o escudo.

Em alemão, as palavras "caverna" (*Höhle*), "Inferno" (*Hölle*), a própria deusa germânica da morte, Hel, o "oco" (*hohl*), o "salão" (*Halle*), o "revestimento" (*Hülle*), a "caixa" ou "a vagem" (*Hülse*) e o "capacete" (*Helm*), partes todas do radical *hel*, equivalente a *bergen* (= abrigar), no que tange à etimologia.

Nos dois grupos simbólicos apresentados a seguir, o caráter de transformação já está mais acentuado, apesar de o caráter elementar ainda ser predominante. A posição intermediária típica entre os dois grupos simbólicos, onde é bem evidente o domínio do caráter elementar ou do caráter de transformação, explica-se mais claramente pelo fato de que um grupo se constela mais próximo ao centro ventral do vaso feminino, enquanto o outro deriva da região dos seios.

Em ambos os grupos, trata-se de símbolos culturais e não de símbolos da natureza, sendo que o significado de cada um deles pode ser acompanhado ao longo de toda a história da humanidade.

O primeiro grupo relativo ao caráter vaso do ventre inclui a jarra e a chaleira, o forno e a retorta. Nesse grupo prevalece o caráter elementar formal do Grande Círculo, mas neste também exercem influência o aspecto fecundo do útero e o potencial de transformação.[15] Se a sugestão do que ocorre "dentro" desses símbolos não contivesse, ao mesmo tempo, o mistério da transformação, tais símbolos não seriam nada mais que meros recipientes e em nada transcenderiam o caráter elementar.

A outra série, que deriva dos seios da mulher-vaso, consiste nos símbolos do vaso, da tigela, da taça, do cálice e do graal. Eles unem o caráter elementar de conter ao nutrir. O fato de que os símbolos dessa série, segundo sua natureza e sua forma, se encontram abertos, na mesma proporção em que os da outra série são fechados,

[15] A correlação destes símbolos com os mistérios primordiais do Feminino e as culturas humanas mais primitivas encontra-se na Parte II.

realça o motivo do "dar", do "distribuir" e do "oferecer". O caráter de transformação desses símbolos diz respeito a nutrir um ego já nascido, seja o da criança durante a infância, seja um ego independente. Por esse motivo, bem como por sua qualidade formal, essa série está ligada ao grupo simbólico do seio. O caráter de transformação deve ser simbolicamente correlacionado, portanto, com uma zona "mais elevada" do vaso corporal que a do caráter elementar,[16] isto é, o seio, o coração e a boca.

Mesmo nos símbolos do caráter de transformação quase sempre se mantém a ligação com o caráter elementar do Feminino e com os símbolos da região do ventre e do útero. Segundo uma correspondência direta com o simbolismo do corpo-vaso, a parte superior se constrói sobre a inferior e é inconcebível, exceto em conexão com ela. A transformação começa no nível inferior e, ao elevar-se, envolve-o. Quando observada no mundo matriarcal, ela nunca é um processo "superior", sem alicerces, desarraigado, como o intelecto masculino abstrato costuma imaginar.

A água e a terra são os elementos da natureza essencialmente ligados ao simbolismo do vaso. A água que contém, presente como útero primordial da vida a partir da qual nascem os seres vivos em inumeráveis mitos, é a água "inferior" ou água das profundezas, lençol de água e mar, lago e tanque.

Essa água materna não apenas contém, mas também nutre e transforma, uma vez que todo ser vivo estrutura e preserva sua existência com a água, ou leite da terra. Uma vez que a conexão simbólica da água com o seio – e também com o útero – é possível e natural, a chuva pode surgir como leite da vaca celeste da mesma forma que, por outro lado, a água da terra pode se apresentar como o leite do corpo da terra, pois as fêmeas que, entre os animais, produzem leite, principalmente a vaca e a cabra, como símbolos principais do processo de nutrir, são consideradas entidades cósmicas, tanto acima como sobre a terra.

Tendo em vista que a água é, muitas vezes, urobórica na indiferenciação elementar e também contém elementos masculinos ao lado dos elementos maternais, as águas que fluem – como a dos rios – são bissexuais e masculinas e veneradas pela qualidade fertilizante e geradora de movimento.

Quando existe o domínio do Feminino matriarcal, verifica-se frequentemente, lado a lado com o simbolismo infantil daquilo que é gerado por ele, um simbolismo hermafrodita em que se conserva a natureza urobórica da indiferenciação.

Entretanto, mesmo quando a água nascida é considerada masculina, aquilo que nasce das profundezas do vaso-terra-mãe tem o significado de um filho; além disso, é típico do âmbito matriarcal que o filho seja dominado pela Grande Mãe, a qual o mantém preso a si, mesmo em suas atividades e movimentos masculinos.

---

[16] O destaque dado ao seio no caráter de transformação também pode se expressar por uma acentuada diminuição dos seios, por exemplo, quando o caráter elementar daquele que está sendo alimentado for rejeitado em benefício do caráter de transformação dos "pequenos seios". Surpreendentemente, detectamos tal fato já nas figuras mais primitivas da Mãe [II. 6], nos tempos remotos.

Como o lago e o tanque, a nascente também pertence ao reino da terra-água. Enquanto no poço o caráter elementar e continente do Feminino ainda é claro – não é à toa que nos contos de fadas ele sempre serve como porta de entrada para o mundo inferior e, especificamente, para o reino da terra-mãe –,[17] no caso da fonte o motivo do ascender, do irromper, relacionado ao "nascer" e à movimentação criativa, é mais fortemente acentuado que o "estar contido". Não obstante, a ligação da nascente com a terra maternal permanece simbolicamente o fator determinante.

Esse caráter "infantil" (sintetizando toda uma gama de atitudes similares) pertence a um grande número de símbolos do grupo do Grande Feminino. Tudo o que provém da escuridão dentro de seu vaso é considerado sua descendência e seu filho. Posto que o Grande Feminino rege todo esse processo, constela, assim, a unidade do mundo matriarcal, sua concatenação e sua força fatídica.

A Grande Mãe-Terra, que a tudo dá vida, é eminentemente a Mãe de tudo o que é vegetal. Os mitos e ritos de fertilidade da terra assentam-se, em todo o mundo, nesse contexto arquetípico. O centro desse simbolismo vegetativo é a *árvore*. [Obs.: árvore, em alemão, é substantivo masculino = *Baum*.] Como árvore da vida que dá frutos, ela é feminina: gera, transforma e nutre; as folhas, os ramos e os galhos estão "contidos" nela e lhe são dependentes. O aspecto protetor torna-se claro na copa, que abriga os ninhos e as aves. Além disso, a árvore desempenha a função de conter, porquanto é o tronco "dentro" do qual vive seu espírito, assim como a alma habita no corpo. A natureza feminina da árvore confirma-se, ainda, pelo fato de que tanto a copa quanto o tronco têm o poder de dar à luz, como se comprova, entre muitos outros exemplos, pelo nascimento de Adônis [II. 104].

Mas a árvore é, além disso, o falo da terra; é o princípio masculino salientando-se da terra em que o caráter procriativo sobrepuja o abrigar e o conter. Isso é válido, sobretudo, para certos tipos de árvores, como os ciprestes, que se destacam pelo aspecto fálico do tronco, ao contrário do acentuado aspecto feminino das árvores frutíferas ou frondosas. A natureza fálica da árvore – que não exclui o aspecto de vaso que contém – torna-se evidente em termos como "árvore genealógica" [no alemão, *Stammbaum*]; em termos de etimologia, *Stamm* [em alemão, tronco] serve de radical para uma série de palavras: *ent-stammen* [provir de; ter origem em]; *ab-stammen* [descender, proceder]; *Stamm-halter* [filho primogênito] etc. Nesse sentido, a estaca e o pilar são fálico-masculinos e também continente-femininos. Um belo exemplo desse "duplo simbolismo" é a plasticidade indiana do falo, "dentro" do qual estão o deus Shiva e a deusa Shakti. Temos ainda o pilar *djed* egípcio de Osíris[18] em que transparece a natureza urobórica, do mesmo modo que o pilar – como *asherah*, por exemplo – é um símbolo da Grande Mãe. Assim, o pilar *djed* de Osíris, considerado ataúde, como baú que contém os mortos, também é maternal-feminino. O

[17] Por exemplo, em "Frau Holle", *Grimms Märchen*, 2 vols., Manesse-Verlag, Zurique, nº 24.

[18] Comp. c/ Neumann, *História da Origem da Consciência*, loc. cit., índice s.v., "Coluna Djed".

simbolismo da árvore, do tronco, do pilar e da estaca será determinado, entre outros, pela natureza da madeira, que, como ὕλη, não só é um produto do crescimento, mas também é substância, a matéria de onde tudo se origina, e nesse sentido possui caráter elementar.

A ênfase de um símbolo é amplamente dependente da situação cultural em que se assenta, se matriarcal ou patriarcal. Assim, no patriarcado, o caráter de *mater* do símbolo "matéria" é depreciado, e, com isso, o "material" em oposição ao ideal – que será atribuído ao lado masculino-paterno – é visto como algo de pouco valor. Da mesma forma, o símbolo ὕλη não é venerado como fundamento do mundo do crescimento, mas se refere, ao contrário, à "matéria" inerte, demoníaca e negativa, verificada em todas as religiões gnósticas, desde o cristianismo até o Islã, oposta ao aspecto espiritual divino υοῦς do masculino.

Enquanto nem mesmo a árvore masculino-fálica perde o caráter de dependência da terra no mundo matriarcal, o mundo patriarcal da Índia, da cabala e do cristianismo conhece uma árvore cujas raízes estão "acima", no céu patriarcal. O simbolismo "antinatural" de uma tal árvore espiritual tem, é óbvio, significado inequivocamente patriarcal. Nesse ponto, nos deparamos com um paradoxo, quando verificamos que o espírito masculino é capaz de servir-se de símbolos naturais oriundos do inconsciente, para construir um mundo puramente abstrato, como na matemática. Isso, porém, leva-o a cair em contradição com o caráter natural dos símbolos, que ele distorce ou perverte. Símbolos não naturais e a intensa hostilidade contra o símbolo natural – por exemplo, Eva ter surgido de Adão – são uma característica do espírito patriarcal. Entretanto, mesmo essa tentativa de reverter os valores fracassa na maioria das vezes, o que poderia ser comprovado por uma análise desse simbolismo, porque o caráter matriarcal do símbolo natural sempre se faz valer.[19]

A árvore, como casa ou geradora de frutos, é não só avaliada positivamente como local de nascimento; de acordo com a estrutura ambivalente do Grande Feminino, de onde se origina, também pode ser o domicílio da morte. Os mortos são içados até a copa das árvores; o tronco contém o cadáver, como o cedro que guardou Osíris; o esquife de madeira é depositado na terra – aqui o caráter da terra-útero tomando o corpo de volta para si une-se ao caráter receptor da madeira acolhedora. Pertencem a este grupo simbólico as variantes da árvore da morte, representada pela força, pela cruz e pela estaca.

A ambivalência do arquétipo, tão clara no caráter elementar do Feminino, continua presente no caráter de transformação. Ela só retrocede no nível a que damos o nome de transformação espiritual, o novo fator em que encontramos uma síntese na qual será resolvido o princípio original dos opostos.

---

[19] Seria uma tentativa interessante e bastante fecunda para a história intelectual da Psicologia observar o percurso do simbolismo arquetípico latente na Filosofia e investigar a dissolução do simbolismo original efetuada por um mundo conceitual acentuadamente contrário àquele.

O simbolismo de transformação é determinado, em grande escala, pelo mais numinoso de todos os mistérios da transformação: o crescimento. No mistério da transformação do sangue,[20] o segredo do Feminino parece estar no nível animal, mas com relação a isso vale a frase de Platão: "Na fertilidade e no ato de gerar, a mulher não dá um exemplo à terra, mas esta é que dá um exemplo àquela."[21] Posto que a terra como aspecto criativo do "Grande Feminino" rege a vida vegetativa, nela repousa o segredo da forma mais profunda e original da "concepção e do ato de gerar", sobre a qual se fundamenta, em primeiro lugar, toda a vida "animal". Por essa razão, os mistérios mais elevados e essenciais do Feminino são simbolizados pela terra e suas transformações.[22]

O fenômeno do crescimento desenvolve-se em meio a uma tal profusão de cores e formas que, ainda hoje, somos fascinados pelo númen arquetípico da vegetação, mesmo que para nós isso hoje não tenha mais valor sagrado-cultural, e sim estético-artístico.

Ao longo de uma transformação perpétua, a humilde semente "em putrefação" alonga-se num caule com promessas de folhas; o talo esguio transmuta-se numa planta jovem e ainda fechada em si, que vai, depois, desabrochar e florir em toda a peculiaridade de suas formas e cores. Esse processo de transformação da forma e da cor – em que a partir da semente incolor se desenvolvem o verde e o dourado das folhas e do caule e, destes, a profusão de cores das flores – culmina na mudança que ocorre quando a aromática fragilidade da flor se torna a fruta amadurecida e concentrada, novamente revestida pela variedade interminável de formas, cores, consistências, sabores e aromas. Esse processo enigmático começa embaixo da terra e se completa com a ajuda da água, na atmosfera, amadurecendo ao calor do sol. Está exposto à influência das forças invisíveis que o homem primevo vivenciava na terra e na água, nos poderes celestiais da noite e do dia, nas estrelas, na lua, no sol e na mudança das estações.

Essa profusão de seres vegetais envolve a humanidade nas florestas virgens e estepes, nas montanhas e nos vales. A vida vegetal prolifera em todos os lugares: embaixo da terra, como raiz e tubérculo; em árvores de fácil e difícil acesso, como mar de frutos; no campo e no bosque, como erva e bago, como noz e cogumelo, como

---

[20] Veja acima p. 40.

[21] Platão, *Sämtliche Werke* em 2 volumes, traduzido para o alemão por F. Schleiermacher, Viena, 1925. Veja vol. II, Menexenus.

[22] Nas culturas agrícolas, com sua ênfase sobre o crescimento, a imagem da "Grande Mãe" e a do matriarcado sociológico ocupam o primeiro plano. Mas isto significa apenas que, nesta fase, o Grande Feminino adquire clareza maior, apesar de unilateral. Na verdade, esse arquétipo é muito mais amplo e profundo. A estrutura arquetípica da Grande Mãe pode ser identificada tanto nas caçadas da Idade da Pedra como nos tempos modernos; além disso, independentemente da estrutura social que, num grau muito maior do que se percebe hoje, é condicionada pelas constelações psíquico-arquetípicas vigentes nos grupos.

folha e grão. E esse mundo primordial é o mundo do Grande Círculo e da Grande Mãe; ela é a protetora, a mãe bondosa que alimenta os homens com frutas, tubérculos e grãos, mas que também os envenena e, quando se afasta dos seres vivos, faz com que estes passem sede e fome nas épocas de escassez.

Nesse mundo primitivo dos vegetais vive, sob sua proteção e em situação dependente, o mundo animal, que traz consigo o perigo e a salvação. Embaixo da terra, é representado pelas cobras e pelos vermes – sinistros e perigosos; na água, por seres como os peixes, os répteis e as criaturas aquáticas colossais; no ar, pelas aves que cruzam o espaço; e, na terra, pelos animais que a percorrem de um lado para outro. Esse mundo animal completa o espaço vegetal, nele se aninhando como o pássaro na árvore, com seus rosnares e sibilos, dando leite e devorando.

Esse mundo também se encontra em transformação: ovos se rompem e crianças engatinham; cadáveres se decompõem na terra, e a vida brota da lama e dos pântanos. Em todo lugar veem-se mães e filhotes de peito nascendo, crescendo, se modificando, devorando e sendo devorados, matando e morrendo. Entretanto, esse mundo animal, com toda sua capacidade aniquiladora, selvageria e angústia de morte, é ofuscado pela sombra da Grande Mãe, como Grande Árvore do Mundo que abriga, protege e nutre esse mundo animal do qual o homem se sente parte integrante. O mito permite, em sua misteriosa veracidade, que tanto o mundo animal quanto os seres humanos brotem do mundo vegetal; assim, a humanidade parece surgir apenas como parte da Árvore do Mundo de todas as coisas vivas.

> *Gleich wie Blätter im Walde, so sind die Geschlechter der Menschen. / Blätter verweht zur Erde der Wind nun, andere treibt dann / Wieder der knospende Wald, wann neu auflebet der Frühling: / So der Menschen Geschlecht: dies wächst, und jenes verschwindet.*[23]
>
> ["Como as folhas na floresta, assim são as gerações dos homens. / As folhas são lançadas à terra pelo vento / e a floresta fecunda se encarrega de que outras germinem, quando ressurge o vigor da primavera. / Assim é a espécie humana: um cresce e o outro desaparece."]

Bachofen apresentou, repetidas vezes, esta metáfora de Glauco como característica da sensação de vida, da sabedoria e da tristeza naturais do matriarcado: "As folhas das árvores não se originam umas das outras; ao contrário, nascem por igual, a partir do galho. Da mesma forma é a espécie humana, vista segundo o direito materno... O que foi gerado pertence à substância materna, que o protegeu, trouxe-o ao mundo e agora o alimenta. Essa mãe, porém, é sempre a mesma; em última

[23] Homero, "Ilias" [*Ilíada*], traduzida para o alemão por Hans Georg Meyer, Berlim, 1921; Canto VI, 145-149.

análise, é a terra, representada pela mulher 'telúrica' ao longo de uma sucessão infindável de mães e filhas".[24]

O caráter arquetípico de tais analogias pode ser constatado no fato de que na poesia de todas as épocas verifica-se a repetição das mesmas imagens imersas no mesmo contexto, de tal forma que poderíamos classificar a poesia mundial segundo os arquétipos que expressa. Apresentaremos aqui apenas um exemplo da poesia moderna, em que a mesma situação matriarcal básica se mostra tão viva como nas estrofes de Homero. Podem-se encontrar exemplos, com bastante facilidade, na poesia de todos os povos.

Dirge in Woods

A wind sways the pines,
And below
Not a breath of wild air;
Still as the mosses that glow
On the flooring and over the lines
Of the roots here and there.
The pine-tree drops its dead;

They are quiet, as under the sea.
Overhead, overhead
Rushes life in a race,
As the clouds the clouds chase;
And we go
And we drop like the fruits of the tree,
Even we,
Even so.[25]

["Um vento balança os pinheiros / E embaixo / Sequer um sopro de ar fresco. / Tudo é silêncio enquanto os musgos brilham / No fundo e nos contornos / Das raízes por todo lugar. / O pinheiro lança seus mortos; / Estão tranquilos como no fundo do mar. / Lá em cima, bem lá em cima, / A vida dispara como numa corrida, / Enquanto as nuvens se perseguem umas às outras; / E nós partimos / E despencamos como as frutas da árvore; / Até nós / Até isso."]

---

[24] Cientistas modernos não familiarizados com Bachofen confirmaram essa correlação de Glauco com o matriarcado. Veja: A. W. Persson, *The Religion of Greece in Prehistoric Times*, Berkeley e Los Angeles, 1942. Índice v. "Glaucus".

[25] George Meredith, *A Reading of Earth*, Londres e Nova York, 1888, com referência de F. Harris ao poema de Goethe "Über allen Wipfeln ist Ruh". Seria possível comprovar que grande parte de todo o lirismo ligado à natureza, principalmente do Romantismo, está relacionado às formas de expressão do arquétipo da Grande Mãe, do qual tratamos aqui.

O crescimento e a transformação, como essência dos seres vivos, quando estão no domínio do Grande Feminino, frequentemente surgem associados ao aspecto trágico da fugacidade. Aquele que está isolado, o indivíduo, perece, e sua morte é nada diante da imutável abundância da vida que continua a nascer. Porém, esse aspecto trágico, visto como supremacia do Grande Círculo sobre aquele a quem gerou e, em termos psicológicos, como preponderância do inconsciente sobre a consciência, é a expressão de apenas *um* lado, o aspecto telúrico e obscuro do Grande Ovo Cósmico. O Grande Círculo contém uma parte celeste além da parte terrena,[26] e, dentro do seu mundo, não existe apenas uma transformação descendente rumo à imortalidade e à terra, mas também uma transformação ascendente rumo à imortalidade e aos céus luminosos.

[26] Estranhamente, a compreensão de Bachofen nesse ponto permanece parcial e limitada por concepções cristãs e patriarcais. Atordoado por sua descoberta fundamental da evolução do matriarcado até o patriarcado, e do lunar para o solar, ele nunca chegou à compreensão plena do espírito matriarcal, que deprecia como material e lunar. Essa conceituação é tanto compreensível quanto recusável, assim como a interpretação psicológica correspondente, que exalta a consciência em detrimento do inconsciente, antepondo-a a este. Em ambos os casos – que são basicamente idênticos – trata-se, na verdade, de dois sistemas, dos quais o segundo e posterior (sol, patriarcado, consciência) não pode existir sem o primeiro e fundamental (lua, matriarcado, inconsciente), e nenhum dos dois esgota todas as possibilidades de transformação.

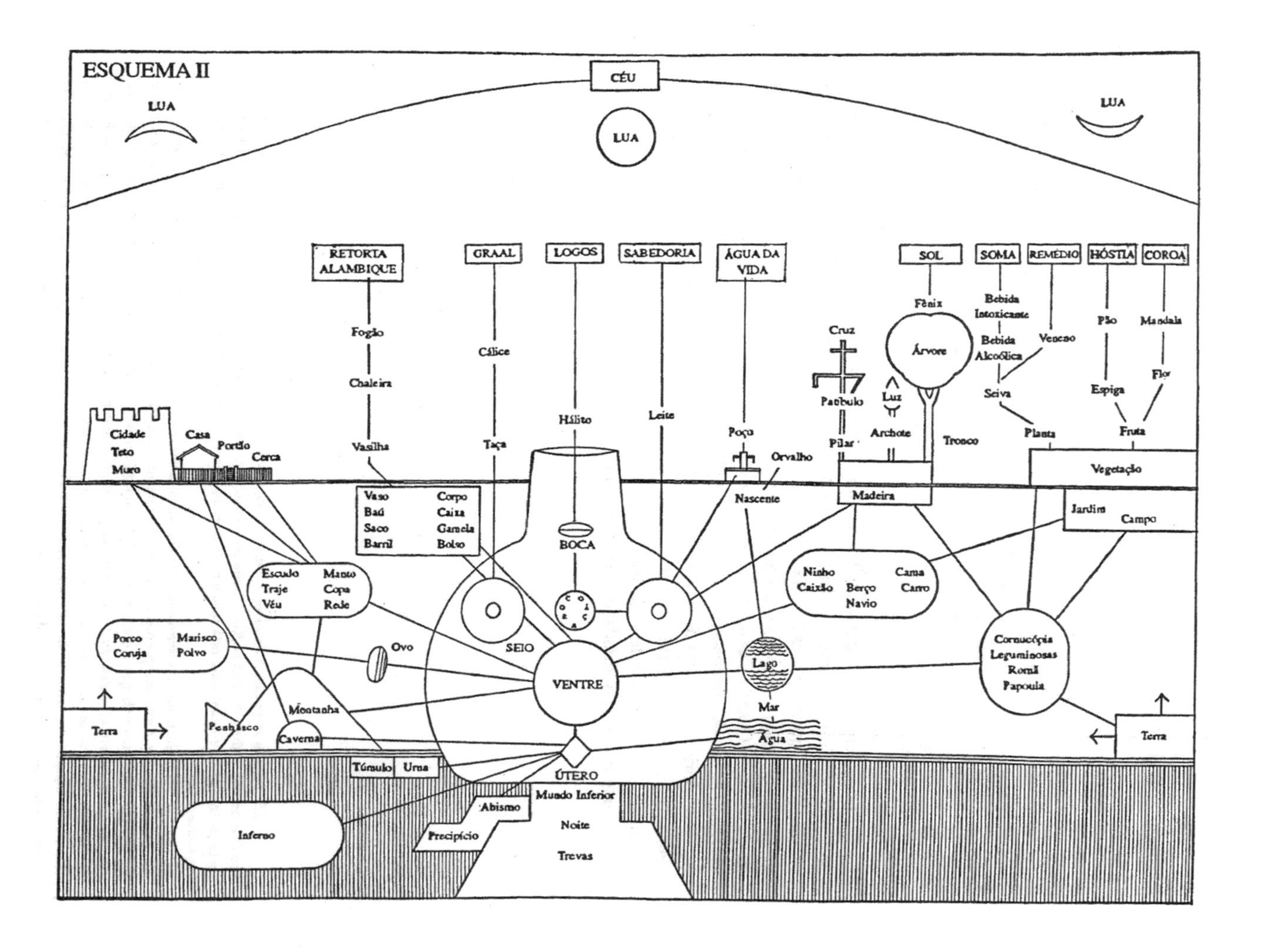

ESQUEMA II
CÉU
LUA
LUA
LUA
RETORTA ALAMBIQUE
Fogão
Chaleira
Vasilha
GRAAL
Cálice
Taça
LOGOS
Hálito
SABEDORIA
Leite
ÁGUA DA VIDA
Poço
Orvalho
Nascente
Cruz
Patíbulo
Pilar
Luz
Archote
Madeira
SOL
Fênix
Árvore
Tronco
SOMA
Bebida Intoxicante
Bebida Alcoólica
Seiva
REMÉDIO
Veneno
Planta
HÓSTIA
Pão
Espiga
COROA
Mandala
Flor
Fruta
Vegetação
Jardim
Campo
Cidade
Teto
Muro
Casa
Portão
Cerca
Vaso
Baú
Saco
Barril
Corpo
Caixa
Gamela
Bolso
BOCA
Escudo
Traje
Véu
Manto
Capa
Rede
Ninho
Caixão
Berço
Navio
Cama
Carro
Porco
Coruja
Marisco
Polvo
Ovo
SEIO
VENTRE
Lago
Mar
Água
Cornucópia
Leguminosas
Romã
Papoula
Terra
Penhasco
Montanha
Caverna
Terra
Túmulo
Urna
ÚTERO
Mundo Inferior
Abismo
Precipício
Noite
Trevas
Inferno

Capítulo Cinco

OS MISTÉRIOS DA TRANSFORMAÇÃO

Os mistérios da transformação do Grande Feminino são processos fundamentados num elemento material ou natural ao qual, no entanto, trazem não só uma mudança quantitativa, mas também sua transformação qualitativa, quando ocorre a conquista de algo novo e supremo, que se manifesta em conexão com o símbolo do "espírito".[1]

A vivência que o matriarcado tem de si pode, como consideramos anteriormente, ser condensada na equação mulher = corpo = vaso = mundo. O fenômeno do mistério da transformação, quando surge o "espírito", é também produto desse Grande Círculo, como sua essência luminosa, seu fruto e seu filho. Com efeito, o espírito matriarcal não renega o solo maternal de origem do qual descende. O espiritual não aparece aqui como a concepção apolínea-solar-patriarcal do "ser-em-si", como existência pura e perpétua, mas permanece "filial", apreendendo-se como criatura surgida historicamente que não omite sua ligação com a terra e a mãe.

Por esse motivo, o símbolo espiritual predileto da esfera matriarcal é a lua, em correlação com a noite e a Grande Mãe do céu noturno. A lua representa o lado iluminado da noite; pertence-lhe, é seu fruto e sua sublimação como luz e essência de sua natureza espiritual.[2]

O dia e o sol são considerados no matriarcado filhos do Grande Feminino, que, como noite escura e manhã, é a mãe do aspecto iluminado. Dessa forma, no Egito, por exemplo, o sinal utilizado para indicar dia e sol é o mesmo, mas as horas têm como

---

[1] Em oposição aos mistérios femininos, temos os mistérios da transformação do caráter de agressão do Grande Masculino, que têm como fator decisivo os arroubos e as mudanças repentinas e radicais. Por isso, o raio é seu símbolo característico. Para a união entre os traços femininos e masculinos dos mistérios da transformação, e a transição da ênfase matriarcal para a patriarcal, ver o cap. "Osíris ou a Transformação", in: Neumann, *História da Origem da Consciência*, loc. cit.

[2] Devemos ter em mente que a comprovação científica de que a lua "somente reflete" a luz do sol não era do conhecimento da humanidade na aurora dos tempos e veio a ser uma aquisição relativamente tardia da consciência humana. Comp. isto e o trecho subsequente c/ Neumann, *Über den Mond...*; loc. cit.

referência as estrelas, e o mês é contado de acordo com a lua,[3] isto é, o tempo, como entidade que abrange o dia e a noite não está relacionado com o sol. Contudo, apesar de dia e sol estarem em oposição à noite, na esfera matriarcal, não representam o lado espiritual da escuridão. O Grande Círculo contém em si a claridade e a escuridão, o dia e a noite, ou melhor, a noite e o dia, sendo que a prioridade cabe à noite, como foi comprovado de forma convincente por Bachofen. Em todo o mundo, a mitologia lunar parece ter precedido a solar. Por outro lado, também sabemos que na psique humana a vivência da totalidade surge sempre antes da experiência dos elementos particulares. Assim, explica-se a frase de Preuss, segundo o qual "a concepção do todo, relacionada ao céu noturno e ao céu diurno, foi anterior à dos corpos celestes; porque o todo era concebido como entidade unitária e a intuição religiosa ligada aos astros frequentemente confundia-os com todo o espaço celeste; isto quer dizer, não podia estar livre dessa concepção geral".[4]

Dessa maneira, a totalidade do céu diurno foi concebida originalmente como a entidade primária da qual o sol era parte. Nesse ponto, devemos deixar de lado o conhecimento científico, e de modo algum evidente por si, da consciência moderna, segundo o qual o sol "faz" o dia e a sua claridade. Essa afirmação mostra-se claramente oposta à vivência ingênua segundo a qual, num céu encoberto, ainda existe claridade. Originalmente, o sol era considerado o luminar do dia, assim como a lua era tida como o luminar da escuridão do céu noturno. Por essa razão, não existia, para o homem primitivo, nem *o* sol nem *a* lua. Da mesma forma como conhecia as luas cheia, crescente, minguante e nova, ele se referia ao sol nascente das manhãs, ao sol do zênite do meio-dia e ao sol poente dos finais de tarde como se fossem sóis individuais e distintos. O lado luminoso da lua e do céu estrelado causa maior impressão na humanidade por seu contraste com a escuridão do que a luz do dia e o sol. Por isso, a lua é vivenciada dentro de uma relação de totalidade com o fundo contra o qual se destaca. É o fruto-luz da árvore noturna e da noite, da mesma forma que as chamas dos archotes de madeira e maçã são frutos luminosos da semente que germina na escuridão da Terra.

Os corpos luminosos são sempre, em sua dimensão arquetípica, símbolos da consciência e do espírito da psique humana. É por isso que sua posição nas mitologias, nas religiões e nos ritos é característica das constelações psíquicas dominantes no grupo que, a partir do seu inconsciente, projetou essas mitologias no céu. Nesse sentido, falamos simplificadamente de uma correlação do sol com a consciência patriarcal e da lua com a consciência matriarcal.

O aspecto espiritual-lunar do matriarcado não se refere ao "espírito invisível e imaterial", de que se gaba o patriarcado: "Enquanto a feminilidade, pela própria

[3] Hermann Kees, *Der Götterglaube im alten Ägypten* (Mitteilungen der Vorderasiatisch-Ägyptischen Gesells-chaft, vol. VL), Leipzig, 1941, p. 225.

[4] Konrad T. Preuss, *Die geistige Kultur der Naturvölker*, Leipzig, 1923, p. 9.

natureza, não é capaz de se despojar da materialidade, o homem dela se afasta completamente e se eleva à imaterialidade da luz solar."[5]

Para esse aspecto patriarcal, segundo o qual "a vitória do homem reside no princípio espiritual",[6] a lua é depreciada, assim como o Feminino a que ela pertence. Ela é "só" anímica, "apenas" a forma mais elevada de uma evolução material e telúrica que se opõe a um aspecto "puramente espiritual", o qual, em sua forma platônico-apolínea e judeu-cristã, levou à conceituação abstrata da consciência moderna. Essa consciência moderna ameaça, porém, a existência da humanidade ocidental, pois a unilateralidade da evolução masculina levou a uma hipertrofia da consciência, à custa da totalidade do homem. Por isso, o conhecimento destilado, abstraído pela consciência coletiva da humanidade – como o conhecimento da matéria, por exemplo –, repousa nas mãos dos representantes terrestres da masculinidade, que, como humanos, não se mostram, em hipótese nenhuma, capazes de encarnar o "princípio solar, imaterial e puro". Por outro lado, o caráter de luz e sabedoria que cabe ao Grande Feminino não deveria ser caracterizado simplesmente como "só anímico".

A consciência patriarcal parte do princípio de que a presença do espírito é condição primária, apriorística e eterna. A esse respeito, diz Bachofen depois de descrever as três etapas da evolução, a telúrica-material, a lunar-anímica e a solar-espiritual: "Agora o terceiro estágio pode ser interpretado como o primeiro e original. O que chegou por último à consciência torna-se, então, o primeiro; o sol torna-se o poder primordial do qual resultaram os dois estágios inferiores, através de emanações sucessivas". Cumpre-se o que Aristóteles[7] afirmou ser a lei de toda evolução. Aquilo que vem em último lugar jamais parece ser o último; ao contrário, surge como o primeiro e original. "Pois aquilo que se segue geneticamente é, pela natureza, o primeiro, e aquilo que geneticamente é o último vem em primeiro lugar."[8]

Não nos interessa aqui a discussão filosófica dessa declaração, mas seu fundamento psicológico. Partindo-se do produto final do processo evolutivo, isto é, a consciência, com a qual o Masculino se identifica, ele, em seguida, passa à negação do princípio genético, que é exatamente o princípio básico do mundo matriarcal. Ou, mitologicamente falando, chega ao matricídio e à revalorização patriarcal em que o filho, ao se identificar com o pai, fez de si mesmo a fonte da qual teria surgido o Feminino (assim como Eva, a partir da costela de Adão), de forma espiritual e antinatural.

É incontestável a necessidade e a relativa legitimidade desse ponto de vista para a consciência, em especial para uma consciência masculina;[9] ela, porém, só é compreensível na radical unilateralidade quando considerada em contraste com a

---

[5] Bachofen, *Das mutterrecht*, 2 vols. (Obras completas, vol. II e III), Basileia, 1948, vol. I, p. 412.

[6] Idem, vol. II, p. 600.

[7] Aristóteles, *De animalibus historia*, org. por L. Dittmeyer, Leipzig, 1907, livro II, cap. I.

[8] Bachofen, *Mutterrecht*, loc. cit., vol. I, p. 412.

[9] Neumann, *História da Origem da Consciência*, loc. cit., p. 429.

oposição fundamental do tão necessário e igualmente justificável princípio do mundo matriarcal.

Nesse mundo matriarcal, o mundo espiritual da lua, que corresponde ao simbolismo básico do Grande Feminino, aparece na qualidade de nascimento e, na realidade, de renascimento. Onde quer que encontremos o símbolo do renascimento, estaremos diante de um mistério de transformação matriarcal, e isso é verdade mesmo quando seu simbolismo ou sua interpretação aparecerem camuflados pelo patriarcal.

Já que vamos discorrer sobre o simbolismo da transformação espiritual na segunda parte deste trabalho, podemos lançar mão de algumas indicações gerais baseadas em nosso esquema (Esquema II), especificamente na parte superior.

O simbolismo da transformação sempre se torna sagrado, onde quer que ocorra uma intervenção humana no processo puramente natural da transformação, de maneira que não só a natureza ou o inconsciente participem ativamente desse processo, mas também a personalidade humana envolva-se nele cada vez mais e o intensifique.

Embora o processo de integração da personalidade humana criativa seja a forma mais elevada dessa transformação natural sublimada, dela também participam formas mais parciais de transformação cultural. Processos deste gênero são os mistérios primordiais do Feminino, que, em nossa opinião, estão situados nos primórdios da cultura humana.

Em todas essas formas de mistério, como o preparo de comida e bebida, a confecção de roupas, de vasilhas, da casa etc., os objetos naturais e as coisas transformadas pela natureza são submetidos a uma modalidade superior de transformação, pela intervenção do homem.

Uma tal "transformação" não é, originalmente, um processo "técnico", como nossa consciência secularizada costuma inferir, mas, sim, um mistério. Por conseguinte, o simbolismo ligado a esses mistérios primordiais sempre tem caráter espiritual que ultrapassa o meramente real.

Ocorre, assim, uma sequência de transformações, desde a fruta até o suco, passando pelo processo de fermentação e chegando à bebida inebriante, cujo caráter lunar-espiritual aparece nas poções da imortalidade como soma, néctar, hidromel etc. Da mesma forma, surge outra série de plantas do reino natural, utilizadas na essência de tóxicos e medicamentos, em que se impõe o lado espiritual dos triunfos da criação; sobre ela domina a lua e, em última análise, a Grande Mãe. Os medicamentos utilizados para a cura, bem como os tóxicos, são conteúdos numinosos adquiridos e comunicados de forma misteriosa. Os divulgadores e administradores desse aspecto do Grande Feminino – quase sempre mulheres – são figuras sagradas, sacerdotisas.

O caráter de transformação espiritual está mais evidente nas bebidas inebriantes, nos venenos e nos medicamentos. As experiências que causam a impressão mais intensa no ser humano estão relacionadas à sensação de que sua natureza se modifica pela ingestão desse tipo de substâncias. É significativo, contudo, que essa transformação seja vivenciada como espiritual, não como corporal. Doença e envenenamento, embriaguez e cura são processos da alma que se relacionam, em toda a humanidade, com um princípio espiritual invisível e móvel, cuja atuação vai promover a transformação da personalidade.

As experiências diárias da fome e da sede, e a saciedade, o repouso e o prazer que advêm de mitigá-las, são, com efeito, muito mais corriqueiras que as experiências bizarras com as bebidas inebriantes, os tóxicos e os medicamentos; mas estas criam a base para a vivência dos mistérios da transformação através do alimento, que está na origem de todos esses fenômenos. Nesse âmbito, cabe também a transformação do alimento natural pelo fogo e os processos correspondentes do cozer, do assar e do grelhar. Todas essas são aquisições culturais essenciais da humanidade que tornam o homem, na realidade, um ser cultural.

Essa evolução cultural também será colocada em movimento pelos mistérios que pertencem à secreta província do Feminino. O fator ostensivo e característico dos mistérios da transformação matriarcal é que eles sempre permanecem "incorporados", ou seja, de certo modo, estão sempre ligados à matéria. Nessa transformação, a matéria torna-se, sem dúvida, sublimada, adquire qualidade essencial; é a "quintessência", mas não ultrapassa a área de influência do Grande Feminino.

O tipo de transformação da matéria a que nos referimos é mais evidente na transformação alquímica da personalidade humana. Contudo, antes de surgir nos mistérios como experiência anímica particular, ela é percebida na projeção sobre a natureza animada. Eis a razão pela qual toda uma gama de símbolos de transformação espiritual da natureza entra nos mistérios. A planta, então, torna-se grão e é transformada em pão e hóstia; a madeira dá a chama e a luz. A flor torna-se coroa e mandala, além de lugar de nascimentos espirituais "superiores" – como árvore, rochedo e montanha, ouvido, flanco e cabeça. E o vaso em que se dá esse nascimento espiritual surge como vaso mágico e vaso de transformação: fonte batismal, graal e, finalmente, retorta alquímica.

Até mesmo os símbolos matriarcais mais abstratos conservam seu relacionamento com o simbolismo do vaso-corpo do Grande Feminino. A sabedoria torna-se o leite da sabedoria, e assim conserva não só o caráter de transformação sangue-leite como também o caráter de alimento e a ligação com o nascimento criativo através do Grande Feminino. Igualmente, o elixir da vida conserva o caráter de símbolo natural, e o "bem supremo" aparece como erva ou fruta da imortalidade, como bebida inebriante ou *acqua vitae*, diamante ou pérola, flor ou grão.

Finalmente, o mundo espiritual, como algo já nascido, como produto da própria natureza criativa, é simbolizado da maneira mais abstrata pela forma que leva da boca ao hálito e, deste, ao sopro e, por fim, à palavra, ao *logos*, cujo caráter filial tornou-se força histórica no *logos* da Philo e, subsequentemente, do cristianismo.

Baseados nisso, associamos este grupo simbólico, no nosso esquema, com o centro da grande mulher-corpo-vaso, isto é, o coração. Na verdade, a sequência hálito-*-logos*, assim como uma grande quantidade de outros símbolos e grupos simbólicos, foi posteriormente encampada pelo patriarcado, mas em toda parte pode-se verificar sua origem matriarcal. Tal fato ocorre num mito egípcio registrado numa fase em que o patriarcado havia reavaliado por completo a situação matriarcal original e onde se encontram as seguintes palavras: "O demiurgo que criou todos os deuses e seus Kas está em seu coração e em sua língua".[10] Já discernimos aqui a tendência masculina rumo a um espírito abstrato, que encontrou sua expressão mais evidente na doutrina judaica da criação através da palavra. Entretanto, por baixo disso, ainda percebemos a situação original em que a palavra "nasce" como essência da totalidade corporal divina, o Grande Círculo, a situação em que se diz: "Meu coração, minha mãe; meu coração, minha mãe! Meu coração de transformações".[11]

O mundo matriarcal está longe de ser, como supunha Bachofen, somente o nível da matéria inferior, da fugacidade telúrica e da escuridão. Nos mistérios do renascimento ocorre exatamente a iluminação e a imortalização do indivíduo. Esse indivíduo é iniciado pela mãe-espírito, como já o demonstram claramente os mistérios eleusinos, e seu renascimento acontece como um nascimento luminoso no céu noturno. Ele reluz como uma estrela na noite, como deus imortal ou como herói, permanecendo tão unido à Grande Mãe da Noite, por assim dizer, que brilha como criança-luz no seu ventre escuro; resplandece como ponto de luz no seu manto da noite ou como parte de sua árvore de luz, que ilumina seu mundo noturno. Mesmo sendo imortal ela não o libera – tal como o Grande Pai, que reúne em torno de si seus imortais na mandala celeste.

Se examinarmos a totalidade da esfera simbólica determinada pelo caráter vaso do Grande Feminino, reconhecemos que esse Feminino – como "o princípio criativo" – abrange o mundo todo, em seus caracteres elementar e de transformação. Em sua unidade original, é a totalidade da natureza de onde surge toda vida, a desenvolver-se e assumir em sua mais elevada transformação a forma de espírito.

O mundo matriarcal é geocêntrico no amplo sentido, que significa que a realidade tangível e visível é a fonte das formas mais elevadas de manifestação, a saber, os fenômenos espirituais que nela surgem. No mundo matriarcal, portanto, a mulher como vaso não é criada pelo homem, nem a partir dele, nem lhe serve como objeto de suas intenções de procriação. Ao contrário, é esse vaso que contém o caráter misterioso da transformação, que dá origem em si, e de si, ao Masculino.

Bachofen acertadamente apontou que, no matriarcado, o homem é visto como o semeador, mas ele não conseguiu enxergar além do significado radical dessa imagem,

[10] Alexandre Moret, *The Nile and Egyptian Civilization*, trad. por M. R. Dobie, Londres, 1927, p. 376.

[11] *The Book of Dead*, tradução para o inglês de *The Theban Recension*, de Sir E. A. Wallis Budge, 2ª ed. corrigida, Londres, 1949, cap. 39, p. 147.

em que o homem é apenas um instrumento da terra e da semente lançada por ele – não é "sua" semente, mas sim a semente da terra. Essa situação ainda prevalece num costume da África, cuja descrição devemos a Frobenius: "Chegando no campo o homem avança com um longo bastão de plantar e com ele faz, um após outro, furos para as sementes, no chão liso. Atrás dele vem sua mulher. De uma cabaça apoiada no quadril, ela tira um punhado de sementes atrás do outro e os atira nos orifícios feitos na terra. As primeiras sementes, porém, ela não atira com as próprias mãos. A mulher as comprime na mão pequenina da criança, e esta as joga no terreno lavrado. Enquanto isso, o homem não olha em torno. Em silêncio e quase intimidado, ele permite que a mulher continue em seu mister".[12]

O Grande Vaso gera em si as próprias sementes; é partenogenético e precisa do Masculino somente como iniciador, lavrador e propagador da semente, oriunda da terra feminina. Essa semente nasce da terra; é, ao mesmo tempo, a espiga e a criança; tanto na África como nos mistérios de Elêusis mais tarde, o patriarcado postula o contrário com a mesma unilateralidade, defendendo, então, que a semente do Masculino é o elemento criador e o Feminino, como vaso, é apenas domicílio fugaz e fonte de alimentação temporária para essa semente.

Se resumirmos o que tentamos ilustrar até o momento sobre a estrutura arquetípica do Grande Feminino através dos dois esquemas, temos que o primeiro se propôs a apresentar o aspecto genético de uma evolução arquetípica, cujo desenvolvimento acompanha até a diferenciação da figura da Grande Mãe, introduzindo a figura da *anima* assentada na investigação dos caracteres elementar e de transformação.

No segundo esquema, foi esboçado o significado abrangente do vaso, como símbolo central do mundo matriarcal.

Para nossa tarefa seguinte, a de reunir esses dados numa visão geral, viva e dinâmica, teremos que nos orientar, necessariamente, por outro esquema, em meio a uma imensa quantidade de dados, símbolos, imagens e figuras.

Exatamente por não desejarmos organizar o material da segunda parte de maneira sistemática, temos de antecipar aqui algumas referências abstratas, com as quais não queremos sobrecarregar as ilustrações ao longo da segunda parte. Assim, passamos à apresentação das "esferas funcionais" do Grande Feminino.

---

[12] Leo Frobenius, *Das sterbende Afrika, die Seele eines Erdteils,* publicação do Forschungsinstitutes für Kulturmorphologie, Frankfurt a.M., 1928, p. 290.

Capítulo Seis

AS ESFERAS FUNCIONAIS DO FEMININO

O diagrama estrutural (Esquema III) do Grande Feminino é determinado por dois eixos e quatro círculos. Ambos os eixos correspondem aos dois tipos de caráter do Feminino. O eixo designado por (M) corresponde ao caráter elementar, em que prevalece o destaque do maternal; o que indicamos por (A) refere-se ao caráter de transformação, onde surge a dominância da *Anima*.

Ambos os eixos têm um polo superior positivo e outro inferior negativo. O eixo (M) corresponde, portanto, à amplitude do caráter elementar, cujo polo negativo inferior – a Mãe Terrível (M-) – tem seu correspondente positivo superior – a Mãe Bondosa (M+). Analogamente, encontramos no eixo (A) a extensão do caráter de transformação, desde o negativo inferior (A-) até o polo positivo superior da *Anima* (A+).

O propósito desse esquema não pode se limitar a esboçar um sistema inerte de coordenadas, dentro do qual ocorre uma organização; em vez disso, consiste em reproduzir a invisibilidade e a dinâmica numinosa do desenvolvimento arquetípico, em termos quase visuais.

Com essa finalidade, procuramos unir o esquema axial dos tipos de caráter do Feminino a um esquema circular de suas manifestações. As funções, os conceitos e os símbolos abstratos que apresentamos como "pontos" determinados no esquema devem ser interpretados como "áreas de concentração" de processos psíquicos, para os quais aqueles, de certa forma, conferem um título. A cada uma dessas funções corresponde, na realidade, um grupo equivalente de símbolos, fenômenos e modalidades de comportamento que age e sofre a ação, e que aqui pode ser apenas indicado, não desenvolvido.

O círculo no centro representa o *caráter elementar do Feminino*. Nessa área, o caráter elementar maternal predomina sobre o caráter de transformação. Em nome da clareza, desenhamos as funções do Grande Feminino. O centro do círculo elementar, propriamente, desempenha a função de *conter*. Ao longo do eixo ascendente do caráter elementar (M), em direção ao polo (M) positivo, encontram-se as funções do *gerar* e do *libertar* como bases do crescimento e do desenvolvimento. Do outro lado, dirigindo-se ao polo (M) negativo, temos as funções do *reter*, do *fixar* e, mais adiante, do *aprisionar*, que indicam o lado perigoso e letal do Grande Maternal, tanto quanto o polo contrário evidencia seu aspecto de vida e de crescimento.

Já encontramos nessa relação de oposição os sintomas do teor ambivalente do arquétipo. Gerar e libertar pertencem ao lado positivo do caráter elementar; seu símbolo típico é o *símbolo da vegetação*, em que a planta que está em crescimento irrompe do escuro útero da Terra e vislumbra a "luz do mundo". Essa libertação do escuro para o claro caracteriza o caminho da vida, bem como o caminho da consciência. Ambos os caminhos conduzem sempre, e basicamente, da noite para a luz. Este é *um* dos motivos para a conexão arquetípica entre simbolismo do crescimento e a aquisição da consciência, enquanto a terra, a noite, a escuridão e o inconsciente são um conjunto em oposição à luz e à consciência. À medida que o Feminino liberta para a vida e para a luz o que nele está contido, torna-se a Grande Mãe e a Mãe Bondosa de toda a vida.

Por outro lado, a Grande Mãe torna-se perigosa na função de fixar, não permitindo a libertação de um ser que aspira pela independência e liberdade. Essa situação constela fases essenciais da história da consciência e de seu conflito com o Grande Feminino. Existe um símbolo que pertence a esse contexto e desempenha papel de destaque nos mitos e nos contos de fada: o cativeiro. Subentende-se com esse termo que o indivíduo, não se encontrando mais na situação natural e original da criança contida, vivencia a postura do Grande Feminino como constrangedora e hostil. Mais adiante, a função de aprisionar apresenta-se como tendência agressiva que, como o simbolismo do cativeiro, pertence ao aspecto bruxa da mãe negativa. A *rede* e o *laço* são, nesse caso, os símbolos adequados, bem como a *aranha* e a *lula*, com suas presas e seus tentáculos captores. As vítimas dessa constelação já dispõem de uma parcela de independência, mas que se encontra ameaçada, pois, para elas, estarem contidas na Grande Mãe não é mais um fato compreensível. Ao contrário, já são "renitentes", de acordo com nossa terminologia.[1]

Temos como perpendicular a esta seção do eixo (M) o eixo correspondente (A), que também intercepta o círculo central do caráter elementar em dois pontos. No ponto de intersecção do segmento positivo que conduz ao polo (A), registramos a função de *dar*, diferenciada nas funções de *proteger*; *aquecer* e *nutrir*. O caráter elementar é mais evidente na função de *proteger*, e o de transformação também atua nas funções de *aquecer* e *nutrir*.

No ponto de intersecção oposto do círculo elementar com o segmento do eixo (A) que leva ao polo (A-), inserimos as funções de *rejeitar* e *privar*. Essas funções,

---

[1] Neumann, *História da Origem da Consciência*, loc. cit., Índice s.v. "Renitentes", comp. também com "Hipólito", "Narciso", "Penteu" etc.

assim como as de *reter* e *aprisionar*, obedecem ao lema: "Se você não for obediente, vou ter que usar a força". Ambas pertencem, por isso, ao aspecto escuro do Grande Feminino, que no esquema se estende desde o centro até embaixo; seu ponto inferior indica o Grande Feminino negativo (F-), que se diferencia em polo (M-) e polo (A-).

No sentido positivo, *rejeitar* é uma função básica do maternal elementar, que liberta o jovem adulto – principalmente do sexo masculino – e, numa determinada fase – como entre os animais –, impele-o para que parta em busca do próprio alimento. Assim, também é possível encontrar parte do caráter de transformação do Grande Feminino representado pelo *rejeitar* que propicia à criatura chegar ao seu desenvolvimento natural; daí sua intersecção com o eixo (A). (Trata-se, num certo sentido, de uma forma negativa de "libertar", por parte do Grande Feminino, que começa com o nascimento e leva ao crescimento.)

A rejeição acontece na vida do indivíduo quando cessa o estar contido, isto é, está presente sempre que o *indispensável* desenvolvimento dá um fim ao estar contido no ouroboros, na Grande Mãe. Essa constelação é a base daquilo que designamos personalisticamente como o *trauma do nascimento* e que é interpretado como a causa de toda sorte de infortúnios. Na verdade, trata-se do fato existencial de que o ego e o indivíduo, ao saírem da fase do estar contido – seja por um desenvolvimento paulatino e imperceptível ou por um "nascimento" repentino –, experimentam essa situação como rejeição. Por essa razão é que encontramos a experiência subjetiva da aflição, do sofrimento e do desamparo a cada transição crucial para uma nova fase da existência. Toda vez que uma situação antiga de estar contido se dissolve, ou é encerrada, o ego vivencia essa revolução – em que se dá a eclosão de um antigo casulo existencial – como rejeição por parte da Grande Mãe.[2]

A função da rejeição está intimamente relacionada à da *privação*, que, na esfera elementar, cria a função oposta do *dar*. A privação é função básica do caráter elementar, posto que também a "supressão do amor" determina, desde o início, o relacionamento de todos os seres com o Grande Feminino. Mas é apenas num estágio consciente que a supressão do amor e a privação surgem, nesse caso, como atividade negativa voluntária do Grande Feminino ou da Grande Mãe. Considerando que todos os elementos positivos e necessários à existência, como nutrir, alimentar, aquecer, proteger, oferecer segurança e proteção, estão ligados à imagem do Grande Feminino, e que este transmite, de fato, todos esses conteúdos positivos no seu relacionamento com a criança e o infantil, todas as rupturas e aflições que acometem o fluxo positivo que provém da mãe para todo ser vivo, todas as necessidades e todo tipo de privação serão atribuídos à mesma Grande Mãe em seu aspecto de mãe "terrível" e "má". Porém, fica bem claro que, mesmo aqui, o caráter de transformação do Feminino que conduz às mudanças também é atuante.

---

[2] Idem, cf. "a luta com o dragão".

A Grande Mãe não é somente a provedora de vida, mas também aquela que dá a morte. A supressão do amor pode se apresentar como a supressão de todas as funções que constituem o lado positivo do caráter elementar. Assim, a fome e a sede correspondem, respectivamente, à saciedade; o frio, ao calor; o abandono, ao amparo; os andrajos e a nudez, à proteção das roupas; e a aflição, ao contentamento. Mais forte que tudo isso é o *isolamento*, o *principium individuationis* que se manifesta frequentemente como o contrário do estar contido, que é a premissa básica da *participation mystique*, isto é, o vínculo em que não há isolamento.[3] Temos em relação a isso a palavra alemã *Elend*, que tanto significa "desgraça" como "exílio". Nesse sentido, os símbolos conceituais do exílio e do deserto podem ser incluídos no mesmo rol daqueles mencionados anteriormente.

Essa privação existencial também pode assumir uma forma universal e simbólica. O nascimento é não só uma libertação para a vida, mas também é vivenciado como expulsão do paraíso uterino; a consciência é experimentada não só como evolução progressiva e reveladora da vida em direção à luz, mas também como o banimento da bênção noturna do sono no inconsciente e – como em todas as visões de mundo de teor gnóstico – como a perda do lar original.

Além dessas, há situações existenciais em que o Grande Feminino aparece num papel mais ativamente negativo. Nesse momento, ele utiliza a "supressão do amor" como instrumento do seu poder, como recurso para eternizar seu domínio como "Grande Mãe", a fim de não permitir que sua progênie atinja a liberdade. Neste momento, rejeitar e privar convertem-se em reter e, mesmo, em aprisionar, que conhecemos como funções negativas do caráter elementar. (Ocorre aqui uma ligação entre a extremidade inferior esquerda do eixo [A] com sua correspondente inferior do lado direito, no eixo [M].) Com isso, concluímos a descrição da área funcional da primeira esfera, a das funções do caráter elementar.

Continuamos sobre o eixo (M) do nosso esquema até o segundo círculo, o da *transformação*, atribuímos a função do *desenvolvimento* ao polo positivo e, ao polo negativo, as funções da *diminuição* e do *devoramento*. Essas funções são prolongamentos das tendências básicas do círculo elementar. "Desenvolver" corresponde ao ponto abaixo dele no eixo, que é o gerar-libertar; diminuir-devorar corresponde a reter-aprisionar no círculo elementar. Todavia, ambos os pontos não pertencem mais ao círculo elementar, pois se localizam na intersecção do eixo (A) com o segundo círculo, o do caráter de transformação, que corresponde ao eixo (A), da mesma forma como o primeiro círculo corresponde ao eixo (M).

O caráter de transformação assenta-se sobre o caráter elementar. Ele não só representa outro caráter do Grande Feminino como, de certa forma, seu estágio

---

[3] Encontramos excelentes exemplos disso em documentos das grandes religiões e entre os místicos, cujo objetivo é se dissolver na divindade, é estar contido nela.

superior. Ou, em outras palavras, dizemos que nesse segundo círculo o caráter elementar (M) é recessivo, e o de transformação (A), dominante.

Assim, a intersecção do eixo (A) com o círculo elementar e a função de *dar* correspondem à intersecção do eixo (A) ascendente com o segundo círculo e às funções de *transformar-sublimar*. Da mesma forma, no lado negativo inferior do esquema, ocorre a intersecção do eixo (A) descendente com o segundo círculo, e aqui temos a função de *transformar-dissolver*, que se refere ao *privar* da intersecção interior.

O esquema como um todo e a intersecção e combinação de ambos os eixos com os círculos apontam para as correspondências entre os lados positivo e negativo de cada caráter, assim como são perceptíveis a mistura e as combinações dos dois caracteres. Também se tornam visíveis as mudanças e as direções tomadas por cada mudança de uma função isolada, elucidando – ou ao menos insinuando – parte da *dinâmica interior do arquétipo*.

Fica bem claro, portanto, que na função aprisionante-retentiva do Grande Feminino já discernimos uma vontade de nada libertar do seu domínio; não obstante, na função de diminuir e devorar, essa vontade torna-se mais forte e evidencia sua qualidade agressivamente negativa. Por outro lado, o caráter de transformação do Feminino também atua aqui, embora levando à morte e à dissolução. Esta é a razão pela qual, no segundo círculo, por um lado, estabelece-se uma correspondência entre esse ponto e a intersecção do eixo (A) e, por outro, com as funções transformar-dissolver.

A diferença entre ambos os tipos de caráter é preservada, apesar disso, pois o eixo (M) do caráter elementar indica preferencialmente a eficiência "inferior" corpóreo-material do Grande Feminino, e o eixo (A), seu lado "superior", anímico-espiritual. O desenvolvimento do eixo (M) negativo conduz do *diminuir* e *devorar* até a *extinção* e a *morte* – que é precisamente a morte do corpo –, enquanto o prosseguimento negativo do transformar-dissolver, ao longo do eixo (A), leva à *loucura*, sob a forma de morte e extinção anímico-espirituais.

Encontramos relações análogas na metade superior do esquema. A função do desenvolver, no eixo (M), à qual pertence todo o simbolismo da vegetação, eleva-se sobre as funções elementares do gerar e do libertar. Ainda que ela mantenha a mais estreita relação com a função progressiva da transformação e da sublimação – pois todo crescimento pressupõe a transformação e a sublimação do elementar –, também aqui a direção do eixo (M) é mais corpóreo-material e, a do eixo (A), mais anímico-espiritual.

Além dos círculos sobre os quais discorremos até o momento – os do caráter elementar e do de transformação –, acrescemos a estes um terceiro: o da *transformação espiritual*. Como ápice do eixo (M), encontramos nesse terceiro círculo da transformação espiritual – nascimento-desenvolvimento – a *fruta* como a forma de desenvolvimento mais elevada da semente e como local de renascimento físico. A semente, enterrada no útero da terra, a se projetar a partir do interior escuro do vaso que a contém, adquire sua estrutura para, finalmente, chegar "a si", surgindo da fruta como semente sublimada. Esse mistério do desenvolvimento aparece ligado, de forma especialmente íntima, ao simbolismo da espiga. Aqui atua o caráter de transformação; não obstante, conquanto o desenvolvimento ao longo do eixo (M) supere seu caráter material na esfera da transformação espiritual, sua ligação com o caráter elementar é mais forte que no desenvolvimento ao longo do eixo (A).

A intersecção do prolongamento do eixo (A) com o círculo da transformação espiritual leva à *inspiração*. Condensamos nesse termo tudo o que há de mântico, religioso, profético e poético que o homem, sempre e em toda parte, atribui à *Anima*, ou caráter de transformação, do Grande Feminino, em virtude de seu aspecto imaterial, espiritual.

O fato de que o caráter de transformação, a *Anima*, não é somente uma projeção do Masculino no Feminino, mas corresponde a uma experiência autêntica do Feminino, decorre da demonstração de Briffault,[4] segundo a qual, em todo o mundo, as mulheres são as portadoras originais do mântico.

Se compararmos o símbolo do espírito como fruta com o símbolo da inspiração, ficará nítida a correlação de ambos os fenômenos, pertencentes a eixos distintos da estrutura feminina. Os processos lentos de crescimento e desenvolvimento que produzem a fruta como resultado final e apogeu são psicologicamente diferentes das inspirações, as quais pertencem ao caráter de transformação do Feminino e são caracterizadas pela intervenção avassaladora e repentina de um fator espiritual. Nesse ponto se inicia a relação do Feminino com um princípio masculino-espiritual, que chamamos de "uruboros paternal", mas de cuja natureza não podemos nos ocupar aqui,[5] uma vez que nesse ponto já se está no limite que separa o "Grande Feminino" do "Grande Masculino".

Caracterizamos as quatro intersecções do eixo (M) e do eixo (A) com o terceiro círculo[6] como fruta-nascimento, morte, inspiração e loucura. A parte superior dos eixos que partem do desenvolvimento (M) e da transformação-sublimação (A) em direção à fruta-nascimento e à inspiração, respectivamente, é claramente progressivas e positivas, tanto em sentido físico como psíquico-espiritual. Em oposição a isso, temos a parte inferior dos eixos, desde diminuir-devorar (M) e transformar-dissolver (A) até a morte e a loucura, que é regressivo e negativo. Enquanto a parte superior

4 Briffault, loc. cit., vol. II, cap. 19: "The Witch and the Priestess".

5 Neumann, "Über den Mond...", loc. cit.

6 O terceiro círculo é apresentado no esquema dividido em dois outros círculos: um exterior com quatro polos e um interior com os "símbolos conceituais". Todas essas correspondências determinam não só o mito – a infância filogenética da humanidade – como também a mitologia da infância, isto é, a infância ontogenética do indivíduo.

conduz ao nascimento do indivíduo e à formação, ampliação e transformação da consciência, a parte inferior tende à dissolução do indivíduo e da consciência.

Existem quatro categorias no âmbito dos mistérios do Feminino que ligamos às quatro intersecções dos eixos com o círculo da transformação espiritual. Designamos por mistérios não só as celebrações concretas e historicamente delimitadas de uma cerimônia mística, como nos mistérios de Elêusis, mas também, em senso mais geral, uma esfera psíquica comum a toda humanidade; centrada em torno de um arquétipo abrange toda uma rede de símbolos inconscientes relacionados entre si, e consistem de ritos, mistérios, crenças, costumes etc.

Os "mistérios da morte", na intersecção inferior direita, abrangem não só os ritos das deusas da morte e dos mortos, mas todos os costumes fúnebres e símbolos relacionados ao sepultamento e aos cuidados devidos ao morto; todos os sacrifícios que levam à morte – por exemplo, a fecundação da terra pelo sangue –, e várias outras crenças, onde, por exemplo, se incluem as deusas da guerra e da caça.

Os mistérios da morte, porquanto considerados mistérios da Mãe Terrível, apoiam-se na função devoradora-aprisionadora, que retoma para si, novamente, a vida e o indivíduo. O útero, nesse caso, torna-se a mandíbula devoradora, e os símbolos conceituais da diminuição do dilaceramento, do esquartejamento e da aniquilação, do apodrecimento e da decomposição têm aqui seu lugar e estão ligados a túmulos, cemitérios e magia letal negativa. Nesse contexto, incluem-se também as deusas da morte, sanguinárias, cuja fome só é saciada pela matança de um sem-número de seres vivos, seja a deusa Kali, na Índia, que só se contenta com o sacrifício de humanos e a matança de animais, seja pelo fato de que ela, como deusa da guerra, exige perpetuamente o sangue humano, ou que, como deusa da morte, aniquila todo e qualquer tipo de vida, indistintamente.

Os *mistérios da vegetação*, alguns dos quais já tratamos, estão relacionados ao ponto (M+) oposto e superior à esquerda, no mesmo eixo do desenvolvimento. Todos eles estão estreitamente ligados aos rituais de fertilidade da Grande Mãe, que se referem ao crescimento e à proliferação da vida.

Ao ponto superior direito (A+), designado como inspiração, pertencem todas as esferas da profecia, do mantismo etc. A qualidade manticamente inspirada do Feminino – mas não inspiradora – está quase sempre ligada a um poder espiritual-masculino, ao "ouroboros paternal". Essa figura surge primeiro como anônima e transpessoal, mas, em seguida, se torna uma divindade, na qualidade de senhor das mulheres, cuja expressão mais bela encontramos na figura de Dioniso.

A natureza orgiástico-extática do Feminino, que pertence ao polo positivo do caráter de transformação, se expressa de maneira especialmente clara na relação do Feminino com Dioniso. Seu perigo, contudo, que é a tendência de se voltar para o polo (A-) negativo da loucura, é inconfundível na mitologia, no tocante à relação das mulheres com Dioniso.[7]

O segmento positivo do eixo (A), que comporta a evolução anímico-espiritual do Feminino, desde as funções do dar através da transformação-sublimação até seu clímax criativo – o "espírito Feminino" –, chega ao ponto mais elevado na visão e na inspiração.

A essa área dos *mistérios da inspiração* pertencem os remédios, as bebidas inebriantes, bem como todos os métodos positivos de estimulação, excitação e elevação que conduzam à inspiração e a uma progressão da personalidade e da consciência.

A menção aos fenômenos proféticos e a alusão à Pitonisa délfica indicam o significado cultural dessa esfera do Feminino. As cooperativas e os grupos primitivos obtinham orientações essenciais a partir da capacidade visionária da natureza feminina, a quem cabia, com máxima probabilidade, toda a prerrogativa mântica e que, posteriormente, mesmo tendo-se deslocado para os deuses patriarcais e o sacerdócio, preservou sua preponderância durante longo período.

No xamanismo, que foi o fundamento primitivo do aspecto profético-mântico superior, a visão-inspiração – que atribuímos ao polo (A) positivo – e a loucura-êxtase – que inscrevemos no polo negativo do eixo (A) – se aproximam sobremaneira. Uma avaliação desses opostos como positivo e negativo só é possível em relação ao ego-consciência e ao indivíduo. As situações em que a personalidade, como indivíduo e consciência, pode se dissociar ou ser abalada até a loucura, como em vários cultos que envolvem o uso de entorpecentes, atribuímos ao polo negativo. Contudo, onde houver a preponderância do elemento intensificador da vida e da totalidade, relacionamos tais manifestações com o polo positivo.

Esse problema da avaliação se mostrará bem evidente quando tivermos que ponderar sobre os *mistérios da embriaguez*, os mistérios dos entorpecentes, o estupor e a redução da consciência, ligados ao quarto polo inferior esquerdo, o polo negativo do eixo (A). Com relação à consciência e, frequentemente, para a totalidade da personalidade, tais mistérios são negativos. Por outro lado, quase não existe uma forma de

[7] O caráter de visão-inspiração parece, em primeiro lugar, virtude de sua ligação com o Apolo pítico, como oposto a Dioniso. Essa oposição é, porém, superficial, não só porque em Delfos houve uma reconciliação histórica entre Dioniso e Apolo, mas porque mesmo no Apolo délfico a portadora do oráculo é Pítia, isto é, uma mulher. O fato de Pítia pertencer originalmente ao domínio matriarcal da lua – e não ao reino solar de Apolo – é demonstrado mais além, pelo relato de Plutarco, segundo o qual ela teria sua inspiração somente durante a noite e com o luar. (Sir Galahad, *Mütter und Amazonen*, Munique, 1932.) A ligação "histórica" de ambos os deuses é somente a expressão de um elo essencial entre eles, apesar de todo antagonismo existente. É bastante elucidativa a observação de Nilsson sobre o vidente Melampo, "intimamente ligado ao movimento dionisíaco" e que, ao mesmo tempo, era conhecido como "favorito de Apolo". Ele continha as agitações dionisíacas com a ajuda de "remédios apolínicos", ao que diz Nilsson: "Assemelha-se a um remédio homeopático, quando se conta que ele tomava os jovens mais fortes e, entre clamores e uma dança entusiástica, fazia com que perseguissem as mulheres exaltadas desde as montanhas até Síquia". Martin Nilsson, *Geschichte der griechischen Religion* (Handbuch der Altertumswissenschaft, vol. 1), Munique, 1941, p. 582.

êxtase e inspiração positivos que não utilize esse tipo de recurso. Portanto, a única questão é se a estimulação do inconsciente – envolvida em todos esses casos – leva à regressão da personalidade e à perda da consciência, ou, ao contrário, se a redução passageira da consciência pela embriaguez ou pelo tóxico conduz à ampliação da consciência ou da personalidade. Essa problemática indica, exatamente, por que falamos de dois polos de um mesmo eixo; os dois polos indicam fenômenos análogos, os quais, juntos, constituem o caráter de transformação.

O polo negativo do eixo (A), que se fundamenta nas funções de transformar, dissolver, rejeitar e privar, pertence mais ao caráter de *morte* anímico-espiritual que ao da morte física, tão significativo para os mistérios de morte da Mãe Terrível, da "bruxa velha", no polo negativo do eixo (M). A bebida inebriante e o tóxico negativos – ao contrário dos remédios –, e tudo que conduz ao estupor, ao transe, ao desmaio e à dissolução, pertencem a essa esfera da sedução e da atração exercida pela "bruxa jovem". Nos mistérios negativos da embriaguez e do estupor, a personalidade e a consciência "se dissolvem regressivamente"; intoxicadas pela sexualidade orgiástica negativa, pelos narcóticos ou pelas poções mágicas, sucumbem à extinção e à loucura. Aqui também se atinge um êxtase, mas que reduz e desintegra a personalidade; por isso a doença – considerada um "enfeitiçamento negativo" – pertence a essa esfera, assim como a dor provocada para enfraquecer e não como caminho indispensável para a cura. Rejeitar e privar são funções dessa força desintegradora do Feminino-*Anima* negativo, cujos símbolos são o abandono e a nudez, o estar exposto à miséria e o ser banido para o vácuo.

Entretanto, é exatamente nesse ponto extremo que os fenômenos do polo negativo do eixo (A) podem se tornar positivos.

ESQUEMA III

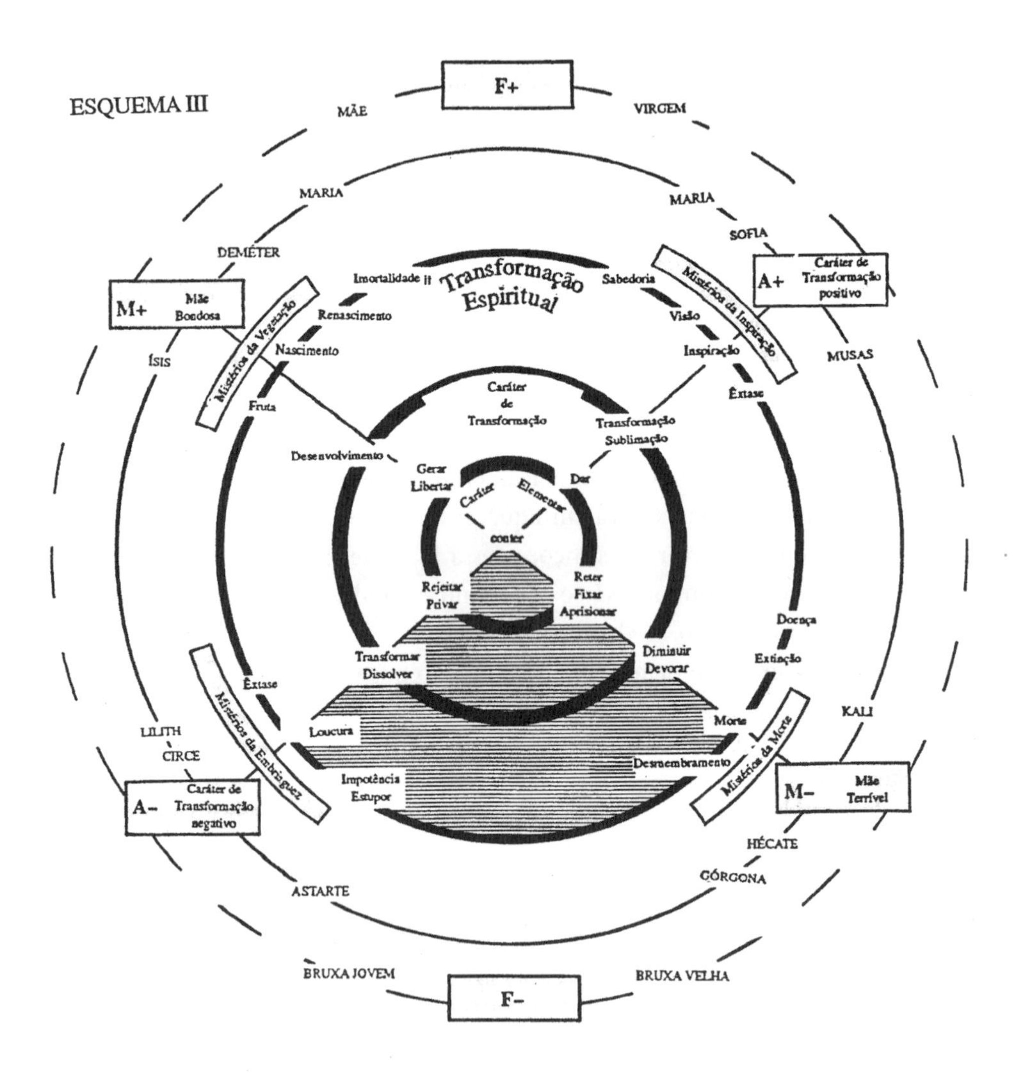

F+
MÃE
VIRGEM
MARIA
MARIA
SOFIA
DEMÉTER
M+
Mãe Bondosa
A+
Caráter de Transformação positivo
Transformação Espiritual
Imortalidade
Sabedoria
Renascimento
Visão
Nascimento
Inspiração
Mistérios da Vegetação
Mistérios da Inspiração
ÍSIS
MUSAS
Fruta
Êxtase
Caráter de Transformação
Transformação Sublimação
Desenvolvimento
Gerar Libertar
Dar
Caráter Elementar
conter
Rejeitar Privar
Reter Fixar Aprisionar
Doença
Transformar Dissolver
Diminuir Devorar
Extinção
Êxtase
Loucura
Morte
KALI
LILITH
CIRCE
Desmembramento
Mistérios da Embriaguez
Mistérios da Morte
A-
Caráter de Transformação negativo
Impotência Estupor
M-
Mãe Terrível
HÉCATE
GÓRGONA
ASTARTE
BRUXA JOVEM
BRUXA VELHA
F-

Capítulo Sete

O FENÔMENO DA REVERSÃO E A DINÂMICA DO ARQUÉTIPO

O fenômeno da reversão tem importância fundamental. Ao mesmo tempo que, aparentemente, anula nossa orientação esquemática, o fenômeno da reversão, na realidade, confirma a precisão da nossa sistematização, que evidencia a estrutura arquetípica polivalente do Grande Feminino em sua dinâmica e multiplicidade de aspectos.

Os quatro polos no terceiro círculo do nosso esquema não são quantidades estáticas ou abstratas. O fato de cada polo ser ocupado por uma figura arquetípica – por exemplo, a Mãe Bondosa e a Mãe Terrível, a *Anima* negativa (ou, simplificando, a jovem bruxa sedutora) e a *Anima* positiva (a Sofia-virgem) – significa que cada polo exerce forte atração psíquica sobre o ego e a consciência. Considerando que o arquétipo é fascinante para a consciência e que sua dinâmica é extraordinariamente superior à daquela, quando o ego-consciência se aproxima do polo não só é atraído por este como também é facilmente dominado. Isso leva à possessão pelo arquétipo, à desintegração da consciência e à perda do ego.[1] Já que a fascinação da consciência ou, ainda, que sua desintegração significa que a capacidade de diferenciação da consciência se extingue nos polos, a possibilidade de distinguir entre positivo e negativo se interrompe nessa constelação, tornando possível a reversão de um fenômeno em seu oposto. O desamparo, a dor, o estupor, a doença, a aflição, a solidão, o despojamento, o vazio e a loucura podem ser, portanto, os pré-requisitos para o surgimento da inspiração e da visão. Assim, podem se manifestar como pontos de passagem por um caminho que, estando acima do perigo, conduz à salvação, já que, estando além da extinção pela morte, levam à regeneração e ao renascimento. Por outro lado, o

[1] Isso é válido principalmente para os polos inferiores, que são, portanto, experimentados de forma "negativa". Aplica-se menos aos polos positivos, porque neles, como acentuamos, existe um componente estimulante da consciência, que protege esta e o ego de todo tipo de fascinação. Podemos notar aqui, mais uma vez, que na humanidade coexistem o positivo-estimulante da consciência e o progressivo, com o negativo-aniquilador da consciência e o regressivo.

elemento positivo da inspiração e a volúpia do êxtase podem conduzir ao declínio do ego, à possessão e à loucura.

O *êxtase*, cujo efeito desintegrador sobre a consciência expõe o campo psíquico tanto a uma evolução positiva como a uma negativa, propicia o fenômeno da reversão, viável em ambas as situações polares. *O polo não é somente um ponto final, mas um "ponto de transição".*

Quando um ego se aproxima de um dos polos ao longo de um dos eixos, existe a possibilidade de que ele o ultrapasse, aproximando-se do oposto. Nos extremos, os opostos coincidem ou, ao menos, podem converter-se um no outro. Essa manifestação típica do aspecto incompreensível e paradoxal do arquétipo constitui, ao mesmo tempo, os rudimentos de toda uma gama de mistérios, doutrinas iniciáticas e secretas, em que se realiza essa situação psicológica básica e na qual se espera do neófito que a vivencie.[2]

No primeiro círculo do esquema – o que se refere ao caráter elementar do Feminino –, o caráter de transformação ainda é recessivo, enquanto no segundo círculo – sem perder a ligação com o caráter elementar –, torna-se dominante. No terceiro círculo, as oposições dos eixos (M) e (A) atingem o ponto máximo, especificamente nos respectivos polos, mas, ao mesmo tempo, são ultrapassadas pelo aparecimento de uma nova qualidade, o *caráter de transformação espiritual*, que não é mais redutível ao caráter (M) nem ao caráter (A). Encontramos aqui não mais as antigas "funções", mas atributos do processo das transformações espirituais; "símbolos abstratos" que representam uma mescla do não conceitual/simbólico com elementos que podem ser apreendidos de modo abstrato. Com os fenômenos de reversão ocorrendo nos polos, os quais dissolvem as oposições e as diferenças nas funções dos eixos, chegamos ao quarto círculo, o círculo urobórico do "Grande Feminino". Os caracteres de (M) e de (A), bem como suas qualidades positivas e negativas, combinam-se e promovem uma permuta urobórica entre si, isto é, *cada um dos quatro polos* manifesta-se através da sua posição no quarto círculo urobórico como um *ponto de indiferença.*

O esquema bidimensional assume agora a tridimensionalidade corporal se imaginarmos que os eixos, partindo do ponto central do nosso esquema, se prolongam como polos norte para ambos os lados, tornando-se, então, os meridianos da esfera que se forma. Os quatro polos encontram-se, assim, em um ponto determinado, que, diante dos dois círculos formados pelos eixos, surge como ponto de indiferença no polo sul da esfera. Em outras palavras, agora os polos (A+) e (A-) são convergentes, assim como (M+) e (M-), e, além disso, o ponto de indiferença (A) também é idêntico ao ponto de indiferença (M). Esse ponto de indiferença no polo sul da esfera corresponde ao ponto central no círculo elementar do nosso esquema e ao polo norte da esfera, que contém os eixos (M) e (A) não desenvolvidos, isto é, igualmente como

---

[2] Neumann, Der mystische Mensch. In: *Kulturentwicklung und Religion*, loc. cit.

ponto de indiferença. Assim, o Grande Feminino surge como uma esfera: um de seus polos consiste no centro do círculo elementar no esquema; o outro é o ponto de indiferença, onde coincidem (A+) e (A-) com (M+) e (M-) (além de F+ e F-).

Para descrevermos esse "Grande Feminino" "indiferente" de acordo com os polos que lhe são característicos, temos as figuras da *mãe* (M+), da *virgem* (A+), da *bruxa jovem* (A-) e da *bruxa velha* (M-). Essa unidade paradoxal corresponde precisamente ao que tentamos representar como o "Grande Feminino", nos esquemas I e II, e a indiferença de sua polivalência paradoxal refere-se ao que indicamos como seu caráter urobórico.

A variedade de orientações que fornecemos em nosso esquema pode, a princípio, parecer confusa. Entretanto, uma observação mais detalhada deste possibilita certa orientação sobre a estrutura do arquétipo do Grande Feminino, esclarecendo, ao mesmo tempo, *a movimentação dinâmica que ocorre nesse arquétipo e na relação da consciência com ele.* A disposição em eixos, o desdobramento em círculos, a atração exercida pelos polos e o fenômeno da reversão dentro dos limites urobóricos comunicam aspectos diversos, porém interligados.

A movimentação ao longo dos eixos é representada pelo movimento do ego e da consciência, a partir do estágio elementar do estar contido (primeiro círculo), em direção à transformação (segundo círculo), atingindo, finalmente, a transformação espiritual (terceiro círculo). O quarto círculo apresenta-se ao ego e à consciência como uma experiência limítrofe, a qual desempenha papel significativo nos mistérios da religião, no misticismo e no desenvolvimento do homem moderno.[3] Na "transformação espiritual" – característica do terceiro círculo – sempre ocorrem processos que induzem o conjunto da personalidade a seguir em uma direção que transcende a consciência. Nesse sentido, a loucura, a visão e a inspiração são fenômenos espirituais, transcendentes à consciência.

A transformação espiritual, isto é, uma mudança substancial da personalidade e da consciência, ocorre apenas mediante a emergência crucial de um arquétipo. Até mesmo a transformação espiritual negativa é arquetipicamente condicionada, razão pela qual a loucura não é, mitologicamente, apenas perda de consciência e desespiritualização, mas, sim, "confusão" do espírito. Nesse caso, a loucura pode ser considerada até sagrada e positiva e ser entendida como bênção inspiradora iniciática, pois detrás do arrebatamento advindo da invasão pelo espírito o mundo dos arquétipos emerge como o poder que determina o destino.

Na esfera da transformação espiritual, no nosso esquema, o Grande Feminino não só integra criativamente em si o caráter elementar e o caráter de transformação como vai mais além deles, até alcançar o "espírito feminino", a fase mais elevada de

[3] Veja Jung, *Psychologie und Alchemie*, loc. cit., *Psychologie und Religion*, Zurique, 1942; *Symbolik des Geistes*, loc. cit.

desenvolvimento da "consciência matriarcal".[4] A consciência matriarcal é a forma original da consciência, em que a autonomia do sistema de ego ainda não está plenamente desenvolvida e continua aberta para os processos do inconsciente. A espontaneidade do inconsciente e a receptividade da consciência são aqui bem maiores que na relação da relativamente desapegada consciência patriarcal, típica da civilização ocidental, com o inconsciente. A consciência matriarcal é, na maioria das vezes, dominante na mulher e normalmente secundária no homem; contudo, atua intensamente no homem criativo, sensível à espontaneidade do inconsciente. A produtividade primordial do inconsciente, decisiva para a consciência matriarcal e força viva nos homens primitivos e nas crianças, pertence ao segmento elementar do eixo (M+). O caráter de transformação do eixo (A+) está em máxima atividade, em especial na criatividade de uma psique em que a receptividade da consciência masculina para o inconsciente encontra resistência e, portanto, está na dependência da *Anima*, ou caráter de transformação.

Tanto os fenômenos de transformação da psique – ligados ao eixo (A+) como os que intensificam os processos que conduzem para fora dos domínios do inconsciente – ligados ao eixo (M+) – culminam em uma ampliação e uma transformação da consciência e da personalidade total, a que damos o nome de transformação espiritual.

Indicamos os símbolos abstratos[5] do semicírculo superior da transformação espiritual entre a intersecção do círculo em questão com os eixos (M) e (A). Os símbolos para *renascimento* e *imortalidade* pertencem ao polo "fruta-nascimento" do eixo (M); *visão* e *sabedoria* pertencem ao polo de inspiração do eixo (A) e, no espaço entre os dois, cabem os símbolos do *trabalho* e da *redenção.*

Nos "símbolos conceituais", do semicírculo inferior entre os eixos (A) e (M), o caráter negativo é de tal forma preponderante que sua diferenciação parece menos importante.

Morte, extinção e *esquartejamento* constituem o cerne do polo (M) negativo, o qual, de acordo com seu caráter elementar, originalmente adotou a forma de *sacrifício* e *execução ritual* e só mais tarde adquiriu significado simbólico. *Dor* e *doença*, como atributos consumidores que enfraquecem e matam, incluem-se igualmente nessa correlação negativa.

O outro polo, *loucura, impotência* e *estupor*, caracteriza-se pela tendência para dissolver a personalidade, também inerente ao estado de encantamento. Como a doença e a dor, os componentes que constituem a aflição – o *vazio*, o *despojamento*, a *miséria* etc. – atuam de forma igualmente desintegradora. Seu caráter de transformação leva, nesse sentido, ao "estar fora de si", à perda do *Self.*

Registramos, por fim, no Esquema III, uma série de deusas, cuja correlação é explicada pela natureza e pelo efeito dos polos. No polo (M) positivo, encontramos a

---

4 Neumann, "Über den Mond...", loc. cit.

5 A escolha e a disposição desses símbolos são, evidentemente, "arbitrárias". Trata-se apenas de uma tentativa de elucidação.

figura materna de Deméter, a senhora dos mistérios de Elêusis; também a Ártemis grega e as outras, a Ísis egípcia, a Ishtar babilônica e a Kwan-yin do budismo, e inumeráveis outras deusas, de todos os povos e épocas, são formas de expressão desse polo. Assim, a figura judaica da Shekinah corresponde ao componente maternal desse polo, no tocante à divindade, enquanto a figura cristã de Maria possui, além disso, fortes componentes do polo (A+), isto é, a figura da virgem.

O polo (A+) da inspiração é o lugar das virgens divinas e das musas, que são aspectos da figura de inspiração arquetípica. As virginais Atena e Ártemis devem ser colocadas nesse contexto, mas ambas têm ainda outros componentes. Atena, como deusa-mãe cretense pré-grega, também pertence ao polo (M+); Ártemis, como "Grande Deusa", engloba em si os atributos dos outros polos. Core, como filha e figura parcial de Deméter, deve ser associada a esse polo tanto quanto Maat – a deusa egípcia da justiça – e a figura posterior de Sofia ou Sabedoria.[6]

No polo negativo (M) estão todas as deusas cuja natureza é a da "Mãe Terrível": a Kali indiana, a Górgona do período pré-grego e a Hécate grega, assim como a terrível Ishtar, Ísis, Ártemis e a multidão de deusas do mundo inferior e da morte que existe na humanidade. A esse grupo também pertencem figuras femininas demoníacas e negativas, como as Erínias, as Fúrias, as Lâminas, a Empusa, as bruxas etc. Sua pluralidade indica, via de regra, que pertencem a um estágio da consciência humana que ainda não atingiu a fase da configuração, em que elas aparecem como divindades; ou podem ser figuras que, suplantadas pelos deuses dominantes, submergem e regridem a um estado mais primitivo, anônimo e pré-figurativo.

No polo negativo do eixo (A) encontramos as figuras sedutoras e fascinantes do encantamento fatal, algumas das quais são deusas, como Astarte, Afrodite e Ártemis; algumas são figuras espectrais, como Lilith, Lorelei e outras; algumas referem-se a formas personalizadas de deusas originais, como Circe e Medeia. Em todas elas, o caráter enfeitiçante que leva à derrocada é bem acentuado. Por essa razão, elas se associam ao grupo ainda pré-figurativo das ninfas, dos elfos e dos gnomos, cuja forma mais comum é a plural. Encontramos esses grupos plurais, de maneira característica, principalmente na parte inferior do nosso esquema, a sede do inconsciente e, por isso, da tendência à regressão para dentro dele. Por outro lado, o poder estimulante da consciência, na metade superior, compõe-se de figuras bem definidas.

É característico do mesmo contexto genético, no seio do qual o numinoso se desenvolve a partir de elementos não configurados e estimuladores da consciência, que uma e mesma divindade se manifeste em vários polos, ao mesmo tempo, e que sua manifestação inferior e negativa seja quase sempre a historicamente mais antiga, assim como a superior e positiva é a manifestação mais tardia.

[6] Os "símbolos conceituais" são frequentemente hipostasiados como figuras e "divinizados", apenas para mais tarde degenerarem em alegorias e conceitos.

O Esquema III, cuja descrição ora finalizamos, está sujeito a duas críticas opostas. Por um lado, pode-se alegar que, pelo fato de ser um esquema, a simplificação é excessiva. Por outro, que sua apresentação não é simples o bastante, posto que os elementos dinâmicos de reversão e transformação estão demasiadamente dispersos por seu interior.

Ambas as objeções são justas e decorrem do paradoxo real que tentamos abarcar com o esquema, mas que pela própria natureza das coisas só pode ser formulado de forma incompleta. O máximo a que podemos aspirar é certa orientação geral, não uma exposição exaustiva. Até os conceitos utilizados no esquema são, de certo modo, também "símbolos", cada um dos quais abrange todo um campo de significados psíquicos, assim se esquivando a uma definição inequívoca.

Mais uma vez, acentuamos que o propósito da primeira parte é o de salientar a estrutura daquilo que a Psicologia Analítica denomina arquétipo e explicar o funcionamento de tal estrutura com base no arquétipo do "Grande Feminino". A realidade concreta desse mundo arquetípico pode ser apreendida nas manifestações adotadas na vida do ser humano sob a forma de imagens cúlticas, ritos, religiões e costumes, e dessas expressões nos ocuparemos na segunda parte. Se observarmos agora, retrospectivamente, como se deu o desdobramento do Grande Feminino nos esquemas, como se diferenciou nos tipos de caráter e nos eixos, como se concretizou no símbolo grupal do vaso e se reverte nos polos axiais e como passa pelo ponto de indiferença, talvez esse arquétipo vivo possa, então, ser apreendido em sua unidade e, ao mesmo tempo, multiplicidade.

O aspecto estrutural é complementado pelo ponto de vista genético-psicológico, o qual distingue os estágios psíquicos da evolução da consciência correlacionando a eles o material histórico. A evolução das fases psíquicas, porém, não coincide com o desenvolvimento da história da humanidade, visto que a correlação relativa de um estágio psíquico com outros – como foi observado em outra ocasião – não é idêntica à sequência cronológica dos fatos históricos.

A história primitiva do Egito foi estudada por Flinders Petrie segundo um sistema que ele denominou "datação de sequências" (D. S.), isto é, sequências dentro das quais se pode formular um "antes" e um "depois", sem o conhecimento de sua correlação cronológica. Temos que 30 DS, por exemplo, vem antes de 77 DS, muito embora isso não explique a que período histórico se deve atribuir 30 ou 77 DS nem qual a amplitude do intervalo de tempo entre eles. Temos que agir da mesma forma no que diz respeito à datação das sequências psicológicas dos estágios arquetípicos. O ouroboros vem "antes" do estágio da Grande Mãe, e esta "antes" da luta com o dragão. Entretanto, não é possível estabelecer uma correlação absoluta no tempo, visto que devemos considerar a relatividade histórica de nações e culturas individuais. Assim, a cultura cretense-micênica foi para os gregos o período pré-histórico da Grande Mãe, pois o culto a esta era dominante naquela cultura. A mitologia grega é, em larga escala, a "mitologia da luta com o dragão", por parte de uma consciência que buscava sua independência, fato que assumiu caráter decisivo para a importância espiritual histórica da Grécia. Entretanto, enquanto na Grécia estes desenvolvimentos situam-se historicamente entre cerca de 1500 e 500 a.C., temos que o processo análogo provavelmente ocorreu no Egito bem antes de 3300.[7]

As formas pelas quais se manifestam os arquétipos e que servem para ilustrá-los podem pertencer às mais variadas épocas, períodos e culturas; o monumento de uma cultura posterior pode simbolizar uma fase primitiva, enquanto um monumento de uma cultura primitiva pode simbolizar uma fase posterior do desenvolvimento arquetípico. Da mesma forma, na análise de um indivíduo, podem surgir, logo de início, símbolos e sintomas de um desenvolvimento futuro e mais distante, e, ao contrário, num estágio em que o indivíduo atingiu um grau relativamente completo de desenvolvimento psíquico, podem se apresentar elementos infantis e arcaicos a serem elaborados.

A organização metódica e o empenho da nossa consciência no sentido de estabelecer correlações e esquematizar sequências são sempre a tentativa de, pela abstração, chegar a uma orientação diante da realidade da vida. Mas essa realidade viva, com seus altos e baixos, suas progressões e regressões, com rompantes e antecipações, é, a cada momento, espontânea e informulável. Mesmo quando a realidade psíquica viva transcorre segundo leis, estas são de tal forma complexas e incompreensíveis que só podemos, na melhor das hipóteses, abstrair delas frações as mais infinitesimais, testando-as através de pesquisas para conseguirmos prever desenvolvimentos futuros. O fato é que, por exemplo, numa análise, ou em uma situação analítica, e sem sombra de dúvida na vida real, é indiscutível a individualidade de cada passo dado, a imprevisibilidade de cada sonho, e que só no sentido mais geral é que as transformações podem ser relacionadas a um esquema de desenvolvimento. Na realidade viva, todo tipo de desenvolvimento causa surpresa, e, para a consciência que vivencia e investiga, toda causalidade e todo significado são novos, únicos e desafiam qualquer esquematização.

Por esse motivo é que, numa caracterização psicológica profunda, o máximo que se alcança é algo que contém a organização esquemática exercida pela consciência e a singularidade do material que constitui e transcende esse esquema. Sendo assim, se poderá censurá-lo por estar distante da realidade e, ao material a que se recorreu, pela sua arbitrariedade. Ambas as críticas podem ser legítimas em certa medida, mas não vão modificar o fato de que a realidade psíquica escapa ao nosso desejo de formularmos uma exposição esquemática. Nem vão impedir que essa exposição – conquanto inadequada, como bem o sabemos – ajude o ser humano vivo inteiro a chegar a uma orientação que lhe seja profícua perante a realidade viva da psique.

---

[7] Neumann, *História da Origem da Consciência*, loc. cit., p. 284s; Flinders Petrie, *The Making of Egypt*, Londres e Nova York, 1939, p. 8.

SEGUNDA PARTE

"A 'Mãe das Canções' (Sibalaneuman), a mãe de toda a nossa semente, gerou a todos nós no início. Ela é a mãe de todas as raças dos homens e a mãe de todas as tribos. Ela é a mãe do trovão, a mãe dos rios, a mãe das árvores e de todas as coisas. Ela é a mãe das canções e das danças. Ela é a mãe do mundo e de todas as velhas irmãs pedras. Ela é a mãe dos frutos da terra e a mãe de tudo o que existe. Ela é a mãe dos jovens irmãos franceses e dos desconhecidos. Ela é a mãe de todos os instrumentos da dança e de todos os templos e é a nossa única mãe. Ela é a mãe dos animais, a única, e a mãe de toda a Via Láctea. Foi a própria mãe que começou a batizar e que nos entregou a tigela de cal para a coca. Ela é a mãe da chuva, a única que temos. Ela, só ela, é a mãe de todas as coisas. Foi assim que a mãe deixou seu legado em todos os templos. Com seus filhos, "os salvadores", Sintana, Seizankua, Aluanuiko e Kultsavitabauya, ela deixou canções e danças como legado. Assim contaram os sacerdotes, os pais e os irmãos mais velhos."[1]

(*Canção dos Índios Cagaba, Colômbia*)

[1] Preuss, *Die Eingeborenen Amerikas* (Religionsgeschichtliches Lesebuch, org. por A. Bertholet, nº 2) Tübingen, 1926, p. 39.

INTRODUÇÃO À SEGUNDA PARTE

Para nossa tentativa de apresentar o arquétipo do Grande Feminino na segunda parte, utilizando textos e ilustrações, vamos recorrer à classificação e à sistematização feitas na primeira parte, empregando-as para a exposição do material visual referente à estrutura arquetípica-atemporal de todas as épocas e culturas.

Se cometemos a ofensa histórica de remover os documentos e as ilustrações de seu contexto cultural, esperamos compensá-la com nossa intenção de correlacionar nossa investigação arquetípica com uma psico-história, mais precisamente com os estágios de desenvolvimento da psique humana. Considerando o desenvolvimento da consciência como o fenômeno definitivo da história da humanidade, chegaremos a uma organização dos fenômenos que, na verdade, não coincide com a sequência habitual dos fatos históricos, mas nos confere necessária orientação psicológica profunda.

A interpretação antiga costumava dispor a história ao longo de uma linha reta, partindo da Pré-história, passando pela Antiguidade, pela Idade Média, pela Idade Moderna até chegar à Idade Contemporânea. Essa concepção não é mais aceita. Foi substituída por uma consciência histórica, a qual interpreta a existência de várias culturas, tanto simultâneas quanto sucessivas, como individualidades e não como elos interligados numa mesma corrente contínua. Uma consideração de tal sorte faz jus ao caráter individual de cada cultura, mas é, ao mesmo tempo, o sintoma do declínio do princípio ordenador ao qual a civilização cristã europeia se apegara para avaliar-se como o ponto culminante e o auge da evolução humana.

Uma vez que se tornou evidente a existência de uma humanidade comum sobre a face da Terra, que comporta toda a multiplicidade de culturas, religiões e épocas históricas, tornou-se insustentável a ingênua interpretação ocidental da história segundo a qual o Oriente apenas representa o papel de pano de fundo, e a Ásia, a América e a África quase não merecem atenção.

Com a descoberta da existência do inconsciente coletivo como fundamento psíquico comum da humanidade, e diante da constatação da psicologia profunda de que é a relação da consciência com o inconsciente que determina o caráter de uma fase cultural ou de toda uma cultura, o homem moderno adquire nova orientação. A evolução da consciência, desde o estágio em que está contida quase por completo no inconsciente, na humanidade primitiva, até atingir a forma ocidental da consciência, foi compreendida como o fator central de toda a história humana. Segundo essa orientação, as várias culturas são apenas estágios dessa tendência básica da vida psíquica: o desenvolvimento da consciência, a qual sem ser o objetivo *consciente* das culturas individuais, ou da própria humanidade, pode ter sua existência comprovada em todas elas e em todas as épocas.

O caminho em direção à luz, que C. G. Jung certa feita chamou de heliotropismo humano,[1] mostrou-se, com o tempo, mais forte que todas as forças das trevas que tentaram extinguir a consciência. Sob um ponto de vista mais amplo, as épocas aparentemente caracterizadas como regressões da consciência podem quase sempre ser reconhecidas como estágios de transição imprescindíveis para futuros avanços.

Para o estudo psicológico da história humana, a Antiguidade significa, portanto, a época do predomínio do inconsciente e de uma consciência frágil; a modernidade é a era de uma consciência desenvolvida e de uma união produtiva entre a consciência e o inconsciente. A evolução normativa do indivíduo particular, desde o estágio do estar contido no inconsciente até o desenvolvimento da consciência, constitui uma analogia para a evolução coletiva da humanidade. No sistema de coordenadas que representa o desenvolvimento psico-histórico, as épocas posteriores podem, como dissemos, representar psicologicamente uma época mais primitiva da consciência e eras remotas podem caracterizar um estado de maturidade.[2] Assim, os monumentos relativamente tardios da cultura monolítica da Inglaterra e da França são psicologicamente muito mais "primitivos" que os monumentos egípcios que os precederam em milhares de anos. Até mesmo em uma época da história moderna podem surgir tendências coletivas regressivas, as quais ameaçam anular o desenvolvimento atingido a duras penas pelo indivíduo e pela consciência individual, tentando restabelecer um estágio mais primitivo da história humana.

O desenvolvimento psicológico que procuramos seguir – independentemente do desenvolvimento histórico de povos e culturas determinados – começa com um estágio "matriarcal", em que domina o arquétipo da Grande Mãe e o inconsciente dirige o processo psíquico do indivíduo e do grupo. Visto que isso remete à apresentação do mundo anímico-arquetípico – nesse caso, o arquétipo da Grande Mãe ou de todo o "Grande Feminino" –, o universo psíquico ligado a esse arquétipo é o tema da nossa pesquisa. É irrelevante, neste caso, se o domínio desse universo arquetípico

---

[1] Fototropismo: tendência "instintiva" das plantas de se voltarem na direção do sol.

[2] Uma das razões para esse tipo de discrepância é a possibilidade de absoluta diferenciação nos pequenos grupos primitivos e, por outro lado, a primitivização do grupo posterior, o qual se recoletiviza através do aparecimento de grandes massas humanas não civilizadas e indiferenciadas no processo histórico.

"feminino" está ligado ou não a uma posição de dominação econômica e política por parte da mulher.

Sem dúvida, a tentativa de destilar o arquétipo do grupo simbólico peculiar ligado a ele não pode mais que oferecer sugestões e apresentar indícios. Na verdade, cada um desses símbolos deveria ser apresentado e interpretado em um volume específico. Uma vez, porém, que nossa tarefa central é a de fazer exatamente uma sinopse que permita evidenciar a unidade arquetípica subjacente, devemos evitar dificultar a compreensão do contexto total, que poderia ocorrer com uma apresentação excessiva de material.

A imagem arquetípica da Grande Mãe é viva tanto no indivíduo como no grupo, tanto no homem como na mulher. Quando então falarmos de um universo matriarcal anterior e de um patriarcal posterior, no decorrer da evolução da consciência da humanidade, não estaremos nos referindo a uma sequência de estruturas sociológicas distintas (como as estipuladas por Bachofen).[3] O domínio do arquétipo da "Grande Mãe" constela a situação psíquica humana original, em que a consciência se desenvolve lentamente a princípio e, num processo paulatino de autonomização, liberta-se passo a passo do domínio dos processos direcionadores do inconsciente.

Embora os momentos iniciais do período psicológico-matriarcal se percam nas brumas da Pré-história, seu fim, que se dá no alvorecer de nosso período histórico, abre-se diante de nossos olhos num movimento magnífico. Depois é substituído pelo mundo patriarcal, onde o domínio cabe ao arquétipo do Grande Pai ou do Grande Masculino, com seu próprio simbolismo, seus próprios valores e suas tendências diferentes.

O estudo de arquétipos envolve extensa gama de material simbólico de diferentes grupos e camadas culturais a ser assimilado, o que compele o psicólogo a se aproximar de muitas e variadas áreas, nas quais não é especialista. Em função da vasta quantidade de material de cada uma delas e pela impossibilidade de compreendê-las a fundo, realmente podem ocorrer erros e interpretações errôneas, em geral e quanto a detalhes. Na verdade, somente com um trabalho conjunto de especialistas em religião, etnologia e outros, com um psicólogo especializado em Psicologia Profunda, poderia-se atingir tal objetivo. Por essa razão, mostram-se evidentes a problemática e o caráter provisório das correlações e da apresentação que ora procuramos fazer. Para essa tentativa, contamos com a capacidade de apreensão e a tolerância do leitor, para que esteja mais interessado na síntese do essencial que na precisão de cada detalhe. Contudo, não podemos nos esquecer de que também existe um fator positivo e

---

[3] Bachofen, ao descobrir o fenômeno jurídico do Direito Materno, enganou-se, indubitavelmente, na análise do fenômeno social, no tocante à posição da mulher. Igualmente importante é que ele, apesar disso, sempre levou em consideração uma estrutura psicológico-cultural total e nunca se limitou somente a condutas sociais ou jurídicas. Exatamente pelo fato de ele ter se orientado pela totalidade da situação cultural e por sua posição no contexto da evolução da humanidade, chegou – muito mais do que ele próprio poderia imaginar – à descoberta e à observação dos estágios psíquicos do desenvolvimento humano e do seu simbolismo.

compensatório. A interpretação do simbolismo do inconsciente pelo homem moderno – e o simbolismo do inconsciente permanece o mesmo – confere ao trabalho psicoterapêutico do psicólogo uma base empírico-científica para a interpretação do material simbólico coletivo, do qual carece qualquer outro cientista que se esforce por assim fazê-lo.

A disposição da nossa apresentação do Grande Feminino mantém a forma esquemática que esboçamos na primeira parte. Prosseguimos com o desenvolvimento da unidade arquetípica do Grande Feminino desde o caráter elementar, passando pelo caráter de transformação até os mistérios do caráter da transformação espiritual, onde a evolução da psicologia feminina atinge o auge.

Essa classificação artificial não pretende, em absoluto, dificultar a compreensão da dinâmica de entrecruzamentos e correlações. Ao contrário, teremos que esclarecer ligações, como o retorno de um mesmo símbolo nos mais diversos estágios e as transformações que ocorrem no interior destas. Enquanto a forma de nossa apresentação procura salientar a estrutura subjacente do arquétipo a partir das numerosas imagens e símbolos, as muitas referências às interconexões e sobreposições deverão iluminar a radiante variedade da realidade arquetípica.

O aparecimento de símbolos semelhantes e de correlações contextuais simbólicas em todo o mundo tem frequentemente levado a teorias fantásticas e arbitrárias sobre determinadas influências, migrações etc. Por uma questão de princípio, evitaremos esse tipo de explicação pela construção de relações "históricas" superficiais, bem como a redução – tão em voga hoje – de relações similares a fenômenos sociológicos correspondentes. Contentarmo-nos com uma apresentação fenomenológica e com a interpretação psicológica dessa descrição não significa, em hipótese nenhuma, renúncia à tentativa de esclarecer tendências significativas de desenvolvimentos importantes para a humanidade. Não obstante, parece ainda muito cedo para se escrever uma história psíquica da humanidade; o máximo que se pode hoje elaborar são estimativas e diretrizes.

Um dos trabalhos preliminares é, antes de mais nada, treinar o "olhar que enxerga o arquetípico". Fica reservada para trabalhos posteriores a tarefa de observar a relação de culturas particulares com o desenvolvimento arquetipicamente condicionado da consciência e com a dominância de arquétipos particulares.

A

O CARÁTER ELEMENTAR

Capítulo Oito

AS DEUSAS DA ANTIGUIDADE

Com as esculturas da Idade da Pedra retratando a Grande Mãe como deusa, repentinamente emerge da humanidade, pela primeira vez, o arquétipo do Grande Feminino, em arrebatadora perfeição e totalidade. Essas imagens da Grande Deusa, apesar de serem pinturas rupestres, são as obras cúlticas e artísticas mais antigas que a humanidade conhece.[1]

A existência dessas imagens numa área que se estende desde a Sibéria até os Pireneus parece pressupor a existência de uma "visão de mundo" unitária, em cujo centro está a Grande Deusa. A existência de um fenômeno tão homogêneo na cultura da Idade da Pedra também independe da origem das imagens e da questão de se os povos primitivos teriam-nas difundido através de migrações, partindo de determinado centro, ou se o surgimento dessas esculturas teria ocorrido espontaneamente em vários lugares, ao mesmo tempo.[2]

As quatro primeiras imagens representam da maneira mais perfeita esse modelo bastante difundido da Grande Mãe da Idade da Pedra [Ils. 1, 2]; seu significado cúltico é incontestável. Elas são o exemplo do domínio do matriarcado, absolutamente independente da extensão em que os grupos masculinos dessa época – por exemplo, os caçadores – se apoderavam do comando sobre as mulheres.

Para o prosseguimento de nossas investigações, portanto, permanece irrelevante se o grupo das mulheres, ou dos homens, ou, como acreditamos, ambos os grupos eram os veículos psíquicos do arquétipo. O arquétipo da Grande Deusa Mãe pode se manifestar numa sociedade patriarcal da mesma forma como o arquétipo do Deus Pai pode se estabelecer numa sociedade matriarcal. Igualmente, num indivíduo – por exemplo, um neurótico do sexo masculino – em quem o arquétipo da mãe é dominante, podem ser encontradas as características do mundo matriarcal com muito mais facilidade que numa mulher saudável.

---

[1] Isso é verdade quer digamos que sua idade remonta a vinte mil ou a doze mil anos.

[2] Comp. c/nota 41, adiante p. 107.

Nesse sentido, nossa apresentação do mundo arquetípico é típica e ideal. Levanta sua documentação tanto junto à psicologia do Masculino como à do Feminino, do grupal bem como do individual. O sexo e a estrutura sociológica são apenas condições que podem variar a constelação arquetípica básica sem, contudo, modificá-la essencialmente.

As esculturas da Idade da Pedra são divididas de acordo com o sexo, visto que, numa pesquisa realizada, há cinquenta e cinco figuras femininas no todo e apenas cinco figuras masculinas. Estas são figuras de adolescentes masculinos atípicas e mal-acabadas.[3] De forma que, sem dúvida, não tinham nenhum significado para os cultos. Isso confirma o caráter secundário da divindade masculina, que surge somente mais tarde na história da religião e que deriva sua colocação como divindade filial de sua mãe, a Deusa.

Encontramos dois tipos físicos radicalmente diferentes nas imagens das mães da Antiguidade; mais especificamente, encontramos ao lado de um tipo atarracado e pícnico um outro de compleição esguia e astênica. Esse contraste mostra-se bem evidente quando comparamos uma estatueta de Gagarino[4] com a conhecida "Vênus de Willendorf" e com outra que se lhe assemelha, também encontrada estranhamente em Gagarino.[5]

Constatou-se inúmeras vezes[6] que não havia nenhuma correspondência entre as ossadas encontradas e os tipos de representação da Grande Mãe. A diversidade de formas da Deusa Mãe tem, portanto, significado simbólico que devemos buscar compreender.

Estas imagens da deusa [Ils. 1b, 1c, 2] foram encontradas na França, na entrada de cavernas destinadas ao culto mágico da caça; a deusa, como assim se depreende, constituía o centro da vida grupal que transcorria naquelas cavernas.

As formas da Grande Deusa Mãe, com ênfase no impessoal e no transpessoal, são os tipos originais do caráter elementar feminino. Em todas elas, é dominante o simbolismo do vaso redondo, específico do caráter elementar.

O ventre e os seios – geralmente imensos – são, porquanto, regiões centrais deste vaso-tronco da feminilidade, a "única realidade". A fecundidade do Feminino encontrou nessas figuras uma expressão tanto pré-humana como sobre-humana.

A cabeça não tem rosto e está inclinada para o meio do corpo; os braços são apenas insinuados, mas também destacam o centro do corpo. As coxas e os quadris colossais terminam em prolongamentos delgados à guisa de pernas; os pés, mesmo apresentados originalmente partidos, eram excessivamente fracos e de forma nenhuma tinham a intenção de ser os suportes do corpo-vaso gigantesco.

---

[3] A. Bohmers, *Die Aurignac-Gruppe*, Berlim, 1942.

[4] G. Rachel Levy, *The Gate of Horn*, Londres, 1948, Ilustr. VIe.

[5] Idem, Ilustr. VId.

[6] Bohmers, loc. cit.; Levy, loc. cit., p. 58.

Na extraordinária figura de Lespugne [Il. 1c], em que os seios juntamente, o ventre, as coxas e o triângulo da zona genital formam um bloco único, a plenitude simbólica do caráter elementar é ainda mais evidente que na Vênus de Willendorf, naturalista e, portanto, menos simbólica [Il. 1a].

As figuras disformes da Grande Mãe são representantes da deusa da fertilidade quando grávida, a qual foi considerada, em todo o mundo, como a Senhora que rege a gravidez e o parto, e que, como objeto de culto tanto das mulheres como dos homens, representa o símbolo arquetípico da fertilidade e do caráter elementar acolhedor, protetor e nutridor.[7]

É verdade que existe grande distância entre as imagens do Grande Feminino referentes à Idade da Pedra, na Europa, e suas representações no Oriente Próximo, mas as descobertas de Tell Halaf revelaram a confecção de figuras femininas análogas, num período histórico anterior, que remonta do século V até o século IV a.C. "São, na maioria, representações plásticas de mulheres despidas e adornadas com pinturas, sem quase nenhuma indicação da existência da cabeça, porém condizentes com a tradição Aurignac primitiva, no que tange à exagerada representação dos seios, do ventre, das nádegas e da região vulvar."[8] O grande número de figuras de animais relacionados a essas representações confirma que esta figura da Grande Senhora dos Partos é a mãe de todos os seres vivos, tanto dos humanos quanto dos animais.[9]

A natureza do caráter elementar manifesta-se nessas figuras pela integração dos braços, que são os elementos ativos da movimentação e da ação, ao bloco do torso--vaso, e pela porção relativa à cabeça, frequentemente inacabada e, em geral, pequena e sem rosto, sugerindo que esta, de certo modo, é somente um apêndice do tronco acentuado. Outra característica dessas figuras são a largura e o volume desproporcionais das nádegas.

Seria errado atribuir esta "esteatopigia" a determinados atributos raciais.[10] Foi exatamente essa característica da "Grande Mãe da Antiguidade" a mais difundida, sendo encontrada mesmo em locais onde não há possibilidade de terem havido ali raças africanas ou hotentotes. Aqui, novamente, a interpretação psicológica pode nos levar mais adiante e mais fundo.

Tem-se também apontado com bastante frequência que essas figuras arquetípicas não podem ter sido ditadas pelo "gosto sexual" dos homens. Sem dúvida, a relação

---

[7] William Foxwell Albright, *From the Stone Age to Cristianity* [Il. 3], Baltimore e Londres, 1940, p. 92.

[8] Idem, p. 98.

[9] É perfeitamente possível e até mesmo provável que a compleição física original da Grande Mãe e das sacerdotisas que a representam tenha sido secularizada e sexualizada em períodos patriarcais posteriores [Ils. 7b, 3a]; trata-se de uma degeneração e não de uma manifestação original. A "mulher gorda" como objeto de desejo sexual, as cativas de harém, as prostitutas e outras são, ainda nos tempos atuais, remanescentes arcaicos do complexo materno no homem. (E. Fuchs e A. Kind, *Die Weiberherrschaft in der Geschichte der Menschheit*, 3 vols., Munique, 1913, vol. 1.) Assim, essas imagens arcaicas da Grande Mãe também são retomadas nas psicoses dos homens modernos.

[10] Levy, loc. cit., p. 58.

entre o "gosto" e a figura é justamente inversa e muito mais complicada. Na realidade, a sexualidade masculina é influenciada pela figura arquetípica do Feminino, ativa no inconsciente. Nos casos em que a mulher excessivamente gorda e disforme é o objeto sexual preferido, podemos pressupor a existência de uma dominação (inconsciente) do arquétipo da mãe na psique do homem.[11]

O destaque sexual das nádegas é dedutível a partir dos rituais de fertilidade, que tinham por objetivo a mágica proliferação dos animais. No Paleolítico, bem como ainda hoje entre os povos primitivos, era bastante comum a celebração dos rituais de fertilidade, em que o acasalamento de animais, praticado como coito por trás, tinha papel central. Não se trata, nesses ritos, de um componente sexual e pessoal do homem, mas de um comportamento simbólico e impessoal, que se torna compreensível no contexto em que estava inserido. As próprias tendências sexuais dos indivíduos dependem, em grau muito mais elevado que, inclusive, atualmente admitimos, de imagens arquetípicas inconscientes, as quais determinam primeiro o espírito e o comportamento da coletividade e, posteriormente, o comportamento de indivíduos desequilibrados com fixações atávicas.[12] Existem, portanto, fortes indicações de que a dominância matriarcal ou patriarcal na visão inconsciente de mundo também determina a posição dos parceiros no ato sexual. Depende da cultura em questão se o Feminino se deita embaixo, como terra, e o Masculino em cima, como céu, ou vice-versa. A atuação desse tipo de fenômeno arquetípico e a dependência do comportamento sexual em relação a ele podem ser ainda observadas nas neuroses, nas perversões e nas psicoses do ser humano moderno, mas também em seu comportamento sexual normal, habitual.[13]

A esteatopigia, quer dizer, o destaque dado às nádegas na arte das culturas primitivas, deve ser compreendida como forma de simbolismo corporal.[14] O Grande Feminino é representado frequentemente sentado – e, na verdade, sentado na terra. Esse "sedentarismo", em que as nádegas criam oposição aos pés (os símbolos da livre movimentação sobre a terra), representa uma ligação especialmente estreita com a terra, como ainda se pode ver no simbolismo da linguagem. O caráter simbólico do sentar se mostra evidente em termos como *sitzen*, "estar sentado"; *besitzen*, "possuir"; *Besitz ergreifen*, "apossar-se de alguma coisa"; e *besessen sein*, "estar possuído". Igualmente, referimo-nos a "assento" (*Sitz*) e "morada" (*Wohnsitz*) de uma raça como a região da terra de onde ela se origina ou onde se "assentou" (*ansässig*). No

---

[11] Cf. nota 9.

[12] Também entre os neuróticos modernos, a tendência existente no sentido de preferência sexual pelos tipos disformes, ou de adotar a posição citada acima durante o ato sexual, remonta a uma situação arquetípica em que são acentuados o caráter impessoal do Feminino, bem como a indiferença pessoal do Masculino para com esse Feminino.

[13] Comp. c/ nota 9, p. 91.

[14] Evidentemente, esse tipo de ênfase corporal simbólica do feminino conduz – mesmo de forma inconsciente – a uma possível preferência por esse tipo de mulher e, eventualmente, à sua "cultuação".

ritual e nos costumes, sentar-se sobre alguma coisa tem o significado de "tomar posse" daquilo.

A própria dificuldade em se movimentar e o volume corporal disforme forçam o Grande Feminino a uma atitude sedentária, em que – como colina ou montanha – pertence à terra da qual faz parte e que corporifica. Mesmo quando fica em pé, o centro de gravidade da Grande Mãe lança todo seu peso para baixo, para a terra, que é, em toda a plenitude e imobilidade, a morada do gênero humano. A imagem sentada do Grande Feminino é a forma original da "deusa entronizada" e, além disso, do próprio trono.

A Grande Mãe, como mãe e terra-mulher, é o "trono em si", e caracteristicamente o "útero" (a maternalidade) do Feminino não é somente sua genitália, mas toda a extensa superfície das coxas da mulher sentada, o colo onde a criança que ali teve origem senta-se como num trono. "Ser levado ao colo" ou "ser levado ao seio" são expressões simbólicas da aceitação da criança e do homem pelo Grande Feminino. Não é por acaso que o nome da maior deusa-mãe dos cultos antigos seja "Ísis", o assento, o trono, cujo símbolo ela trazia sobre a cabeça; e o rei, ao "tomar posse" da terra, da deusa-mãe, age de acordo com o sentido da palavra, posto que se senta no colo daquela (sobre seu útero) [Il. 4].

A deusa-mãe, sentada e entronizada, subsiste na imagem sagrada do trono. O rei assume o poder quando "sobe ao trono" e assim ocupa seu lugar no colo da Grande Deusa, a terra, como seu filho. Encontramos, assim, num sem-número de cultos ao trono,[15] que originalmente era a própria divindade e venerado como "assento da divindade".

O trono original era a montanha, que une em si os símbolos da terra, da caverna, da grandeza e da altura; a montanha era a divindade imóvel e sedentária, visivelmente dominante em toda a face da Terra. Primeiro, foi a montanha-mãe uma divindade numinosa; depois, tornou-se o assento e o trono do númen visível ou invisível; mais tarde ainda, veio a ser o "trono vazio", sobre o qual desce e se "assenta" a divindade. A montanha-assento como trono da Grande Deusa, a Mulher-Montanha, representa um estágio posterior de desenvolvimento, tendo sua mais bela expressão no conhecido selo cretense, onde aparece a Deusa-Mãe no alto da montanha [Fig. 62] enquanto é venerada por um jovem.

Encontramos o simbolismo da divindade feminina como colina e montanha ainda tardiamente no Oriente, onde o *Hieros Gamos* entre o céu e a terra se realizava no topo de uma montanha ou, como na Babilônia, na torre que a simbolizava. Nessa

[15] Wolfgang Reichel, *Uber vorhellenische Götterkulte*, Viena, 1897 (segundo Hoernes-Menghin, *Urgeschichte der bildenden Kunst in Europa*, Viena, 1925), atribui o culto ao trono ao Oriente; encontram-se tronos de pedra na Lídia e na Frígia, na Grécia, em Rodes e em Thera. Réplicas de grandes tronos aparecem, entre outros, em túmulos de Tirinto, Micenas, Menidi e Nauplia. Com os cultos ao trono da era clássica, também encontramos tronos ligados ao culto totêmico na Sicília e na Etrúria.

ocasião, o deus masculino do céu, das nuvens, do relâmpago, do trovão e da chuva desce e se une à deusa-terra feminina, que é a montanha ou está assentada sobre ela. E a sacerdotisa representante da deusa também recebe o deus na capela erguida no alto da montanha.

Mais tarde, o trono torna-se o símbolo sagrado da Grande Mãe – assim eclipsando sua figura – e é nele que o rei "toma assento". Em nossa época patriarcal, utiliza-se o termo "possuir uma mulher" para exprimir a consumação de um ato sexual com essa mulher, no qual o homem, deitado sobre ela, acredita – sem nenhum fundamento racional e compreensível – tê-la então tornado sua propriedade. Tal expressão denuncia, ainda, a forma mais primitiva e pré-genital da usurpação, em que o Masculino obtém do Feminino a posse da Terra ao ser levado ao seu colo como seu filho.

Até mesmo na atualidade, o trono, oriundo do simbolismo matriarcal, é tão significativo que Hocart justificadamente declara: "O trono ganhou tanta importância que falamos de um rei que sobe ao trono no sentido de ele ser o sucessor do reino".[16] Nossa concepção da origem maternal do trono confirma-se ainda outra vez, quando, segundo os rituais de coroação do rei indiano, o renascimento deste, realizado através de seus rituais e vestuário, culmina com sua ascensão ao trono: "O rei é levado a sentar-se num trono que represente o útero".[17]

O prestígio do trono e de outros tipos de assento como os supracitados é ainda mais realçado quando os contrastamos com a posição reclinada ou de cócoras normalmente adotada pelo homem primitivo. A lembrança da forma humana na cadeira maternalmente receptiva foi preservada até os dias de hoje, quando nos referimos às pernas, aos braços e às costas desta. Pode-se concluir que as imagens primitivas da mãe-trono, do trono como mãe, da criança "entronizada" ainda estão bem vivas nas profundezas da psique do homem moderno, como se pode ver em uma escultura de Henry Moore [Il. 5], que contém todos esses elementos.

Encontramos figuras femininas [Il. 7a] com nádegas exageradas, especialmente nos Bálcãs, para não mencionar sua existência no Peru. A figura grega conhecida como "Figura da ilha" [Fig. 1] une essas características corporais com as da tatuagem. Foram encontradas figuras semelhantes nas ilhas gregas,[18] e as figuras primitivas pertencentes à Idade da Pedra [Il. 24], provenientes da Romênia e da Trácia [Fig. 2; Il. 6], têm origem na mesma camada psíquica. Todas essas figuras estão relacionadas à mesma forma arquetípica básica, que se propagou pela Síria,[19] por Creta e pela Mesopotâmia [Fig. 3; Ils. 3-11], atingindo até a Índia [Il.16].[20]

---

[16] Arthur Maurice Hocart, *Kingship*, Londres, 1927, p. 97.

[17] Idem, p. 92.

[18] 18 Hoernes, loc. cit., p. 367/obs.

[19] Levy, loc. cit., Il. VIIIa e b.

[20] Heinz Mode, *Indische Frühkulturen und ihre Beziehungen zum Westen*, Basileia, 1944. Ilustr. 16a e b.

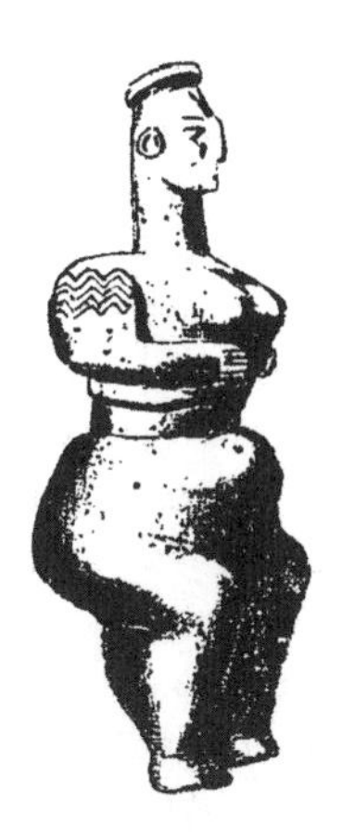

Figura 1 – Figura da ilha; *em calcário, perto de Esparta,* aproximadamente séc. XV (?) a.C.

Com essas representações, onde o destaque dado à região das nádegas aparece com frequência extravagante, existem outras figuras de deusas desnudas em que a região triangular pubiana é bastante salientada. Sua distribuição cobre desde o Egito pré-dinástico, abrangendo a Síria, a Palestina, a Mesopotâmia e a Ásia Menor, e chega a Troia [Ils. 6, 8, 9,10-14], às ilhas do Egeu, a Chipre e Creta, prosseguindo até o sul da Europa [Ils. 16, 17, 23].

Esse grupo coincide com outro, em que não só o triângulo genital é novamente destacado como também lhe é característico "segurar os seios" [Ils. 8, 9, 10, 12a, 13, 20], isto é, enfatiza-se o aspecto sexual e de fertilidade.

Em esculturas posteriores da Grande Mãe indiana, cujas ancas amplas e bastante arredondadas caracterizam o tipo dominante do Feminino em todas as esculturas hindus, a área genital, na maioria das vezes, encontra-se velada[21] [Il. 15], mas o cinto de castidade, tendo sido representado desde os tempos mais remotos até os ídolos indianos recentes, sem dúvida confere destaque a essa região do corpo.

Na Índia, como atestam vários selos antigos, a Grande Mãe desnuda com genitais destacados, era conhecida como a deusa da sexualidade e da fertilidade.[22]

A relevância dessas representações da Grande Deusa da Antiguidade não se restringe, em absoluto, ao destaque dado a certas partes ou zonas do corpo. É certo que os seios, as nádegas e o triângulo genital contêm as acentuações simbólicas mais importantes, mas isso não nos pode fazer esquecer da figura como um todo, nem da forma como essas zonas estão integradas. Aquilo que denominamos "polivalência do arquétipo" mostra-se bem claro justamente nessas figuras primitivas, a partir das quais os tipos particulares de deusas, com seus vários e conflitantes destaques de certas zonas e símbolos, se diferenciaram somente ao longo de todo o desenvolvimento.

---

[21] Idem.

[22] Heinrich Zimmer, *The Art of Indian Asia: Its Mithology and Transformations.* Completada e organizada por Joseph Campbell; 2 vols., Nova York, 1955; vol. I, Tábua A8, superior direita.

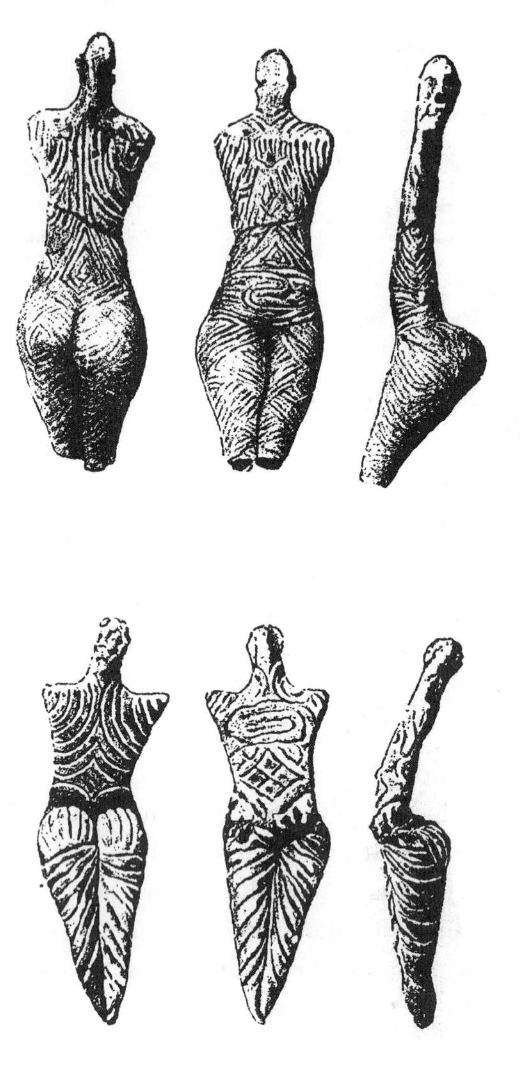

Figura 2 – Figuras em argila; *Romênia, Pré-história.*

Assim, em tempos remotos, encontramos com frequência uma unidade de características arquetípicas surpreendentemente conflitante. Muitas figuras exibem, na verdade, somente o caráter elementar, no exagero dos genitais e seios, que são os símbolos relativos ao gerar e ao nutrir. Mas também encontramos aquelas em que existe, ao lado do destaque dado ao caráter vaso e à área do ventre, dos genitais e das nádegas, nítida *sub*acentuação da região dos seios [Il. 1c, 6].

Existe aqui uma contradição dentro do próprio Feminino, que se manifesta no contraste paradoxal formal entre o acima e o abaixo. O aspecto gerador maternal da parte de baixo se combina com um aspecto quase irreconciliavelmente diferente da parte de cima, virginal e pré-mulher. Essa contradição mostra-se mais evidente num período bem anterior, na "Vênus" de Lespugne [Il. 1c], em que a parte superior

Figura 3 – Mulher Cretense; Grécia, *afresco do final do período Heládico.*

de seu corpo tem qualidade "anímica" bastante diferente da exuberante feminilidade da parte de baixo. A delicada parte superior e a cabeça virginal inclinam-se sobre um corpo luxuriante, a transbordar com a plenitude elementar da maternalidade, enfatizando, assim, por meio de recursos estritamente estilísticos, o contraste entre o caráter estático elementar da mãe e o caráter dinâmico de transformação do jovem Feminino.

Desnecessário dizer que se trata, naturalmente, da expressão de uma camada profunda do inconsciente atuante no artista e não de uma solução estética consciente para um problema formal. Não obstante, na ligação entre o ventre fecundo e a esbeltez incorpórea da parte superior, que quase parece a da folha de árvore quando vista de perfil, a figura do arquétipo divino manifesta de forma exemplar a correlação típica do caráter elementar com o "inferior" e do caráter de transformação com o "superior".

De forma análoga, encontramos nas representações da divindade suméria deusas com "cabeças de serpente" [Il. 16], figuras exageradamente delgadas segurando uma criança e com forte destaque da área genital; a excessiva magreza está presumivelmente relacionada à natureza ofídica desse Feminino.

Esses exemplos mostram como é difícil distinguir entre um estilo "sensual" [Il. 17], capaz de ser *sociologicamente deduzido*, e, de outro lado, um estilo "imaginativo".[23] A porção superior da deusa de Lespugne é "imaginativa" e abstrata em oposição à parte inferior, "sensual" e material. Em nossa apresentação, a oposição subjacente entre o caráter elementar e o caráter de transformação do Feminino é um dado da estrutura psicológica. Esse tipo de união dos opostos é típico de períodos iniciais, que designamos como urobóricos, posto que o ouroboros é o símbolo unificador dos opostos em uma situação psíquica original. Mesmo nas deusas-ídolo primitivas da Trácia [Il. 6] encontramos esse tipo de união dos opostos.

O homem primitivo descobriu a possibilidade de representar a grandeza numinosa e a peculiaridade arquetípica do Grande Feminino através de um "exagero" expressivo da forma, de uma acentuação do caráter elementar, em que a sensação corporal desempenha papel decisivo. A pessoa que criava e o grupo que venerava tais obras estavam, sem dúvida, fascinados e atraídos pela corporalidade, pela exuberante plenitude, pelo calor maciço emanados por essas figuras. (Nesse caso, é cabível a designação "sensual" para esse tipo de escultura.) Temos aqui uma atração idêntica à acentuação inconsciente do infantil, para a qual a deusa é uma imagem adequada para o aspecto continente do caráter elementar.

Com essas figuras, contrastam as representações "abstratas" nas quais podemos reconhecer uma acentuação do caráter de transformação. O exemplo mais antigo dessa arte é, provavelmente, um entalhe de uma figura feminina, de Predmost [Fig. 4]. Enquanto o caráter elementar fundamenta a escultura, a expressão abstrata do caráter de transformação tende para o desenho ornamental, intimamente relacionado à tatuagem e à pintura do corpo, cuja intenção é transformar e espiritualizar o corpo.

O propósito original da pintura do corpo nunca é a "ornamentação", mas sim uma modificação dinâmica daquele que foi pintado.[24] O objeto, seja ele vivo ou morto, adquire poder através da pintura, torna-se carregado e portador de mana. O mesmo significado se aplica ao estágio primitivo em que predominava a coloração vermelha

---

[23] Herbert Kühn, *Die Kunst der Primitiven*, Munique, 1923, p. 11ss.

[24] Comp. c/ a página seguinte, a respeito da pintura de corpos e de vasos.

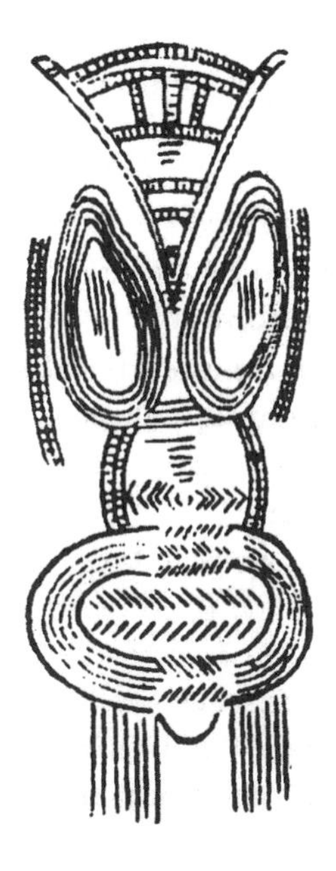

Figura 4 – Mulher; *entalhe em marfim – Predmost, Tchecoslováquia; final do período Paleolítico.*

das esculturas e de outros objetos de arte plástica, comprovado em grande número de deusas da Antiguidade.

O significado de transformação ligado à tatuagem confirma-se também pelo fato de que ela serve como sinal de iniciação daquele que foi tatuado. No mesmo sentido, o vaso pintado foi originalmente sagrado. Ele se distingue do vaso profano pela ornamentação, que consiste em símbolos fundamentais e significativos, como a espiral, a cruz, o círculo, as ondas e outros.

A figura trácia da deusa sentada [Il. 6] pertence a um grupo de ídolos esculpidos em cerâmica, do período Neolítico,[25] encontrado numa área que se estende desde a Rússia Ocidental até os Bálcãs e a Europa Central. Essas representações originaram-se de um ambiente cultural marcadamente matriarcal, que, com toda probabilidade, está relacionado à cultura egeia e a seus precursores. O caráter dessa figura é tão primitivo que, a despeito de qualquer datação histórica, devemos atribuí-lo a um estrato psicológico bem primitivo.

Parte do aspecto surpreendente dessa escultura é devida às contradições nela contidas. A forma de vaso reforça o corpóreo do caráter elementar, enquanto a ornamentação densa da tatuagem tende à descorporificação; o corpo está literalmente revestido pelo símbolo. Os seios minúsculos, quase imperceptíveis, reforçam a tendência inconsciente de superar o elementar e o corporal. Aqui é bem clara a abstração, que confere destaque ao caráter significativo, simbólico e de transformação do Feminino, no momento em que o ventre não se mostra abaulado, repleto de fertilidade; ao

[25] Hoernes; loc. cit.; p. 204s.

contrário, o triângulo genital, enfatizado por essa razão, contém o símbolo da espiral, da qual uma extremidade se enrola para cima e outra para baixo.

Chegamos, com isso, a um conteúdo de importância fundamental no tocante à tendência para a abstração.[26] Uma deusa representada dessa maneira nunca é somente uma deusa da fertilidade, mas também é, ao mesmo tempo, a deusa da morte e dos mortos. Ela é a Terra-Mãe, Mãe da Vida, que impera sobre o que dela nasceu e sobre tudo aquilo que nela recai e submerge. É por isso que essa deusa trácia – encontrada em uma tumba – traz no ventre a contínua espiral ascendente e descendente que a identifica como senhora da vida e da morte.

"Abstração" é um termo simbólico utilizado para indicar que o elemento material retorna ao lado material ou se reduz a um mínimo; a representação abstrata é a expressão simbólica de um conflito entre o corpóreo e o incorpóreo e uma transformação que tende do corporal para o acorporal.

Aqui atua um fator não corporal, segundo uma dinâmica que se mantém em certa oposição com a realidade material. Em sua outridade, em seu distanciamento da realidade, também pode aparecer como aquele extrato ou quintessência do real. O elemento anímico-espiritual, que no estágio primitivo congrega em si o essencial, o simbólico, o ideacional, o fundamental, o transpessoal e o conceitual, é a força atuante na tendência à abstração.

Com relação a isso, é irrelevante se o fator anímico-espiritual será vivenciado como algo anterior ou posterior ao mundo corporal. A alma-"espírito", que anima os seres vivos e abandona os mortos, pertence igualmente à região do não secular mundano e do pré-secular, à do acorporal e do pré-corporal.

Na assim chamada arte arcaica e primitiva, principalmente nas máscaras, encontramos vasta gama de motivos abstratos, os quais possuem, nesse sentido primitivo, caráter "espiritual".

A coexistência de elementos real-naturalistas e imaginativo-abstratos numa mesma obra de arte comprova que se trata de uma tendência significativa da representação inconsciente e não de um "estilo" dependente de determinantes externos.

Se compararmos as duas cabeças de Benin [Ils. 18, 19], em nossas reproduções,[27] uma delas é uma cabeça surpreendentemente realista, apesar de toda a estilização; a outra peça, que representa um espírito, está revestida por uma rede de símbolos que – como tatuagem – surte efeito descorporificador. Apesar de se tratar de símbolos de natureza estética, mesmo assim a tendência à abstração mostra-se perfeitamente clara.

A representação que pende para o "abstrato" não busca, como as formas realistas da escultura, expressar o numinoso pelo exagero expressivo de traços reais; em vez disso, ela o faz através de uma visão interna imaginativa, essencialmente diferente.

---

[26] É evidente que esse termo não significa que se trata, aqui, de um processo de abstração consciente.

[27] Comp. c/ Leon Underwood, *Bronzes of West Africa*, Londres, 1949, gravuras 26 e 27.

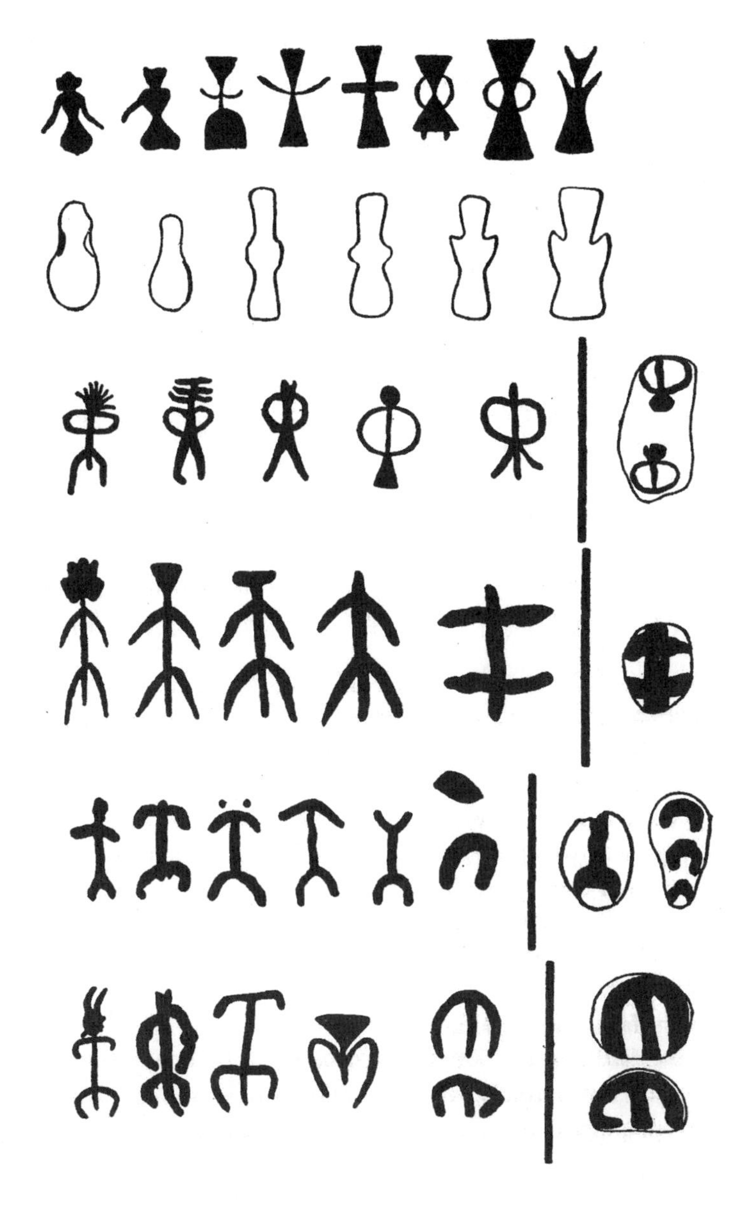

Figura 5 – Desenhos rupestres e ídolos; *Espanha, Neolítico.*
1ª fila: desenhos rupestres sugerindo figuras humanas abreviadas. 2ª fila: ídolos de pedra. 3ª – 6ª filas: desenhos rupestres sugerindo figuras humanas abreviadas, comparadas a desenhos semelhantes de seixos pintados, do sul da França.

Tratamos aqui, sem dúvida, da mesma contradição que a psicologia do homem moderno vai estabelecer posteriormente, ou seja, a oposição entre as atitudes extrovertida e introvertida da consciência.[28] É claro que seria um erro básico tentarmos deduzir

[28] Jung, *Psychologische Typen*, loc. cit., Def. 19 e Def. 34.

uma estrutura tipológica correspondente, no artista e no grupo, em função disso. Temos apenas que verificar que essas atitudes e modalidades de representação psiquicamente opostas existem desde o início e que não só determinam a configuração divergente de objetos diversos como também podem estar envolvidas na moldagem de uma mesma estrutura.

A oposição entre o sensual e o imaginativo repete-se na arte, na distinção entre o orgânico e o geométrico ou abstrato. Mas chamar a arte geométrica de *unsympathetic* (não compassiva) ou *life-denying* (negadora da vida)[29] é, nesse caso, em certo sentido, um equívoco.

A acentuação do "espiritual", isto é, de uma dinâmica que *mobiliza* a natureza, mas não está confinada a ela, não é um ato adverso à vida, embora, em muitas oportunidades, não seja objetivo. A proximidade entre o espírito que é independente da vida e o espírito dos mortos é a razão para o equívoco; entretanto, para o homem primitivo, o mundo dos espíritos, dos mortos e dos ancestrais é, na verdade, embora numinoso, não *unsympathetic* (não compassivo) nem *life-denying* (negador da vida).

A interação com esses poderes é o ponto central dos cultos e rituais da humanidade exatamente pelo fato de surtirem efeito estimulante e intensificador da vida, quando praticados de forma adequada na religião, na arte e nas festividades.

O Grande Feminino que vivifica a realidade do mundo e da terra com a fertilidade é caracterizado convenientemente tanto por uma forma natural e sensual como, ao mesmo tempo, a representação do seu domínio sobre o mundo dos mortos e dos espíritos privilegia aquelas formas em que se acentuam as qualidades de distância da natureza, de espiritualidade e de irrealidade.[30]

A plenitude sensual do mundo é tanto objeto da atitude extrovertida como o caráter abstrato do mundo dos mortos e dos espíritos é objeto da atitude introvertida. Aqui, evidentemente, simplificamos, como na criança, equiparando a extroversão com a sensação e a introversão com a intuição. Resumindo, temos na atitude extrovertida a experiência do mundo e de sua realidade objetiva, em primeiro plano; na atitude introvertida, a ênfase recai sobre a reação psíquica que o mundo objetivo produz no homem.

A atitude imaginativa e "abstracionista" está inteiramente orientada a um processo interior, à vivência do espiritual, do anímico e do psíquico. A expressão

---

[29] Herbert Read, *The Meaning of Art*, Harmondsworth, 1949, pp. 58 e 88.

[30] Enquanto num polo a divindade feminina tem a qualidade elementar, material, natural e real, é no outro polo que o material se torna cada vez mais abstraído e o espírito tende a se tornar espírito "puro", pura dinâmica, sem nenhum substrato material. Esse polo, entretanto, não se encontra mais no interior do "Grande Feminino", tal como se manifesta ao máximo no mundo do espírito patriarcal. Entre ambos os polos extremos, o caráter de transformação do Feminino intervém fiel à sua função de *Anima*. O caráter de transformação pode mediar, nesse caso, tanto como *Anima* entre o mundo da consciência masculina e o mundo elementar do inconsciente como, encarnada como profetisa, entre o mundo espiritual do ouroboros patriarcal (comp. parte I, p. 70) e a realidade elementar do mundo factual.

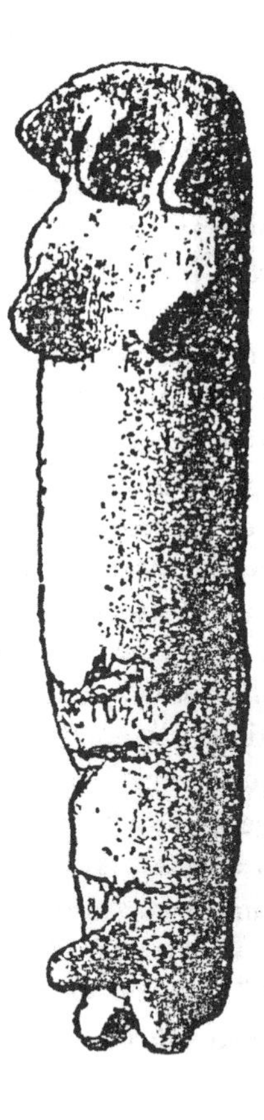

Figura 6 – Ídolo hermafrodita;
argila, Idade do Bronze,
Iugoslávia.

adequada de tal realidade interna é, por isso, um alhear-se ao mundo externo, o que pode assumir a forma de tudo o que há de abstrato, simbólico, excêntrico, grotesco e "fantástico".

O objeto da representação "abstrata" é o "outro totalmente diferente e numinoso" [Il. 32]. Nesse caso, nem sempre se pode distinguir uma esquematização – que parte do teor corporal para o "signo" – de uma representação numinosa abstrata, de uma figura. Se observarmos a forma das pinturas rupestres e dos ídolos espanhóis [Fig. 5] do fim do Paleolítico, classificados por Obermaier, verificamos que a geometrização dessas figuras atua como concentração do símbolo e não como mera simplificação redutiva.

As figuras hermafroditas [Fig. 6] simbólicas também estão relacionadas com as representações numinosas "grotescas", cuja natureza urobórica contém em si os opostos, das quais apresentamos aqui um exemplo ao mesmo tempo primitivo e bastante expressivo.[31]

---

[31] Comp. c/ Hoernes, loc. cit., p. 53.

Figura 7 – Ídolo cilíndrico com olhos; *em calcário, Espanha, Neolítico.*

Figura 8 – Ídolos com olhos; *entalhes feitos em osso bovino, Espanha, Neolítico.*

Os chamados "Ídolos com olhos"[32] [Figs. 7, 8] também pertencem a esta categoria. Embora seja formalmente correto falar de uma "representação desintegradora da face", essa abordagem ignora por completo a intenção central desses trabalhos maravilhosamente numinosos e imaginativos. Essa intenção também é ignorada quando se diz que o protótipo da deusa egeia está "reduzido" à região dos olhos e "esquematizado".[33]

A probabilidade de que tais trabalhos sejam representações de uma "divindade primitiva da morte" [Il. 20] pelo fato de serem encontrados comumente em túmulos confirma nossa tese de correlação entre a representação imaginativo-abstrata e os ritos de morte e sepultamento.

A "redução" e a "esquematização" não têm, assim, nenhum significado formal; simbolizam, ao contrário – em oposição ao caráter plenamente desabrochado da vida

[32] Idem, p. 213.

[33] Idem, p. 214.

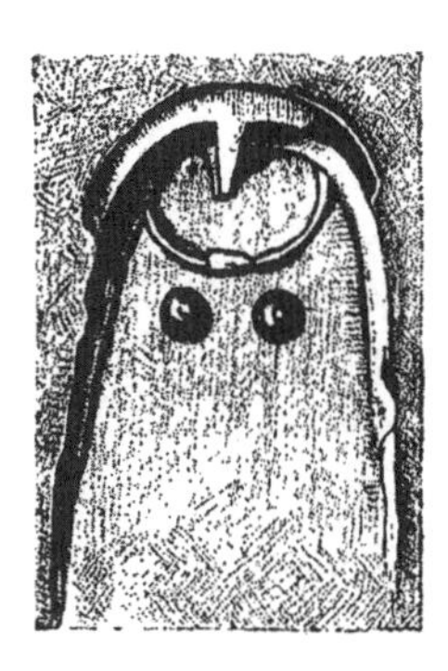

Figura 9 – Deusas da morte; *relevos feitos em paredes de calcário, em grutas, França, Neolítico.*

feminina –, uma "redução" aos fatores espirituais essenciais do mundo dos espíritos e dos mortos.

A forma imaginativo-abstrata das deusas da fertilidade cipriotas [Il. 21], da segunda metade do segundo milênio a.C., e as bem mais tardias figuras rupestres em pedra da França, do período Neolítico posterior [Fig. 9; Il. 22] indicam, na qualidade de imagens da deusa dos mortos da terra e da fertilidade, a ligação do numinoso-imaginativo com o reino dos espíritos e dos mortos.

O efeito numinoso da forma abstrata também se evidencia nas esculturas de pedra do período Pré-micênico [Fig. 10] posterior.[34]

Em especial no Egito pré-dinástico, quer dizer, na aurora da história humana, encontramos figuras opostas às formas corporais abstratas, consideravelmente semelhantes à mãe da Antiguidade, no tocante ao tipo físico. A escultura egípcia de uma "criada" sentada, de quadris exagerados [Il. 25], é uma entre todo um conjunto de figuras semelhantes.[35]

É bem diferente desta um grande grupo de figuras femininas em pé que, segundo nossa opinião, são representações da "deusa com os braços erguidos" [Il. 26]. Injustamente, essas figuras foram interpretadas como escravas africanas pelo realce dado às nádegas.

Breasted escreve sobre uma delas:[36] "Pele ornamentada com numerosos ziguezagues, divisas e desenhos de animais. Pés e mãos ausentes (provavelmente desde o princípio). Scharff[37] acredita que tais figuras estão em postura de dança e, nesse

[34] A imagem com forma de violoncelo dos ídolos femininos cicladenses é tão notável que se sente a tentação de pesquisar o formato feminino de vários instrumentos [Il. 24], relacionando seu simbolismo com nosso contexto.

[35] E. Holländer, *Aeskulap und Venus*, Berlim, 1928; Petrie, loc. cit., gravuras IV, 39 e 40, VIII, 55.

[36] James Henry Breasted, *Egyptian Servant Statues*, Nova York, 1948, ilustr. 82, texto p. 89.

[37] A. Scharff, "Agypten"; in: W. Otto, *Handbuch der Archäologie*; parte VI, vol. I; Munique, 1939, p. 445.

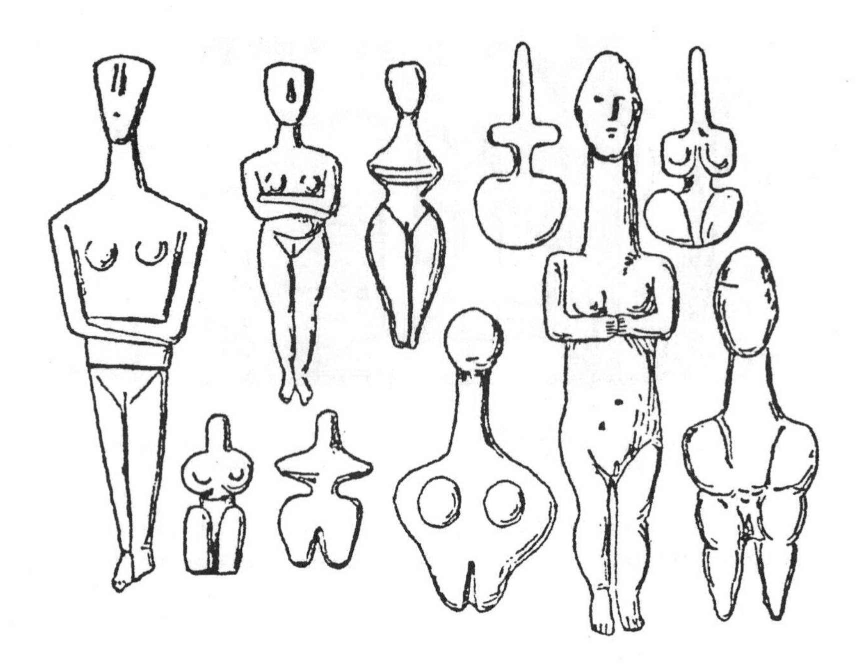

Figura 10 – Figuras de deusas sentadas e em pé; *provenientes de Amorgos, Naxos e Creta, Pré-micênicas.*

sentido, são a mais remota tentativa conhecida de representar a figura humana numa atividade específica".

Basta compararmos essas formas primitivas com inúmeras outras, que exibem a mesma postura solene dos braços, para tornar-se evidente seu aspecto religioso original. A primeira e a mais próxima interpretação que considera tais figuras em posição de oração não é de todo impossível.

As sacerdotisas que se identificam com a Grande Mãe, assim como as que a veneravam, eram bem capazes de ter adotado essa mesma posição. Entretanto, isso ainda não nos diz nada sobre o real significado desse gesto tão difundido e universal característico do Grande Feminino.

A "atividade específica" dos braços erguidos é, sem dúvida, religiosa, quer seja compreendida como oração, invocação ou um tipo de conjuração mágica. O que é fundamental, muito provavelmente, é o "significado mágico" ligado à postura de erguer os braços, que mais tarde foi mantida como a postura da oração. Devemos lembrar-nos de que em quase toda prece mantém-se preservada a intenção mágica original de pôr em movimento os poderes superiores e neles influir de alguma maneira.

A figura da deusa com os braços erguidos está presente em quase todos os lugares, principalmente naqueles onde aparece a figura do Grande Feminino. Nós a encontramos já nas antigas "reduções" da Idade da Pedra [Fig. 5]. Nas pinturas rupestres do Paleolítico, em que o caçador está ligado de forma mágica, pelos genitais, aos

Figura 11 – Desenho em pedra; *Algéria, Paleolítico.*

genitais de uma imagem feminina com os braços erguidos [Fig. 11], temos uma clara expressão da função mágica do Feminino. Verificamos, ainda, na pintura de um vaso egípcio muito primitivo [Fig. 12] que o tema é, provavelmente, a mágica ligada à caça, da mesma forma que na gravura africana paleolítica. As figuras femininas também têm, nesse caso, as ancas largas e as nádegas acentuadas, e, além disso, têm tamanho consideravelmente maior que o dos homens próximos a elas. Esta é a forma de expressão para a "Grande Entidade", como é conhecida, seja essa entidade um deus ou, mais tarde, o Grande Indivíduo, o rei.

Nossa interpretação dessas figuras é corroborada por uma observação de Raphael:[38]

> A figura em argila de uma mulher, com os braços levantados, e que fazia parte do culto aos mortos, já num período tão remoto quanto o de Amratam, não pode ser interpretada simplesmente como uma dançarina. Isto porque em um desenho feito num vaso, que se encontra no Brooklyn Museum (Nova York), veem-se dois homens apoiando os braços levantados, sustentando a mulher diretamente pelas axilas, no sentido de garantir a eficácia daquela postura e prolongá-la.

As interpretações de Raphael podem ser excessivamente especulativas no geral. Entretanto, ele sem dúvida consegue provar que nessas figuras o tema em questão é o da "Grande Mãe".[39] Encontra-se na Bíblia[40] uma analogia perfeita ao apoio dos braços (veja acima), quando Moisés, ao erguer os braços e tê-los apoiados, define o triunfo dos hebreus sobre os amalecitas.

---

[38] Max Raphael, *Prehistoric Pottery and Civilization in Egypt*, trad. por N. Guterman, Nova York, 1947, p. 140s.

[39] Além disso, a postura dos braços está provavelmente ligada ao símbolo do Ka [Fig. 13], apesar de ser possível fazer uma distinção entre levantar os braços, no sentido de formar um círculo com eles, e simplesmente estar com os "braços erguidos".

[40] Êxodo XVII, 8-13.

Figura 12 – Desenhos em vaso: mulheres com os braços erguidos; argila, *Egito, provavelmente quarto milênio a.C.*

É possível interpretar de duas formas essa postura dos braços, e ambas dão no mesmo, em última análise.

Uma interpretação destaca o aspecto mágico da postura de erguer que será adotada pelos sacerdotes ou pelas sacerdotisas da Grande Deusa, ou pelas pessoas que, ao fazerem suas preces, desejam estabelecer uma ligação com ela. A outra interpretação é a de que se trata da postura da "epifania", o momento em que se manifesta a divindade representada aqui. Ambas as interpretações dispõem de bons fundamentos.

A postura das "Grandes mulheres" com os braços erguidos [Fig. 12], rodeadas por homens no vaso egípcio, é claramente a atitude de súplica. É provável que as sacerdotisas tivessem que adotar essa postura exterior e interior de efeito mágico ou no início ou durante todos os procedimentos que cabiam aos homens executar, por exemplo, na caça ou na luta. Encontramos vestígios dessa concepção em vários preceitos existentes entre as mulheres, segundo os quais o sucesso dos homens em suas caçadas e batalhas dependia da eficácia mágica do Feminino.

Era dada importância à constituição física das sacerdotisas "à semelhança" da Grande Mãe, a fim de que pudessem "representá-la" [Il. 56] de forma legítima. Seu melhor testemunho ocorre nas figuras de Malta, isto sem levarmos em conta as formas da alta cultura cretense. As mulheres adormecidas de Malta [Il. 3] mostram que o ideal da corpulência sustentada por pernas finas conservou-se ao longo de milênios.[41]

---

[41] A questão de se essas figuras relativamente tardias, próximas do final do Neolítico, foram influenciadas por figuras africanas ou greco-micênicas é, para nós, de pouca importância, posto que o conceito de "influência" não tem relação com o aspecto arquetípico. Uma "influência" só ocorre onde houver ressonância psíquica, mas, nesse caso, sempre existem manifestações espontâneas da constelação que ocasionam interação comum, favorecem uma transformação no sentido do arquetípico. (Comp. com o que foi apresentado anteriormente sobre esquematização e desintegração.) Todas as teses e argumentações que procurem comprovar as influências, migrações etc. devem também se questionar sobre qual a razão de tais influências supostamente interligarem as regiões distantes, quando, ao mesmo tempo, culturas próximas continuaram a existir sem a demonstração de qualquer influência de uma sobre a outra.

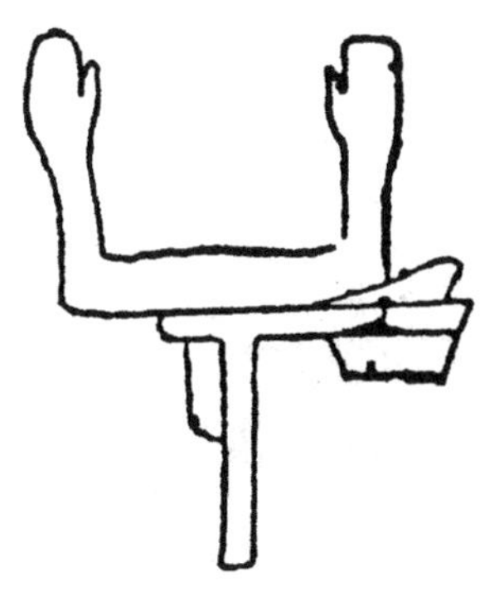

Figura 13 – Símbolo do Ka egípcio.

A Grande Deusa da Antiguidade não é, como veio a se tornar mais tarde, somente inferior e Mãe-Terra, mas sim também a senhora do superior e do Céu, especialmente do céu noturno, representante do destino. Sua "presença" grandiosa, com os braços levantados ou erguidos em forma circular, e a imponência do seu posicionamento frontal, revelam que ela jamais se dirige como suplicante para o alto; trata-se, antes, de uma epifania da sua onipotência, que inclui a eficaz magia superior do destino e a torna poderosa aos seus.

A postura frontal de uma figura indica, quase sempre, o numinoso que ou "se manifesta", ou apenas simboliza um objeto de veneração. Talvez a mais bela ilustração desse fato seja a imagem da deusa cretense [Fig. 14] que se coloca diante de seus adoradores. Também conhecemos em outras representações essa deusa empunhando um machado duplo em ambas as mãos erguidas.[42] Aqui, ela acaba de descer à terra, como indicam as "linhas ondulantes" do fundo da gravura.[43]

Da mesma forma como existe uma identidade entre a divindade e as sacerdotisas que a representam, conserva-se uma identidade similar entre a postura da epifania divina e a do adorador do divino,[44] de tal sorte que a deusa, ao ser adorada, e seu adorador assumem a mesma postura. Esta é a razão pela qual frequentemente não conseguimos distinguir se a gravura em questão é a representação de uma deusa, de suas sacerdotisas ou de um adorador.

A postura assumida na oração, com os braços e as mãos erguidos, não é típica somente no Egito,[45] tendo sido mais amplamente difundida.[46] O fato de que o posicionamento angular dos braços muitas vezes significa não só adoração [Frontispício]

---

[42] Comp. c/ p. 105ss e p. 109ss.

[43] A. W. Persson (*The Religion of Greece in Prehistoric Times*, Berkeley e Los Angeles, 1942, p. 26 e p. 73) chamou atenção para o fato de que as linhas onduladas nas argolas significam a delimitação da região celeste. No mesmo sentido, devemos aqui interpretar a ligação das ondulações com a descida da deusa.

[44] Isso ocorre de outra maneira nas várias representações de adoração em que a face está inclinada ou afundada nos braços cruzados.

[45] Breasted, loc. cit.

[46] Friedrich Heiler, *Das Gebet*, Munique, 1923, p. 101s.

Figura 14 – Deusa cretense diante de seus adoradores;
palácio em Cnossos, segundo milênio a.C.

mas sim uma epifania divina, pode ser reconhecido não só nas imagens da "Deusa Cretense"[47] [Fig. 14]. A figura primitiva da deusa do santuário de Gournia[48] também exibe essa postura, assim como várias outras representações de Micenas[49] [Ils. 27b, 28a], Troia,[50] Chipre[51] e Grécia.

No vaso de Troia [Il. 27a] e num vaso da Idade do Ferro[52] (Hallstatt) as alças têm a forma de braços voltados para cima, o que torna evidente o significado cultural dessas peças.[53] Persson comprova, exatamente a partir dessa característica, que se trata da epifania da Grande Deusa cretense.[54] A Grande Deusa assume a mesma postura na Índia.[55]

Esse gesto da epifania é adequado à Grande Mãe quando esta se põe em pé sobre a terra, como no Egito [Ils. 26, 154, 155]; quando desce do céu, como em Creta [Fig. 14]; e quando ascende da terra para o alto.

Já com relação à Deusa pré-helênica, cuja parte inferior é indiferenciada como [Ils. 24b, 13b] sino ou plataforma, lembramo-nos da figura de Gaia, a Terra-Mãe, cujo útero coincide com a terra, o território inferior da fertilidade [Ils. 28a, 28b]. O mesmo é válido para os "bustos"[56] indianos da Grande Mãe [Fig. 15], que têm a parte inferior do corpo dentro da terra. Encontramos o mesmo arquétipo quase dois mil anos mais

[47] Nilsson, *Geschichte*... loc. cit., tábua XIV, 4c.
[48] Idem, tábua I.
[49] Kühn, loc. cit., ilustr. 81.
[50] Hoernes, loc. cit., p. 361.
[51] Mode, *Indische Frühkulturen*... loc. cit., cap. II, obs. 20.
[52] Hoernes, loc. cit., p. 483.
[53] Comp. c/ p. 120.
[54] Persson, loc. cit., p. 64.
[55] Mode, *Indische Frühkulturen*... loc. cit., ilustr. 36.
[56] Stuart Piggott, *Prehistoric India*, Harmondsworth, 1950, p. 108, ilustr. 9.

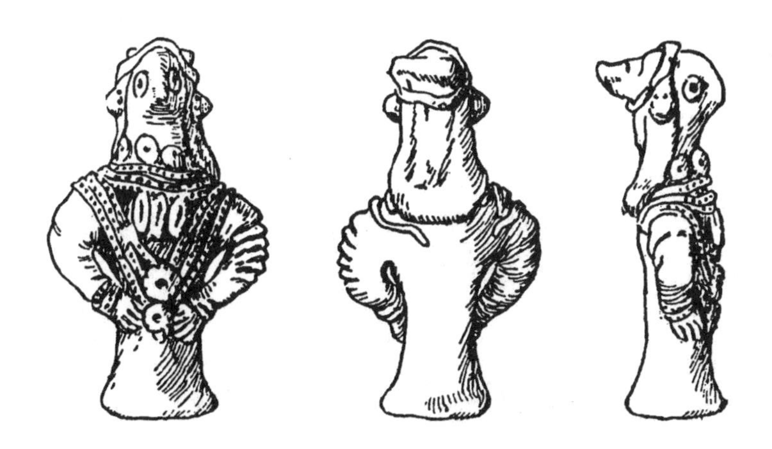

Figura 15 – Figura feminina; *argila, pré-histórica, Baluchistão.*

tarde, em uma pintura da terra [Il. 29] nutrindo monstros, em que, com certeza, não se pode excluir um conhecimento erudito da imagem ancestral de Gaia.

A gravura que apresentamos, feita por um psicótico[57] [Il. 30a], comprova que o arquétipo da Grande Mãe com os braços erguidos ainda se mantém vivo no inconsciente do homem moderno. É uma figura arcaica de deusa, com uma touca arquetípica na cabeça. Também é evidente a esteatopigia e a dimensão ampliada dos quadris; a área genital está rodeada por pequenos demônios negros que dançam, e o rosto é claramente tatuado. O fundo é um painel noturno azul-escuro e, sob os pés, alguma coisa amarelo-esverdeada (a lua?).

O mesmo tipo imaginativo e abstrato da Deusa Mãe pode ser encontrado atualmente, por exemplo, nos desenhos das crianças [Il. 30b]. A grande figura do arquétipo da mãe que emergiu no inconsciente de uma criança foi representada como um "navio". A conexão inconsciente entre navio e arquétipo da mãe será objeto de nossa averiguação mais adiante. Nessa gravura, bem como naquela do psicótico, a expressão da Grande Mãe é consideravelmente afetada pela peculiar postura dos braços levantados.

A deusa da Antiguidade é, portanto, ao combinar em um só os caracteres femininos elementar e de transformação, uma "presença contínua". Onde quer que traços originais do caráter elementar ou de transformação sejam revividos na psique de um ser humano, sua imagem arcaica constela-se de novo, independentemente de tempo e espaço.

---

[57] Hans Prinzhorn, *Bildnerei der Geisteskranken,* Berlim, 1922, prancha XIV.

Capítulo Nove

O CARÁTER ELEMENTAR POSITIVO

No centro do caráter elementar feminino, onde a mulher contém e protege, nutre e dá à luz, se encontra o vaso,[1] que é tanto um atributo como um símbolo da natureza feminina [Il. 2].

"O vaso de argila, e mais tarde o vaso em geral, é um atributo característico e bastante antigo da mulher, o qual, neste caso, a substitui e, além disso, a complementa. É um dos instrumentos mais essenciais de trabalho para aquelas que iam buscar água, colher frutas e preparar a comida do seu homem, sendo, por isso, um símbolo da divindade feminina."[2]

Iniciamos fazendo referência a dois ídolos de argila em formato de urna [Fig. 16, 17], que são imagens primitivas da deusa originária de Hissarlik, na região de Troia, dos quais se diz: "A partir da segunda cidade todo vaso será confeccionado como uma figura demoníaca, cuja aparência vai proteger o conteúdo do vaso e resguardar a prosperidade daquele que o possui. Qual deveria ser essa figura demoníaca senão a da soberana divina da cidade, a própria deusa da montanha?"[3] Além disso, pertencem a esse contexto duas criações relacionadas com o vaso, de outra época e região: uma urna com rosto e uma imagem cultual segurando uma jarra, ambas da Europa Oriental[4] [Ils. 31a, 31b].

Encontram-se inúmeras jarras antigas que parecem precursoras das inúmeras urnas pré-micênicas troianas com rosto, em sítios neolíticos da Tessália e da Sérvia;[5] porém, assim como os vasos correspondentes da Posnânia e de Brandemburgo, na Prússia Ocidental, e de outras partes do mundo podem confirmar, trata-se de uma forma arquetípica de representação, não de um padrão cultural ou determinado pela

[1] Comp. c/ cap. 4, Parte I.
[2] Hoernes, loc. cit., p. 362.
[3] Idem.
[4] Idem, p. 531; Eckart von Sydow, *Die Kunst der Naturvölker und der Vorzeit*, Oldenburg, 1926.
[5] Hoernes, loc. cit., p. 359.

Figura 16 – Urna com rosto; *argila vermelha, Troia, IV estrato.*

tradição. Assim, é irrelevante para nós se, por exemplo, era característico das figuras troianas dar destaque maior para o rosto [Fig. 20] e para o sexo das formas femininas, ou se para os pomerânios eram enfatizados os colares e os cintos.[6]

O caráter vaso do Feminino também é frequentemente acentuado por uma duplicação da figura, em que a urna com forma de mulher porta um segundo jarro. Assim, o ornamento de cabeça característico da deusa e da sacerdotisa é, provavelmente, um aperfeiçoamento do vaso muitas vezes carregado sobre a cabeça [Fig. 16] durante o ritual. O vaso colocado sobre a cabeça [Il. 33a], sustentado diante do corpo, ou, em certas ocasiões, ao lado da mulher, pode ser compreendido como vaso sagrado na maior parte das vezes, uma vez que desempenha papel significativo no ritual da divindade feminina.[7]

O caráter vaso, às vezes, também é representado pelo "jarro que não tem nenhum outro símbolo (traços fisionômicos, seios etc.), senão o fato de ter ao lado um pequeno vaso como seu atributo".[8]

---

[6] Idem, p. 530.

[7] Vrf. em Hoernes, loc. cit., as ilustrações de Troia, da Áustria, da Alemanha, de Chipre, da Itália, da Espanha, da Romênia, da Rússia etc. (pp. 198, 361, 451, 497, 507 etc.)

[8] Idem, p. 362.

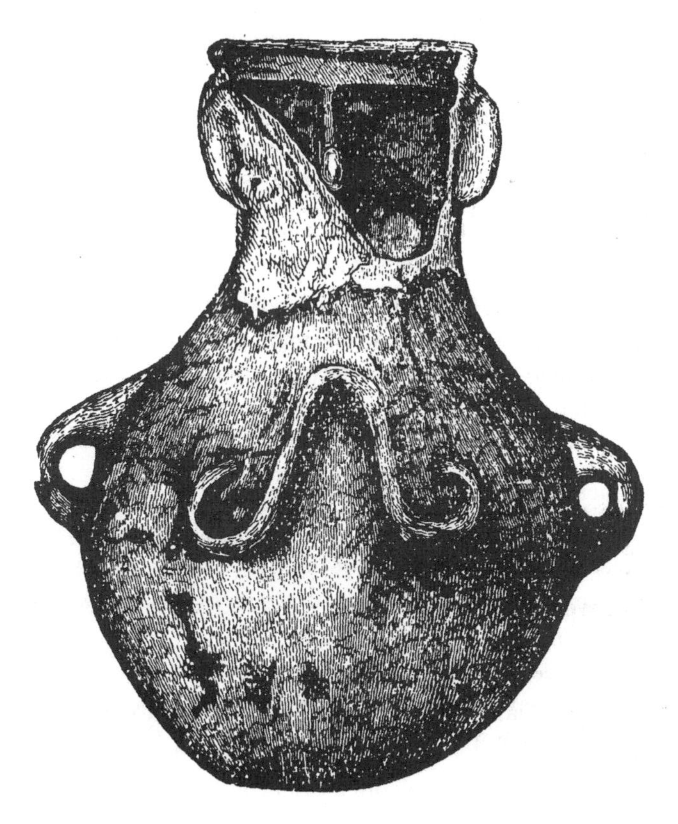

Figura 17 – Urna com rosto; *argila, Troia, III estrato.*

Nos vasos-mulher primitivos, a ausência de boca – que já era característico da deusa da Antiguidade – é um traço simbólico significativo.

A boca, como símbolo da agressão devoradora, que dilacera e engole é característica do perigoso "caráter elementar negativo" do Feminino. Por esse motivo, devemos nos questionar que significado tem para o caráter elementar uma ausência tão veemente. O aspecto da abundância é uma das experiências originais positivas, uma parte da vivência do Feminino como vaso que fornece alimento. Esta é a razão do destaque dado aos seus seios, enquanto o caráter numinoso encontra expressão nos olhos dominadores, que, com o nariz e o arco formado pelas sobrancelhas, contribui poderosamente para o aspecto ornitoide dessas formas.[9]

[9] É interessante para o fundamento arquetípico desse traço o fato de que as crianças em fase de amamentação reagem de forma positiva – como o demonstra surpreendentemente a experiência – a uma fronte lisa e a sobrancelhas descontraídas, e que o aspecto e a expressão da boca não têm efeito sobre elas. Vrf. Adolf Portmann, "Mythisches in der Naturforschung", in: *Eranos-Jahrbuch*, 1949, XVII.

O caráter espiritual dos olhos na parte superior sobressai-se diante do aspecto vaso corpóreo da parte inferior.[10] Entretanto, falta uma boca eloquente que permita uma expressão da alma. O Grande Feminino ainda é uma existência silenciosa para o homem infantil. A boca, como órgão do colocar para dentro, não é necessária ao Feminino, face a tudo aquilo que possui o teor da abundância de seu vaso, pois o Feminino, posto que "bom", não é devorador, mas sim doador de sua riqueza.

A expressão mais clara desse doar para fora são os seios, que caracterizam o Feminino como nutridor. Segundo a tradição grega, as primeiras "páteras" (taças) foram criadas a partir da forma dos seios de Helena.[11] Como o mistério da confecção de vasilhas em argila está ligado ao mistério feminino do milagre da transformação do sangue em leite, talvez um exemplo do mundo primitivo possa servir como ilustração:

> As mulheres Zuni fazem seus jarros desde os tempos mais remotos, com o formato de um busto feminino. O mamilo é deixado aberto até o final, e o fechamento é realizado com a solenidade de um rito religioso com os olhos afastados. A menos que esse ritual seja observado, as mulheres se tornarão estéreis ou seus filhos morrerão ainda no primeiro ano de vida.[12]

Os olhos que "se desviam" antes do término do trabalho criativo do Feminino, quando então somente o númen criativo – e não o humano – tem "a última palavra", revelam a ligação típica do Feminino com a essência do processo de criação, em que o "vendar os olhos" e o silêncio têm conotação especial de mistério.[13]

A vivência arquetípica do Feminino como o Todo nutridor universal torna-se clara na multiplicação do motivo dos seios. Essa multiplicação surge, talvez em sua mais bela forma de expressão, no vaso peruano, em que os seios se projetam para os quatro lados [Il. 34];[14] entretanto, a antiga cerâmica europeia de formas arredondadas também mostra o motivo arquetípico dos seios.[15]

Hoernes descreve o desenvolvimento técnico desses vasos da seguinte maneira:

> Em virtude da influência exercida na confecção de vasos pela técnica do trabalho com metal, as figuras circulares lisas adquiriram relevos e saliências na forma de mamas. Surgem, como formas de transição, vasos abaulados, onde estão inscritos desenhos em espiral.[16]

---

[10] Mais adiante, trataremos desse aspecto "superior", que já se encontra claramente acentuado desde os tempos mais remotos, na cabeça [Ils. 56, 87] e na sua ampliação, através, por exemplo, de penteados ou outros ornamentos.

[11] Briffault, loc. cit., vol. I, p. 473.

[12] F. H. Cushing, *A Study of Pueblo Pottery* (Relatório trimestral do escritório etnológico), Washington, 1886, p. 512ss.

[13] Neumann, "Über den Mond..." loc. cit.

[14] Vrf. Walter Lehmann, *Mexikanische Kunst* (Orbis pictus, vol. VIII), Berlim, 1921, ilustr. 3.

[15] Sydow, loc. cit., p. 495 inferior, sobre cerâmica da Lusácia. Também sobre cerâmica húngara, austríaca etc.

[16] Hoernes, loc. cit., p. 415, ilustr. 2.

Ele destaca a semelhança de um desses vasos de forma arredondada, da Transilvânia, com outro de Creta.[17] Figura circular, espiral, mama, curva com espiral, curva: essa sequência significa, para nós, não só uma evolução histórica, mas também mostra, em geral, que formas o motivo dos seios pode adotar nos vasos. Isto não significa que, sempre que existe um vaso com uma figura circular ou com uma espiral, estamos diante do motivo dos seios; indica, todavia, que o hemisfério do seio está frequentemente ligado ao motivo da espiral de vida, assim como a espiral dupla e o círculo duplo são, muitas vezes, símbolos dos seios.[18]

O motivo dos seios está relacionado com o simbolismo do leite e da vaca. A deusa, como vaca e senhora do rebanho provedor de alimento, encontra-se como um dos objetos de adoração histórico-culturais mais antigos que conhecemos, localizado na população mesopotâmica, após o período al' Ubaid.

> O rebanho sagrado, tal como é conhecido por ter suprido a fazenda leiteira do templo com o "leite sagrado de Ninkhursag", em Lagash, volta do pasto para se juntar aos novilhos que saltam do seu cercado, exatamente como foi descrito por Homero: "Ao avistarem suas mães, os novilhos saltam num tal frenesi que o cercado mal os pode conter; eles escapam, mugindo o tempo todo e saltitando".[19] A intenção religiosa da cena torna-se mais clara quando se tem em mente que, ao longo de todas as épocas históricas, a infância dos reis e dos sacerdotes era alimentada por esse leite, de modo que até um texto assírio se refere a esse fato, com as seguintes palavras:[20] "Eras pequenino, Assurbanipal, quando entreguei-te à rainha de Nínive. / Eras fraco, quando sobre os joelhos dela te sentaste. / Quatro foram as tetas colocadas em tua boca". Portanto, a Deusa das pastagens era a própria vaca e, de fato, é assim designada durante um encantamento em auxílio das mulheres, na hora do parto.[21]

O motivo dos seios também aparece onde quer que se manifeste, no culto, o arquétipo da mãe amamentando a criança. Tais cultos, porém, são apenas focos nos

---

[17] Idem, p. 414.

[18] Se nos recordarmos dos ídolos sérvios para a deusa-mãe, em que tanto a boca quanto os seios eram representados por um símbolo semelhante a uma estrela ou a um sol [Il. 20], compreenderemos com que facilidade um vaso-mulher pode "degenerar" num ornamento, de forma a termos somente um vaso ornamentado diante de nós, sem que a figura feminina, que ele originalmente simbolizava, seja mais reconhecível. Nesse sentido, os vasos com ornamentos de "olhos" ou "sóis" (Hoernes, loc. cit., p. 331; do norte, do centro e do sul da Europa; p. 353 do norte da Itália; p. 341 ilustrs. 1 e 6; de Chipre, p. 307, ilustrs. 4-8, e da Transilvânia) poderiam estar relacionados com o vaso como mulher. Considerando, porém, a variedade de possibilidades referentes ao surgimento dos vasos ornamentais, não se poderá chegar a uma conclusão. Compare com a questão da degeneração, mencionada anteriormente.

[19] Homero, *Odyssee*, Canto 10, versos 410-14 (citação da tradução de T. E. Shaw, 1932, p. 146). [Odisseia, Editora Cultrix, São Paulo, 2ª edição, 2013.]

[20] H. R. Hall e C. L. Wooley, *Ur Excavations*, Londres, 1927, p. 142.

[21] Levy, loc. cit., p. 97.

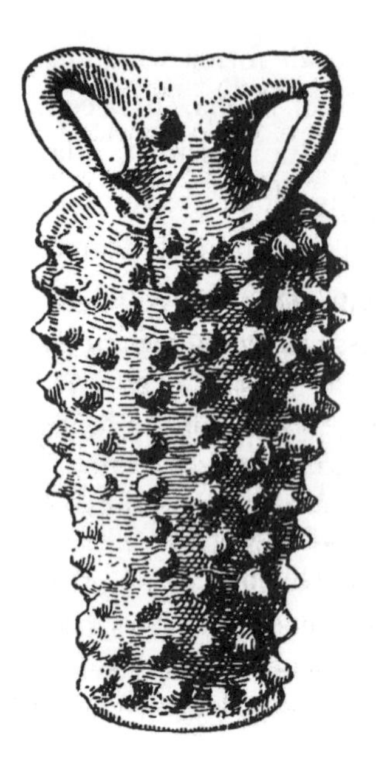

Figura 18 – Ídolo Feminino; *argila, Hagia Triada, Creta, final do III período Minoico.*

quais o vigor da imagem arquetípica do Grande Feminino penetra na consciência humana e conscientemente define sua vida e sua cultura.[22]

Talvez se torne evidente a necessidade de uma visualização mais nítida desse tipo de correlação quando vemos o ídolo cretense de Hagia Triada, o qual, sem sombra de dúvida, pertence ao âmbito da Grande Deusa Mãe [Fig. 18], descrito com as seguintes palavras: "Um dos ídolos tem a parte inferior proeminente e recoberta de verrugas!".[23] Trata-se, com certeza, de um símbolo da Deusa Terra "nutridora", na qualidade de terra produtiva. Aliás, esse tipo gaia de Grande Mãe está enfiado *na* terra até a metade e, na maioria das vezes, sobressai-se somente como busto. Lembramos, como exemplo desse tipo de Mãe-Terra, do vaso cretense de Mallia.[24] Os ídolos cretenses [Il. 28b] pertencem à mesma série, e neles se combinam seios acentuados com braços-alças erguidos [Il. 27a]. Temos ainda um terceiro vaso em que os seios são indicados por uma linha sinuosa [Fig. 17].

Encontramos a mesma redução, de forma duplicada, nas estranhas lápides pré-etruscas localizadas perto de Bolonha [Fig. 19].

---

[22] O arquétipo pode se impor, mesmo quando determinantes de outra espécie governam a consciência e a cultura dos homens. Assim, por exemplo, a chamada "cerâmica abaulada" não precisa estar ligada, necessariamente, a um culto à mãe, ainda que por motivos que desconhecemos revelem o simbolismo do seio-recipiente com suas correlações emocionais inconscientes.

[23] Nilsson, *Geschichte*... loc. cit., p. 265. Obs. nº 2.

[24] Sobre o assunto, consulte Charles Picard, "Die Grosse Mutter von Kreta bis Eleusis"; in: *Eranos-Jahrbuch* 1938, VI.

Figura 19 – Lápide com formas femininas; *arredores de Bolonha, período Úmbrico pré-histórico.*

> Em cima há duas rosáceas como se fossem olhos num rosto; para baixo segue uma linha transversal e, mais abaixo, no lugar da boca, uma figura de animal. Uma rosácea mais adiante indica o centro do corpo (o umbigo); o espaço acima é preenchido, no centro, por duas volutas duplas, pendentes, e, de cada lado, figuras de animais, aos pares, partem da direita e da esquerda em direção ao centro.[25]

A coluna tumular inumada na terra representa uma figura, cujo ventre, o "centro vital", salienta-se dessa terra; acima dele, dois pares de seios alimentam os animais à direita e à esquerda. Trata-se, indubitavelmente, de uma representação da Grande Mãe com vários seios, como senhora e nutridora do mundo animal. Sua forma clássica é encontrada na Diana de Éfeso [Il. 35], sendo que também no México há uma representante desse Grande Feminino, a Deusa da Ágave, Mayauel, cujo nome significa "a mulher com os quatrocentos seios".[26] E, assim como a deusa mexicana era originalmente deusa do céu,[27] também a parte superior, a "zona dos olhos" da deusa de Bolonha a exibe como senhora "celeste", independentemente de como interpretamos ambos os símbolos cósmico-polares que formam os olhos.

Um dos símbolos é idêntico ao símbolo vital do centro-útero-umbigo e poderia ser interpretado como a estrela Vênus (os corpos celestes – sol e lua – são conhecidos especialmente, na mitologia egípcia, como os olhos da deusa celeste).

---

[25] Hoernes, loc. cit., p. 462.

[26] Vrf. Lewis Spence, *The Religion of Ancient Mexico*, Londres, 1945, p. 116.

[27] Veja adiante capítulo 10, "O Caráter Elementar Negativo", p. 263.

O símbolo do deus onisciente, que tudo enxerga e tem muitos olhos, pertence a uma imagem arquetípica em que o mundo sideral do céu noturno manifesta-se como os olhos da divindade.[28] A correspondência entre a região superior e a inferior é característica do domínio da Grande Mãe em suas várias fases. Ela é a senhora do mundo dos mortos, na forma de divindade do túmulo, mas domina ao mesmo tempo o mundo celeste, cujos luminares são seus olhos. Da mesma forma, a Grande Deusa como vaso de água divino é a senhora da água superior, da chuva [Il. 33b] e das águas inferiores que brotam do útero da terra como regatos e rios. Essa concepção é especialmente evidente no Egito, como comprovou G. E. Smith.[29] Na escrita hieroglífica, o vaso de água, símbolo da deusa celeste Nut, é também o símbolo da feminilidade, do "genital feminino", da "mulher" e do Princípio Feminino.[30]

O Grande Feminino alimenta a terra como vaca celeste com sua chuva de leite e, como útero, é o vaso que "se quebra" no momento do parto e derrama a água [Il. 36], tal como a terra, a divindade provedora da água oriunda das profundezas. Por essa razão é que a virgem não é somente um poço fechado, mas também uma "nascente lacrada".[31]

Somente quando conseguirmos compreender a "apercepção mitológica" do homem primitivo, que vivencia simbolicamente tudo que o atinge no plano emocional, poderemos entender a plena significação das equações simbólicas: dar leite = saciar a sede = dar chuva = vaso de água; vaca = mulher = terra = fonte = regato; e mulher = céu = chuva. Em todas essas equações, a água do solo pertence à região ventre-parto -útero do Feminino inferior, e a água da chuva dos céus pertence à região dos seios do Feminino superior.

Assim como o Grande Feminino como um todo é o símbolo da vida criativa, as partes do seu corpo também não são órgãos físicos, mas centros simbólicos numinosos, pontos centrais de esferas inteiras de vida. Por isso, a "autorrepresentação" do Grande Feminino, os seios e o ventre expostos, ou mesmo todo o corpo nu e revelado da Grande Deusa, são uma forma da epifania divina.

Desse modo, em toda a cultura cretense, desnudar os seios é uma prática sagrada e cúltica. A deusa e as sacerdotisas que com ela se identificam exibem por inteiro os seios como símbolos da corrente vital nutridora.[32] A imagem bastante conhecida e divulgada do tipo Astarte da Grande Deusa, que comprime ou exibe os seios, tem o mesmo significado. Durante o lamento pela morte de Adônis, por exemplo, em que os seios nus são açoitados para indicar o luto, essa prática significa que os seios são

---

[28] Comp. c/ C. G. Jung, "Der Geist der Psychologie", loc. cit., p. 401ss., sobre essa luminosidade celeste como forma de projeção de uma luminosidade do inconsciente.

[29] Sir Grafton Elliot Smith, *The Evolution of the Dragon*, Manchester, 1919.

[30] Francis L. Griffith, *A Collection of Hieroglyphs* (Egypt Exploration Society, Mem. nº 6), Londres, 1898.

[31] *Das Hohelied*, IV, 12.

[32] O expor os seios, que também é característico das amazonas, deve ser entendido como sagrado, nesse sentido. Vrf. Picard, "Die Ephesia von Anatolien", in: *Eranos-Jahrbuch* 1938, VI, p. 62.

acusados como princípio vital que não conseguiu derrotar a morte. Nas representações do Grande Feminino, feitas em Chipre durante séculos [Il. 33a], pode-se perceber claramente a identidade da mulher vaso-continente nutridora com a mulher-vaso de seios à mostra.

A deusa hitita nua em posição frontal, de pé sobre um leão [Il. 37] e amamentando sua criança, tem a força numinosa da automanifestação cerimonial, ao passo que o grupo de Ísis com Hórus [Il. 38] (exceto pelo ornamento que Hathor usa na cabeça), que lhe é mais ou menos contemporâneo, se não mais antigo, exerce impressão humana mais próxima e pessoal. É inquestionável que essa impressão é reforçada pela perspectiva não frontal; entretanto, a expressão da face de Ísis e a delicadeza com que ela segura a cabeça da criança contrastam muito fortemente com a desinteressada epifania da deusa hitita.

A situação arquetípica da relação mãe-filho é mais evidente nas representações dos povos primitivos. O vaso peruano da mãe com o filho [Il. 40] parece-nos uma das mais eminentes representações desse arquétipo, em que o aspecto de inumanidade quase sobrepuja o da magnificência.

O componente da esteatopigia também é inconfundível nessa figura, e, novamente, a mulher é representada não só como vaso-recipiente, mas, além disso, como a portadora de um vaso e segurando seus seios. Em algum lugar ao lado dessa massa de dimensões montanhescas, cuja impressão de estar fundida à terra é reforçada pelo pano que desce de sua cabeça, encontra-se pendurada uma criatura de aparência humana, cuja caracterização fica entre a de uma criança, um ancião e um pequeno macaco. Esse Feminino gigantesco do qual literalmente "depende" o pequeno olha fixa e desinteressadamente para a frente, imponente e impassível, com tal insensibilidade que personifica magistralmente a monumental indiferença da natureza para com os seres vivos que dela dependem.

Outro vaso, também peruano [Il. 41], mostra ainda mais claramente a pequenez do ser humano, agarrado à mãe e bebendo dela. Ambos os vasos surtem efeito numinoso, independentemente de serem vasos sagrados ou profanos.

No nosso primeiro exemplo de escultura africana [Il. 39], a criança é outra vez pequenina e dependente; aqui também o Feminino tem um vaso próximo de si, como símbolo de companhia, mas a expressão da mulher é completamente diferente. É o triunfo de uma maternidade selvagem em que o prazer imponente e arrogante, com toda a autogratificação, não deixa de ter relação com a criança. Nesse caso, não encontramos a relação delicada, solícita e pessoal de Ísis com seu filho, mas sim o régio interesse de uma rainha dominadora e voluntariosa por aquele gerado por ela, dependente dela e alimentado por ela; esta é a circunstância em que o Feminino vivencia a si próprio e é vivenciado como mãe, natureza, terra e doador de vida.

Novamente o Feminino é caracterizado, de forma distinta, mas não menos gloriosa, como nutridor na escultura Iorubá [Il. 42]. Esse Feminino, entronizado numa

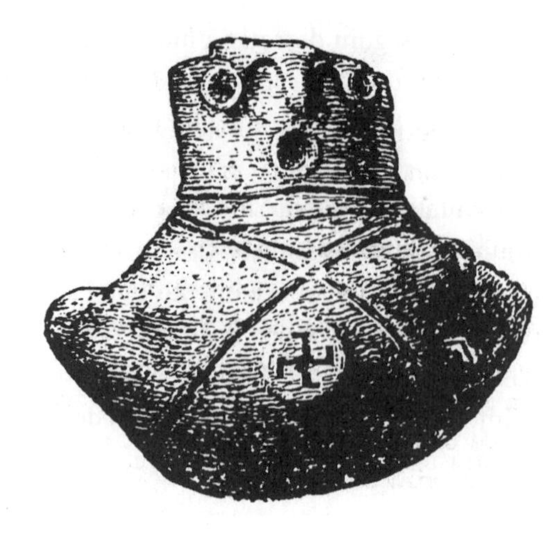

Figura 20 – Urna em forma de rosto com umbigo; *argila, Troia, V estrato.*

placidez inabalável, rodeado por crianças brincando à sua volta, mostra claramente o formato fálico dos seios. Os seios flácidos e pendentes, artisticamente induzidos na África, são, nesse caso, exagerados para produzir uma forma fálica, da qual a força procriadora flui para a criança recipiente recém-gerada. Nesse caso, o simbolismo arquetípico da boca que espera o seio fecundo mostra-se visível por completo – o que é raro – em seu significado genuíno e absolutamente não perverso.

Em outra escultura Iorubá [Il. 43], a expressão do Feminino nutridor é humana e pessoal, apesar da ênfase sagrada dada ao trabalho, pois trata-se do báculo de um sacerdote. A essa mulher delgada e delicada, porém, principalmente quando vista de frente, não falta grandeza. Os seios pendentes, alongados e retesados, conferem a impressão de fecundidade; o Feminino é aqui como uma planta imóvel, que por toda parte dá frutos: na frente, os seios com a forma de melões e, nas costas, a criança. A atitude e a fisionomia desse filho são audaciosas e conquistadoras; montado nas costas da mulher, agarrado a ela, ele se encontra inteiramente contido no oval protetor que sobe dos joelhos maternos, passando pelos seios e pelo perfil, até chegar aos cabelos penteados para trás, de onde desce por sobre a criança até a planta do pé.

Essas representações africanas "primitivas" do Grande Feminino são comparáveis, inclusive, à figura de Ísis-Hathor com o rei Hórus [Il. 44], que não pertence ao caráter elementar do Feminino.

As imagens egípcias dão corpo à riqueza simbólica de uma civilização em cujo campo de consciência o Grande Feminino penetrou no mito, no ritual e na concepção histórica do regime monárquico. O rei, o Grande Indivíduo, o deus entre os homens e o mediador entre o superior e o inferior, também continua a ser o filho da Grande Deusa Mãe, a mãe de todos os deuses, que o gerou e tornou a gerar e somente através da qual ele é rei. Os cornos de Hathor, da vaca celeste nutridora, projetam-se de sua cabeça, adornada regiamente pelos símbolos maternos da serpente e do abutre. Ela é o trono em que ele, sentado, possui toda a extensão do Egito e, com isso, a terra e toda a fecundidade que ela proporciona.

Toda essa quantidade de símbolos aponta, de fato, para um enriquecimento, uma complexificação, uma pormenorização e uma especificação do arquétipo gerador de formas. Entretanto, a situação básica permanece a mesma na estátua pessoal com o Hórus-criança e nas esculturas africanas, bem como na estatuária romana da Sardenha com trabalhos sobre a Deusa Mãe segurando os filhos, um vivo e outro morto, ao mesmo tempo criança e homem.

Assim, o Grande Feminino, o provedor de alimento, torna-se universalmente o princípio natural a ser venerado [Il. 45], do qual o ser humano depende tanto para o prazer quanto para o sofrimento. A Deusa Mãe que alimenta os gêmeos é considerada, nesse sentido, a senhora dos opostos. É com base nessa eterna experiência do ser humano, tão impotente em sua dependência da natureza quanto o bebê na dependência da mãe, que a figura mãe-criança se inspira e se renova sempre.

Isto não significa, todavia, que nesse tipo de figura mãe-filho ocorra uma regressão para o infantilismo, em que o "adulto" se torna pueril, nem que seja mobilizado por uma nostalgia do amor da mãe para com o filho. Ao contrário, em sua genuína identificação com a criança, o ser humano vivencia a mãe e o Grande Feminino como símbolo da vida da qual ele próprio depende, mesmo sendo "adulto".

Ocorre uma situação diferente com o relevo real de Abidos [Il. 4]. Nesse caso, é visível algo novo, cujo significado só podemos aprender em parte. Na troca de olhares das figuras sentadas uma diante da outra, ocorre uma transformação misteriosa na relação mãe-filho. A face encantadora da jovem mãe volta-se para um homem que, na verdade, ainda se senta no seu colo como seu filho; não obstante, a delicadeza com que essa face masculina é tocada pelas mãos da deusa é dirigida para um filho bem-amado do Grande Feminino, não mais para um bebê.

O Feminino, porém, não é somente o seio-vaso nutridor; mais do que isso, ele é o ventre-vaso [Il. 48] que a tudo dá origem. Por esse motivo, não falamos do ventre de um recipiente; mas, de maneira mais adequada, exatamente em função das nossas gravuras, falamos de vasos "barrigudos". No centro de alguns desses recipientes há uma forma redonda que simboliza tanto o umbigo como os genitais femininos [Fig. 20]. É o centro gerador da vida que, tanto aqui como em outras representações da deusa da Antiguidade, significa símbolo de vida.

O umbigo, como centro do mundo, é igualmente arquetípico. Os santuários da terra, na maioria, são considerados de forma característica como umbigos do mundo, tais como o templo de Jerusalém,[33] o de Delfos etc. O essencial é que, dessa forma, o simbolismo feminino da terra sempre está inconscientemente "subentendido". A terra

[33] Raphael Patai, *Man and Temple*, Londres, 1947, p. 85 e p. 132.

Figura 21 – *Pithos* germinante; *moeda, Fenícia, séc. III d.C.*

é, de certa forma, o útero de uma realidade vista como feminina, o umbigo e o centro a partir do qual o mundo é nutrido.[34] (Compare com a imagem da deusa mesopotâmica que, como deusa da lua luminosa, possui, além dos olhos, também o umbigo brilhante [Il. 46].)

O vaso com o umbigo vital e alças em forma de braços [Il. 27a], e que pertence ao grupo das deusas com os braços erguidos, é apenas um dos exemplos da identificação universalmente difundida da divindade feminina com o "pote", símbolo do ventre por excelência.

A Grande Deusa Ishtar, por exemplo, que tem galhos ou espigas brotando das costas,[35] encontra sua correspondência numa moeda fenícia de Avados [Fig. 68], do período do imperador romano Górdio III, onde está cunhado um grande vaso – *pithos* [Fig. 21] – ladeado por duas esfinges, de cujos "ombros", isto é, na porção entre o "tronco" e o "gargalo" do vaso, brotam galhos e espigas. Em Chipre, os jarros chamados *Kernophorai*[36] também eram venerados como deusas, mas a identificação da Deusa Mãe com o jarro possivelmente não se restringe à antiga cultura mediterrânea.

G. Elliot Smith diz, com razão:

> A Mãe-Pote é, de fato, uma concepção fundamental em todas as regiões e praticamente se difunde por quase todo o mundo. A identidade dos potes com a Grande Mãe está profundamente enraizada em crenças antigas, ao longo de grande parte do mundo.[37]

---

[34] A concepção infantil do nascimento a partir do umbigo tem origem nesse simbolismo arquetípico da identificação do útero com o umbigo, em que aquele é o centro feminino da vida.

[35] Alfred Jeremias, *Handbuch der altorientalischen Geisteskultur*, Leipzig, 1913, p. 113, ilustr. 89.

[36] Briffault, loc. cit., vol. I, p. 474.

[37] Smith, loc. cit., p. 182 e p. 199.

Briffault[38] constatou, ainda, a existência da Deusa Mãe caracterizada como pote no Peru e no sul da Índia, entre outros, onde um grupo de sete deusas é venerado sob a forma de sete potes,[39] assim como no norte de Bornéu e nas Filipinas.

Se encontramos os vasos sagrados não só na Elêusis grega e nas vestais romanas, mas também na América do Sul, especificamente no Peru, e em Daomé, na África, estando estes sob a específica custódia das sacerdotisas,[40] essa instituição assenta-se, então, no fundamental significado simbólico e sociológico do pote. Esse é um dos símbolos originais da feminilidade; confeccioná-lo e ornamentá-lo estão entre as funções primordiais do Feminino. Briffault escreve a esse respeito:

> A arte da confecção de recipientes é uma invenção feminina. O ceramista original foi uma mulher. Entre todos os povos primitivos, a arte da cerâmica está nas mãos das mulheres e somente sob a influência de uma cultura avançada ela se torna uma ocupação do homem. Em toda parte do mundo onde exista uma indústria aborígine de manufatura de cerâmica, não há homem que participe dela. Na África britânica central seria um pouco, senão de todo, inadequado o homem dedicar-se à confecção de peças de cerâmica. A arte está exclusivamente nas mãos das mulheres, em toda a extensão da América do Norte, da América Central e do Sul, assim como em partes do arquipélago e da península malaios, na Melanésia e na Nova Guiné, onde a arte é praticada como indústria nativa. Nas ilhas Nicobar, a cerâmica é feita unicamente pelas mulheres, e nas ilhas Andaman é confeccionada apenas pelas mulheres do norte da ilha, enquanto no sul os homens também fazem vasos. No planalto de Pamir, na Ásia Central, as mulheres manufaturam toda a cerâmica, e a louça produzida por elas é admirada pelo gosto artístico. Nas colinas de Nilgiri, entre os Khotas, a cerâmica é feita exclusivamente pelas mulheres, o mesmo ocorrendo entre as tribos selvagens da Birmânia. Na maior parte da África, a cerâmica é feita só pelas mulheres. A tradição zulu atribui a confecção do primeiro vaso a uma mulher. Entre certos povos hamíticos de Uganda, a indústria foi assumida, sob influência asiática, pelos homens, assim como em algumas partes do Congo. Este fato, contudo, é uma exceção. Das setenta e oito tribos pesquisadas pelos etnólogos ligados ao Museu do Congo Belga, os homens não prestavam nenhuma contribuição na confecção de cerâmica em sessenta e sete; as outras eram exceções derivadas de circunstâncias especiais fáceis de detectar em quase todos os casos.[41]

Briffault cita outros exemplos e provas do Congo, de Uganda, da Nova Guiné, de Tenerife, da Tunísia, da Núbia, dos Pireneus, das Hébridas, do México e do Brasil; entre os Pigmeus, os Bosquímanos e outros. A cultura pré-histórica da cerâmica

---

[38] Briffault, loc. cit., vol. I, p. 474ss.
[39] H. Whitehead, *The Village Gods of South India*, Calcutá, 1916, p. 36.
[40] Briffault, loc. cit., vol. I, p. 475ss.
[41] Briffault, vol. I, pp. 466-70.

também pertencia à esfera das mulheres, pois a confecção de cerâmica é um ato sagrado, criativo, um dos "mistérios primordiais do Feminino".[42]

A relação sagrada da mulher com o vaso está ligada ao significado simbólico da forma, que já analisamos, e também ao significado simbólico do material do qual se faz o vaso, isto é, a argila ou o barro que pertence à terra e que tem relação de *participation* com o Feminino. Citamos como exemplo entre vários o dos povos indígenas equatorianos: "Assim, por exemplo, a Índia tem que fabricar os vasos de argila e cuidar desses utensílios, pois a argila de que são feitos é feminina como a própria terra, isto é, tem alma de mulher".[43] A partir desse fundamento simbólico decorre, com conotação sagrada, uma divisão de trabalho entre os sexos, cuja razão é sempre simbólica e mitológica, e nunca de ordem "prática". Por esse motivo, o âmbito dos mistérios primordiais do Feminino é tabu e perigoso para os homens. "Na África Oriental, entre os Nandi, nenhum homem pode se aproximar da cabana onde as mulheres estão empenhadas na fabricação de vasilhas, nem mesmo observar alguma delas trabalhar. Se um homem tomar um vaso de alguma mulher e o colocar no fogo, pode estar certo de sua morte."[44]

Estamos acostumados, face às religiões e mitologias patriarcais posteriores, a considerar o deus masculino como o criador que, tal como Chnoumis no Egito, ou YHVH no Antigo Testamento, cria os homens a partir do barro. Eis o motivo pelo qual o primeiro homem criado a partir da terra (*adamah*) chamou-se Adão, e paralelos disso são encontrados na Grécia, na Índia, na China e em diversos outros países.[45] Entretanto, a camada original mais profunda e oculta conhece, naturalmente, um ser feminino criativo. Foi comprovado por volta do ano 2000 a.C., na região do Mediterrâneo, um nascimento da Deusa Mãe que parece ter sido a divindade dominante, aproximadamente no ano 4000 a.C.[46] Conhecemos uma conjuração feita pela ocasião do nascimento, constante de um fragmento babilônico de tempos bastante remotos, em que estão conservados os traços de Aruru-Ishtar como ceramista[47] e criadora. Na Epopeia de Gilgamesh temos:[48]

> ... eles a beijaram nos pés, / (dizendo: "A criadora da humanidade) nós chamamos a ti. / (A mulher) de todos os deuses seja o teu nome!" / (Eles foram) até a morada do destino, / (Nin) igiku, (isto é) Ea, (e) sábia Mama. / (Catorze) úteros foram recolhidos, / Para serem esmagados no barro diante dela. / (...) disse Ea, enquanto ele

[42] Ver abaixo, p. 248ss.

[43] Rafael Karsten, *Blood Revenge, War, and Victory Feasts among the Jibaro Indians of Eastern Ecuador*; Washington, 1923, p. 12.

[44] Sir Claude Hollis, *The Nandi: Their Language and Folk-Lore*, Oxford, 1909, p. 35s.

[45] Jeremias, loc. cit., p. 182s.

[46] Mode, *Indishe Frühkulturen...*, loc. cit., especialmente p. 60.

[47] Jeremias, loc. cit., p. 253.

[48] Tradução de E. A. Speiser, in: *Ancient Near Eastern Texts relating to the Old Testament*, org. por James B. Pritchard, Princeton, 1950, p. 99s.

Figura 22 – Torso feminino; *relevo num templo, Ístria (Iugoslávia), aproximadamente 700 a 300 a.C.*

> recitava o encantamento incessantemente. / Ea fez com que ela recitasse (o encantamento) enquanto sentava-se diante dela. / (Mama recitava) o encantamento. Depois de ela ter concluído seu encantamento, / (... ela) se inclinou sobre o seu barro. / Catorze pedaços ela recolheu, sete pedaços ela colocou à direita. / Sete pedaços ela colocou à esquerda; entre eles ela colocou um tijolo. / (...) Ea estava ajoelhada na esteira; ele abriu-lhe o umbigo. / (... ele) então chamou as esposas sábias (?), / Dos (sete e) sete mães-úteros; sete homens foram criados, / (Sete) mulheres foram criadas. / A Mãe-Útero, a criadora do destino, / Em pares ela os completa. / Diante dela ela os completa. / As formas das pessoas são dadas por Mami. / Na casa daquela grávida que está em trabalho de parto por sete dias deverá deixar o tijolo em repouso. / ... do templo de Man a sábia Mami. / Aqueles que estiverem irados (?), vão rejubilar-se na casa da mulher em trabalho de parto. / Assim a Grávida dá à luz, / Que a mãe da criança dê à luz por si mesma.

Confeccionar vasilhas é tanto uma parte da atividade criativa do Feminino quanto fazer uma criança, isto é, o ser humano que – assim como o vaso – tantas vezes foi mitologicamente moldado a partir da terra.

O misterioso está sempre presente quando ocorre algo enigmático que a consciência humana não consegue assimilar e causa profunda e total impressão nos homens. Nesse sentido, a criação é um mistério numinoso, um segredo de que a humanidade frequentemente "se afasta", numa atitude que, mais tarde, é erroneamente interpretada pela própria humanidade como "vergonha".

O Feminino vivencia essa força criadora primordial na moldagem do vaso; ali, ele experimenta a si próprio como criador de vida. Essas vivências são ainda mais

Figura 23 – Selos em cilindros; *Ur, Babilônia.*

poderosas quando se moldam formas numinosas, como o vaso cultual, e sabemos que o vaso sagrado teve papel muito importante na Antiguidade, em particular como veículo de atos mágicos.[49] Nessa conotação mágica, as características essenciais do caráter de transformação feminino estão ligadas ao vaso como símbolo de transformação.

É exatamente nesse sentido que se diz daqueles que renasceram nos rituais de iniciação: "O pintinho branco agora se arrasta para fora do ovo; nós somos como potes recém-cozidos".[50]

O Feminino, em sua qualidade protetora e acolhedora, congrega em si a vida da família e do grupo sob o símbolo da casa. Esse aspecto aparece nas chamadas urnas domésticas, vasos moldados na forma de casas.[51] Até os dias de hoje, o caráter vaso feminino, originalmente vinculado à caverna, e depois à casa (no sentido de estar dentro e protegido, aquecido ou abrigado no interior dessa casa), sempre esteve relacionado com a vivência original de ser contido pelo útero.

O Feminino, na função de concepção e gestação, evidentemente não se presta a representações plásticas. Representações profanas do parto não condizem com nosso contexto, exceto pelo peculiar relevo da Ístria [Fig. 22], em que o Feminino revela-se ao mesmo tempo nutridor, protetor e gerador.[52]

É inquestionável a sacralidade da imagem da deusa mexicana parturiente [Il. 50], cujo caráter elementar positivo está encoberto por seu aspecto terrível – é evidente que ela está vestida com a pele de uma vítima.

---

[49] V. Gordon Childe, *New Light on the Most Ancient Near East*, Londres, 1934, p. 74ss.

[50] Richard Thurnwald, Primitive Initiations-und Wiedergeburtsriten; In: *Eranos-Jahrbuch,* 1939, VII.

[51] Hoernes, loc. cit., p. 525 e ilustr. das pp. 527 e 529.

[52] Idem, p. 474.

Figura 24 – Selos em cilindros; *Lagash, Babilônia.*

Nas figuras Baubo, de Priene [Il. 48], o aspecto ventre do Feminino não é representado simbolicamente pelo vaso; em vez disso, o ventre da deusa representa o símbolo numinoso da fertilidade. Enquanto na posição frontal toda a nua feminilidade da deusa é permeada pelo numinoso que emana dela como fascinação pelo bem e pelo mal, essa limitação à zona do ventre ou útero expressa do aspecto *inumano* e grotesco a autonomia radical do ventre em relação aos "centros superiores" do coração, dos seios e da cabeça e, assim, entroniza-o como sagrado.

Nesse caso, a ênfase é dada à força numinosa do princípio gerador de crianças e não à atração sexual.

As figuras femininas despidas e entronizadas dos cultos micênicos,[53] das quais a imagem de Delfos[54] representa uma última manifestação [Il. 55a], compõem um conjunto que vem desde Ur[55] e Lagash, na Babilônia [Figs. 23-25],[56] e Creta[57] e o Egito até a Índia,[58] que tem exata correspondência na América Central, onde há um desenvolvimento totalmente independente.

Apesar de não existirem informações precisas sobre a figura proveniente de Ixtlan de Rio, ela representa, sem dúvida, a deusa [Il. 53].[59] O fato de que a autoexibição da mulher ou deusa gestante que expõe a região genital quando afasta as pernas

[53] Picard, *Die Grosse Mutter...*, loc. cit., p. 105.

[54] Nilsson, *Geschichte...*, loc. cit., prancha XVI, 3.

[55] Mode, *Indische Frühkulturen...*, loc. cit., ilustr. 174.

[56] Idem, ilustr. 168b.

[57] Idem, ilustr. 169.

[58] Idem, ilustr. 171.

[59] Certos traços da expressão fisionômica e também as marcas sobre os ombros (cicatrizes ornamentais) ligam-na à deusa que pertence a Henry Moores. C. A. Burland, *Art and Life in Ancient Mexico*, Oxford, 1948, p. 82, prancha XLII.

Figura 25 – Ísis sobre um porco; *terracota*.

é um ato ritual que pode ser comprovado pela bem conhecida cena em que Baubo se despe diante da Deméter enlutada, assim como pelo desnudamento ritual de Hathor.[60]

A pequena imagem de Ísis sentada sobre um porco, com as pernas abertas [Fig. 25],[61] levando nos braços uma escada mística, é extremamente característica do presente contexto. O porco é símbolo do Grande Feminino e ocorre em toda parte como o animal a ser sacrificado em nome da Deusa Terra; é sacrificado, por exemplo, a Deméter nas Tesmóforas[62] e também em Roma é encontrado no papel de vítima.

Picard compara nossa terracota helenística a outras, em que a Ísis despida está sentada na mesma posição sobre um cesto emborcado, "o mesmo cesto dos mistérios", e a Deméter ataviada senta-se sobre a urna Lovatelli (em Alexandria) ou sobre o sarcófago de Torre Nova.[63]

A representação de uma cadela prenhe, em uma peça escarabeiforme grega arcaica [Il. 51], foi interpretada pelo seu dono como a imagem de uma "representação teriomórfica da Hécate-Ártemis".[64] O autor constatou que a postura apresentada, com os genitais expostos, é a adotada por muitos animais do grupo dos cães, gatos e cavalos quando estão tendo os filhotes, e esse é um traço característico de grande número

[60] Heródoto, Neun Bücher der Geschichte, in: *Klassiker des Altertums* (1ª série, Konrad III, IV), Munique, 1911.

[61] Siégfried Seligmann, *Der böse Blick und Verwandtes*, 2 vols., Berlim, 1910, vol. II, p. 293.

[62] Picard, *Die Grosse Mutter...*, Loc. cit., p. 105.

[63] Idem, p. 106.

[64] Agradeço a indicação, bem como a interpretação, ao autor dr. R. Reitler. Vrf. em relação ao assunto: "A Theriomorphic Representation of Hecate-Artemis", in: *American Journal of Archaeology*, Cambridge (Massach.), 1949, LIII, 29-31.

de representações, que, de outra maneira, seria impossível compreender. Apesar disso, ele dá uma interpretação definitiva: "Considerando o aspecto mais evidente comum a todas essas gravuras, interpretar a exposição da região genital como simbolização da fertilidade parece, todavia, o significado mais provável". Devemos acrescentar que nesse caso, como aliás na maioria das obras caracterizadas como "representação do nascimento", o útero grávido se destaca por sua ausência; assim, a exposição da região genital e a exageração das tetas da cadela parecem conferir certeza à interpretação mais geral de uma deusa animal como símbolo da fecundidade.

Na deusa síria despida encontrada em selos cilíndricos da Síria [Il. 54][65] e que sucede às deusas despidas da cultura do Eufrates, o significado sagrado da exposição da região genital é inequívoco. Enquanto em dois desses sinetes a deusa levanta a extremidade das vestes [Ils. 54d, 54g] e exibe sua nudez, no terceiro [Ils. 54e, 54f] ela atira o traje para trás a fim de se exibir. No quarto sinete ela não age da mesma forma, "mas o manto caindo sobre uma perna, longe de cobrir a nudez, serve apenas para acentuá-la".[66]

Um desses selos [Il. 54g], com significado muito especial, mostra um adorador entre a deusa despida e uma figura divina sentada segurando um vaso em uma das mãos. A ideia de que a divindade masculina com o vaso é um deus lunar é indicada tanto pela oferenda da lebre, símbolo lunar arquetípico,[67] como pelo signo da lua crescente e da esfera a ela correlacionada. Enquanto o círculo na meia-lua geralmente é interpretado como união do sol com a lua crescente, é muito mais provável que se refira à lua cheia, ou seja, símbolo lunar da totalidade. A estrela, ao contrário, está relacionada com a deusa despida, perto de quem está o peixe, símbolo da deusa da fertilidade,[68] deusa das águas e dos mares. (Já mencionamos em diversas ocasiões o caráter arquetípico do significado de fertilidade da lua para o Feminino.)[69]

---

[65] *Corpus of Ancient Near Eastern Seals in North American Collections*, vol. I: *The Collection of the Pierpont Morgan Library*, org. por Edith Porada e Briggs Buchanan, Nova York, 1948, ilustrs. 937, 944-946 da Síria e 503-505 da Babilônia.

[66] Idem, p. 124. Esses selos cilíndricos revelam símbolos arquetípicos que vamos encontrar repetidas vezes [Il. 54]. O touro sobre o qual a deusa se coloca é o símbolo da masculinidade; ele é o parceiro divino fertilizador, cuja representação como animal o torna, em certo sentido, inferior à deusa (Neumann, *História da Origem da Consciência*, loc. cit., p. 91). Os abutres são símbolos bem conhecidos da Deusa Mãe, em particular no Egito. O peixe e a lebre (John W. Layard, *The Lady of the Hare*, Londres, 1944) são símbolos da fertilidade, tal como o pássaro, que, provavelmente, deve ser interpretado como uma pomba, em vista da correlação correspondente entre a pomba e a Grande Deusa do Amor, na Ásia Menor, na Índia, em Creta e na Grécia. A estrela, a meia-lua e a "estrela na lua crescente" indicam símbolos astrais da Grande Deusa como a Senhora do Céu, principalmente do céu noturno, à qual estão associadas arquetipicamente a "estrela" Vênus e a lua, tanto na Europa como na América. A ligação da deusa despida com a lua crescente mostra-se clara numa das imagens pertencentes a esse grupo, na qual existe uma lua sobre cada uma das extremidades levantadas da veste da deusa (Vrf. Porada e Buchanan, ilustr. 938).

[67] Layard, *The Lady...*, loc. cit.

[68] Comp. c/ Neumann, *História da Origem da Consciência*, loc. cit., p. 86, índice s.v. "Atargatis", "Derceto" etc. [Il. 54g].

[69] Briffault, loc. cit., vol. II, pp. 582-92, e Neumann, "Über den Mond...", loc. cit.

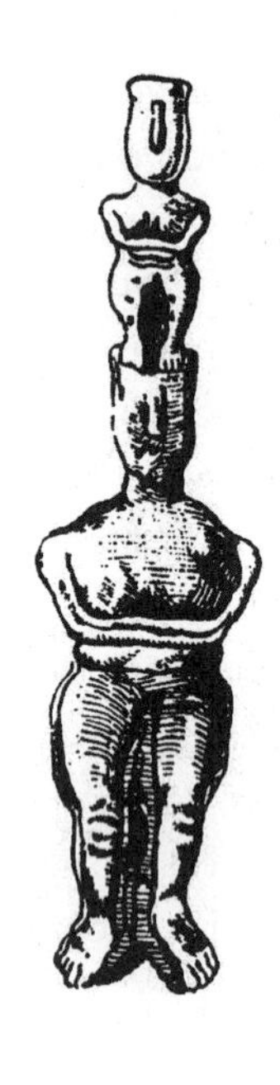

Figura 26 – Filha sobre a cabeça da mãe; *estatueta de mármore, Ilhas egeicas, aproximadamente século XVI a.C.*

O vaso que, nesse selo, aparece nos braços da divindade corresponde a um vaso de ouro micênico;[70] tanto o vaso como a postura da divindade correspondem ao deus masculino portador de um vaso, em um fragmento Cabir, de Tebas, milhares de anos mais recentes [Il. 159c].

A cena no selo cilíndrico [Il. 54g] provavelmente representa a fecundação da Grande Deusa pela divindade lua masculina, suposta como conjunção da lua com Vênus, o que se realiza no âmbito do Grande Feminino, no território da divindade abutre maternal. Se confirmaria, portanto, a interpretação dos mistérios de Cabiri feita por Kerényi,[71] segundo a qual estes seriam decorrências dos mistérios do Grande Feminino, muito mais antigos, sob nova interpretação patriarcal.

A deusa despida é aqui acompanhada, surpreendentemente, por duas meninas vestidas[72] [Il. 54g], ao passo que, em outra ocasião, uma deusa-filha jovem coloca-se despida diante da deusa-mãe vestida [Il. 54f]. Ambas apontam para a continuidade de uma relação cultual-religiosa, de uma ligação entre deusa-mãe e deusa-filha. Esse tipo de ligação é evidente tanto nesse caso como em Creta, onde se encontram em vários selos a imagem de "criadas" [Ils. 146a, 146b] acompanhantes ou, mais provavelmente, de filhas próximas da deusa.

Essa ligação encontra sua expressão mais significativa nos mistérios de Deméter-Core, de Elêusis.[73] Também pertence a esse contexto a imagem cicládica [Fig. 26][74]

[70] Porada e Buchanan, p. 124.

[71] "Mysterien der Kabiren", in: *Die Geburt der Helena*, Albae Vigiliae, Série nova, fascículo 3, Zurique, 1945.

[72] Porada e Buchanan, loc. cit., ilustr. 937.

[73] Veja, adiante, Cap. 14, "A vivência da mulher por ela mesma e os mistérios de Elêusis", p. 300ss.

[74] Hoernes, loc. cit., p. 60.

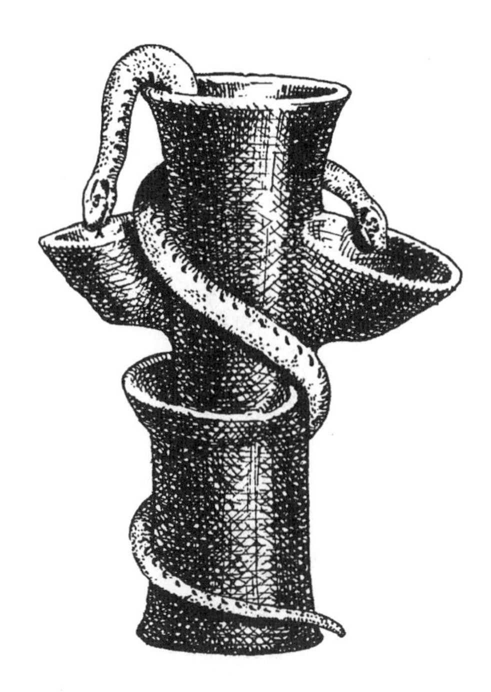

Figura 27 – Vaso de serpentes; argila, *Creta, II período Minoico posterior.*

que representa a genealogia mãe-filha, na qualidade de árvore genealógica feminina, em que a filha está sobre a cabeça da mãe.

É compreensível que o Feminino gestante surja frequentemente como vaso que recebe. As imagens da mulher com as serpentes apontam, quase sempre, esse relacionamento do Feminino com o masculino procriador.[75] Entre as mais conhecidas representações da ligação da mulher com a serpente estão as encontradas em Creta. Nesse caso, o Feminino pode assumir a forma de um vaso [Fig. 27] ou de um simbolismo feminino análogo, as salvas, os potes etc. [Il. 55b], ou ainda pode aparecer sob forma humana como deusa ou sacerdotisa, com a serpente enrolada nos braços ou em volta do corpo. De qualquer maneira, o tratamento dispensado pela serpente ao Feminino é o de algo com que se está familiarizado.[76]

A afinidade serpente-vaso [Fig. 28], que tem papel importante nos mistérios eleusinos, também foi ilustrada numa moeda espartana, bem como por uma

[75] A serpente, porquanto considerada masculina, está relacionada com a existência do Grande Masculino e, por esse motivo, não pode ser tratada em nosso trabalho. Deve-se ressaltar, contudo, que a figura divina masculina de aspecto semi ofídico, como força ctônica inferior e fecundante, não desempenha seu papel somente entre os gigantes gregos, como o polimorfo Nereu, ou Píton. Sua representação mais antiga se encontra, provavelmente, nos sinetes do período acádico (Porada e Buchanan, ilustrs. 216-219), nos quais ela aparece com a Deusa da Vegetação, sob a lua crescente. Compare com as páginas 171s, 181 e 254, adiante.

[76] A ligação da divindade Feminina com a serpente estende-se desde Creta, passando por Elêusis e Deméter--Ceres, chegando a Atena, cuja origem no mundo dos deuses pré-helênicos e cretenses também é corroborada pela serpente que a acompanha.

representação posterior de um alambique alquímico [Il. 57] envolto por uma serpente de vidro, cujo caráter vaso feminino é evidente. A ligação da deusa com a serpente também aparece, entre muitas outras, nas representações gregas e romanas [Ils. 58-61], e ainda na escultura de Atargatis e na moeda que mostra Ísis [Fig. 29], ambas em estilo egípcio.

A serpente é um símbolo tão universal e polivalente[77] que não podemos examiná-la neste trabalho em todas as suas áreas de significado. De acordo com sua natureza urobórica e híbrida, o símbolo da serpente pode se manifestar como feminino ou como masculino. Posto que o vaso feminino é o recipiente criador, temos que no simbolismo corporal o útero é o "sagrado precinto" em si, o aspecto verdadeiramente numinoso e, como tudo que é numinoso, ambíguo e com duplo sentido. Na relação da serpente com o numinoso, ela tem papel subordinado. Como elemento masculino e fálico, aparece como parte do Feminino ou como seu acompanhante. Assim, em Creta e na Índia, a serpente é um atributo da divindade feminina, ao mesmo tempo que é seu companheiro masculino-fálico.

O caráter sexual da serpente torna-se distinto somente quando é superada a fase urobórica, e o princípio dos opostos – serpente e vaso – já promoveu sua diferenciação.

Para nossos propósitos, é suficiente evidenciar a relação do simbolismo masculino fecundante com o vaso, relação que pode ser verificada em muitas áreas simbólicas. A serpente, na forma telúrica inferior da fecundidade, é parte da Deusa Terra e como água subterrânea fecunda seu útero; ou, como representante da água superior e celeste, que adentra a alma Feminina, é a serpente espírito *nous* e, ou fecunda pela sedução ou, como Espírito Santo, o dirige.

A fascinação ambígua, quer dizer, doadora de vida e administradora da morte, exercida pelo ventre da Grande Deusa ainda se mostra viva um milênio mais tarde, numa imagem onde a Vênus despida aparece numa *mandorla* [Il. 62], que simboliza os genitais femininos, para um grande número de homens de diferentes períodos e conhecidos como grandes amantes.

Dessa pintura renascentista de Vênus, depreende-se claramente a mudança das épocas que transcorreram durante os milênios anteriores. A Grande Deusa tornou-se a Deusa do Amor, com a evolução do patriarcado, e o poder do Feminino foi reduzido ao poder da sexualidade. Com efeito, os homens mostram-se fascinados pelo ventre resplandecente da Deusa, cuja irradiação majestosa é visível, porém inerte.[78]

A ambivalência do todo, que representa simbolicamente o Feminino que se tornou ambíguo, evidencia-se pelos estranhos gênios que acompanham a Deusa. Essas entidades aladas, formas posteriores das almas com formato de ave que a Grande Deusa domina, são Cupidos que possuem garras de ave de aspecto horrendo. Esses

---

[77] Comp. c/ Jung, *Symbole der Wandlung*, Zurique, 1951, índice s.v. "Schlange".

[78] Comp. c/ o último capítulo.

Figura 28 – Ânfora com serpentes; *moeda, Esparta.*

Figura 29 – Ísis com serpentes; *moeda, Egito, séc. I a.C.*

pés, que antes pertenciam ao corpo da ave de forma natural, atuam agora como reminiscência arcaica, cujo significado é nefasto. A ameaça representada pelas garras das aves está ligada à qualidade dilaceradora do Grande Feminino, como a sereia e a harpia,[79] que aqui, como em muitas circunstâncias, está ligada às figuras do acompanhante masculino.

O aspecto ornitoide do Feminino demonstra, em primeiro lugar, sua correlação com o céu. Esse símbolo arquetípico possui, todavia, um aspecto positivo, doador de vida, e um negativo, portador da morte. Assim, a divindade materna egípcia sob a forma de abutre é acolhedora e protetora, mas, ao mesmo tempo, é a deusa dos mortos que devora os cadáveres. As harpias e as sereias têm, igualmente, significado positivo e negativo. Na pintura renascentista, contudo, os gênios com armas e garras de ave [Il. 62] são símbolos de impulsos vorazes que revolvem em torno da áurea Afrodite, que extasia aos homens no emaranhado do paraíso terrestre, para depois levá-los à ruína.

Existe um meio-termo entre a Grande Deusa suméria [Il. 126] e a deusa da Renascença, a qual, como Vênus, se diferenciou dos componentes negativos a ela aliados. Essa imagem é constituída do relevo helenístico que representa uma sereia com asas e patas de ave [Il. 63]. Essa entidade feminina nua que, como incubo, está montada sobre um homem igualmente despido e obviamente sonhando pertence ao âmbito dos mistérios, como o esclarecem os símbolos dionisíacos do relevo. Trata-se

[79] Esse aspecto tem origem em outra situação mais remota. A mais antiga representação conhecida encontra-se em uma deusa alada, do período Isin-Larsa, na Mesopotâmia.

de uma forma encantadora, sedutora, orgiástica e visionária do Feminino,[80] cujo caráter ambivalente para o ego humano tem início no momento em que o excessivo poder e a fascinação do numinoso tornam-se fatores de desintegração da consciência e são então experimentados, por isso, como negativos e destrutivos.

A representação da deusa da fertilidade de Bali [Il. 64], com destaque dado ao ventre grávido e aos seios flácidos e retesados, parece, à primeira vista, pertencer ao grupo das deusas em que se apresenta o lado positivo do Grande Feminino. Entretanto, a expressão da cabeça e, principalmente, da boca tem em si, sem dúvida, teor negativo e demoníaco, lascivo e cruel. Tal como a deusa mexicana do parto e a Górgona [Ils. 50, 70], ela é uma deusa terrível em que se manifesta o caráter elementar negativo do Grande Feminino.

[80] A deusa mesopotâmica Lilith tem o mesmo caráter negativo. Comp. c/ Hoernes, loc. cit., p. 60.

Capítulo Dez

O CARÁTER ELEMENTAR NEGATIVO

O corpo-vaso e a situação mãe-filho – ou o caráter elementar positivo do Feminino – partem da experiência pessoal mais íntima e eternamente humana e, mesmo quando seu âmbito de projeção se estende por toda a amplitude do céu e da terra, conservam sempre sua proximidade em relação ao fenômeno central pessoal da vida feminina.

O caráter elementar negativo, ao contrário, se manifesta num laurel projetivo de símbolos que não resultam, como no caráter elementar positivo, do relacionamento mãe-filho visível. O lado negativo do caráter elementar provém, antes, da experiência interior, e o medo, o horror, o temor e o perigo que o Grande Feminino significa não podem ser derivados de quaisquer qualidades reais e evidentes desse Feminino. Porém, como encontramos essas reações psíquicas negativas, com tanta frequência relacionadas à Mãe Terrível, devemos nos indagar qual é a base para esse medo humano primordial e como devemos interpretá-lo.

Já destacamos reiteradas vezes[1] o fato psíquico básico de a consciência humana ser vivenciada como "masculina", e que o masculino se identificou de forma específica com a consciência e seu crescimento, em todo lugar onde tenha se desenvolvido o mundo patriarcal.

Por outro lado, "o inconsciente", do qual se origina a consciência ao longo da história da humanidade e no decorrer do desenvolvimento individual, é experimentado em relação a essa consciência como feminino e maternal. Isso não significa que todos os conteúdos inconscientes apareçam simbolicamente como "femininos". No inconsciente existem forças, tendências, orientações, complexos, instintos, impulsos e arquétipos, tanto masculinos como femininos, da mesma forma que na mitologia encontramos deuses e deusas, demônios, espíritos e animais masculinos e femininos.

---

[1] Neumann, *História da Origem da Consciência*, loc. cit., p. 56.

Entretanto, no geral, a consciência considera o inconsciente simbolicamente como feminino e a si mesma como masculina.

As fases do desenvolvimento da consciência ocorrem, então, uma após a outra, como o embrião que está contido dentro da mãe, numa dependência infantil do materno, como a relação do filho-bem-amado com a Grande Mãe, e finalmente como a luta gloriosa do herói masculino contra a Grande Mãe. A relação dialética entre consciência e o inconsciente adquire a forma simbólica e mitológica de uma disputa entre o feminino-maternal e o filho masculino, em que a força crescente do masculino corresponde ao poder cada vez maior da consciência, no contexto da evolução da humanidade.

Considerando que o processo de libertação dessa consciência masculina, do inconsciente feminino maternal, é uma luta penosa e amarga para toda a humanidade, é compreensível a razão de o caráter elementar negativo do Feminino ter sua origem não em um complexo de ansiedade dos "homens", mas que expresse uma experiência arquetípica da espécie humana inteira, homens e mulheres igualmente. Com efeito, também a mulher, como participante dessa evolução da consciência, tem uma consciência simbolicamente masculina e pode vivenciar o inconsciente como "negativamente feminino".

A realidade simbólica da Mãe Terrível extrai suas imagens preponderantemente "de dentro", isto é, o caráter elementar negativo do Feminino se expressa através de imagens fantásticas e quiméricas que não são oriundas do mundo exterior. A razão disso é que esse Feminino Terrível é um símbolo para o inconsciente. O lado escuro do maternal terrível assume a forma de monstros, seja no Egito ou na Índia, no México ou na Etrúria, em Bali ou em Roma. Das mitologias e lendas de todos os povos, épocas e lugares – assim como dos pesadelos de nossas noites individuais –, as figuras de bruxas e vampiros, fantasmas e espectros nos atemorizam, todas elas igualmente sinistras. A metade escura do ovo cósmico preto e branco, que representa o Grande Feminino, engendra figuras terríveis que manifestam o lado negro e abissal da vida e da psique humanas. Da mesma forma como o mundo, a vida, a natureza e a alma são vivenciadas como femininas geradoras e nutridoras, acolhedoras e protetoras, seus opostos também são percebidos na imagem do Feminino, e, para a humanidade, a morte e a destruição, o perigo e a penúria, a fome e o desamparo aparecem como impotência diante da Mãe sinistra e terrível.

Assim, o útero da terra torna-se a mandíbula dilaceradora mortal [Fig. 30] do mundo inferior, e, ao lado do útero fecundado e das cavernas protetoras da terra e da montanha, entreabrem-se o abismo e o inferno, o buraco sombrio das profundezas, o útero devorador dos túmulos e dos mortos, da escuridão sinistra e do nada. Essa mulher que gera a vida e todas as criaturas vivas que há sobre a terra também é, ao mesmo tempo, aquela que devora e traga suas vítimas, que as persegue e aprisiona com laço e rede. A doença, a fome e a necessidade e, sobretudo, a guerra são seus

Figura 30 – Mandíbula da terra; *asteca, do Codex Vaticanus.*

ajudantes; as deusas da guerra e da caça, entre todos os povos, expressam a vivência da vida para a humanidade: um Feminino ávido de sangue.

Esse Feminino Terrível é a terra voraz que devora os próprios filhos, cevando-se com seus cadáveres; é o tigre e [Fig. 31] o abutre, o abutre e o caixão, o sarcófago carnívoro, cuja boca terrena e de dentes à mostra lambe vorazmente o sangue semente dos homens e dos animais, tornando-se, com isso, a terra fecundada e saciada que se compraz em lançar incessantemente novos rebentos, arremessando-os continuamente e sempre para a morte.[2]

A Índia foi o lugar em que a humanidade vivenciou a Mãe Terrível da forma mais grandiosa, como Kali, "as trevas, o tempo que a tudo devora, a Senhora coroada de ossos do reino dos crânios".[3]

Encontramos imagens da "Mãe Terrível" já na cultura indiana mais primitiva [Fig. 32], nos sítios sagrados do vale do rio Zhob, no norte do Baluchistão. Sobre elas escreve Stuart Piggott:[4]

> ... encapuzadas com uma touca ou com um xale, elas ostentam frontes altas e lisas sobre suas órbitas vazias e circulares, de expressão fixa; seu nariz tem a forma de um bico de coruja, e a fenda da boca tem aspecto sombrio. O resultado é aterrador, ainda que se trate de um modelo pequenino de não mais que 5 cm, e, em dois deles, de Dabar Kot, todo fingimento é posto de lado, e a face é uma caveira com os dentes à mostra. O que quer que se diga a respeito das estatuetas Kulli, elas dificilmente podem ser consideradas meros brinquedos; parecem, antes, ser uma sinistra personificação da Deusa Mãe, que é também a guardiã dos mortos – uma deidade do

---

[2] Consulte Neumann, *História da Origem da Consciência*, loc. cit., sobre o caráter ambivalente da Deusa Mãe, a relação entre os ritos de fertilidade e os sacrifícios de sangue, e sobre a Mãe Terrível no Egito, em Canaã, em Creta e na Grécia.

[3] Zimmer, "Die Indische Weltmutter", in: *Eranos-Jahrbuch*, 1938, VI, p. 190.

[4] Piggott, loc. cit., pp. 126-27.

Figura 31 – Entrada da caverna do tigre; *colina de Udayagiri, Índia.*

mundo inferior, ocupada tanto com os cadáveres quanto com as sementes de milho enterradas no solo.

Nessa deusa dos mortos, temos diante de nós uma das formas historicamente mais remotas da mesma deusa, que ainda hoje, na Índia, como relata Zimmer, "é venerada como Durga – a 'Inacessível' e 'Perigosa' – ou como Parvati – 'filha da montanha', isto é, o Himalaia".

Para a grande festa do templo em homenagem a ela, na primavera – portanto, para a revitalização da natureza –, chegam peregrinos da planície próxima e das montanhas que ficam ao norte. Um cidadão inglês que assistiu ao festival, em 1871, relata que, todos os dias, aproximadamente vinte búfalos, duzentos e cinquenta cabras e o mesmo número de porcos eram imolados no templo. Sob o altar dos sacrifícios, fora escavada uma cova profunda e preenchida com areia limpa; a areia absorvia o sangue dos animais degolados. Essa areia era renovada duas vezes ao dia, sendo aquela já embebida de sangue enterrada, oportunamente, como fertilizante para a terra.

Tudo transcorria com muito asseio e propriedade, sem restos de sangue nem mau cheiro. Nos preparativos do novo ano agrícola, a seiva vital, o sangue, deveria renovar a força e a fertilidade da velha deusa terra, fornecedora de todo alimento, a filha da montanha, cuja colossal força de criação de vida consolida-se nas mais altas e imponentes montanhas.

"Atualmente, o templo de Kali em Kalighat, Calcutá, é conhecido como o principal centro onde se fazem os sacrifícios diários de sangue; seguramente, ele é o santuário mais sangrento da Terra. Durante o período das grandes peregrinações ao

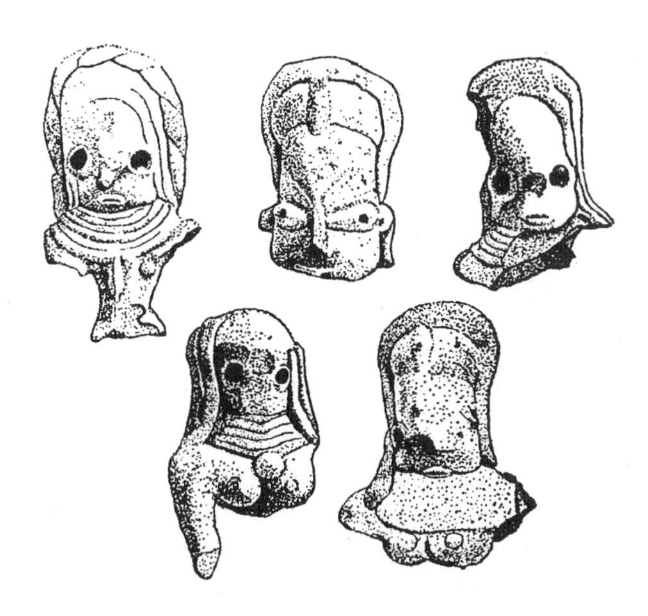

Figura 32 – Estatuetas da Deusa Mãe; *argila, Zhotal, norte do Baluchistão, aproximadamente ano 3000 a.C.*

festival Durga anual, ou festa de Kali (Durgapuja), no outono, são sacrificadas oitocentas cabras durante os três dias de comemoração. Não obstante, o templo não funciona apenas como matadouro, pois o animal permanece com quem o abateu como oferenda. No templo fica somente a cabeça do animal, como presente simbólico, e o sangue flui para a deusa. Deve-se a ela o sangue vital de toda criatura – uma vez que foi ela quem o concedeu –, por isso o animal deve ser imolado em seu templo, e, em virtude disso, o templo também torna-se, ao mesmo tempo, um abatedouro.

"Esse rito é conduzido de forma tenebrosa e sórdida; em meio à lama formada por sangue e terra, as cabeças dos animais vão formando montes, como troféus diante da imagem da deusa. Entretanto, aquele que fez a oferenda leva o corpo do animal de volta para casa para a realização de um banquete com seus familiares. A deusa quer somente o sangue da vítima; por isso a decapitação é a forma da oferenda, já que assim o sangue se esvai rápida e substancialmente. É por isso que as figuras nos contos de 'Hitopadesha' e de 'Kathasaritsagara' cortam suas cabeças, embora seja verdade que a cabeça também significa o todo, o sacrifício completo.

"Em sua 'aparência aterradora' (*ghora-rupa*), a Deusa na forma de Kali [Il. 65], a escura, leva aos lábios o crânio banhado em sangue; sua imagem devocional exibe-a vermelha de sangue, sobre um barco navegando num mar de sangue: em meio à torrente de vida, da seiva daqueles que foram sacrificados, de que ela precisa para dar vida num processo de incessante geração a novas formas de existência, em sua manifestação clemente (*sundara-mûrti*) como Mãe do Mundo (*jagad-ambâ*); para que, na qualidade de ama de leite do mundo (*jagad-dhâtri*), possa amamentá-las em seus seios e oferecer-lhes o bem que é 'repleto de nutrição' (*anna-pûrnâ*)."[5]

Entre as três imagens de Kali, a mais sinistra não é aquela em que, pavorosamente acocorada em meio a uma auréola de chamas [Il. 66], com uma multiplicidade sobre-humana de braços, devora vísceras da cavidade ventral de um cadáver, formando, assim, entre este e sua boca, um cordão umbilical mortal. Também não é aquela em que, vestida com a negrura da noite da Deusa Terra e adornada pelas mãos e cabeças decepadas de suas vítimas, posta-se sobre o cadáver de Shiva, como um espectro bárbaro da Antiguidade primitiva. Ambas são terríveis o suficiente, quase irreais, em virtude do exagerado horror. A terceira figura tem efeito muito mais sinistro [Il. 67], porque se manifesta de maneira mais sutil e não tão bárbara. Uma de suas mãos, de aparência humana, está estendida, e a outra afaga as cabeças de cobras, de forma quase tão delicada como o faz Ísis, quando acaricia a cabeça de seu filho [Il. 38]; e, embora os seios animais fálicos sejam repugnantes, na verdade lembram os seios da divindade materna africana [Il. 42], que são muito semelhantes. Todavia, a cobra de cabeça dilatada que circunda suas ancas como um cinto sugere o útero feminino, aqui em seu aspecto letal. Essa é a serpente que se enovela no colo da sacerdotisa da serpente cretense [Il. 56], assim como as serpentes que compõem o manto da deusa mexicana Coatlicue e cingem as ancas das Górgonas gregas [Ils. 69, 70]. A medonha língua de tigre sangrenta dessa deusa é a mesma que se arremessa entre as presas dilaceradoras da Górgona ou que pende flamejante entre as presas e os seios listrados como tigre da feiticeira Rangda [Il. 71].

Essas figuras guardam uma horripilante semelhança entre si. Seu aspecto destruidor e medonho nos faz hesitar, na dúvida entre se representam a cabeça de serpentes ou de um hipopótamo, ou mesmo uma fisionomia de aspecto humano, ou ainda uma cabeça composta de duas facas de pedra [Fig. 33] encimando um corpo constituído de partes de serpentes, panteras, leões, crocodilos e seres humanos [Fig. 34]. O aspecto inumano, sobre-humano e extra-humano dessa vivência do horror é tão veemente que a pessoa só pode recorrer a fantasmas, para poder visualizá-la de forma geral.

Contudo, não podemos nunca nos esquecer de que tudo isso não é uma imagem somente do Feminino, mas principal e especificamente a imagem do Maternal. Com efeito, de maneira profunda, a morte e a destruição estão sempre ligadas à vida e ao nascimento. É por isso que esse Feminino apavorante e terrível é "A Grande"; e, assim, também é Ta-Urt [Fig. 34; Il. 72], ao mesmo tempo, o monstro animal prenhe, em um só hipopótamo e crocodilo, leoa e mulher. Ela também é mortal e protetora. Há uma assustadora semelhança com a bondosa deusa mãe-vaca Hathor [Fig. 34], que, na forma de hipopótamo, é a deusa do mundo inferior. Ela tem um aspecto positivo e

[5] Zimmer, "Indische Weltmutter", loc. cit., p. 179ss.

Figura 33 – O círculo austral do inferno; *asteca, do Codex Borgia, fl. 32.*

simultaneamente é a deusa da guerra e da morte, que traz a destruição à humanidade. A deusa vaca com ela, que ergue sua cabeça de dentro da montanha funerária no sopé da qual está o túmulo, é Mehurt, a deusa do começo. Ambas têm os mesmos chifres de vaca como a Ísis que aperta contra os seios a cabeça de Hórus [Il. 44].

Ao longo da posterior evolução dos valores patriarcais, ou seja, das divindades masculinas da luz e do sol, o Grande Feminino negativo foi suplantado. Hoje, é discernível apenas como conteúdo de eras primevas ou do inconsciente. Assim, a terrível Ta-Urt, bem como Hathor, Ísis, Neit etc., pode ser reconstituída somente a partir de sua imagem "retocada"; ela não pode ser mais vista de forma direta. Somente o paralelo com o monstro Amam ou Ammit [Fig. 35], que a partir da sentença dada aos mortos devorava a alma dos condenados, aponta a semelhança com o aspecto terrível de Ta-Urt.

Figura 34 – Ta-Urt e Hathor; *do papiro de Ani, Egito, século XVI a XIV a.C., fl. 37.*

A respeito de Amam, diz-se que:

> Sua parte dianteira (é a de) crocodilos, sua parte traseira (é a de) um hipopótamo[6] e sua parte do meio (é a de um) leão.

O caráter feminino maternal-animal dessa criatura com vários seios é tão claro quanto o outro, monstruoso, empunhando a faca temível [Fig. 36], que vigia um dos portões do mundo inferior por onde devem passar as almas dos mortos.

Ammit devora as almas condenadas durante o julgamento dos mortos à meia-noite, no mundo inferior.

Mas ela agora tem papel secundário no julgamento dos mortos, pois a religião de Osíris-Hórus garantiu, com seus mistérios, o renascimento e a ressurreição de toda alma humana, e não só da alma do faraó, como se dava originalmente. A certeza do sucesso mágico por seguir o caminho do sol, transmitida pelo sacerdote ao indivíduo após sua morte, sobrepujou o temor original representado por Ammit. Originalmente

---

[6] Como Api, "A Senhora que protege na forma de hipopótamo" (*The Book of the Dead*, loc. cit. p. 421), ela é o Feminino Positivo, cuja forma matriarcal foi representada frequentemente como hipopótamo, no velho Egito. Por esse motivo, o triunfo patriarcal do rei passou a ser comemorado, posteriormente, com o abate ritual de um hipopótamo.

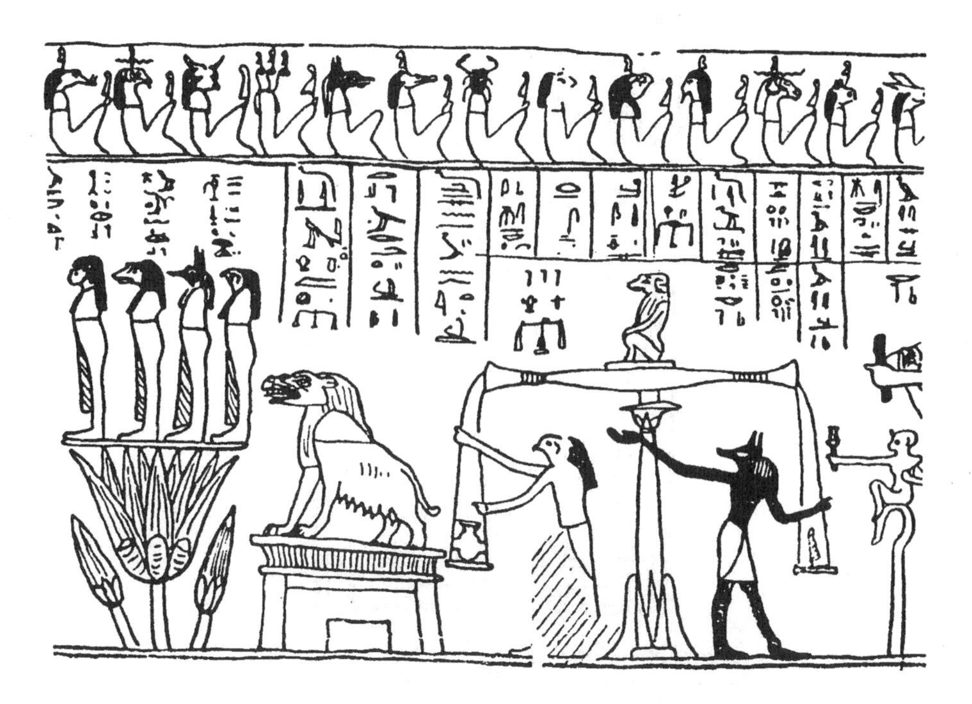

Figura 35 – Ammit no julgamento dos mortos; *de um papiro berlinês, Egito, 3034.*

ela era, como entre os Malekulas primitivos das ilhas Melanésias, ou na cultura superior do México, o espírito ancestral terrível da cultura matriarcal, em que o Feminino toma de volta para dentro de si aquele a que gerou.

O mundo inferior, o útero da terra, visto como o perigoso reino da morte para onde deve se dirigir aquele que morreu, seja para passar por um julgamento e de lá atingir um domínio ctônico de salvação ou danação, seja para ascender a uma e mais elevada existência, através da passagem por esse território, é um dos símbolos arquetípicos do Feminino Terrível. É experimentado na viagem do sol ou do herói pelo mar noturno arquetípico, em que a alma do morto deve ser bem-sucedida.

Gostaríamos de indicar somente as correlações básicas desse arquétipo, já analisado amiúde.[7] O sol se põe no leste, onde se extingue, moribundo, no útero devorador do mundo inferior. Por esse motivo, o oeste é o lugar da morte, da "velha do Ocidente" hostil e devoradora, a imagem de bruxa do Feminino Terrível.[8]

Com as cavernas e o corpo-vaso, o portão como entrada e útero é um dos símbolos mais primitivos da Grande Mãe. O conjunto formado pelos dois pilares cobertos pela pedra transversal, o dólmen, é uma das representações mais antigas da

[7] Jung, *Symbole der Wandlung*, loc. cit., índice "Nacht-Meer-Fahrt".

[8] Neumann, *História da Origem da Consciência*, loc. cit., v. índice, "Mãe Terrível".

Figura 36 – Monstro guardando os portões do mundo inferior; *do Papiro de Nu, Egito, século XVI a XIV a.C., fl. 25.*

triplicidade do Grande Feminino, à qual se acrescenta frequentemente uma quarta característica, a da pilastra fálica isolada que pertence ao Masculino.

A história dessa triplicidade megalítica, como portão-útero [Ils. 73a, 73b], entrada para o mundo inferior, e como altar e ara de sacrifícios, foi apresentada minuciosamente no livro de R. Levy.[9]

Nos cultos mais antigos da Mesopotâmia encontramos a veneração do portão alado em conexão com o touro de joelhos, a deusa com o vaso e a lua.

O significado deste símbolo é desconhecido. É provável que o touro em relação ao curral das vacas se refira a um ritual de fecundidade. O portão sagrado da deusa também surge como portão do cercado em que nascem e são criadas as novilhas [Il. 73c]. Sobre o portão está o pilar da Grande Mãe, o símbolo da Grande Vaca-Mãe.[10]

Assim como o templo é um desenvolvimento posterior da caverna e, nessa medida, o símbolo acolhedor feminino da Grande Deusa como casa e abrigo,[11] o portão do templo é, como o útero, a entrada da deusa, e os inumeráveis ritos da humanidade ligados a entradas, portas e umbrais são uma expressão desses locais femininos numinosos. O curral, o portão e também o pilar do templo são os símbolos da Grande Mãe: "O feixe de junco e, portanto, o pilar arqueado, ambos confeccionados para acomodar

---

[9] *The Gate of Horn*, loc. cit., p. 126.

[10] Idem, ilustração 10b.

[11] Idem, p. 83s.

ou prender animais domesticados [Il. 124], é o símbolo adequado da Deusa Mãe, como o portão de um santuário [Il. 74], que é, por si mesmo (a julgar pelos amuletos nas cabanas), concebido como o corpo dela (Ele é o Cordeiro, e eu, o Fiel), uma ideia que, provavelmente, já estava formada na mente do homem paleolítico".[12]

O princípio feminino do dólmen e do portão está sempre ligado ao renascimento através do útero feminino. Tal fato pode ser comprovado não só no folclore dos povos, onde surgem esses tipos de dólmen e as pessoas doentes ainda hoje costumam atravessá-lo, mas também em culturas primitivas ainda existentes que remontam à Idade da Pedra. Por essa razão, a denominação do dólmen em Malekula[13] está ligada ao radical "sair de, nascer".[14] O dólmen também é a casa sagrada e, por extensão, não é somente o templo, mas, sobretudo, o "local sagrado".

Desde o início dos tempos, o local sagrado mais antigo é, provavelmente, o lugar onde a mulher dá à luz. É o lugar dominado pela Grande Deusa e de onde são excluídos todos os homens – como ainda ocorria nos mistérios femininos posteriores. Não só o lugar do parto é o lugar sagrado da vida feminina, tanto nos tempos modernos como nas culturas antigas e primitivas, mas também devia, evidentemente, ocupar o centro de todos os cultos à Grande Deusa, nos quais ela é consagrada como a senhora da fecundidade... e da morte. Em Malekula, por exemplo, a denominação "o recinto de nascimento" aplica-se tanto ao espaço cercado dentro do qual as mulheres dão à luz aos seus filhos como o local onde são celebrados os mistérios de renascimento do homem.

Assim, o gradil primitivo,[15] cercando e separando a área feminina destinada ao parto, tornou-se sinal demarcatório do precinto sagrado em geral, e o processo do parto tornou-se modelo para o processo do renascimento, do nascimento "para o mais elevado", para o céu, como estrela, ser bem-aventurado ou criatura imortal, situação em que o simbolismo do renascimento sempre recorre ao do nascimento.

(É possível que, por essa razão, o portão alado da Suméria já signifique um renascimento para o céu, simbolicamente ligado ao "alado".)

Quando observamos nos mistérios do final da Antiguidade que o candidato à iniciação deveria suportar o perigoso caminho através do mundo inferior a fim de conquistar o renascimento, verificamos que ele segue o caminho do sol. Assim, o iniciado nos mistérios de Ísis, em Apuleio,[16] deve atravessar as doze horas noturnas,

---

[12] Idem, p. 100, com alusão a currais em pinturas rupestres paleolíticas de La Pasiega, na Espanha, os quais tinham, provavelmente, significado sagrado.

[13] Layard, *Stone Men of Malekula: Vao*, Londres, 1942; p. 17, p. 367 e p. 705.

[14] Idem, p. 73, pp. 389 e 423.

[15] Quando em uma etapa posterior da evolução, principalmente na organização matrilinear, a exogamia gerou a situação de ir buscar os homens "no estrangeiro", as mulheres grávidas sempre formavam um grupo coeso na sociedade. Essa instituição dava destaque especial à solidariedade das mulheres na ocasião do parto, da qual os homens eram excluídos.

[16] *Der goldene Esel*, trad. por Albrecht Schäffer, Leipzig, 1926.

as quais correspondem, na concepção egípcia, ao caminho da barca solar do mundo inferior, enquanto Ishtar tem que atravessar sete, às vezes catorze, portões, em sua descida ao inferno.[17]

Temos ainda, em um texto egípcio antigo do *Livro Egípcio dos Mortos*, no "Capítulos dos Pilones Sagrados",[18] que as almas deviam atravessar vinte e um portões do mundo inferior. Isso aponta para o antigo simbolismo da lua ligada a Osíris e, portanto, em oposição ao caminho do sol. Enquanto o mundo inferior de Osíris consiste em sete salas ou *arits*, com sete portões,[19] num texto de Ishtar ele, na verdade, está multiplicado, mas conserva relação com o sete lunar, a relação arquetípica com a deusa da terra e da fertilidade. Onde quer que o número sete desempenhe papel predominante na descida ao mundo inferior, está relacionado com o herói lunar. A viagem solar do herói, ligada ao número doze e, em geral, à mitologia patriarcal do sol, com sua psicologia do dia e da consciência, é posterior à mitologia lunar – matriarcal – e sua respectiva psicologia da noite.

As sete moradas do mundo inferior são sete aspectos do Grande Feminino, a cuja esfera pertence Osíris, a lua, como senhor, filho e fecundador do Feminino.[20] Por esse motivo, após o capítulo CXLVII do *Livro Egípcio dos Mortos*, referente às sete casas, segue-se o capítulo das sete vacas e seu touro, dos quais depende a fertilidade.[21]

Em cada um dos vinte e um portões de Sekhet-Ahur, na casa de Osíris, encontra-se a divindade feminina que os vigia, caracterizada detalhadamente, sendo que a divindade masculina correspondente só é mencionada pelo nome. A caracterização das divindades femininas dos vinte e um portões oferece uma descrição inigualável de todas as formas de manifestação do Grande Feminino, em seu aspecto predominantemente terrível.[22]

1) "Senhora dos frêmitos, com muralhas soberbas, a régia dama, a soberana da destruição, a que profere as palavras corretas que fazem retroceder o furacão e a tempestade, que livra da destruição aquele que percorre o caminho. O nome da guardiã da porta é..."
2) "Senhora do firmamento, soberana do mundo, que devora com o fogo; senhora dos mortais, a que conhece a raça humana."
3) "Senhora do altar, aquela a que se fazem oferendas copiosas, em quem todo deus se rejubila no dia de navegar até Abtu. O nome..."

[17] Günther Roeder, *Die Religion der Babylonier und Assyrer*; Jena, 1915, p. 142.

[18] *The Book of the Dead*, loc. cit., p. 447ss.

[19] Idem, cap. 144.

[20] Comp. c/ Neumann, *História da Origem da Consciência*, loc. cit., v. "A Transformação de Osíris".

[21] As sete vacas magras e as sete vacas gordas do sonho do Faraó da Bíblia referem-se a esse simbolismo.

[22] *The Book of the Dead*, loc. cit. cap. 146, "Capítulos dos Pilones Sagrados". Citamos apenas o texto relativo a cada pilar que invoca a Divindade Feminina.

4) "Ela que persuade com facas, a soberana do mundo, destruidora dos inimigos do coração silente, a quem cabe a sentença de salvação que livra o necessitado do infortúnio cruel."
5) "Fogo, senhora das chamas, que inala as súplicas que a ela são dirigidas. Não permite a entrada de... O nome de..."
6) "Senhora da luz, aquela a quem se dirige farta súplica; a diferença entre sua estatura e sua largura não é dada a conhecer; sua aparência jamais foi descrita, desde os primórdios. Existe uma serpente de cujo tamanho não se tem conhecimento. Ela nasceu na presença do coração silente. O nome..."
7) "Manto que cobre o divino enfermo, pranteando pelo que ama e ocultando o corpo. O nome..."
8) "Fogo ardente, a chama que não pode ser extinta, com línguas de chama que atingem uma longa distância; a chacinadora, a irresistível, pela qual não pode um homem passar sem ignorar a dor por ela promovida. O nome..."
9) "Aquela que está na frente, a senhora da força, de coração tranquilo, que deu à luz o seu senhor; cujo cinturão tem trezentas e cinquenta unidades de medida; que emite raios como a pedra *uatch* do sul; que se eleva à forma divina e recobre o enfermo; que faz oferendas ao seu senhor todos os dias. O nome..."
10) "Tu, que és o clamor da voz, que elevas aqueles que choram e que fazem súplicas àquela cuja voz é sonora, a terrível, a senhora que é digna de temor, que não destrói o que nela está. O nome..."
11) "Aquela que sempre trucida o que consome pelo fogo os demônios, a soberana de todo pilar, a senhora a quem se fazem aclamações no dia de trevas. Ela detém a sentença do enfermo que está envolto em faixas."
12) "Tu que rogas pelas tuas duas terras, que destróis aqueles que chegam com chamas e fogo; a senhora do esplendor, que atendes à fala do teu senhor."
13) "Osíris eleva suas duas mãos sobre ela e faz com que o bom deus Hapi (i.e., o Nilo) envie o seu esplendor para além de seus esconderijos."
14) "A senhora do poder, que dança sobre os que estão vermelhos de sangue, que conduz o festival de Haker no dia em que se confessam as faltas cometidas."
15) "O demônio, de olhos e cabelos vermelhos, que aparece à noite e agrilhoa o demônio em seu covil; que suas mãos possam dar auxílio ao coração silente na sua hora, e que ela possa avançar e prosseguir."
16) "A terrível, a senhora da tempestade, que plantou a ruína (?) na alma dos homens; a devoradora dos corpos mortos da raça humana. A que ordena, conduz e cria a matança."
17) "Esquartejadora, sanguinária, Ahabit (?), senhora de cabelo."

18) "Amante do fogo, pura das matanças que promove e aprecia. Decapitadora, a Venerada (?), a senhora da Grande Morada, destruidora de demônios ao entardecer..."

19) "Distribuidora de luz durante seu período de vida, sentinela das chamas, a senhora da força e da escrita do próprio deus Ptah."

20) "Aquela que habita o interior da caverna de seu mestre, Clother é o nome dela; ela oculta aquilo que criou, ela se apossa de corações, ela engole (?)."

21) "Faca que corta quando é proferido (o seu nome) e mata os que avançam em direção às suas chamas. Ela tem tramas secretas e conselhos."

O Feminino é, como vimos, o ventre-vaso, tanto como mulher quanto como terra. O trajeto noturno dos corpos celestes pelo mundo inferior é assim determinado pelo vaso do destino. O Feminino é o ventre da "baleia-dragão", a qual – tal como na história de Jonas[23] – engole o herói solar toda noite, no Ocidente; é "o destruidor do entardecer".

O Grande Feminino, como Deusa Terrível da terra e da morte, é ela mesma a terra em seu poder devorador, em que as coisas se decompõem. Por essa razão, a Deusa Terra é "a devoradora dos corpos mortos da raça humana e a senhora soberana da tumba".[24] A terra é, como Gaia, a Mãe-Terra grega, a senhora dos vasos e, ao mesmo tempo, o próprio vaso do mundo inferior, para onde se dirigem as almas mortas e de onde elas, novamente, devem alçar voo [Il. 75a]. *Pithos*, o grande vaso de pedra, servia originalmente para enterrar os mortos e, através desse costume, tem o significado de vaso do mundo inferior.[25] Por esse motivo, Jane Harrison[26] fala que "era uma concepção comum a todo grego que *pithos* era uma urna mortuária que dela escapavam as almas etc.".

Os mistérios posteriores de Elêusis se fundamentavam nesse simbolismo, que se tornava ainda mais rico pelo costume de armazenar os grãos nesses *pithoi* subterrâneos. Assim, o simbolismo da primavera, do crescimento da vegetação a partir do vaso da terra (compare com Adônis e Osíris), e o simbolismo da retirada dos grãos de dentro do "recipiente do mundo inferior", para a semeadura, reforçavam-se reciprocamente.

O sepultamento dos mortos num vaso foi comprovado no período pré-helênico [Fig. 37] e durante toda a média Idade do Bronze, nos cultos egeicos. Esse procedimento

[23] Comp. c/ as belas ilustrações da Bíblia *Pauperum*, em Joseph Campbell, *The Hero with a Thousand Faces*, Nova York, 1949, e Londres, 1950, p. 5, em que estão representadas lado a lado a descida de José ao poço, Jonas sendo engolido pela baleia e o sepultamento de Cristo. [*O Herói de Mil Faces*, Editoras Cultrix/ Pensamento, São Paulo, 1988.] (fora de catálogo)

[24] *The Book of the Dead*, loc. cit., cap. 144.

[25] Nilsson, *Geschichte...*, loc. cit., vol. I, p. 446.

[26] Jane E. Harrison, *Prolegomena to the Study of the Greek Religion*, 3ª ed., Cambridge, 1922, pp. 43s.

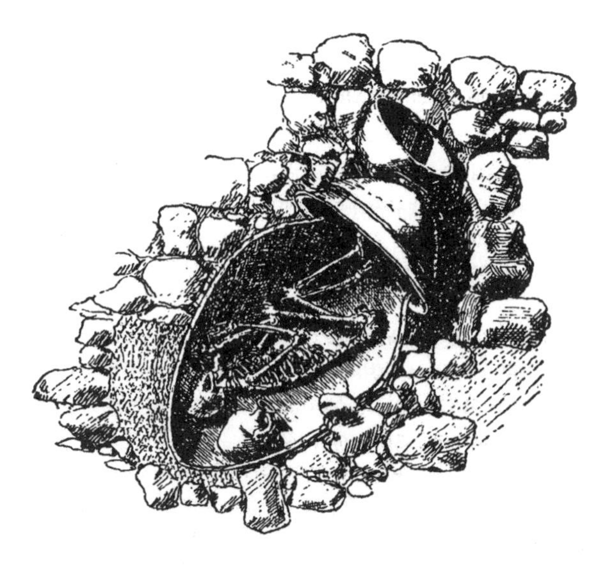

Figura 37 – Esqueleto de uma criança numa urna mortuária; *escavação em Nazaré, Israel.*

é oriundo, provavelmente, da Ásia Menor.[27] Entretanto, o fato de esse costume ter existido na antiga América e de ainda ser praticado na América do Sul atesta a concepção do vaso utilizado para receber os mortos, como elemento que pertence ao simbolismo arquetípico do Grande Feminino.

Uma representação desse tipo de recipientes, utilizado para a colocação dos cadáveres, é a urna em que o morto é depositado como uma criança em posição fetal – em Elêusis, por exemplo (mas também numa época muito mais remota, em Megido, no Oriente Próximo); outra forma é a urna cinerária, onde são depositados os restos mortais incinerados.

A urna doméstica utilizada como recipiente para as cinzas funerárias existia na Idade do Bronze não só na Itália,[28] mas também ao norte, na Alemanha central e do norte, na Dinamarca, estendendo-se até o sul da Suécia,[29] como também na Palestina da Idade do Bronze, estudada por Ghassulian, cujos habitantes "conservavam as ossadas de seus mortos em urnas domésticas, confeccionadas à semelhança das casas construídas para os seres vivos. Esse costume também é encontrado na Europa do período neolítico".[30] Também existem urnas domésticas – certamente não com a

[27] Persson, loc. cit., p. 13ss; George Thomson, *The Prehistoric Aegean*, Londres, 1949, p. 249s.
[28] Comp. c/ Gerardus van der Leeuw, *Phänomenologie der Religion*, Tübingen, 1933, p. 374s.
[29] Hoernes, loc. cit., p. 525 e ilustr. pp. 527 e 529.
[30] Albright, loc. cit., p. 102.

função de urna funerária, o que não suprime, de forma alguma, o seu significado sagrado – em Creta[31] e no Peru.[32]

Existe no México uma variante do recipiente mortuário que é a taça de sangue [Il. 76], em que é oferecido ao sol o coração arrancado das vítimas sacrificais.[33] Ela pertence à Mãe Terrível, cujo símbolo, o sapo de terra, está representado na parte inferior.

A mais bela expressão dessa correlação da Deusa Mãe com os mortos são os ataúdes egípcios, em que, no fundo, há uma imagem da deusa Nut [Ils. 90, 91], a deusa celeste que abraça os mortos. Nut é a deusa do renascimento, mas também tem o caráter de morte como Nuit, o céu noturno das trevas, identificado com a escuridão devoradora da terra e com a água.[34] O traje negro e letal na pintura desse ataúde [Il. 91a], aliado ao formato dos cabelos de Hathor, é tão impressionante quanto os seios desnudos, cuja forma lembra a Kali indiana. Também ela é o ocidente noturno que mata e devora.

A deusa da morte é a Mãe Terrível também sob a forma de mocho, abutre e corvo. O abutre é o símbolo de uma das mais antigas deusas-mãe do Egito, Nekbet, que, em seu aspecto bondoso, vela pelos mortos no mundo inferior, mas que originalmente despedaçava os cadáveres, assim como o fazem os corvos necrófagos. Ela também representa Morgana, forma celta de deusa-feiticeira.[35]

As representantes germânicas desse estrato feminino de morte e perdição são, como atestou Ninck, as Valquírias, que levam os heróis à morte.[36] Diz Ninck que a Valquíria

> ... é uma mulher bárbara, com uma 'ira mortal', o que se depreende do termo anglo-saxão *waelcyrge* (Valkyrie), ligado aos nomes de antigos demônios da guerra e da morte (Erínias, Tisífone, Aleto, Belona). Isso corresponde inteiramente ao seu lado mais sombrio, na canção das Valquírias, e à sua identificação com o corvo e o mocho negro, cujo nome *waelceasig* significa 'o que escolhe os cadáveres', expressão que corresponde precisamente ao significado de *waelcyrge*. Encontramos também, ao norte de Hliod, uma imagem com forma de corvo da serva do Odin, na saga de Völsunga.[37]

Entretanto, enquanto os povos germânicos se comovem com um estranho anseio de morte, a atitude no Egito é oposta. O medo do egípcio, não tanto da morte, mas mais

[31] Hoernes, loc. cit., p. 525.

[32] Hermann Leicht, *Indianische Kunst und Kultur*, Zurique, 1944, ilustr. 72; Ernst Fuhrmann, *Peru II* (Kulturen der Erde, vol.II), Hagen e Darmstadt, 1923, ilustrs. 2 e 3.

[33] V. adiante, pp. 186.

[34] Comp. c/ o parágrafo sobre o México, adiante, e com o "Grande Círculo", pp. 179ss e 209ss.

[35] Wolfgang Krause, *Die Kelten* (Religionsgeschichtliches Lesebuch, org. por A. Bertholet, nº 13), Tübingen, 1929, p. 22.

[36] Para estabelecer uma ligação do Grande Feminino com o destino, comp. c/ o cap. 11, subtítulo "A Deusa do Destino", p. 222s.

[37] Martin Ninck, *Wodan und Germanischer Schicksalsglaube*, Jena, 1935, p. 183s.

da decomposição, levou ao empenho principal do seu culto aos mortos, isto é, o de preservar o cadáver mumificando-o, conseguindo, com isto, que ele se perpetue. Esse desejo é o aspecto que determina igualmente o caráter dos cultos e da arte egípcios.

O capítulo seguinte, extraído do *Livro Egípcio dos Mortos*, onde se encontra a súplica no sentido de não permitir que o corpo se decomponha, nos proporciona uma visão comovente. Osíris-Nu, o Guardião do Sinete, diz, triunfante:

"Glória a ti, ó meu divino pai Osíris. Vim para embalsamar-te porém, embalsama estes meus membros, pois não é meu desejo perecer e encontrar um fim; [quero] ser como meu divino pai Khepera, cuja imagem divina jamais conheceu a decomposição. Vem, pois, fortalece a minha respiração, ó senhor dos ventos, tu que elevas as criaturas à divindade, que as tornas iguais a ti. Faz-me duplamente forte e constitui-me vigoroso, senhor do repouso das sepulturas. Concede a mim que eu adentre a terra e nela me perpetue, assim como ocorreu a ti e a teu pai, Tene, cujo corpo não conheceu a putrefação e que é a entidade que nunca se defrontou com a decomposição. Jamais agi da maneira que sei que é odiosa para ti; servi rigorosamente àqueles que amam o teu *Ka*. Não deixes que meu corpo fique à mercê dos vermes; liberta-me, pois, como libertaste a ti mesmo. Eu te imploro que não me deixes apodrecer, mesmo que permitas que todo deus e toda deusa, e todo animal e todo réptil experimente a decomposição, quando sua alma partir após a morte. Se a alma se separa [ou se desvanece], o ser humano experimenta a decomposição, e os ossos de seu corpo apodrecem e passam a cheirar mal; os membros se arruínam, parte por parte, e os ossos se esmigalham formando uma massa inútil, e a carne se transforma num líquido fétido. E ele se torna o irmão da ruína que sobre ele se abate, e se reduz a um amontoado de vermes, até que se transforma completamente apenas em vermes e é assim exterminado, diante do deus Shu, exatamente como todo deus, toda deusa e toda ave e todo peixe... e todas as coisas, o que quer que seja... Permite [que] a vida [advenha] de sua morte[38] e não permitas que a decadência causada por um réptil qualquer prepare-me um fim, e não permitas que eles venham a mim, em suas [várias] formas. Não me entregueis ao carniceiro que habita em sua câmara de torturas [?], que mata os membros do corpo e os deixa apodrecer, enquanto [ele próprio] está protegido – ele que leva à destruição muitos corpos inertes e que vive em função de tal abate. Deixa que eu viva, para que transmita sua mensagem e permita que eu faça o que ele ordena. Não deixes que eu caia em suas garras, não consintas que ele se torne o meu senhor, pois estou sob o teu comando, ó Senhor dos Deuses.

Glória a ti, ó meu divino pai Osíris, que tens o teu ser ligado aos teus membros. Não cabe a ti a decomposição. Não te exporás aos vermes, não diminuirás, não atingirás a podridão. Não trouxeste a decomposição nem te tornaste vermes. Eu sou o deus Khepera e meus membros viverão para sempre. Eu não me decomporei e não

[38] Isto é, da morte do corpo.

me arruinarei e não irei apodrecer; não me transformarei em vermes e de nenhuma putrefação hei de padecer diante dos olhos do deus Shu. Irei manter o meu ser, manterei o meu ser. Eu viverei, eu viverei; eu germinarei, eu brotarei, eu serei o rebento. Eu despertarei em paz. Não apodrecerei e minhas entranhas [?] não perecerão. Não sofrerei nenhum dano. Meu olho não apodrecerá; as formas de minha face [?] não desaparecerão. Meus ouvidos não ensurdecerão, minha cabeça não será separada de meu pescoço, minha língua não será amputada, meus cabelos não serão cortados, minhas sobrancelhas não serão raspadas e nenhum infortúnio se abaterá sobre mim. Meu corpo se tornará firme e não mais irá se degenerar, nem ser destruído sobre essa terra".[39]

A figura do Feminino Terrível domina com o mesmo simbolismo arquetípico tanto no mundo pré-helênico quanto nos primórdios do mundo grego.

O olhar petrificante da Medusa pertence ao aspecto terrível da Grande Deusa, pois estar petrificado é o mesmo que estar morto. Esse efeito do Terrível está em oposição à mobilidade da corrente da vida, que flui em todo ser orgânico; é a expressão psíquica da calcificação e da esclerose. Assim, a Górgona é o reverso do útero vital [Ils. 70, 80] sob a forma de útero da morte ou de sol noturno.

A caveira não é somente símbolo da morte, mas também do sol morto [Ils. 68, 77], que durante sua vida é dotado da força resplandecente de seus raios; quando o herói, o sol noturno, é engolido para dentro do ventre da baleia, "caem-lhe os cabelos". A afinidade existente entre morte, calvície, sacrifício e castração é característica dos iniciados da Grande Mãe, desde o corte total dos cabelos nos sacerdotes de Ísis até a tonsura dos monges católicos.[40] A cabeleira serpentiforme da Deusa Terrível, ao contrário, corresponde a uma "radiação negativa".

A feminilidade positiva do útero surge como uma boca, sendo esta a razão pela qual se atribui aos genitais femininos o termo "lábios", e, com base nessa equivalência simbólica positiva, a boca, como "útero superior", é o local de nascimento da respiração e da palavra, o *Logos*. Da mesma forma, o lado destruidor do Feminino, o útero funesto e mortal, surge com maior frequência sob a forma arquetípica de uma boca com os dentes ameaçadores à mostra. Encontramos esse simbolismo numa estatueta da África [Il. 78], onde o útero dentado é substituído por uma máscara exibindo os dentes, e numa representação asteca da deusa da morte [Fig. 38], guarnecida de uma variedade de facas e dentes afiados.[41] O motivo da *vagina dentata* aparece de forma mais clara na mitologia dos índios norte-americanos. O mesmo se dá na mitologia de

[39] Segundo a tradução de W. Budge, *The Book of the Dead,* loc. cit., cap. 154.

[40] Neumann, *História da Origem da Consciência*, loc. cit., p. 74, p. 177.

[41] Vrf. adiante, p. 179, "O Mundo Matriarcal na América". Esse símbolo arquetípico se manifesta ainda hoje, quando verificamos que nos sonhos e nas fantasias do homem moderno a Mãe Terrível surge como castradora, como útero que parece estar armado com dentes, situação em que os dentes simbolizam a qualidade masculina da faca e do masculino destrutivo, que pertence ao Feminino Negativo.

Figura 38 – Ilamatecuhtli, deusa da morte; *asteca, do Codex Magliabecchiano XIII, 3, fl. 45.*

outras tribos indígenas, em que há um peixe carnívoro assentado na vagina da Mãe Terrível,[42] e o herói será aquele que vencer a Mãe Terrível,[43] que arrancar os dentes de sua vagina, tornando-a, assim, mulher.[44]

---

[42] *Standard Dictionary of Folklore, Mythology and Legend*, org. por Maria Leach, 2 vols., Nova York, 1949s, v. *vagina dentata*.

[43] Neumann, *História da Origem da Consciência*, loc. cit., "O Assassinato da Mãe", pp. 177s.

[44] *Standard Dictionary*, loc. cit.

Também se pode comprovar no Egito a correlação simbólica do Feminino com os lábios e do Masculino com os dentes.[45] Esta é a razão pela qual o Masculino negativo aparece como atributo do Feminino, frequentemente na forma de acompanhante masculino destrutivo [Il. 75b], como um javali, por exemplo. Nesse sentido, as presas do javali ou as arcadas dentárias de outros animais aparecem, via de regra, com os dentes do Feminino Terrível.[46] Assim é Cila [Fig. 39], o redemoinho marítimo devorador que, como tantas outras figuras de mulher sedutoras e letais, tem a parte superior do corpo como o de uma linda mulher, enquanto a inferior consiste nos três cães do inferno.[47] Já é bastante conhecido o significado fálico do dente único das Greias,[48] figuras femininas grisalhas cujos nomes são "Medo", "Horror" e "Pavor", que habitam o limiar da noite com a morte, no litoral do extremo Ocidente.[49] Elas são irmãs das Górgonas, as filhas de Fórcis, o "Grisalho" filho de Pontus, a "profundeza primordial". De todos esses descendem as criaturas míticas monstruosas. As Górgonas aladas, cujos cabelos eram serpentes que também cingiam sua cintura, são, com as presas dos javalis, a barba e a língua à mostra, símbolos urobóricos do poder primordial do Grande Feminino, imagens da Grande Divindade materna pré-helênica em seu aspecto devorador [Fig. 40] como terra, noite e mundo inferior.[50]

A Górgona estrangulando animais [Il. 80] adota, com as pernas abertas, a mesma postura das deusas exibicionistas. Na verdade, a genitália encontra-se encoberta nesse caso, e não é visível, mas é substituída pela fisionomia horrenda de dentes arreganhados.

A acentuação urobórica masculino-feminina da Górgona não resulta somente da impressão causada pelas presas ferozes do seu útero-goela, mas também da língua estendida para fora, a qual – em contraste com os lábios femininos – sempre tem caráter fálico. Encontramos esse traço arquetípico em inúmeras representações de monstros de todo o mundo.[51] Essa correlação torna-se clara, sobretudo, na Oceania. Na Nova Zelândia, a exibição da língua estendida é sinal de poder e de energia dinâmica,[52] e, nas Ilhas Lufu, o mesmo termo usado para designar órgão sexual significa "as palavras dele", "expressão que confere a esse termo sentido completo, como a força que dá origem a toda ação e, portanto, às palavras".[53]

---

[45] Kees, loc. cit., p. 292.

[46] Sobre o culto às presas do javali, consulte também Layard, *Stone Men*..., loc. cit.

[47] Na mão ela brande o leme do navio naufragado, em oposição às imagens *Stella Maris*, positivas e protetoras, de Ísis, da Madona e de Tara.

[48] Jung, *Symbole der Wandlung*, loc. cit., índice v. "Graeae".

[49] Neumann, *História da Origem da Consciência*, loc. cit., p. 235.

[50] Sobre a Górgona na qualidade de sol noturno, consulte Wilhelm II, Studien zur Gorgo, Berlim, 1936.

[51] J. H. F. Kohlbrugge, *Tier und Menschenantlitz als Abwehrzauber*, Bonn, 1926.

[52] Maurice Leenhardt, *Arts of the Oceanic Peoples*, Paris, 1947; Londres, 1950, p. 115s.

[53] Idem, p. 142.

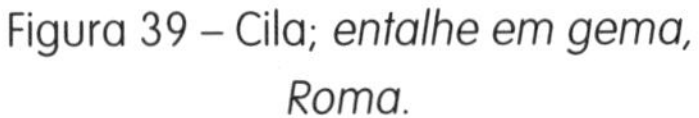

Figura 39 – Cila; *entalhe em gema, Roma.*

Figura 40 – Hécate; *entalhe em gema, Roma.*

Portanto, onde quer que surja o aspecto terrível do Feminino, ele também será a mulher-serpente, a mulher com o falo, a unidade conceber-gerar da vida e da morte. Eis a razão pela qual a Górgona é dotada de todos os atributos masculinos: a serpente, as presas do javali, o dente, a língua exposta e, às vezes, até barba.

A Górgona, como Ártemis-Hécate, é, também na Grécia, a senhora da estrada da noite, do destino e do mundo dos mortos. Como Enódia, é a guardiã das encruzilhadas, da mesma forma que Tore,[54] e, como Hécate [Fig. 40], é a deusa-lua das almas e dos mortos, envolta em serpentes, cercada por um bando de demônios femininos, como a selvagem Ártemis, deusa da caça. A extremidade de sua cabeça é o cão que uiva à noite e o animal farejador que, tanto no Egito como na Grécia, ou no México, é o companheiro do morto. Como a senhora do caminho que conduz para baixo e também do caminho inferior, a deusa tem como sinal característico a chave – o poder fálico da abertura inerente ao masculino –, emblema da Deusa, que é também a senhora do nascimento e da gravidez.

É por isso que, quando ela está encolerizada, a Deusa como Deméter ou Ishtar, como Hathor ou Hécate, pode selar o útero de todos os seres vivos, e todo tipo de vida se imobilizará então.

Como Mãe Bondosa, é a senhora do Portal do Oriente, o portão do nascimento; como Mãe Terrível, é a senhora do Portal do Ocidente [Il. 79], portão da morte e do voraz acesso ao mundo inferior.

Portão, porta, garganta, abismo, fendas são todos símbolos femininos da terra-útero [Figs. 30, 31], que caracterizam, como lugares numinosos, o caminho até a

[54] Nilsson, *Geschichte...*, loc. cit, p. 685.

escuridão mítica do mundo inferior.[55] Em seu aspecto negativo, a caverna, um dos exemplos mais antigos do simbolismo do Feminino como vaso, é o inferno e também Hel [Il. 81], a deusa germânica do mundo inferior.

De maneira característica, de Jörmungund de Midgard, a serpente urobórica do oceano que cinge o mundo, e também do lobo devorador Fenris;[56] ela é, ainda, o abismo escancarado que traga inexoravelmente os seres mortais.

No mito cristão, o demônio está correlacionado ao inferno, na qualidade de garganta devoradora da terra; entre os astecas, seu correspondente é o senhor do fogo, Xiuhtecuhtli, que se encontra sentado no centro da terra.

A aparência do demônio cristão tem muito do Pã e dos sátiros pagãos; um de seus antigos precursores é, por sua vez, o Set egípcio, o inimigo da alma, adversário de Osíris e de Hórus. Ele aparece no *Livro Egípcio dos Mortos* com a serpente Apófis como o aspecto masculino-aniquilador do mundo inferior. É o carniceiro, o destruidor e esquartejador, o parceiro devorador de almas de Ammit. Dele se diz: "O demônio, de olhos e cabelos vermelhos, que aparece à noite e agrilhoa o demônio em seu covil".[57]

Ele é o maligno e o antagonista em si, aliado à cor vermelha, que é, ao mesmo tempo, não só a cor positiva da fecundidade, mas também a cor profana da calamidade, do mal, do sangue, da morte e do deserto, onde o demônio se apresentou, milhares de anos mais tarde, como o tentador do Eleito.

O inferno e o mundo inferior são, como vasos da morte, formas do vaso-ventre terrível e negativo que traz a morte, correspondendo, na mesma proporção, ao aspecto positivo e provedor de vida. A abertura do vaso do destino é o útero, o portão, a garganta, que traga ativamente para dentro de si e devora, dilacera e mata.

O poder de sucção inerente a essa região está mitologicamente simbolizado pela força que alicia e domina o ser humano, a vida, a pessoa e a consciência, e da qual somente o herói – e às vezes nem mesmo ele – pode se livrar.

Isto está expresso bastante habilmente nos mitos germânicos e nas suas correspondências etimológicas. "Do termo nórdico antigo *gina* temos *gähnen* (bocejar); do antigo alto-alemão *ginen* e *geinon*, que têm cognato no nórdico antigo *gin*, que significa 'goela, abismo'; no anglo-saxão *giwian*, 'pedir'; no nórdico antigo *gjã*, 'abismo' e 'vida lasciva'. Do anglo-saxão, *gipian*, 'arfar', do alemão *gipen*, 'respirar com dificuldade', 'esforçar-se por alguma coisa'. A esse contexto também pertence, naturalmente, a avidez."[58]

O aspecto bocejante-voraz da goela e da fenda, para a apercepção mitológica, representa a unidade do Feminino que tanto atrai o Masculino como útero voraz e

---

[55] Comp., em especial, com a riqueza de material apresentado por Levy, loc. cit.

[56] Ninck, *Göther- und Jenseitsglaube der Germanen*, Jena, 1937, p. 135.

[57] *The Book of the Dead*, loc. cit., cap. 146.

[58] Ninck, *Wodan...*, loc. cit., p. 55s.

mata em seu interior o falo para atingir a satisfação e a fecundação, como, na qualidade de útero da terra da Grande Deusa, como útero de morte, atrai e absorve todas as criaturas vivas para se satisfazer e se fertilizar.

Aqui, a experiência mais profunda da vida e a angústia humana encontram-se ligadas para formar uma unidade arquetípica. Um Masculino ainda inexperiente em sua evolução, que vivencia a si mesmo apenas como masculino-fálico,[59] vivencia o Feminino como castrador, como assassino do falo. A projeção do próprio apetite masculino e, num nível ainda mais fundo, da própria tendência ao incesto urobórico, à autodissolução voluptuosa no maternal feminino primordial, intensifica o caráter terrível do Feminino. Assim, a volúpia e a sedução que levam ao pecado e à destruição pertencem à Deusa Terrível; o amor e a morte são dois aspectos inerentes a uma e mesma Grande Deusa.

Essa é a razão pela qual a deusa do amor, da caça e da morte compõem um só grupo no Egito, na Grécia, na Mesopotâmia e no México.[60] Dessa forma, Afrodite também é a deusa da guerra em Esparta e em Chipre,[61] e Pandora é o vaso fascinante, conquanto mortal, do Feminino.

Ainda hoje o simbolismo sexual se encontra contaminado, no que tange à linguagem, pelo simbolismo da alimentação. Como no ritual de fertilidade em que a sexualidade e o alimento estão relacionados e o ato sexual, que induz a fertilidade, é o que sempre afiança a fertilidade da terra e, com isso, a alimentação das pessoas, da mesma forma as expressões linguísticas de ambas as esferas de atividades, as sexuais e as alimentares, estão ligadas. Fome e saciedade, desejo e contentamento, morrer de sede e matar a sede são símbolos conceituais válidos para ambas as áreas.

Até mesmo a magia, que se encontrava originalmente sob o domínio do Grande Feminino,[62] foi, sem dúvida, uma "magia alimentar" a princípio, tendo evoluído através da magia da fertilidade para a magia sexual, ou "magia do amor".

Nesse ponto, as relações etimológicas apontam novamente para uma unidade arquetípica. Ninck prossegue, como no parágrafo acima, com a avaliação do radical *gina*: "o nórdico antigo *geifla* significa 'murmurar'; o anglo-saxão *gifre* significa 'ávido'; e, por fim, no nórdico antigo *ginna* tem o significado de 'encantar, seduzir, fascinar', *gizki* = 'instrumento de magia' e *gyzki* = 'milagre'." A evolução da interpretação de bocejar (*gähnen*) para "desejar, pedir" (*begehren, verlangen*) explica-se facilmente se nos reportamos à goela bocejante, escancarada e faminta do lobo.[63]

A transição para o significado de "encantar" pode ser elucidada por um traço casualmente descrito como atributo das feiticeiras nórdicas. Fala-se, assim, da

---

[59] Neumann, *História da Origem da Consciência*, loc. cit., p. 64.

[60] Idem, "Particularidades das deusas da guerra no Egito e em Canaã". Comparar com p. 70ss e 88s.

[61] Herbert J. A. Rose, *Handbook of Greek Mythology*, Londres, 1950, p. 122s.

[62] Cf. adiante, "A mulher como figura Mana", cap. 14, p. 284s.

[63] Ninck, *Wodan...*, loc. cit., p 56. Naturalmente essa explicação foi bastante abreviada.

existência de uma volva (feiticeira) na saga de Hrolf Kraki, que, no momento anterior a enunciar sua profecia, feita do alto de sua cadeira encantada,[64] "escancarava os maxilares e bocejava poderosamente", para, logo a seguir, entoar num cântico sua visão interior. Novamente, quando o rei não parava de fazer-lhe perguntas, "ele bocejava poderosamente, e a magia era-lhe muito difícil".[65]

Ainda vamos retomar a correlação entre as profundezas da garganta de onde emergem os encantamentos em meio a bocejos, e a zona de penumbra da consciência. Por enquanto é suficiente mencionar a ligação existente entre a fertilidade do útero, da morte, da sexualidade e da magia, no espectro numinoso do Grande Feminino.

O SIMBOLISMO DO FEMININO TERRÍVEL NA MELANÉSIA

Em outra parte remota da Terra, bem distante das antigas culturas mediterrâneas e nórdica – a pequena Malekula, ilha da Melanésia –, encontramos o mesmo caráter elementar terrível do Feminino que se constata na Europa.

Existe ali um ritual de iniciação, para cuja realização são necessários quinze anos. É um rito mítico que ainda não se transformou numa religião sistematizada e complicada. J. Layard[66] deu ao seu livro o nome de *Stone Men of Malekula* [Homens da Pedra de Malekula], porque os ritos ainda vivos naquele local só são compreensíveis no Ocidente quando classificados como elementos de um mundo pré-histórico e primitivo, que remonta à Idade da Pedra.

Do extenso material que Layard reuniu e interpretou, apresentaremos somente o que ele tem a dizer no tocante ao "Feminino Terrível" e seu papel na vida daquelas pessoas. O rito, que adotou coloração patriarcal, trata de uma disputa do grupo com o espírito guardião que se opõe à divindade de luz. Hoje, esse deus da luz desempenha papel de destaque, mas só há relativamente pouco tempo foi que alcançou seu significado atual.[67]

O espírito guardião representa uma figura feminina ou de sexo indefinido, mas cujo caráter terrível é, inequivocamente, de fertilidade feminino-matriarcal. Sua bissexualidade urobórica explica-se pela mistura que ocorreu com o poder destrutivo do Feminino, "depois" frequentemente representado como masculino. Esse espírito guardião e devorador representa, de forma característica, a fúria dos antepassados. Estes são exatamente "os representantes masculinos matrilineares... o irmão da mãe,

---

[64] Comp. c/ nossas considerações sobre o "trono", cap. 8, p. 107s.

[65] Ninck, *Wodan*..., loc. cit., p 56.

[66] *Stone Men*..., loc. cit.

[67] Idem, p. 223.

o irmão da avó etc...,[68] isto é, são os ancestrais matriarcais, e o espírito guardião é o lado masculino perverso da mulher matriarcal, numa exata correspondência com a relação entre Set, o irmão da mãe, e Ísis, que discutimos[69] em outra ocasião.[70] O nome dessa criatura terrível é *Le-hev-hev* e significa "aquela que nos puxa para si para que possa nos devorar".[71]

Esse monstro pertence a um mundo inferior, a uma caverna, ao símbolo da terra dos mortos original,[72] e representa "a influência aniquiladora da sepultura".[73]

Baseado no material dos ritos, Layard relatou como se dá a disputa para estabelecer o princípio masculino luz-sol-consciência, com o qual se identifica o grupo dos homens, contra o poder aniquilador desse monstro feminino-negativo. Nesse caso, o deus masculino da luz e do céu também simboliza "o empenho consciente", "a aspiração de ascender cada vez mais".[74] Este é o motivo por que o símbolo da escada está relacionado com tais divindades e com as tendências psíquicas que elas representam, tanto em Osíris[75] como em Malekula.[76]

Vários monumentos elevados, desde a torre disposta em blocos na Suméria e no México até Boro-Budur no Ceilão, estão relacionados com essa tendência do espírito preponderantemente masculino de empenhar-se na direção do céu.

O monstro *Le-hev-hev* representa, para o habitante de Malekula, "os medos inconscientes... o medo de ser devorado pela força primeva da qual ele (o primitivo) se libertou com tanto empenho e para cujas profundezas ele, portanto, está em constante perigo de retornar".[77]

Todavia, não devemos nos ocupar aqui da luta ritual do grupo masculino contra esse perigo nem da sua identificação com o poder celeste, cujo símbolo é o falcão, para eles, assim como no Egito, que ainda corresponde ao símbolo da águia para os astecas e da "arara" para os incas.

Para nossos propósitos, é suficiente reconhecer aqui a forma do Feminino Terrível com sua simbologia arquetípica.

Quando Layard sugere que esse espírito guardião representaria "o outro lado da estrutura social", temos uma formulação bastante limitada, principalmente quando levamos em consideração a interpretação psicológica do próprio Layard. Toda a vida

---

[68] Idem, p. 13.

[69] Neumann, *História da Origem da Consciência*, loc. cit., p. 264.

[70] Layard os caracteriza como o *animus* da mulher, o que é legítimo se transpusermos esse termo da psicologia pessoal para o mundo arquetípico. Devemos, contudo, distinguir os estratos pessoais e os arquetípicos dentro do *animus*.

[71] Layard, *Stone Men...*, loc. cit., p. 225.

[72] Idem, p. 231.

[73] Idem, p. 13.

[74] Idem, p. 223 e 256.

[75] Neumann, *História da Origem da Consciência*, loc. cit., p. 253.

[76] Layard, *Stone Men...*, loc. cit., p. 735.

[77] Idem, p. 256.

da humanidade e, com certeza, a da humanidade primitiva – e em que extensão toda a humanidade é primitiva! – reside na luta contra o poder de sucção do inconsciente e seu fascínio regressivo, que é o lado terrível do Feminino.

Toda a vida em Malekula gira em torno do esforço de superar a atração descendente da gravitação psíquica[78] por meio de uma persistente ascensão ritual. O sucesso ou o fracasso desse processo se manifesta na viagem dos mortos – já antecipada no rito de iniciação –, em que a pessoa falecida se defronta com o monstro devorador e descobre se pode ou não se haver com ele.

Todas as iniciações – as dos povos primitivos, assim como as descritas no *Livro Egípcio dos Mortos* ou no *Livro Tibetano dos Mortos*; as dos cultos de mistério, do encantamento mágico da Gnose e das religiões sacramentais – buscam salvaguardar o indivíduo do poder aniquilador da morte, protegê-lo do Feminino devorador.

É-nos indiferente aqui se esse Feminino é caracterizado como sepultura ou mundo inferior, inferno ou Maia, *heimarmene* ou destino, monstro ou feiticeira, serpente ou trevas. De qualquer forma, a morte é sempre a extinção do indivíduo e da consciência como luz; sobreviver consiste em demonstrar que a pessoa pertence não às trevas, mas ao mundo da luz.

Layard constatou que os desenhos ritualísticos de labirintos, feitos na areia, estão relacionados com esse mito do monstro devorador. Supõe-se que esses desenhos representem um caminho através do mundo inferior e uma viagem marítima noturna, isto é, são o *caminho* que, em toda parte do mundo [Fig. 41] encontramos na qualidade de componente primordial dos mais antigos rituais praticados pela humanidade.[79]

Segundo Layard, os traços arquetípicos mais importantes do labirinto são:

1) Que ele sempre tem que ver com morte e renascimento, ambos relacionados com uma vida após a morte ou aos mistérios de iniciação.
2) Que está quase sempre ligado a uma caverna – ou, mais raramente, a uma habitação.
3) Que naqueles casos em que o ritual preservou o próprio labirinto, ou um desenho deste, ele se encontrava invariavelmente situado na entrada da caverna ou da habitação.
4) Que a personagem que preside o ritual, seja real ou mítica, é sempre uma mulher.
5) Que são os homens que percorrem de fato o labirinto em si ou, no caso de um desenho deste, caminham sobre ele.[80]

---

[78] Neumann, *História da Origem da Consciência*, loc. cit., p. 30s.

[79] Comp. c/ Levy, loc. cit.

[80] Layard, loc. cit., p. 652, aponta exemplos correspondentes oriundos do sul da Índia, de Creta, do grupo Celta, de Virgílio e da Idade Média cristã.

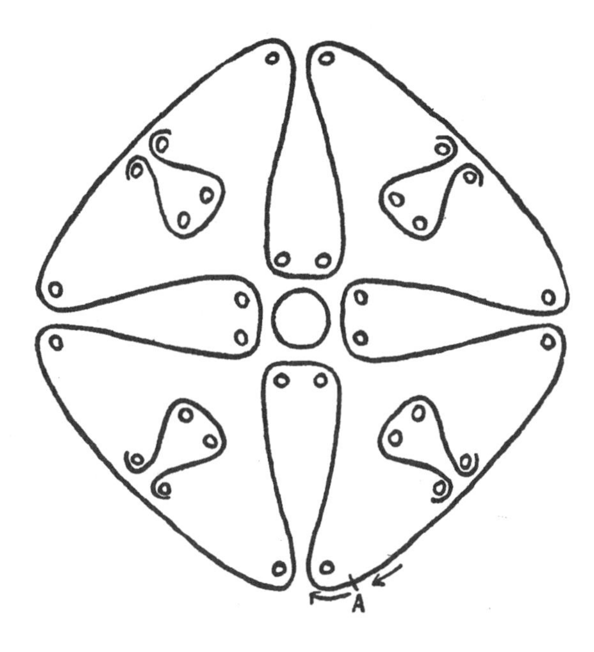

Figura 41 – Desenho em areia de um labirinto; *Malekula, Hébridas.*

Quer o labirinto assuma a forma de uma infinidade de linhas confusas e que confundem, como o "caminho", ou a forma do "espírito guardião"; quer o caminho pelo qual devem passar as almas dos mortos "através" do labirinto intrincado e devorador[81] seja percorrido ou desenhado, em todos os casos temos diante de nós "a concepção do corpo divino como a estrada a ser trilhada por ele e por aquele que o segue".[82] R. Levy procura deduzir os caminhos desse labirinto e os primordiais desenhos australianos correlatos, feitos na terra, das religiões praticadas nas cavernas paleolíticas, uma vez que é muito provável que nesses desenhos já se apresentassem os símbolos da caverna iniciática, os símbolos do caminho etc.

Nesse caso, também não é essencial a genealogia dos costumes e das interpretações, mas, sim, o processo arquetípico. O rito, como caminho, é, em primeiro lugar, um arquétipo "caminhado" ou dançado, sob a forma de labirinto ou espiral, como imagem de um espírito ou como caminho através de um portal da morte e do nascimento.[83]

O caminho do labirinto é sempre a primeira etapa da viagem marítima noturna, da descida do Masculino que acompanha o sol que desce para o mundo inferior devorador para o útero mortal da Mãe Terrível. Esse caminho labiríntico que conduz ao centro do perigo, ao longo do qual é dada a sentença no reino dos mortos à meia-noite

[81] Idem, p. 649 ss.

[82] Comp. c/ Levy, loc. cit., p. 159.

[83] Comp. c/ Neumann, "Zur psychologischen Bedeutung des Ritus", loc. cit.

– na metade da viagem marítima noturna pelo mundo inferior –, encontra-se tanto no julgamento dos mortos[84] no Egito[85] como nos mistérios clássicos e primitivos, assim como nos equivalentes processos de evolução psíquica do homem moderno.[86] O labirinto, em virtude do caráter perigoso, é representado frequentemente também como uma teia, e seu centro, como uma aranha.[87]

Da mesma forma, nos ritos dos Malekulas, o monstro *Le-hev-hev*, como poder negativo do Feminino,[88] está ligado à aranha,[89] à figura sinistra e devoradora de homens da "ogra mítica", à "mulher caranguejo"[90] "com duas tenazes imensas",[91] ao animal do mundo inferior – a ratazana – e a um tipo de concha gigantesca que, quando aberta, se assemelha à genitália feminina e que, ao se fechar, ameaça os homens e os animais.[92]

Esse grupo simbólico arquetípico é complementado, ainda, pela constatação de Layard de que uma das figuras ritualísticas de Malekula, chamada "a lua", que consiste na representação de uma lua com dois lábios dispostos como em uma boca, é análoga à imagem do "caminho" traçado pelo Feminino devorador, como prova para os mortos. Isto significa que a terrível goela da morte ou o útero devorador, que deve ser transposto, consiste de duas luas crescentes, por toda parte ligadas principalmente à Grande Deusa da escuridão da noite, e idênticas às tenazes do monstro caranguejo.[93]

O fato de que em Malekula os dólmens femininos pertencem ao antigo estrato matriarcal do culto e do ritual,[94] enquanto os megalitos masculinos eretos pertencem ao estrato patriarcal posterior, confirma a universalidade do simbolismo arquetípico. A designação "altar de pedra" para o mais elevado estágio da iniciação feminina nos leva de volta à natureza sangrenta e ávida por sacrifícios da Grande Deusa feminina, que aparece no México com a mesma função da taça sacrificial de sangue [Il. 76].

Retomemos, uma vez mais, o sentido psicológico profundo da iniciação do Masculino nos perigos constituídos pelo Feminino. Através da identificação do "empenho de ascensão da consciência" com o Masculino, e do "perigo do regresso ao inconsciente devorador" com o Feminino, ocorre uma distribuição dos papéis

---

84 Budge, *A General Introductory Guide to the Egyptian Collection in the British Museum*, Londres, 1904, p. 212.

85 À meia-noite referente a um dia corresponde o solstício de inverno de um ano completo, ligado ao simbolismo da morte, do julgamento e do renascimento. Essa é a razão por que, nessa época, os costumes vivos dos espíritos negativos dos antepassados desempenham, em toda parte, papel tão importante.

86 Comp. c/ a obra de Jung sobre a Individuação.

87 Jung, *Psychologie und Alchemie*, loc. cit., p. 207s., e ilustr. 108.

88 Layard, *Stone Men...*, loc. cit., p. 728.

89 Idem, p. 221.

90 Idem, p. 730.

91 Idem, p. 221, onde cita Speiser (Felix Speiser, Südsee, *Urwald, Kannibalen*, Leipzig, 1913).

92 Layard, "The Making of Men in Malekula", in: *Eranos-Jahrbuch*, 1948; XVI.

93 As presas de javali das Górgonas também podem ser consideradas formas negativas da lua e pertencer ao mesmo grupo do Feminino terrível sob a forma de símbolos de perigo, como abismos tragadores.

94 Layard, *Stone Men...*, loc. cit., p. 731.

arquetípicos. A projeção dessas qualidades sexuais simbólicas nos homens e nas mulheres determina, então, a posição social e religiosa dos sexos, até que o significado psicológico dos símbolos logre tornar-se consciente.

É por esse motivo que o sexo do monstro, do mundo dos mortos, e assim por diante, não pode ser socialmente deduzido e, nem como infere Layard, é complementar a uma estrutura social patriarcal ou matriarcal. Por um lado, o mundo inferior é, como o inconsciente, "simbolicamente feminino", na qualidade de vaso que suga e aniquila, constrói, gera e modifica; por outro lado, é sempre bissexual. Além disso, o Feminino devorador está ligado de várias maneiras ao Masculino destruidor. Mesmo quando o estrato matriarcal está reprimido, ele pode se manifestar de forma masculina, por exemplo como o irmão da mãe, que representa o complexo de autoridade e punição da sociedade matriarcal, tal como o faz *Le-hev-hev* em Malekula, na qualidade de representante do lado masculino do matriarcado. No cristianismo patriarcal, por outro lado, o mundo inferior é feminino, sob a forma de Inferno,* e masculino como o Demônio que – como o Mefisto, no *Fausto* de Goethe – mantém dependência filial para com a "avó do demônio", cujo formato materno é ainda quase imperceptível ao fundo.

O MUNDO MATRIARCAL NA AMÉRICA

Se mais uma vez retomamos o nosso levantamento do âmbito arquetípico simbólico do Feminino Terrível, utilizando desta feita um material basicamente proveniente das Américas Central e do Sul, assim o fazemos porque, segundo o ponto de vista das pesquisas mais recentes, é praticamente certo que as culturas americanas desenvolveram-se de forma totalmente independente da do mundo antigo. As notáveis correspondências entre os simbolismos dos dois mundos devem, então, fundar-se em alicerces arquetípicos.

Enquanto no México a mitologia solar dominou, quase por completo, o estrato matriarcal e a mitologia lunar correlata, esta última permaneceu como a mitologia dominante nas culturas costeiras ao longo do litoral da América do Sul, principalmente no Peru.[95] Ali o Grande Feminino é considerado a "mulher da lua", "a esposa do mar", e, novamente, verificamos que mar, mar noturno e céu noturno são uma e a mesma coisa, pois a noite é o Grande Círculo, unidade composta de mundo inferior, mar noturno e céu noturno que engloba todas as criaturas vivas.

Encontramos, assim, na cultura matriarcal dos Chimus tanto uma mitologia lunar, em que a lua representa o herói e o senhor da noite [Fig. 42], como o nascimento

---

* Em alemão *die Hölle*, substantivo feminino. (N.T.)

[95] Walter Krickeberg, *Märchen der Azteken und Inkaperuaner, Maya und Muiska*, Jena, 1928, p. 380; Leicht, loc. cit., p. 79s.

Figura 42 – Deus-Pássaro lunar; *peça de cerâmica, índios Chimu, Peru.*

dos seres humanos e dos heróis a partir do ovo, símbolo da lua.[96] É por essa razão que na luta com o dragão, representada em um vaso Chimu peruano, o monstro a ser combatido é um dragão marinho [Fig. 43], que é, ao mesmo tempo, o dragão da noite, do mundo inferior e da morte. O herói é caracterizado como herói lunar pelo signo da lua crescente sobre as serpentes nas mãos. Esse sinal, ligado às fases crescente ou minguante, é típico do deus Lunar [Fig. 42]; podemos encontrá-lo tanto no Egito como no símbolo do machado duplo da cultura cretense. (Não podemos definir se a coruja é um símbolo feminino do céu noturno ou se é a própria lua.) [Il. 82a.]

Existe uma forma equivalente, presente na mesma esfera cultural, também relacionada com o Feminino Terrível, que é o caranguejo com a cabeça da Górgona estampada na carapaça [Ils. 83a, 83b]; também ele é um monstro devorador das profundezas do mar. Em outra vasilha, as tenazes devoradoras se mostram como focinhos igualmente devoradores de animais, e a Górgona-caranguejo aparece como o corpo ou o útero de uma figura humana [Il. 84b].

A criatura atraída para as profundezas pelo caranguejo sinistro [Ils. 83a, 83b] é interpretada como divindade astral.[97] A que está sendo atacada também parece ter o aspecto de caranguejo.[98] Provavelmente, trata-se de uma batalha celeste que, tal como ocorre frequentemente na mitologia mexicana, acontece no mar noturno e na qual a figura atacada e vencida pode ser um deus lunar.

O caranguejo, o caracol e a tartaruga são símbolos associados com frequência à lua em movimento retrógrado, oculta na escuridão, que, pelo fato de ser devorada, está sempre ligada a símbolos negativos. Assim, o deus caracol, no Peru [Il. 82b], é

---

96 Krickeberg, *Märchen...*, loc. cit., p. 38 e p. 40s.

97 Comp. a essa imagem Fuhrmann, *Peru II*, loc. cit., p. 18.

98 Comp. c./ Fuhrmann, *Reich der Inka*, Hagen e Darmstadt, 1923, ilustr. p. 33.

Figura 43 – Luta com o dragão; *peça de cerâmica, índios Chimu, Peru.*

uma divindade lunar da fase negativa. Os sensores nas extremidades das antenas do deus caracol, semelhante a uma entidade capturada pelo monstro caranguejo marinho em outro vaso, estão visivelmente movimentando uma lua, isto é, elas o colocam para dentro da carcaça do caracol ou põem-na em pé.

A veracidade da nossa interpretação da Górgona-caranguejo como a deusa noturna confirma-se pelo fato de que ela – como a noite em todas as mitologias – também é representada como a que dá o sol à luz [Il. 84c]. Para completar o quadro, devemos nos remeter a outro jarro peruano em que há duas serpentes, símbolos da terra e do céu noturno, onde a Górgona está pintada como uma barriga com serpentes [Il. 84b]. (A força devoradora é representada pelas bocas, através das quais são tragados os corpos luminosos, no Ocidente e no Oriente.)

Em outro vaso peruano encontramos o herói luminoso, seja lua ou sol, sendo estrangulado (?) pelas duas serpentes da Mãe-Terra [Il. 84a], da mesma forma como o herói solar devorado pela Deusa Terra mexicana com duas cabeças de serpente que correspondem ao sapo.

Enquanto a psicologia matriarcal ligada à noite-lua que predomina no Peru seria eclipsada pela cultura patriarcal inca somente em um momento posterior, verifica-se, na cultura mexicana, uma dominância patriarcal muito mais evidente e uma subcorrente matriarcal muito menos discernível.

A princípio, a vasta quantidade de deusas astecas que manifestam o Grande Feminino parece inviabilizar uma classificação destas. Apesar disso, é possível também, nesse caso, constatar a uniformidade da estrutura arquetípica subjacente, se prosseguirmos com nossa breve análise das identificações e interligações existentes entre elas.[99]

No início dos tempos, apresenta-se o pai divino, "o Senhor e a Senhora da nossa carne",[100] cuja origem e morada é o décimo terceiro e o mais elevado dos céus e "cuja origem ninguém jamais soube esclarecer". Eles são os deuses criadores primordiais,

[99] A transcrição dos nomes é feita aqui segundo Danzel, in: *Mexiko*, 3 vols.; Hagen e Darmstadt, 1922s., I, II.
[100] Tonacatecuhtli e Tonacacihuatl.

também chamados de "Senhor e Senhora dos Dois",[101] termo que se presume significar o mesmo que "senhores da dualidade geradora".[102] Ambos ocupam o primeiro lugar no calendário porque são a qualidade criadora do princípio e dos tempos primordiais, em que a parte masculina é identificada com o céu e o fogo, e a parte feminina, com a terra e a água.[103]

Os deuses primitivos dos maias, análogos a essas divindades urobóricas, eram considerados bissexuais,[104] o que também é sugerido pela designação asteca "Senhor e Senhora dos Dois". Os cognomes desse par divino supremo sugerem "que cada uma de ambas as partes contém em si a força criadora da procriação".[105] O conceito da existência de um par divino original, no céu supremo e mais distante, mescla-se com a noção de um Pai-Céu deitado sobre a Mãe-Terra, que, mais uma vez, encontramos nos mitos norte-americanos.[106] Ambos os deuses primordiais são uma "deidade suprema" urobórica e, apesar da relevância do seu significado, não possuem nenhum templo e nenhum culto específicos, além de não estarem associados a coisas específicas na natureza. Apesar do caráter transcendente, eles também são o "ouroboros alimentar".[107] O nome deles – "Senhor e Senhora da nossa carne" – significa não só os "Senhores da nossa substância vital", mas, ao mesmo tempo, os "Senhores do milho", isto é, são uma deidade tanto da gênese como da vida vegetal.

A Grande Mãe Terrível e seu filho juvenil[108] também desempenham papel proeminente no México. Chicomecoatl, a mãe do milho com as sete serpentes, é tida como divindade da mais antiga população aborígine,[109] com a qual eram identificadas a Mãe da Terra – o "Coração da Terra" –, a Mãe dos Deuses[110] e a Grande Mãe;[111] ela era a "Deméter do antigo México, a Deusa Mãe".[112]

A "Deusa Antiga", como pode ser facilmente entendido, está identificada com a deusa primitiva[113] e com a deusa da terra,[114] que também recebe o nome de "nossa ancestral e coração da terra". Ela também é a deusa da volúpia e do pecado, e ainda aquela que gera e renova a vegetação através do ato sexual. Como deusa da lua e da

---

[101] Ometecuhtli e Ometecihuatl.

[102] Danzel, *Mexiko*, loc. cit., vol. I, p. 36; Krickeberg, *Märchen...*, loc. cit., p. 3.

[103] Spence, *The Myths of Mexico and Peru*, Londres, 1927, pp. 104 e 118.

[104] Idem, p. 236.

[105] Krickeberg, *Märchen...*, loc. cit., p. 336.

[106] Spence, *The Myths...*, loc. cit., p. 119.

[107] Danzel passou a empregar esse termo.

[108] É possível que, também nesse caso, tenha existido, originalmente, uma cultura tolteca matriarcal, sobreposta pela cultura patriarcal, com a imigração do povo Nahuatlan. Encontramos uma situação semelhante a esta no antigo Egito e, possivelmente, na Índia, o que poderia esclarecer as analogias culturais.

[109] Spence, *The Myths...*, loc. cit., p. 85.

[110] Teteoinnan.

[111] Tocitzin.

[112] Spence, *The Outlines of Mythology*, Londres, 1949, p. 101.

[113] Tonacacihuatl.

[114] Tlazolteotl.

terra, ela é a deusa do Ocidente, da morte e do mundo inferior.[115] Traz consigo a caveira, e a vítima feminina do sacrifício feito em sua louvação é decapitada. Como aspecto invernal da terra letal, coloca-se em oposição à terra fecunda, associada ao Oriente e à primavera.

Ela é a deusa primitiva da matéria, cujo caráter terrível irrompe de todas as suas articulações, de seus olhos e das presas vorazes à mostra. Com seu traje de serpentes, empunha a faca mortal de sílex [Fig. 38] e tem as garras do jaguar, animal inimigo arquetípico da luz, considerado o atributo masculino negativo e companheiro do Feminino Terrível,[116] que, também como Grande Mãe, traja o manto da noite com as luas. Como símbolo das feras predadoras, o jaguar é o deus das cavernas e da terra, da escuridão devoradora e do céu noturno. Existe um mito em que a unidade de terra e céu noturno se divide, significando que a unidade original dos primórdios é diferenciada: a deusa terra é trazida para baixo, vinda do céu primordial, e desmembrada; como a Tiamat babilônica,[117] de suas duas partes são criados o céu e a terra. É precisamente em função desse desmembramento que ela passa a ser a origem de todos os víveres; contudo, como compensação pelo caráter bondoso, torna-se, então, a Mãe Terrível: "Às vezes, a deusa terra bradava durante a noite, clamando por corações humanos. Ela não se acalmava enquanto estes não lhe fossem trazidos e se recusava a dar bons frutos novamente enquanto não estivesse encharcada de sangue humano".[118] O jaguar, como poder da escuridão, é o inimigo da águia, símbolo solar, e as lutas míticas entre luz e trevas, que compõem o cerne da visão de mundo dos astecas, se manifestam como batalhas entre guerreiros-jaguares contra guerreiros-águias. Todo final de tarde, o deus sol é tragado no ocidente pela terra monstruosa, pois "a concepção da terra como monstro devorador, semelhante a um sapo, também é dominante na arte mexicana", e "a terra é o monstro insaciável que não só devora os mortos, mas também arrasta para as profundezas o sol e as estrelas".[119]

A abertura ocidental por onde desce o sol [Il. 85] também é, no México, o útero arquetípico da morte que extermina o que nasceu. Entretanto, para os astecas e os povos ligados a eles, o ocidente significa algo mais: também é o "lugar das mulheres", a pátria original onde, outrora, a humanidade nasceu a partir do buraco primitivo da

---

[115] Danzel, *Mexiko*, loc. cit., vol. I, p. 47.

[116] A natureza terrível do Feminino se apresenta sob uma de duas formas: ou a própria deusa pode se tornar o animal terrível, ou seu aspecto terrível pode se tornar o animal que a acompanha e domina. Ela é, portanto, a leoa (comp. c/ a deusa-leoa do Egito), ou pode ser entronada sobre leões, ou desloca-se em um carro puxado por esses animais. Na Índia, apresenta-se como tigresa ou tem o tigre ou uma leoa como animal de montaria [Ils. 80, 125, 128a, 129, 130, 131a]. Tal como Ártemis, é a ursa ou tem o urso associado à sua imagem como o animal que a acompanha, assim como o javali está associado ao seu lado masculino, sob a forma de porca.

[117] Vrf. adiante cap. 11, p. 209ss.

[118] Krickeberg, *Märchen...*, loc. cit., p. 5.

[119] Idem, p. 312.

terra.[120] Com efeito, antes que existissem a terra e a consciência humana, tudo estava contido no reino dos mortos, no ocidente.

Esse lugar das mulheres não é somente a infernal caverna sombria, de onde brotou a humanidade; é também "a morada de onde se descende". Aplica-se igualmente neste contexto a afirmação "Submerge, pois; eu poderia dizer: sobe!",[121] porque mundo inferior, céu noturno e inconsciente são uma só coisa: o ocidente é a "morada dos deuses primordiais, a terra natal do milho e o lar mítico original das raças".[122] Deste modo, o "templo dos víveres" e o milharal, no ocidente, estão associados ao colibri, que, como "símbolo da vegetação desperta",[123] está ligado ao herói solar.

A fusão de símbolos positivos e negativos no local de origem e sua relação com a alimentação são típicas da natureza "urobórica" inicial do homem.[124] O ocidente é, portanto, o local do mundo antes do mundo, da existência urobórica de perfeição inconsciente.[125] Somente depois de o mundo ter sido criado, depois de ter-se feito a luz, de o sol ter iniciado sua trajetória, e a partir do momento em que o princípio de oposição dos poderes antagônicos se tornou atuante,[126] isto é, depois de derrubada a árvore simbólica do lar ogirinal,[127] é que o ocidente se torna local de morte.

As almas de mulheres que, mortas na hora do parto, se tornam demônios femininos atormentados combinam em si a vida e a morte e também pertencem ao simbolismo do ocidente. Elas se penduram do céu, sob a forma de aranhas especialmente hostis aos homens;[128] como poderes demoníacos das trevas primordiais, fazem o cortejo do sol, desde o zênite até seu lugar de morte, no ocidente. São os poderes do tempo antes dos tempos, em que esse "início" significa uma era "anterior ao nascimento do sol". Como demônios femininos da aurora da era matriarcal, ainda são aquelas dos últimos dias que engolirão a humanidade quando o fim do mundo se aproximar e com isso causar o desmoronamento e a colisão do sol, da lua e das estrelas[129] e quando toda a humanidade for tragada.

A concepção de mundo do povo asteca é marcada pela crença de que a noite do infortúnio está à espreita de todo ser vivo. Além de cada uma das quatro eras do mundo terminar em uma catástrofe, o final do período referente a um calendário, que abrange cinquenta e dois anos, marca um momento sinistro, em que se aguarda o fim do

---

[120] Danzel, *Mexiko*, loc. cit., vol. I, p. 23.

[121] Johann Wolfgang Goethe, *Faust* II.

[122] Preuss, *Die Nayarit-Expedition*, vol. I: Die Religion der Cora-Indianer, Leipzig, 1912, p. XXXVIII a XLII, citado por Krickeberg, *Märchen...*, loc. cit., p. 317.

[123] Danzel, *Mexiko*, loc. cit., vol. I, p. 35.

[124] Comp. c/ Neumann, *História da Origem da Consciência*, loc. cit., índice s.v. "A Ouroboros Alimentar".

[125] Idem, p. 15.

[126] Idem, p. 106s.

[127] Comp., em especial, com *Codex Borgia, eine altmexikanische Bilderschrift*, 3 vols., org. por Eduard Seler, Berlim, 1904-1908, vol. I (de acordo com os dados fornecidos por Danzel).

[128] Seler, *Codex Borgia*, loc. cit., vol. I, p. 286, citado por Krickeberg em *Märchen...*, loc. cit., p. 338.

[129] Danzel, *Mexiko*, loc. cit., vol. I, p. 54.

mundo com medo e flagelações e em que a continuação da vida é celebrada como milagre e renascimento. Esse lapso de cinquenta e dois anos é análogo ao horário da meia-noite de um dia completo e ao solstício de inverno referente a um ano. Nessas ocasiões, todos os vasos são destruídos e todo fogo que esteja aceso é apagado.

É um "momento de julgamento", como ocorre no Ano-Novo judaico, e a passagem desse momento de perigo é celebrada com júbilo orgiástico, como se faz em diversas festas de passagem de ano em todo o mundo, e novamente acende-se o fogo etc.

Entre os astecas, a concepção consciente de mundo é "patriarcal"; o poder da divindade feminina tornou-se quase imperceptível, e o princípio masculino da luz e do sol é dominante. Entretanto, uma análise precisa, sob o ponto de vista psicológico, proporciona uma imagem inteiramente nova.

Lado a lado com o rei governa uma figura que, embora sempre personificada por um homem, leva o nome da Mãe Terra em seu aspecto terrível: é a "Mulher Serpente". Sobre ela diz-se que:

> A "mulher-serpente" era o árbitro principal das questões internas da tribo, onde os costumes civis e a exigência religiosa governavam praticamente toda ação.[130]
>
> Ao Chefe dos Homens e à Mulher-Serpente cabiam obrigações duplas, no tocante às atividades civis e religiosas: o primeiro conduzia ativamente os serviços, e a segunda supervisionava os templos, a conduta adotada nos ritos e os afazeres e assuntos do clero.[131]

Temos aqui uma constelação cujo caráter original era indiscutivelmente matriarcal e que foi sobreposta por instituições patriarcais. Da mesma forma, encontramos nas tribos norte-americanas uma situação comum, em que as anciãs, sem nenhum poder oficial, deliberam sobre questões internas da tribo, enquanto aos chefes guerreiros cabem as decisões sobre as questões externas. Isso corresponde à situação matriarcal original em que, no âmbito do grupo de mulheres e crianças, o comando deste cabe às anciãs, e a sociedade masculina, de guerreiros e caçadores, é conduzida pelo guerreiro-chefe ou, de forma democrática, pelo grupo de homens.

A análise dessa constelação asteca, em que os traços matriarcais foram eclipsados pelos patriarcais, é extremamente elucidativa para a história do desenvolvimento humano. Originalmente, os homens estavam a serviço da divindade feminina, na qualidade de guerreiros incumbidos de provê-la com sacrifícios de sangue; essa postura foi, indiscutivelmente, preservada na cultura asteca, depois que a aceitação do domínio político-social extrovertido por parte do grupo masculino já havia ocorrido e que o princípio solar patriarcal havia aparentemente substituído o princípio lunar

[130] George C. Vaillant, *The Aztecs of Mexico*, Harmondsworth, 1950, p. 122.
[131] Idem, p. 182.

matriarcal.[132] Toda a política asteca era orientada pelas guerras, realizadas com o objetivo de fazerem-se prisioneiros que seriam sacrificados, servindo ao culto da Mulher--Serpente, a qual só garantia a fertilidade depois de saciada pelos medonhos sacrifícios de sangue que lhe eram oferecidos.

A atrocidade dos ritos mexicanos, cuja intenção era não só garantir a fertilidade da terra, mas também manter a estrutura da vida solar, consciente, masculina, demonstra o terror que a consciência masculina sentia de ser novamente tragada pelo lado obscuro, feminino, noturno do inconsciente.

A forma característica de sacrifício adotada pelos astecas consistia em arrancar o coração do corpo da vítima ainda viva e oferecê-lo ao sol, a fim de garantir a chuva fecundante e, com ela, a fertilidade da terra. Em outro tipo de sacrifício, fazia-se o esfolamento da vítima; os sacerdotes, então, "in-vestiam-se" com essa pele, numa forma típica do simbolismo da transformação. Entre eles era comum outra modalidade de sacrifício, que consistia no degolamento. A morte por esquartejamento e pela decapitação são oriundas, como no Egito, de um estrato matriarcal ultrapassado, cujos vestígios ainda podem ser detectados no mito asteca e nos seus ritos, por exemplo no "circuito austral do inferno", em que ainda se praticam o degolamento e o desmembramento.

A primeira façanha do deus-herói Huitzilopochtli foi o degolamento da Deusa Irmã-Lua má. A decapitação da vítima feminina ocupa o lugar de maior destaque do festival de primavera da deusa serpente do mundo inferior[133] e no final da festa-batalha de sacrifícios é realizada uma dança com as cabeças das vítimas dos prisioneiros de batalha capturados pelos gladiadores.[134] Também no México, o ocidente, como o comprova seu simbolismo, está ligado ao inconsciente; é o "Grande Mar". E, tendo em vista que, entre os mexicanos e os índios Cora, pesquisados por Preuss, a noite e o céu noturno também representam o oceano celeste noturno[135] a lua é a serpente noturna que caminha na água,[136] e o perigo mortal do ocidente, inerente ao Feminino Terrível, é igualmente representado como perigo de inundação:

> Os índios Cora acreditam que, no ocidente do mundo, vive uma serpente poderosa, a noite concebida sob a forma de água, que a estrela matutina[137] abate quando se levanta e que a águia, o céu diurno, devora. Se isso não acontecesse o mundo seria inundado pela água.[138]

---

[132] Devemos destacar, uma vez mais, que nesse contexto o termo "matriarcal" significa uma situação psíquica, não devendo ser reduzido, sob nenhuma hipótese, a uma "condição social de domínio da mulher".

[133] Cf. adiante sobre Cinaconatl-Tlatzolteotl, p. 217.

[134] Preuss, *Die Eingeborenen Amerikas*, loc. cit., p. 49.

[135] Preuss, *Die Nayarit-Expedition*, loc. cit., p. XXVII (segundo Krickeberg, *Märchen*..., loc. cit., p. 341).

[136] Krickeberg, *Märchen*..., loc. cit., p. 360.

[137] A estrela matutina desempenha o papel do herói solar nesse contexto.

[138] Assim como no México, o sol é tragado a oeste pela terra [Il. 85]; desse modo, no Egito, a barca solar que carrega o sol, velho e moribundo, desce sobre a montanha ocidental, que, representada no signo do mar noturno e pela Hathor ocidental, simboliza a mãe noturna da morte.

No grupo simbólico do Feminino Terrível como ocidente, temos: noite, abismo, mar, profundezas aquáticas, serpente, dragão, baleia, em que todos estes símbolos estão entremeados e contaminam-se reciprocamente. A água tragadora, o útero-terra destruidor, o abismo da morte, a serpente hostil da noite e da morte, a baleia, o mar e a baleia no mar são todos aspectos do inconsciente negativo que vive no interior da terra como "água das profundezas", sob o mundo dos homens, na escuridão da noite, e que representa o perigo das águas torrenciais que ameaçam inundar o mundo.

Essa é a razão pela qual o Feminino, como a deusa maia Ixchel [Figs. 44, 45], é o letal jarro de água, a deusa da lua e das enchentes fatais.[139] O símbolo dessa deusa é o vaso emborcado do infortúnio. Além disso, sobre sua cabeça repousa a serpente mortífera; suas mãos e seus pés têm as garras afiadas de animais, e seu traje é adornado com as cruzes feitas de ossos, o emblema da morte.

Somente o herói solar da consciência, aquele que sempre triunfa sobre a serpente abissal, sabe a forma de conter a calamidade provocada pela inundação. Essa vitória do herói ocorre a leste, o ponto oriental onde nasce o sol, ou, como no México, ocorre no zênite do meio-dia,[140] o que é exatamente análogo à adoração do herói lunar como lua nova ou lua cheia.

Tendo em vista que entre os astecas domina uma psicologia de angústia de morte semelhante à do Egito, como indica a extraordinária vitalidade do arquétipo da Mãe Terrível, em ambos os lugares o arquétipo da viagem do herói pelo mundo inferior, com sua transformação e seu renascimento, é extremamente significativo.

O sacrifício de sangue e o desmembramento pertencem ao ritual de fertilidade da Grande Mãe, em que ambas as práticas servem para fecundar o útero da terra, tal como ainda ocorre em um grande número de ritos, nos quais as partes da vítima – seja ela humana ou animal – são espalhadas com solenidade pelos campos. Também pertencem a esse contexto as Tesmofórias gregas, ocasião em que os leitões, simbolizando os filhos da porca-terra, igualmente como símbolos fálicos, são atirados num poço supostamente habitado por serpentes.[141] O poço é o útero da terra; juntos, poço e serpente aqui representam novamente a fertilidade da terra. A carne putrefata dos sacrifícios era depois retirada dos poços e espalhada pelos campos como magia de fertilidade.

A necessidade de fecundar a terra feminina e de reaviventá-la através de sangue, morte e cadáveres – esta concepção perpetuamente reforçada pelo fluxo entre vida e morte na natureza – constela o Grande Feminino como terrível, esquartejador e mortífero. Por esse motivo, as Grandes Deusas são deusas da caça e da guerra, são as que regem a vida e o sangue. Esse é o motivo pelo qual a grande divindade materna asteca

---

139 Sylvanus G. Morley, *The Ancient Maya*, Palo Alto (Califórnia), 1946, p. 230s.

140 Cf. acima, p. 183.

141 Neumann, *História da Origem da Consciência*, loc. cit., p. 96.

Figura 44 – A velha deusa Ixchel destruindo o mundo através da água;
Maia, do Codex de Dresden, fl. 74.

é também a Senhora da Faca de Obsidiana, usada para o esquartejamento,[142] e que, em seu aspecto de deusa lunar, recebe o nome "faca de pedra branca".[143] Temos como correspondente a ela a faca que pertence ao companheiro masculino da Ísis Terrível,

[142] Obsidiana é lava vulcânica, de aspecto vítreo, cujas lascas têm um corte tão afiado quanto o de uma navalha.

[143] Krickeberg, *Märchen...*, loc. cit., p. 330.

Figura 45 – Ixchel; *Maia, extraído de um Códex.*

a "faca de Set",[144] a primitiva faca de sílex,[145] que é um traço característico da Ísis Terrível. Na América, a obsidiana é um instrumento de morte utilizado nas pontas de lanças, em facas para a caça e para sacrifícios, em espadas etc. A deusa-obsidiana,[146] relacionada à deusa da caça, era, originalmente, uma figura com aspecto de dragão, tendo se tornado, mais tarde, uma deusa da caça,[147] com asas de borboleta, cujas bordas eram de obsidiana. O culto à arma encantada está ligado a ela, assim como a todas as deusas primordiais da morte e da caça.

Até mesmo Tezcatlipoca, praticamente o deus mais importante do panteão asteca, é um deus da obsidiana e tem o mesmo papel sagrado da faca produzida com esse material.[148] A lua, com forma de foice, a lança e a faca são símbolos arquetípicos presentes na luta do herói juvenil contra o dragão das trevas, tema que precedeu a mitologia solar.

> A tradição mexicana revela muito claramente que a obsidiana, em função das suas propriedades originais ligadas à obtenção de alimento, passou a ser considerada a fonte de todo tipo de vida, até mesmo o próprio princípio da existência. Diz-se que a deusa criadora, Tonacacihuatl (Senhora da Nossa Subsistência), dera

[144] Neumann, *História da Origem da Consciência*, loc. cit., p. 80s.

[145] *The Book of the Dead*, loc. cit., cap. 153.

[146] Itzpapalotl, borboleta-obsidiana.

[147] Spence, *The Religion...*, loc. cit., p. 26.

[148] Idem, p. 27.

à luz uma faca de obsidiana, da qual se originaram mil e seiscentos semideuses que povoaram a terra. O milho, como aparece nas pinturas astecas, é frequentemente caracterizado com o aspecto de uma faca sacrificial de obsidiana.[149]

Spence sugeriu que a fé primitiva dos povos astecas teria sido uma "religião da obsidiana"[150] e, com bons fundamentos, deriva-a de uma fase predatória pré-agrícola. Logo, a obsidiana é uma arma vinda do céu e mágica, símbolo principal da Grande Mãe sanguinária da Antiguidade, portadora da vida e da morte que, ao mesmo tempo,[151] foi desmembrada para tornar-se depois a origem de toda forma de vida. Posteriormente, na transição da caça para a lavoura – quer isto tenha ocorrido antes ou depois da conquista do México pelos astecas –, os aspectos se modificaram. A deusa-obsidiana da caça, a borboleta-obsidiana, é descrita em um hino antigo como "uma deusa do melão-cacto",[152] e a Grande Deusa passa de deusa da caça, do sangue e da noite para a categoria de deusa terra. Seu filho, fruto da sua fertilidade, passa agora a ser o milho identificado com a faca de obsidiana – e ela se torna a deusa da fertilidade do milho. Entretanto, sua antiga natureza terrível se mantém, pois fertilidade, morte e sacrifício estão correlacionados, e o ato de arrancar do pé a espiga do milho é análogo ao de extirpar o coração da vítima sacrificada com a ajuda da faca de obsidiana.

A Grande Deusa gera a vida, o milho – que pode se manifestar como o deus milho fálico ou como o filho do milho – e também promove a morte, a faca de obsidiana. Esse duplo aspecto, em que a vida se torna morte e esta passa à vida, em que ambas dependem uma da outra, repete-se vezes seguidas no mito e no ritual astecas. Esse fato evidencia-se, em especial, no sacrifício de sangue, "que veio a se transformar em chuva, por obra de uma alquimia divina",[153] e ainda no sacrifício de todo ser vivo em geral.[154]

---

[149] Idem, p. 27.

[150] Idem, p. 25.

[151] Idem, p. 25.

[152] Idem, p. 26.

[153] Idem, p. 27.

[154] Calcula-se que eram sacrificadas de vinte a cinquenta mil pessoas anualmente. Em um único sítio arqueológico foram encontrados cento e trinta mil crânios.
A taça sacrificial utilizada para recolher o sangue das vítimas é um atributo da Mãe Terrível, em sua qualidade de vaso de morte. Ela também recebe o nome de "Mulher Águia", em função dos corações sacrificados à águia e ao sol; e a taça, que tem o sapo estampado no fundo, é a "taça da águia". O símbolo terrível da taça de sangue ainda hoje habita no inconsciente do ser humano, tanto nas fantasias e nos sonhos de pessoas sadias como de pessoas enfermas. Um assassino inglês que matava em série e agia supostamente movido por um impulso interior, e cujos crimes apresentavam-se bastante requintados conscientemente, contava um sonho recorrente em que uma "taça de sangue" lhe era oferecida e da qual ele bebia. (*The Trial of John George Haigh*, org. por Lord Dunboyne, Londres, Edimburgo, Glasgow, 1953, p. 165s). A "sede de sangue" não é somente uma figura de linguagem; está relacionada, como sabemos, às orgias canibais primitivas da humanidade e se preservou na tendência da humanidade a promover guerras.

Por toda parte, o Grande Feminino está ligado, sobretudo, à dualidade da lua e da terra; o mistério da fecundação da terra está vinculado à lua[155] e a seu desmembramento: aqui, a lua representa tanto o filho fecundador quanto o filho desmembrado.

Uma vez que o sacrifício e o desmembramento rituais representam uma transição necessária para o renascimento e a renovação da fertilidade, o aniquilamento dos deuses de luz na viagem pelo mundo inferior aparece como equivalente cósmico do nascimento do novo dia. No mito asteca da descida ao inferno,[156] o reino dos mortos é um crânio guarnecido de sangue – o centro do mundo –, o lado mortal do umbigo do mundo doador de vida.[157]

Os vasos de morte e transformação do mundo inferior [Fig. 46] têm a forma de crânios devoradores, dotados de olhos e com os dentes à mostra. No México, a região austral da decapitação e do desmembramento corresponde ao mundo terrível dos portões subterrâneos egípcios. No centro, há uma medonha figura com duas facas de obsidiana no lugar da cabeça, e de todas as articulações projetam-se facas vorazes e mortíferas [Fig. 33]; seu território é cercado por grades que consistem em facas enfileiradas.

A Grande Mãe, também como deusa da morte [Fig. 38], carrega a faca de obsidiana, e o jovem deus lua, Xipe Totek, com uma máscara feita com tais facas, está relacionado àquela e participa de seu ritual, em que o filho juvenil é esquartejado ou castrado. Este é o típico autossacrifício da lua que conduz ao renascimento.

Se agora procuramos de novo apresentar a correlação entre o culto à Grande Mãe e o sacrifício do seu filho adolescente – que é, ao mesmo tempo, seu amante e aquele que a fecunda –, fazemo-lo aqui, à luz do material proveniente da civilização asteca, porque o mais antigo ritual matriarcal da Deusa Terrível, apesar de encoberto por elementos patriarcais, ainda se mostra ali claramente reconhecível. Alguns consideram que o sacrifício do Masculino – do filho – pela mãe era, nos tempos remotos, precedido por um sacrifício da filha, ou, pelo menos, ambos ocorriam simultaneamente.[158]

Há relatos fatuais do sacrifício de mulheres e meninas, isto é, de deusas, pois, no México, as vítimas sacrificiais sempre guardavam uma identidade com os deuses.

A humanidade primeva era incitada pelos "deuses" a promover sacrifícios de sangue. A humanidade atual é coagida a fazer guerras e a saciar sua sede de sangue por fatores suprapessoais, que tende a projetar em demônios da economia como o "capitalismo" e o "bolchevismo". Em ambos os casos, ela se julga sempre "inocente". No mesmo sentido, Haigh, o assassino de massa, escreve sobre si: "Eu não sentia nenhum remorso pelo homicídio que cometera, pois sabia que eu era guiado por um poder superior... por uma entidade elevada que era exterior a mim e que me dominava... Eu vivia em dois mundos, que eram igualmente reais, mas que nada tinham em comum um com o outro. Os crimes sempre foram cometidos pela minha mão, mas aquela parte do meu cérebro que guiava a minha mão não os havia planejado". Raras vezes a pavorosa sede de sangue do inconsciente formulou-se de maneira tão clara como ocorreu na estrutura patológica desse homem atual.

[155] Neumann, *Über den Mond...*, loc. cit.

[156] Danzel, *Mexiko*, loc. cit., vol. I.

[157] Cf. cap. 9, p. 127.

[158] Comp. c/ Lord Raglan, *Jocastas Crime*, Londres, 1940.

Figura 46 – O mundo-recipiente inferior, vaso da morte e da transformação; *asteca, do* Codex Borgia, *fl. 29.*

Entretanto, mesmo o sacrifício de um guerreiro, que aparece em primeiro plano no ritual asteca, não significa, necessariamente, que esteja sendo sacrificado o princípio masculino. Sabemos, por exemplo, que a execução de prisioneiros com flechas está relacionada, no culto de Xipe – o deus esfolado –, a uma união sexual simbólica com a terra.[159] Acasalar-se e matar são a mesma coisa, e a morte representa fecundação, e vice-versa.

Sobre a identificação de Xipe (cuja natureza lunar e "ocidental" já apontamos anteriormente) com o Feminino, Preuss declara:

---

159 Krickeberg, *Märchen...*, loc. cit., p. 343.

> Xipe é o paralelo masculino da deusa terra e lua, da mãe dos deuses ou das deusas da sensualidade, que também personifica os alimentos, tanto o pé de milho como o próprio milho. No presente caso, Xipe assume o lugar da deusa da lua e da terra como representante da terra, o que se evidencia principalmente pelo fato de que veste uma saia curta, feita de folhas de sapotizeiro, e de que ela está ligada a um orifício no centro da pedra redonda, e esse buraco representa o centro e a entrada, em vários sentidos e também sob um prisma sexual.[160]

A identificação do deus Xipe masculino com a Deusa Terra se repete, de forma distinta, nas festas da derrubada e da colheita que celebram a mesma Mãe Terra. A vítima é uma jovem que será degolada, pois desempenha o papel de deusa da terra; seu sangue, derramado sobre os frutos e as sementes, afiançará sua mágica multiplicação. Os ritos desse festival, com danças e combates simulados, exibem óbvias analogias com os ritos nupciais.[161] É evidente que o casamento da mãe com o filho serve de fundamento para a festa e esclarece seus traços característicos, não compreendidos até então.

> Em determinadas fases, o ato sexual e o parto são simbolizados por portadores de fatos e pelas pernas bem abertas da deusa diante da imagem de Huitzilopochtli. É o nascimento do milho, representado por esses estranhos ritos.[162]

Os elementos essenciais desse ritual de fertilidade consistem no degolamento da jovem como deusa do milho, no sacrifício fecundante de seu sangue, no esfolamento de seu corpo e no ato de vestir a pele escalpelada da vítima no filho-deus-sacerdote.[163] A dúvida de Frazer mostra-se natural, portanto:

> Assim como uma mulher desempenhou a morte divina, seria de esperar que uma outra mulher atuasse a ressurreição divina.[164]

A explicação para isso constitui o núcleo do mistério da transformação; a morte da mãe do milho e da terra leva ao nascimento do "milho, seu filho".[165] O "milho filho" revestido com a pele da Mãe Terra sacrificada é a imagem da gravidez viva dessa mãe, pela qual o *Feminino é transformado em Masculino*, o que se consolida a partir do sangue do Feminino sacrificado. Esse sangue da transformação é fortalecido pelo

[160] Preuss, *Die Eigeborenen Amerikas*, loc. cit., p. 44.
[161] Sir James George Frazer, *Der Goldene Zweig*, ed. resumida, Leipzig, 1928, p. 844, e, do mesmo autor, *The Worship of Nature*, Nova York, 1926, p. 434s.
[162] Danzel, *Mexiko*, loc. cit., vol. I, p. 44.
[163] Centeotl. Vf. Spence, *The Religion...*, loc. cit., p. 65s.
[164] Frazer, *The Worship...*, loc. cit., p. 440.
[165] Vf. adiante cap. 14, p. 279ss.

sacrifício. O fato de o filho-deus-milho[166] usar uma máscara feita com a pele tirada das coxas da vítima significa uma repetição do mesmo simbolismo da transformação e do nascimento e renascimento.

A identidade de mãe e filho nesse mistério de fertilidade da transformação é intensificada pelo fato de que, antes de ser sacrificada, a jovem que representa a deusa do milho veste um traje de aloés, característico do "milho filho".[167]

O *sacrifício gladiatório* faz parte da cerimônia principal da festa de esfolamento. É uma luta entre um prisioneiro escolhido previamente e equipado com uma arma fictícia e um guerreiro munido de armas verdadeiras, o que, naturalmente, termina com a morte e o sacrifício do primeiro.

Na batalha mortal dos prisioneiros, que é o enredo do *sacrifício gladiatório*, aqueles posicionam-se sobre uma grande pedra circular com aproximadamente três metros de diâmetro. São amarrados com uma corda, "a correia dos víveres", que parte do furo central da pedra, o qual "representa o centro e o acesso para o interior da terra, também sob um prisma sexual", e que, com isso, denota claramente sua natureza de cordão umbilical.[168] O prisioneiro debilitado, ou apenas incapaz de lutar, é morto em posição que Danzel descreve como postura de concepção e que pode, igualmente, ser caracterizada como posição de parto.

Nesse contexto, deve-se mencionar que, da mulher que deu à luz uma criança, diz-se que ela "fez um prisioneiro", e que a mulher que morre durante o parto é designada como "prisioneira sacrificada". Para a compreensão do ritual é importante notar que uma deusa dos antigos Chichimecas,[169] "a deusa que morreu durante o parto", é conhecida como a "antiga heroína" e como a "deusa sacrificada".[170] A ela estão associados os demônios femininos do Ocidente, já conhecidos por nós como as almas das mulheres que morrem durante o parto.

O prisioneiro morto é, ao mesmo tempo, masculino e feminino, mãe e filho, terra e deus da luz, solo e milho. É o princípio feminino moribundo e o princípio masculino renovado, representado pelo coração e simbolicamente idêntico ao sol e à espiga de milho. A prática sacrificial comum aos astecas, em que se arranca o coração – a pedra preciosa, o fruto da águia – do peito da vítima, para, a seguir, ofertá-lo ao sol de braços erguidos, corresponde a "arrancar [do pé] a espiga de milho". O sol, como fruto do céu diurno, como "príncipe de turquesa" e como "águia ascendente", é alimentado pelo sangue daqueles corações que foram sacrificados. A existência do mundo depende do seu voo ascendente.

---

[166] Centeotl.

[167] Frazer, *The Worship...*, loc. cit., p. 435; Spence, *The Myths...*, loc. cit., p. 90.

[168] Danzel, *Mexiko*, loc. cit., vol. I, prancha XII.

[169] Itzpapalotl.

[170] Danzel, *Mexiko*, loc. cit., vol. I, p. 54.

O milho é um símbolo fálico de fertilidade;[171] o milho e o deus-milho correspondem ao deus-grão-de-trigo da cultura europeia ocidental. O fato de arrancar e erguer o coração é um subsídio mágico tanto para o sol nascente como para o crescimento do milho; é preciso ampará-lo em sua subida, pois a germinação exige a magia do "elevar" e do "brotar".

Encontramos uma última confirmação da relação entre o deus-sol, como amante adolescente, e a Grande Mãe, na figura de Xochipilli-Centeotl. Xochipilli é o deus-adolescente da vida, da manhã, da procriação e dos víveres; é tipicamente um deus do amor, do sol e da vegetação. É representado sob um aspecto fálico[172] como o deus que se posta entre a noite e o dia, levando como símbolo um báculo com corações nele espetados, semelhante ao juvenil Eros-Amor; é também a borboleta e o "príncipe das flores".

Tal como no Egito, o sol matutino juvenil pertence ao céu noturno maternal; e, como príncipe das flores, refere-se à Mãe Terra, da mesma forma que os jovens amantes fálicos da mitologia europeia e asiática.[173] Ele é, pois, o amante da Madona asteca,[174] que, por sua vez, também o leva em seus braços como filho.

Xochiquetzal, a virgem da lua, é a deusa dos prazeres do amor e dos pecados, das diversões, das danças, das canções, da arte, da fiação e da tecelagem. É a deusa da união conjugal, bem como a padroeira das meretrizes.

A identidade da virgem com a mãe urobórica primordial aponta, novamente, para a figura da Grande Mãe original considerada virgem. De acordo com essa identidade arquetípica, ela também é considerada a "primeira mulher a ter gêmeos";[175] assim, é a mãe primordial do princípio dos opostos de vida e morte, morte e ressurreição, tais como foram todas as figuras das mães primordiais da humanidade.[176]

O casamento arquetípico da Grande Mãe com o filho que surge como deus da luz, do milho e das flores também é celebrado no México; aqui, novamente, uma filha deusa rejuvenescida aparece ao lado da divindade materna terrível, à qual é idêntica.[177] Esse é o motivo pelo qual Xochiquetzal, a jovem deusa-lua virgem do amor e das prostitutas, é frequentemente "comparada",[178] e "de forma bem clara", com a deusa urobórica dos primórdios.[179] Spence considera, com razão,[180] que a deusa do milho[181] estaria na mesma relação com a mãe-milho[182] que Core-Perséfone com Deméter. Da

[171] Comp. c/ Fuhrmann, *Mexiko*, loc. cit., vol. III, ilustr. 65.
[172] Danzel, *Mexiko*, loc. cit., vol. I, prancha X.
[173] Neumann, *História da Origem da Consciência*, loc. cit., p. 64s.
[174] Xochiquetzal (pássaro das flores).
[175] Danzel, *Mexiko*, loc. cit., vol. I, p. 49.
[176] Comp. c/ Neumann, *História da Origem da Consciência*, loc. cit., p. 117ss.
[177] V. adiante, p. 204s.
[178] Xochiquetzal.
[179] Tonacacihuatl. Comp. Danzel, *Mexiko*, loc. cit., vol. I, p. 49.
[180] Spence, *The Myths...*, loc. cit., p. 69.
[181] Tlazolteotl.
[182] Chicomecoatl.

mesma forma que os deuses masculinos, as divindades femininas são todas "variações sobre um mesmo tema".

A biunidade mãe-filha do Grande Feminino pode ser comprovada já em períodos muito remotos. Das imagens pré-astecas em argila, diz-se:

> Elas eram geralmente femininas e, possivelmente, representavam uma deusa mãe, simbolizando o crescimento e a fertilidade – uma concepção comum às ideias religiosas da humanidade.[183]

e também

> Por trás dessas estatuetas deve ter existido uma austera concepção dos complexos ritmos do nascimento, do crescimento e da morte na natureza, condensada no milagre de a mulher gerar filhos.[184]

Além desse, existe outro grupo de imagens sobre o qual escreve Vaillant:

> "Essas estatuetas, em contraste com a postura matronal das imagens locais, são dotadas da graça juvenil da mulher.[185]

Essa é, sem dúvida, a jovem deusa Xochiquetzal, cujo filho-amante Xochipilli é o mesmo jovem deus do milho, Centeotl. É por isso que Xochipilli se manifesta sob a forma do deus do milho no festival dedicado a Centeotl.[186]

Encontramos mais uma constatação da relação do jovem deus do milho com sua mãe na festa do equinócio de primavera, em que o jovem Xochipilli-Centeotl é o adversário da terrível Deusa Terra do solstício de inverno, no jogo de bola sagrado.[187]

O sentido dessa festa é cósmico, o triunfo do jovem deus do poder primaveril ascendente sobre o aspecto velho da Mãe Terra. Esse significado cósmico está ligado à fertilidade, pois o crescimento do grão e a consciência, a luz e o sol são dimensões arquetipicamente correlacionadas.

O objetivo do jogo era dirigir a bola, mediante manobras complicadas, através de um anel de pedra, o que Danzel corretamente relaciona com o ato sexual.

> Uma indicação disso é o clamor dos espectadores que chamavam o jogador que obtivesse êxito em seu arremesso de "o grande adúltero". A julgar por isso, o jogo de bola teve, originalmente, a conotação parcial de um rito de fertilidade.[188]

---

[183] Vaillant, loc. cit., p. 50.

[184] Idem, p. 51.

[185] Idem, p. 52.

[186] Danzel, *Mexiko*, loc. cit., vol. I, prancha XXII.

[187] Cihuacoatl-Ilamatecuhtli. Vrf. Danzel, *Mexiko*, loc. cit., vol. I, pp. 32, 55.

[188] Idem, p. 32.

Essa interpretação é corroborada pelo fato de que o anel era chamado de "fonte" que vertia água.[189] A união de filho e mãe leva à fluida fertilidade do útero materno, da fonte, que é, ao mesmo tempo, símbolo urobórico e bissexual do ato criador. A água, fluente e fecundante, é, por um lado, masculina, mas a fonte como um todo é símbolo uterino da terra feminina prenhe que dá vida a riachos e rios.[190]

No incesto com a mãe, o herói concebe a si mesmo.[191] Mas, uma vez que o filho -amante sucumbe à Grande Mãe no "incesto matriarcal",[192] é profetizada uma morte prematura para o "grande adúltero", o triunfante "varão de sua mãe".

A mitologia asteca se distingue dos mitos originários do Velho Mundo, a respeito do princípio masculino moribundo,[193] em um aspecto importante: não só o jovem e fálico "Adônis-filho" é assassinado pela Grande Mãe Terrível, mas também a forma adulta de toda masculinidade por ele alcançada, como guerreiro, é morta por ela.

É compreensível, portanto, que o guerreiro sacrificado sobre a pedra circular também seja considerado Huitzilopochtli.[194] Seu símbolo é o colibri, "o símbolo da renovação da vegetação do início da estação das chuvas".[195] Como espírito da vegetação portador da fertilidade, o deus exibe uma pata desse colibri, relacionada com o pé de milho no Ocidente, o âmbito da Grande Mãe.[196] Ele é um deus do sol e da guerra; foi gerado pela mãe-virgem, que o concebeu a partir de uma peteca vinda do céu, o que consiste em uma variante do motivo do "nascimento sobrenatural" ou da concepção através do falo do sol como origem do vento.[197] Sua imagem, porquanto filho da mãe cujo manto é serpentiforme, está cercada de serpentes; seu cetro é uma serpente, e seu tambor, recoberto com o couro desse mesmo ofídio.[198] Tal como no motivo do falo do sol, repete-se na figura de Huitzilopochtli a união de sol, serpente e vento; ele é o símbolo do aspecto generativo luminoso, que também constitui o elemento dominante de outro deus heroico dos astecas, Quetzalcoatl, a serpente alada.[199]

Como deus da guerra, Huitzilopochtli foi também o fecundador, pois a realização de guerras significava a captura de prisioneiros, cujo sangue do sacrifício era vital para a fecundidade dos deuses e do mundo. Em uma de suas celebrações, uma de suas imagens era feita de massa para comer, umedecida com o sangue de crianças sacrificadas, e depois atravessada por uma flecha, como sinal de sua morte até a data

---

[189] Idem, p. 32.
[190] Comp. cap. 4, p. 60.
[191] Comp. c/ Neumann, *História da Origem da Consciência*, loc. cit., índice s.v. "Incesto Urobórico".
[192] Idem, s.v. "Incesto Matriarcal".
[193] Idem, p. 61.
[194] Spence, *The Myths*..., loc. cit., p. 73.
[195] Danzel, *Mexiko*, loc. cit., vol. I, p. 35.
[196] Idem, pranchas XXV, LIII.
[197] Cf. Parte I, p. 29.
[198] Spence, *The Myths*..., loc. cit., p. 73s.
[199] Veja, adiante, figura 48, p. 202s.

de sua ressurreição, no ano seguinte.[200] O ritmo sagrado de cinquenta e dois anos dos astecas e o novo fogo que era aceso em meio a solenidades estavam igualmente ligados ao trespassar da sua imagem em massa e à degustação sacramental desta.[201] A existência sagrada de Huitzilopochtli era simbolicamente equivalente à essência vital do fogo-sol-sangue-grão, pois ele não era somente o fecundador, mas também, como deus do milho, era morto, sacrificado,[202] comido e novamente ressuscitado. Também ele, como todos os outros deuses da luz, deve se "converter em ossos", isto é, morrer.[203]

A concomitância de um simbolismo de ênfase masculina com outro de caráter feminino – pois, mesmo quando o masculino se refere, de fato, ao sexo masculino, está identificado com o Feminino através do simbolismo do sacrifício – mostra-se mais evidente no deus do grão, em cujo rito o ato de extirpar o coração é idêntico ao de arrancar a espiga de milho. Existe, de fato, uma analogia entre a extirpação do coração e o nascimento, como se pode depreender claramente de uma ilustração do *Codex Borgia* [Fig. 47]:[204] No quadrado de baixo, representando a região oriental do mundo inferior, encontra-se uma divindade negra, sentada com as pernas abertas, e, sem dúvida, como atestam a sua cor e as estrelas sobre ela, trata-se da deusa da noite,[205] idêntica à deusa terra.

Não só seu corpo é repleto de luminares, sol ou lua, mas também seus tornozelos, joelhos, punhos e ombros são pontos de luz por onde os sacerdotes extirpam o coração com uma faca.

A abertura da extremidade inferior ventre-luminar central representa o ato de parir, e a cabeça de animal no centro, com a boca aberta, representa o útero.[206]

A parte superior da ilustração dupla também se torna compreensível, então: uma mandala circundada por doze deusas – provavelmente divindades da terra –, adornadas com símbolos lunares. O centro da ilustração representa a descida da lua clara e escura (ou sol e lua)[207] para dentro da garganta dentada da terra, onde se realiza a cena

---

[200] Spence, *The Myths...*, loc. cit., p. 73s.

[201] Danzel, *Mexiko*, loc. cit., vol. I, p. 36.

[202] O fato de ele ser designado como "lebre do aloés" [Spence, *The Myths...*, loc. cit., p. 74] indica o significado de ser sacrificado, pois a lebre é símbolo arquetípico do autossacrifício. [Layard, *The Lady...*, loc. cit.]

[203] Krickeberg, *Märchen...*, loc. cit., p. 311s.

[204] Danzel, *Mexiko*, loc. cit., vol. I, prancha LXIII.

[205] A partir das correlações simbólicas apresentadas, é compreensível sua identificação também com a noite-sol, de caráter próximo do Masculino, que nela se ocultou à noite, isto é, que a ela retornou.

[206] Nossa interpretação se confirma pela existência da cena de um parto abaixo da deusa negra representando a deusa terra ornamentada com o crânio dos mortos, dando à luz o sol, a taça preciosa, sobre o mar do Oriente.

[207] Danzel, *Mexiko*, loc. cit., vol. I, texto ref. prancha LXIII.

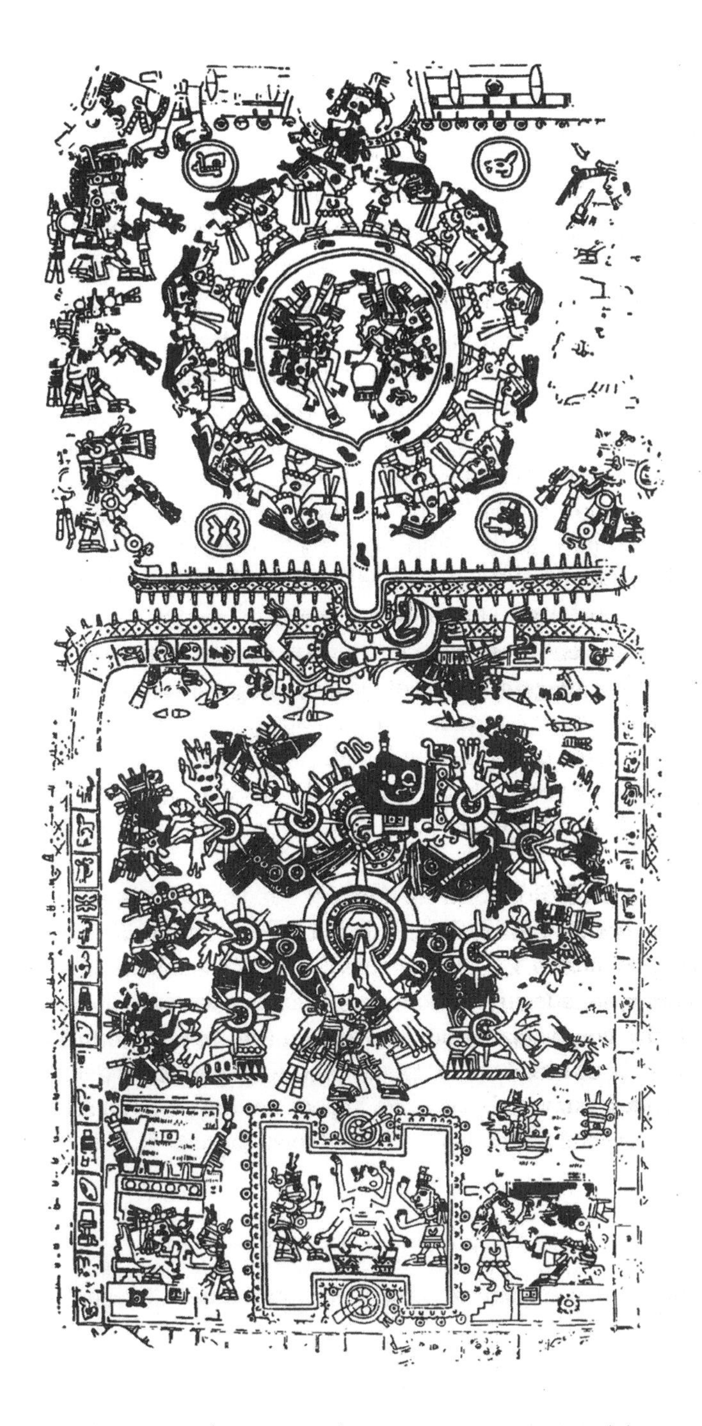

Figura 47 – O caminho através da garganta da terra até a região oriental do mundo inferior; *asteca, folha danificada do* Codex Borgia, *fls. 39, 40.*

do sacrifício-nascimento. É evidente que se trata do devoramento, do sacrifício e do renascimento do herói da luz.[208]

O fato de todos os heróis de luz se encontrarem sob o incessante domínio do poder de regeneração do Grande e Terrível Feminino constela o conflito entre o mundo da Mãe Terrível – que sempre está à espreita num segundo plano – e a consciência patriarcal dos astecas. Esses dois mundos se entrechocam e se fundem continuamente. A máxima distinção existente entre os guerreiros astecas era a de fazer prisioneiros para serem sacrificados ou a de eles mesmos se suicidarem quando eram aprisionados. Existe, porém, uma identidade entre "fazer um prisioneiro", "gerar uma criança", ser "sacrificado como prisioneiro" e "morrer durante o parto".

Devemos, assim, nos questionar se o peculiar estilo de expressar a vida feminina foi adotado a partir do ritual de sacrifício que cabia aos homens, ou se esse ritual masculino de sacrifício é que imita a situação básica da vida feminina.

A relação arquetípica entre morte e nascimento se consolida pela conexão simbólica com a perda e o sacrifício, na qual a vida e a fecundidade estão relacionadas com o sacrifício do falo, a castração e o sangue.[209] O guerreiro envolvido com o Feminino, na qualidade de seu filho e parcialmente idêntico àquele, representa também o princípio heroico masculino e sua regeneração. Da mesma forma como o feminino era, originalmente, bélico e capaz de gerar – a "velha heroína" amazona –, assim o é agora o Masculino, belicoso e fecundante. Todo homem que nasce é um guerreiro e, como tal, é sempre vítima. E tal qual a mulher que, ao dar à luz, "faz um prisioneiro", isto é, dá à luz uma futura vítima de sacrifício, o captor de prisioneiros igualmente não é só sua "mãe" – pois o ato de gerar e de fazer um prisioneiro são a mesma coisa –, mas dele também se diz que é o pai de sua vítima.

Por fim, quando a carne do prisioneiro imolado é consumida ritualmente, o captor e proprietário do prisioneiro não pode comer da carne do próprio cativo.

"Ele diz: 'Deveria então comer a mim mesmo?', pois quando ele o captura diz: 'É como se fosse meu filho'. E o prisioneiro diz: 'Este é o meu pai'."[210]

---

[208] Na figura do *Cod. Borgia 44* (Comp. c/ Danzel, *Mexiko*, loc. cit., vol. I, texto ref. à prancha LXIII), que representa a região do sul, existe um deus com a lua no corpo e, à sua volta, há quatro animais destruidores: um morcego, um jaguar, a ave quetzal e uma águia. Temos aqui, porém, o vaso-lua com sua abertura voltada para cima, sendo que para ela e para o deus será trazido um coração, para seu alimento, a fim de que a lua possa se renovar.

[209] Encontramos uma correspondência desse relacionamento na psicologia da criança e dos psicóticos modernos, no sentido de que, por exemplo, a defecação é experimentada inconscientemente tanto como nascimento quanto como perda ou castração. O fundamento dessa situação arquetípica é a coesão de uma totalidade híbrida, ainda urobórica, em que a região anal pode ser experimentada como zona de parto ou como região da concepção. Comp. c/ Neumann, *História da Origem da Consciência*, loc. cit., p. 25ss e p. 291.

[210] Preuss, *Die Eingeborenen...*, loc. cit., p. 46.

De acordo com o mesmo texto, o captor é chamado de "sol", "cor branca" e "penas"[211]

> porque ele é como alguém pintado de branco e enfeitado com penas (adorno igual ao daquele que será sacrificado). As penas foram coladas no captor em virtude de este ainda não ter morrido em combate; mas talvez ele morra mais tarde por esse motivo e assim se redima da sua culpa (seja sacrificado). É por isso que seus parentes o cumprimentam chorosos e o encorajam.[212]

O prisioneiro moribundo é, portanto, o princípio feminino gerador da terra, a mulher agonizante durante o parto; ao morrer, ele gera seu coração, o sol. O guerreiro é o sol, na qualidade de captor assassino; é o pai do filho que, ao morrer, gera o princípio coração-sol, para, assim, revigorar o sol dos pais.

O ato de arrancar a espiga de milho, o coração, significa castração, mutilação e sacrifício como forma de renúncia da parte essencialmente masculina; ao mesmo tempo, é nascimento e ato doador de vida em benefício do mundo e da humanidade. Significa a morte e o declínio do princípio telúrico, mas, através da filiação transpessoal em relação aos deuses e poderes, com os quais se identifica como sol e divindade, esse princípio telúrico é uroboricamente inteiro e imortal e "vive" na terra do sol, o mundo luminoso do Oriente.

O apogeu dessa evolução se manifesta – como em Malekula e no Egito – na fórmula sagrada "Eu e o Pai somos Um", em que o indivíduo se emancipa do domínio do Grande Feminino.

O avanço da consciência masculina e da autonomia do princípio espírito-sol requer o "assassinato simbólico" da Grande Mãe e o apoio do pai celestial para o princípio filial, que se tornou independente da Mãe Terra.

Sempre que a viagem noturna pelo mar em perseguição do sol for empreendida pelos deuses ou pela alma humana, ela significa esse desenvolvimento rumo à independência relativa de um ego dotado de atributos tais como o livre-arbítrio. Essa tendência, que encontramos no mundo antigo e em Malekula, também se verifica no México dos astecas.

Ela atinge sua forma suprema no mito de Quetzalcoatl, a figura do herói para os mexicanos. Ele não é o herói que triunfa sobre o mundo exterior e o transforma; ao contrário, é o que, pela penitência, promove a autotransformação.

Ele é o deus agonizante e ressuscitado, mas também o rei herói e o promotor da cultura, o representante terreno e divino do princípio da luz e dos seres humanos.

---

[211] Estes símbolos estão claramente ligados aos simbolismos da luz (sol) e do vento-espírito, aos quais sempre estão associadas as aves e as penas. O fato, porém, de a cor branca simbolizar a noite ou o crepúsculo para os astecas significa alusão ao sol poente (Krickeberg, "Das Mittelamerikanische Ballspiel und seine religiöse Symbolik", in: *Paideuma*, Frankfurt a.M., X, 1948).

[212] Preuss, *Die Eingeborenen*..., loc. cit., p. 46.

Figura 48 – A união de Quetzalcoatl com Mictlantecuhtli, o Deus da Morte; *asteca, do* Codex Vaticanus, *3773, fl. 75.*

Une, em sua natureza dupla [Fig. 48], o aspecto ocidental letal e o aspecto oriental: como estrela vespertina e como estrela matutina. Nesta última acepção, é símbolo positivo do poder ascendente, relacionado ao aspecto masculino-espiritual do céu e do sol. Por essa razão, está ligado ao símbolo do Oriente, da serpente alada, isto é, ao aspecto vento-espírito; assim, também é o deus do conhecimento, e um de seus atributos é a torre espiral ascendente.[213]

A águia, o céu de luz, devora a serpente da noite. O fogo luminoso da consciência triunfa sobre as águas do inconsciente, e, como se diz entre os índios Cora, a "águia que surge nua e pequena à noite no centro do mundo", "quando se ateia o fogo no mato", derrota os velhos enquanto dormem, posto que está desperta.

"Depois disso nasceu sua plumagem", e ela alçou voo dali, indo diretamente para o céu.

---

[213] Vaillant, loc. cit., p. 170; Levy, loc. cit., p. 184s.

> Ela se elevou e se colocou no meio do céu. Ela então lá se instalou, se curvou e olhou para baixo. Suas patas eram de uma bela cor amarela, enquanto lá estava... O seu contorno era iluminado, e formoso é o amarelo de seu bico; seus olhos cintilavam de uma forma magnífica. Lá ela permaneceu e contemplou, iluminada, o seu mundo.[214]

O significado cósmico da identidade de Quetzalcoatl com a estrela matutina é complexo; ele também é o deus do vento e, como divindade filial, diferencia os antepassados.[215] O mesmo deus reúne em si um significado lunar, solar e astral. Ele não é uma entidade abstrata, mas sim um arquétipo cuja figura só pode ser sugerida por intermédio de vasta gama de símbolos. É o deus do vento fecundante, mas também o rei da fertilidade do antigo ritual, que deve morrer para fertilizar o mundo com seu sacrifício. É o portador da cultura e o herói, mas também o penitente que transforma a si próprio.

O nome "Quetzalcoatl" combina *quetzalli*, "pena da cauda", e *coatl*, "serpente". Ele é a serpente alada e também encerra o significado de serpente com cabeça ereta;[216] de qualquer forma, é um deus do vento e da chuva, portador da fertilidade. É "símbolo unificador",[217] porquanto filho das divindades primordiais céu e terra, que combina o caráter inferior de serpente com o superior, de ave. Pertence ao grupo das divindades duplas, como Xolotl, cujas imagens[218] o exibem costa com costa como deus da morte, ou seja, em uma união de vida e morte, típica dos deuses da transformação, da lua e da vegetação.

Assim, no mito, Quetzalcoatl também representa Xolotl Nanauatzin, que ateia fogo ao corpo como forma de penitência e cujo coração se transforma na estrela da manhã prestes a nascer [Fig. 49].[219]

Além disso, seu mito bastante singular mostra-o ainda como um deus enganado, vencido e fugitivo, cuja queda está ligada à perda do paraíso, antiga "era do ouro"[220] dos primórdios da civilização tolteca. Quetzalcoatl é derrotado por forças elementares demoníacas auxiliadas por um antideus que desempenha o papel de Set, o irmão hostil de Ísis.

O pecado cometido por ele, que ainda hoje é imputado pelos índios Cora ao deus da estrela matutina,[221] pecado que levou à destruição do paraíso e à sua própria queda, consistiu em excessos cometidos na degustação de bebidas inebriantes e no gozo do

---

214 Preuss, *Die Nayarit-Expedition*, loc. cit., p. 193s. (segundo Preuss, *Die Eingeborenen*..., loc. cit., p. 42).
215 Danzel, *Mexiko*, loc. cit., vol. I, p. 39.
216 Idem, p. 37.
217 Jung, *Psychologische Typen*, loc. cit., s.v. "Vereinigendes Symbol".
218 Danzel, *Mexiko*, loc. cit., vol. I, pranchas XVIII e II.
219 Idem, pranchas LV, LVI.
220 Krickeberg, *Märchen*, loc. cit., p. 41.
221 Idem, p. 337s, com uma referência a Preuss.

Figura 49 – O coração de Quetzalcoatl transformado em estrela matutina; *asteca, do* Codex Borgia, *fl. 30.*

sexo. Seduzido pela bebida, o deus é possuído por um incontrolável anseio de morte, ao qual finalmente se entrega, desaparecendo no mar levado por uma jangada formada por uma serpente marinha.

É o pecado do filho-amante, incapaz de resistir à sedutora que o fascina e arrasta, num incesto urobórico, para o torpor autodestrutivo da embriaguez.[222]

O modo como Quetzalcoatl foi derrotado pelo poder demoníaco terrível da Grande Mãe é descrito em um lindo conto,[223] que conservou grande quantidade

[222] Neumann, *História da Origem da Consciência*, loc. cit., p. 298.
[223] Krickeberg, *Märchen*, loc. cit., p. 65.

de seus traços primordiais, apesar das modificações históricas pelas quais passou mais tarde.

Quetzalcoatl e sua irmã, que os demônios levam até ele, são embriagados. Entretanto, os verdadeiros antecedentes do delito cometido – cuja plena implicação permaneceria, de outro modo, incompreensível – são esclarecidos por uma história segundo a qual os demônios teriam levado até ele uma "prostituta" chamada Xochiquetzal.[224] Essa prostituta é a própria deusa do amor e das meretrizes, idêntica à Grande Mãe, e Quetzalcoatl, seduzido por ela, torna-se Xochipilli, o príncipe das flores, isto é, através da sedução exercida pela Deusa Mãe ele regride ao estado de seu filho-amante.

Antes do pecado, os demônios sedutores entoam o lamento por Quetzalcoatl:

> Minha casa é feita das penas de *Quetzal*,
> Das penas douradas da Trupial,
> E de conchas vermelhas,
> E de onde agora eu devo partir
> – é o que se diz. Pobre, coitado de mim.

e

> Minha irmã mais velha, Quetzalpetlatl,
> Onde é tua morada?
> Deixa que agora nos embriaguemos.
> Dor, dor, dor.

Depois de ter cometido o delito, Quetzalcoatl entoa o lamento por si mesmo, no qual revela as circunstâncias antecedentes de seu crime:

> Ele compôs um lamento, um canto fúnebre,
> Acerca de sua partida, e cantou:
> Ela me leva comigo, como se fosse seu filho,
> Ela, Nossa Mãe, a deusa com seu manto de serpentes. Eu choro.

Os outros cantam para assinalar que o paraíso, cujo símbolo é a árvore de iúca, foi perdido:

> O iúca está partido,
> Deixai-nos vê-lo
> Permiti que choremos por ele.[225]

---

[224] Idem, p. 342.

[225] As quatro canções de lamento foram extraídas de Krickeberg, *Märchen*..., loc. cit., pp. 66-8. Depois de longa jornada de penitência, Quetzalcoatl deixa a pátria, retira-se para o estrangeiro e se isola. Ele

Nem mesmo Quetzalcoatl, em quem, além das qualidades de lua e estrela, também a qualidade de sol se mostra tão pronunciada que ele quase chegou a ser o supremo deus uno dos astecas, nem mesmo ele pôde se haver com o poder da Grande Mãe Terrível.

O Feminino mostrou-se mais forte que o Masculino como terra de origem, mãe, e também como irmã-amante, responsável pela embriaguez. Na verdade, o Feminino surge igualmente aqui em forma dupla; entretanto, como a figura de transformação da irmã ainda não se diferenciou da figura da mãe elementar, o Feminino torna-se a Mãe Terrível, sinistra e fatídica.

---

consegue, finalmente, superar a ruína com o ato heroico do próprio sacrifício, surgindo então no céu, convertido em estrela matutina. Não podemos nos ocupar aqui dos detalhes de como se deu o fato de que Quetzalcoatl reuniu em si não só as qualidades de lua e estrela, mas também de sol, tendo se tornado, praticamente, o deus uno supremo dos astecas.

B

O CARÁTER DA TRANSFORMAÇÃO

Capítulo Onze

O GRANDE CÍRCULO

Enquanto no caráter elementar o destaque é dado, quase por completo, ao Grande Feminino em si, de quem o indivíduo é meramente dependente, ocorre um deslocamento do centro de gravidade quando se chega ao caráter de transformação. Agora temos, em primeiro plano, aquele que é transformado e o que se transforma, isto é, o aspecto da independência e da individualidade daquele que antes era apenas dependente. Nessa fase, porém, o Grande Feminino ainda continua dominante; como "Grande Círculo" se apresenta no início e no fim da transformação que se processa dentro dele e próximo a ele.

Procuraremos apresentar o caráter de transformação dividido em fases, a primeira das quais é o estar contido na totalidade do Grande Círculo; desta passa para o plano da natureza e finalmente atinge o plano cultural. O desenvolvimento que disto resulta leva da Grande Deusa, como Grande Círculo, para o plano da natureza, com sua ligação entre a Grande Deusa e o mundo vegetal e animal, e deste eleva-se para o plano cultural, com os mistérios primordiais do Feminino, para, então, encontrar o clímax e ponto de transição na transformação espiritual.

Refletindo sobre a extensão e a profundidade da fenomenologia do Grande Feminino, que, em seu caráter elementar positivo e negativo, abrange o alto e o baixo, o próximo e o distante, ele se manifesta como o Grande Círculo, que é e contém o universo.

Céu noturno, terra, mundo inferior e mar primordial estão correlacionados a esse Grande Feminino, que, originalmente, se manifesta sempre como a escuridão e o envoltório sombrio. A deusa urobórica dos primórdios é a Grande Deusa da Noite, ainda que raramente seja venerada diretamente como tal.

É evidente por si que a fase inicial da existência humana, o mundo matriarcal dos primórdios do qual tratamos aqui, não poderia se refletir em uma consciência discursiva, pois esse era o tempo anterior ao surgimento da consciência humana, anterior ao nascimento do sol.[1]

Sua realidade arquetípica se encontra nos símbolos, nos mitos e nas imagens, nas figuras de que se serve a humanidade para falar dela. Não obstante, tudo isso são apenas imagens e metáforas, jamais um conhecimento ou a declaração direta e ponderada por meio da qual o mundo patriarcal subsequente, assentado na consciência, conhece-se e busca formular-se como religião, filosofia e ciência. Considerando que, a partir de então, o mundo patriarcal esforça-se por renegar sua origem obscura e "inferior", sua origem nesse mundo primordial, ele faz todo o possível no sentido de encobrir sua verdadeira condição de descendente da Grande Mãe, julgando – justa e injustamente, ao mesmo tempo – ser necessário forjar uma "genealogia superior", segundo a qual teria vindo do céu, do deus celeste[2] e do aspecto luminoso.[3] Quase todos os documentos mais antigos e primitivos, porém, já revelam o conhecimento da origem do mundo e do ser humano a partir das trevas, do Grande Círculo, da deusa.

Quer, como em incontáveis mitos, a origem de toda a vida tenha sido o mar primordial, quer a terra, ou ainda o céu, verificamos que existe um ponto em comum a todas essas possíveis procedências: as *trevas* primordiais. São delas que se origina a luz, sob a forma de lua e estrelas, e de dia acompanhado de sol, os quais são considerados luminares descendentes da mãe noturna em praticamente toda parte.

É esse fator comum, a escuridão da noite primordial como símbolo do inconsciente, que explica a identidade entre céu noturno, terra, mundo inferior e água primordial anterior à luz. Com efeito, o inconsciente é a mãe de todas as coisas, e tudo o que "surgiu" e permanece na luz da consciência está numa relação filial com a escuridão, como o é a própria consciência, que também é filha das profundezas originais.

Designamos como "urobórica"[4] essa situação psíquica primordial que abrange os opostos e na qual os elementos masculinos e femininos, os inerentes à consciência e os hostis a ela, confundem-se uns com os outros.

Na Babilônia, a unidade masculino-feminina do ouroboros é constituída por Tiamat e Apsu,[5] que representam o caos primordial da água. Tiamat, porém, é o verdadeiro elemento de origem, a mãe dos deuses, a possuidora das tábuas do destino.

Assim, está escrito que "Apsu, o mais antigo dos seres, a progenitora de todos eles, Mummu Tiamat, que a todos gerou sem exceção";[6] e parece totalmente óbvio que Apsu e Mummu vão até Tiamat, a quem submetem suas decisões.[7]

---

[1] Neumann, *História da Consciência Humana*, loc. cit., p. 121.

[2] Nesse sentido, é característico que o ideograma para deus celeste, na escrita chinesa, seja "ser humano com cabeça grande". (Comp. c/ a observação sobre a tradução do Lao-Tsé, feita por Rousselle; *Lau-Dse, Führung und Kraft aus der Ewigkeit,* Wiesbaden, 1950, p. 64.)

[3] Neumann, *História da Origem da Consciência*, loc. cit., p. 163s.

[4] Cf. Parte I, p. 33.

[5] O *tohu wa bhohu* da Gênese bíblica (I, 2).

[6] Vrf. Budge e Sidney Smith, *The Babylon Legends of lhe Creation,* Londres, 1931. As sete tábuas da criação I: 3, 4.

[7] Idem, I, 32.

A existência original de Tiamat também resulta do fato ter sobrevivido à morte de Apsu,[8] e, quando é finalmente derrotada pelo deus-sol patriarcal Marduk, formam-se, a partir de seu corpo, a abóbada celeste superior e a abóbada inferior das profundezas. Assim, mesmo depois de ter sido derrotada, ela permanece como o Grande Círculo que a tudo contém. É o "ventre em si"; quando os deuses que se sucederam importunavam Tiamat, dizia-se: "Eles importunaram Tiamat... Na verdade, eles perturbaram o ventre de Tiamat".[9]

Esse "ventre" ao qual, em certo sentido, Tiamat é idêntica, é a sede do inconsciente, e, em especial, dos afetos, que sobem desde "lá de baixo" e obscurecem ou excluem a cabeça, o que pode ser observado desde a psicologia primitiva até a psicologia do homem moderno.[10] É o que Budge observa em uma passagem que ele traduz como "os sentimentos de Tiamat foram ultrajados, no sentido de ela ter literalmente 'introduzido o mal em seu ventre', já que os seus órgãos internos eram considerados a sede dos afetos".[11]

Tiamat, cuja garganta escancarada anseia por devorar Marduk, o herói solar, não representa somente o mal, mas também o útero-caverna gerador do Grande Feminino. Sobre a luta de Marduk contra ela, tem-se que "ele observou o 'meio' ou o 'interior' ou o 'útero' de Tiamat (ou talvez o ventre de Tiamat) e descobriu o plano de Kingu, que havia se fixado ali dentro".[12]

Da mesma forma, a relação de Tiamat com Kingu também confirma que aquela é a Grande Mãe. Assim como Tammuz, Kingu é o filho-amante[13] que Tiamat chama de esposo e que, ao mesmo tempo, está em seu "ventre" como filho.

Nesse sentido, encontramos repetidamente o princípio masculino procriador "dentro" do Feminino. A equação psíquica do inconsciente é: semente = falo = filho. Todas as três são variantes do princípio masculino procriador que atua "no" Feminino, em relação ao qual permanece, por isso, inferior. Essa constelação fundamental constitui a base da relação da Grande Mãe com o filho-amante.

Psicologicamente, isso significa que, enquanto os elementos criativos do inconsciente, os quais "empenham-se rumo à luz", não tiverem estabelecido o próprio reino luminoso do espírito e da consciência, continuarão a ser porções dependentes do inconsciente e nele permanecerão. Essa é a razão de Tiamat dispor, como recurso original,

---

8 A interpretação de Apsu como "água doce" não é adequada, pois ele representa sempre o "lado perverso". Nesse caso, o estrato matriarcal também se encontra encoberto, uma vez que Tiamat domina o céu, a terra e o mundo inferior, e Apsu simboliza o aspecto telúrico fecundante do companheiro masculino. Em uma época posterior, tanto ele quanto Tiamat são considerados apenas "maus e abissais", segundo a lei que estipula a negativização das forças e dos deuses vencidos.

9 Budge e Smith, loc. cit., vol. I, pp. 22 e 23.

10 Neumann, *História da Origem da Consciência*, loc. cit., p. 38.

11 Budge e Smith, loc. cit., p. 37.

12 Idem, p. 20.

13 Neumann, *História da Origem da Consciência*, loc. cit., vrf. índice s.v. "Grande Mãe", "Filho-Amante".

não só das forças do mal, as quais são enredadas por ela como "Ummu-Khubur".[14] Os poderes estelares e os deuses do céu noturno que ela criou também são seus aliados, e as tábuas do destino que – como a grande Senhora dos Encantamentos – ela transmitiu são as constelações do céu noturno.

Tiamat não é, portanto, apenas o monstro noturno e terrível do abismo, tal como a via o mundo patriarcal daquele que a venceu, Marduk. Ela é não só a geradora como também a mãe legítima de suas criaturas, que se enfurece quando Apsu e Mummu decidem matar os deuses que são seus filhos. Somente depois de estes terem assassinado Apsu, seu marido, o pai primordial, é que ela dá início à vingança contra eles e propaga sua força destruidora.

Não é necessário nos ocuparmos da questão de até que ponto Tiamat, apesar disso, sucumbiu ao poder de Marduk, o herói solar. Sem dúvida, ela é soberana onipotente e despótica; o destino e os poderes estelares são todos produtos de seus caprichos.

Tiamat é o poder irracional dos primórdios e do inconsciente criador. Mesmo na morte, ela continua a representar o mundo superior e o inferior, nos quais se dividiu[15] o Grande Círculo, que é a um só tempo a água primordial, a genitora primordial, o céu, a terra e o mundo inferior, compassiva e vingativa. Marduk, ao contrário, é o legislador; a cada uma das forças celestes ele atribui um lugar fixo e, como o Deus bíblico do Gênese, organiza o mundo segundo leis racionais que correspondem à consciência e sua natureza solar.

O caráter numinoso da Grande Deusa ainda se manifesta na forma de monstro em Tiamat; todavia, é mais frequente a deusa primitiva surgir despida e com características sexuais acentuadas quando a ênfase recai em sua fecundidade e em seu caráter sexual.

Não obstante, nas imagens da Grande Deusa vestida, que encontramos igualmente em eras bastante primitivas, a deusa – como o Grande Círculo dos primórdios – já assumiu não só uma forma humana, como revela, além dos elementos arcaicos, aspectos espirituais e de transformação do Feminino, os quais se tornam mais distintos somente em fases posteriores da evolução.[16]

A imagem da deusa suméria feita em alabastro [Il. 87] e a figura funerária sentada, de Tell Halaf [Il. 88], pertencem a eras primitivas inteiramente distintas, mas,

---

[14] O papel dominante exercido por Tiamat pode ser depreendido ainda do relato do sacerdote babilônico Berossus: "Sobre todas essas (criaturas) regia uma mulher chamada Omorka. Em caldeu diz-se *Thamte*, que, em grego, significa 'o mar', porém seu valor numérico é igual à 'lua'. (Citado de Alexander Heidel, *The Babylonian Genesis*, ed. revisada, Chicago, 1951, p. 67, que observa que "Omorka" é um título dado a Tiamat. A enumeração dos deuses primordiais feita por Damascius, em que ele menciona essa deusa antes dos deuses, está inserida nesse mesmo contexto [Idem, p. 65].)

[15] Neumann, *História da Origem da Consciência*, loc. cit., "A separação dos pais primordiais".

[16] Tendo em vista que o "tipo Astarte" que leva ao seio flores, ou uma flor e uma serpente, já é bastante conhecido, foi objeto de menos consideração em nossa escolha das ilustrações.

apesar da fundamental diversidade, assemelham-se uma à outra no que se refere à predominância da expressão espiritual. O que é característico em uma delas pelo destaque acentuado da cabeça com o penteado em forma de torre e pelas cavidades oculares negras e imensas, na outra é representado pela qualidade ctônica mágica da forma entronizada e autocontida, em relação à qual a cabeça ornitoide e quase vazia de expressão, firmemente ligada ao corpo pelos cabelos que caem dela, quase não reivindica existência própria. Entre as duas intervém a esfinge velada de Tell Halaf [Il. 89], a respeito de cujos olhos escreve Oppenheim:[17]

> Bem diferente do que ocorre em todas as outras imagens de Tell Halaf, os olhos, em vez de consistirem em uma grande cavidade branca em cujo centro liso e polido é encaixada uma pedra preta à guisa de pupila, são, nesse caso, uma pedra negra e oval de acentuado destaque, que quase preenche toda a cavidade ocular, circundada por uma fina borda branca.

Encontramos esses mesmos olhos em nossa deusa de alabastro [Il. 87], que, tal como a esfinge de Tell Halaf, se presume que originalmente tenha sido uma deusa da noite, ou melhor, uma deusa do céu noturno.

O aspecto morte-mundo inferior da deusa – geralmente designada por "Ishtar" – é frequentemente simbolizado por escorpiões. Os condores gigantescos com cauda de escorpião são os animais predominantes da Grande Deusa de Tell Halaf, que abrange a escuridão dos céus e do mundo inferior. É por isso que, num relevo representando tais condores triunfantes, encontramos entre suas patas[18] leões atemorizados – os animais do sol.[19]

A ave gigantesca de Tell Halaf, esculpida em basalto negro, cujos olhos moldados à semelhança de um telescópio são formados por camadas de calcário branco, com grandes pupilas pretas, tem sido considerada – o que nos parece ilegítimo – como "ave do sol".

Acreditamos que o condor seja, antes, símbolo do céu noturno, como a águia que Preuss (ao escrever sobre os hindus) nos diz que "simbolizava o céu noturno, e mais tarde, foi identificada com o sol". Ele está associado à grande deusa noturna, a esfinge velada.[20]

O fato de a coluna de basalto, sobre a qual está pousada a gigantesca ave negra, possuir catorze lados indica ligação com a lua, da mesma forma que os estandartes com a meia-lua e os ornamentos – com o mesmo formato – para homens e mulheres, lá encontrados indicam que a Grande Deusa era venerada como a deusa da noite.

---

[17] Max Oppenheim, *Der Tell Halaf, eine neue Kultur im ältesten Mesopotamien*, Leipzig, 1931, p. 109.

[18] Idem, p. 170.

[19] Cf. adiante, cap. 13, p. 265s.

[20] A ocorrência dos mesmos padrões na esfinge e nas asas do condor atesta sua correlação.

Enquanto várias figuras da Grande Deusa expressam exclusivamente ou o caráter elementar ou o de transformação do Feminino, a unidade de ambos os tipos de caráter – o "Grande Círculo" – torna-se evidente nessas esculturas primitivas. Além disso, nelas já reluz um novo aspecto – o caráter transformador e espiritual de Sofia – que transcende a existência do Feminino como terra, noite e inconsciente. Não obstante, a forma arcaica e autocontida expressa a coesão urobórica da situação psíquica inicial.

Também encontramos essa situação urobórica primordial do Grande Círculo na religião e na mitologia do Egito, o centro de alta cultura mais antigo da humanidade; e as Grandes Deusas, que, por essa razão, passam a se identificar todas umas com as outras, são as diferentes expressões da imagem arquetípica do Grande Feminino.

A unidade das águas primordiais é masculino-feminina. Enquanto o deus Nu ou Nun, o mais antigo dos deuses, foi identificado posteriormente com o oceano primordial, sobre ele Moret acertadamente declara:

> Mas ele foi mera criação intelectual. Em essência, Nun é o caos desordenado, é o nada.[21]

A melhor expressão do anonimato urobórico masculino-feminino dos primórdios[22] é a mitologia de Hermópolis,[23] em que os oito deuses primordiais – Nun e Naunet, Huh e Hauhet, Kuk e Kauket, Amun e Amaunet – simbolizam as águas primordiais,[24] o infinito, as trevas que precederam a criação dos corpos celestes e o mistério impenetrável.[25]

O oceano primordial é uma serpente urobórica que envolve a terra que dele nasceu e que, no fim do mundo, toma de volta, na torrente de suas águas primordiais, tudo aquilo que foi gerado a partir dele.

> Tudo o que criei, hei de destruir. A terra vai ressurgir como oceano primordial (Nun), como infinito (Huh), tal como era no início. Serei (então) aquilo que de tudo restou..., depois de ter me transformado em uma serpente que ninguém conhece.[26]

---

[21] Moret, loc. cit., p. 374.

[22] Neumann, *História da Origem da Consciência*, loc. cit., p. 133.

[23] Partindo dos critérios obtidos pela experiência da Psicologia profunda, é possível indicar, quase sempre, o que na mitologia é primordial e o que é secundário. É verdade que a definição de Hermópolis é conceitual e tardia nesse sentido, mas é a mais perfeita formulação de elementos que, de outro modo, só se podiam observar como símbolos figurativos.

[24] Encontramos a deusa das águas primordiais representada em forma primitiva como Heket, a rã, equiparada à deusa abutre, Nekhbet. Em Hermópolis, é a mãe primordial de todos os seres gerados por ela e que estão sob sua proteção.

[25] Kees, loc. cit., p. 307.

[26] Idem, p. 216.

Na religião e mitologia oficiais do Egito, a reelaboração patriarcal do simbolismo matriarcal anterior já pode ser claramente constatada.

Nesse sentido, o nascimento do sol se dá a partir do ovo cósmico posto pela gansa do Nilo, venerada como a "grande grasnadora", a criadora do mundo.[27] Mesmo que Bachofen não nos tivesse informado do significado cosmogônico das aves palustres,[28] é evidente que, nesse caso, deve ter sido uma divindade feminina aquela que originalmente pôs o ovo cósmico, do qual saiu o sol-pintinho. Da mesma forma, a personificação cósmica das águas primordiais como Methyer, "a grande enchente", e como vaca – que já aparece nos textos das pirâmides[29] – é inquestionavelmente um símbolo original e primitivo da mais remota Antiguidade:

> Methyer representa uma variante feminina de natureza mítica de Nun, as águas primordiais heliopolitanas (masculinas), assim como a vaca, como deusa celeste, é uma variante que corresponde à Nut heliopolitana (Senhora do Céu).[30]

A versão da religião egípcia em Heliópolis, a cidade do sol, é, como sabemos, enfaticamente patriarcal. Os sacerdotes se esforçavam continuamente – embora nem sempre com sucesso – no sentido de encobrir e extinguir a antiga religião lunar, de teor matriarcal.

O símbolo legítimo da maternidade criadora do mundo é o da enchente primordial sob a forma de vaca, ou a própria vaca, como a primeira criatura a ter emergido daquela enchente primordial.[31] Ela concorda com as outras caracterizações da vaca existentes no mito egípcio: com Hathor, a Grande Deusa-Mãe com cabeça de vaca, e com a deusa celeste Nut, que impregna a terra com sua chuva de leite e carrega o deus-sol às costas. Pertencem a este contexto a vaca e o bezerro do antigo selo do décimo segundo nome egípcio, de onde provém Ísis, que foi chamada a Novilha Divina;[32] o mesmo é verdadeiro a respeito das conhecidas faianças cretenses com suas figuras de vaca e novilha, cabra e cabrito.

A Grande Deusa celeste egípcia, sob a forma de vaca, representa não só o oceano primordial como também o oceano celeste, "o abismo aquático do céu"; como Mehurt, variação da vaca celeste, gera o deus-sol.[33] O conjunto formado por Hathor, Nut e Ísis abrange, na realidade, todas as deusas. Diz-se que Mehurt também foi retratada como

---

[27] Idem, p. 309.

[28] Bachofen, *Das Mutterrecht*, loc. cit., vol. I, p. 233s.

[29] *Die alt-ägyptischen Pyramidentexten, nach den Papierabdrücken und Photographien des Berliner Museums*, 4 vols., org. por Kurt Heinrich Sethe, Leipzig, 1908-1922, vol. II, 508, 1131 (segundo Kees, loc. cit., p. 75, Obs. nº 6).

[30] Kees, loc. cit., p. 75, Obs. nº 6.

[31] Encontramos o mesmo simbolismo até nos dias atuais, na Índia.

[32] Kees, loc. cit., p. 76.

[33] *The Book of Dead*, loc. cit., cap. XVII.

"uma mulher grávida com seios fartos e protuberantes"[34] e que "às vezes ela tem o corpo de uma mulher e a cabeça de uma vaca, ocasião em que empunha um cetro na mão direita, o qual é circundado por uma flor de lótus, cujo aroma ela parece estar apreciando. A flor, em si, encontra-se entre o símbolo do sul e do norte e supõe-se que represente a flor de lótus do vasto mundo, da qual surgiu o sol pela primeira vez, no momento da criação".[35]

Se nos recordarmos das formas da Mãe Terrível egípcia – Amit, a devoradora de almas no julgamento dos mortos; Ta-Urt, e as deusas dos portais do mundo inferior –, não será motivo de surpresa constatarmos que o julgamento dos mortos ocorria, exatamente, no salão pertencente a Mehurt. Isso também é mais uma indicação da universalidade original da Grande Deusa do Egito, a qual abrange o mundo inferior e o abismo aquático das profundezas.

Com efeito, a Grande Deusa em sua forma de Hathor não é somente a "morada de Hórus", isto é, a deusa do céu do oriente, onde nasce Hórus, o sol, como também é a vaca da montanha ocidental, a Hathor dos mortos [Fig. 34].

Como todas as Mães Primordiais, ela é, no contexto do paradoxo mítico, a mãe de seu pai e a filha de seu filho;[36] ou seja, ela dá à luz o masculino que a gerou. É a Deusa-Mãe abutre relacionada com o sul, Nekhbet, a Grande Deusa do Alto Egito, com a coroa branca, venerada como "forma do abismo primevo que deu origem à luz" e cujo nome significa:

> O pai dos pais, a mãe das mães, que existiu desde o início e é a criadora do mundo.[37]

Céu e abutre são o aspecto maternal superior, assim como mundo inferior e serpente são seu aspecto inferior. Em seu caráter de serpente é Vadjet, que, tal como Nekhbet, foi identificada com Ísis e todas as outras deusas. E, da mesma forma como a vaca era igualmente superior e inferior, também a serpente é, ao mesmo tempo, celeste e ctônica.

Não obstante, a deusa também representa a dinâmica da vida, contida no Grande Círculo, e não só o vaso do Grande Círculo. No Egito como na Índia[38] e na alquimia, essa dinâmica se manifesta como fogo e calor. Esse fogo pode ser devastador e destrutivo, mas também pode ser o fogo positivo da transformação e da renovação.

Há um capítulo no *Livro dos Mortos*, caracteristicamente recitado diante da imagem de uma vaca, e intitula-se "capítulo sobre a feitura do calor para ser colocado sob

---

[34] Budge, *The Gods of the Egyptians*, 2 vols., Londres, 1904, vol. I, p. 422.
[35] Idem, p. 423.
[36] Neumann, *História da Origem da Consciência*, loc. cit., p. 66s.
[37] Budge, *The Gods...*, loc. cit., vol. I, p. 440.
[38] Neumann, *História da Origem da Consciência*, loc. cit., p. 35.

a cabeça do morto".[39] O capítulo é atribuído à deusa-vaca celeste, que supostamente o compôs em defesa de seu filho Rá, que fora ameaçado. O intuito deste era o de proteger o morto do "calor sob a cabeça", a fim de que ele pudesse ressuscitar. Sobre essa declamação diz-se:

> Essa composição encerra um mistério imenso. Não permitas que os olhos de homem nenhum, seja qual for a razão, vejam isto, posto que é algo abominável para ser conhecido (por todos os homens); portanto esconde-o. "Livro da senhora do tempo oculto" é o seu nome.

O simbolismo do fogo no Egito está normalmente relacionado com outra forma da Grande Deusa, Bastet, que se apresenta com o corpo ou a cabeça de uma gata, e Sekhmet, a deusa-leoa. Enquanto a deusa-leoa simboliza o aspecto negativo-devorador do fogo-deserto-sol, que, como olho do sol, queima e executa, Bastet não é deusa do sol – apesar de ser uma deusa do oriente –, mas, sim, deusa da lua. Isso porque, tanto para a lua como para o sol, o oriente é considerado o local de seu nascimento, e o ocidente, o de sua morte.

O gato de hábitos noturnos e cujos olhos, supostamente, se tornam ainda mais redondos na lua cheia é, sem dúvida, um animal lunar; daí sua cor verde e sua relação com as mulheres grávidas. Seu filho é a lua, cuja tarefa é

> "tornar as mulheres férteis e fazer com que o germe humano cresça no útero de sua mãe", e "era isso o que ele deveria fazer, especialmente em seu caráter de 'lua portadora da luz'".[40]

Essa concepção da lua que ignora por completo o homem terrestre é, sem dúvida, matriarcal.[41]

Assim, o abutre é considerado, no Egito, um animal de cuja espécie só existem fêmeas fecundadas pelo vento; em seu aspecto de deusas-abutre, Nekhbet e Mut são "filha e mãe que criaram o genitor".[42] Contudo, a serpente também é símbolo do aspecto de autorrenovação da Grande Deusa egípcia.

A deusa Bastet, através do parentesco com a lua, se insere no mundo unitário do Grande Feminino tanto quanto Net ou Neith, senhora do ocidente, uma das divindades egípcias mais difundidas e antigas, que data do período pré-dinástico. A frase de Plutarco:[43]

---

[39] Na tradução de Budge, loc. cit., cap. CLXII.

[40] Budge, *The Gods...*, loc. cit., vol. I, p. 448.

[41] Briffault, loc. cit., índice s.v. "moon".

[42] Kees, loc. cit., p. 353.

[43] De Iside et Osiride, In: *Moralia*, vol. V, cap. IX (segundo a trad. de F. C. Babbit, Cambridge [Mass.] e Londres, 1936).

> Eu sou tudo o que foi, o que é e o que será, e jamais houve alguém que levantasse o meu véu,

sugere que ela, como Deusa de Saïs, era amplamente conhecida no ocidente como Deusa Primordial e Onipotente. Essa deusa, cujo culto já era praticado na primeira dinastia, também pertence aos primórdios psíquicos pela ambiguidade sexual, e seu caráter matriarcal é mais claro que em qualquer outra deusa egípcia. Ela era homenageada com procissões à luz de tochas e com mistérios como deusa da magia e da tecelagem, aquela que não nasceu, mas gerou a si mesma.

Ela é a personificação "da enorme massa de água primeva e inerte".[44] É considerada a vaca com dezoito estrelas; é o céu noturno e, como a Hécate subsequente, "aquela que abre os caminhos", levando consigo a chave das deusas da fertilidade, a chave dos portais do útero e do mundo inferior, da morte e do renascimento.

Budge resume o significado da Deusa em palavras que a descrevem em toda a amplitude:

> As declarações de escritores gregos, tomadas com as evidências derivadas dos textos hieroglíficos, atestam que, em tempos muito remotos, Net era a personificação do eterno princípio feminino de vida, a qual se sustentava por si mesma, tinha existência própria e era secreta e desconhecida, além de onipresente. Os pensadores mais materialistas, embora admitindo que ela gerou o filho Rá sem a necessidade de um marido, eram incapazes de apartar da mente a ideia da necessidade de um germe masculino para que aquela criação fosse possível. Pressupondo a inviabilidade de este ser oriundo de algum poder ou entidade exteriores à Deusa, admitiram que ela mesma provera não só a substância constitutiva do corpo de Rá como também a semente masculina que a fecundou. Net foi, portanto, o protótipo da partenogênese.[45]

Agora podemos entender com mais clareza o significado da identificação da deusa Hathor com os quatro pontos cardeais e com os quatro cantos do mundo, caracterizados pelas deusas Nekhbet, Vadjet, Bastet e Neith.[46] Uma vez que a quaternidade é o símbolo arquetípico da totalidade, como apontou C. G. Jung em várias passagens de sua obra, este quatérnio de Hathor[47] com as deusas é o símbolo do Grande Feminino como a totalidade que domina a totalidade do mundo, em todos os aspectos.

A deusa Neith é identificada com a deusa celeste Nut, forma feminina do oceano primordial, que já conhecemos como Nu ou Nun. Em outra ordem simbólica,

---

[44] Budge, *The Gods...*, loc. cit., vol. I, p. 451.

[45] Idem, p. 462.

[46] Idem, p. 438.

[47] Kees, loc. cit., p. 220.

enquanto Nut [Il. 92] se eleva como abóbada celeste sobre a terra concebida como disco chato – a divindade masculina Geb –, também é – como vaca celeste – o princípio feminino idêntico às águas primordiais dos tempos remotos e a geradora do sol [Il. 36], cujos, com a chuva de leite que jorra dos seus seios, alimentam a terra.

À Nut da abóbada superior corresponde Naunet como abóbada inferior, o contra-céu situado "embaixo" do disco terrestre, e juntas formam o Grande Círculo do vaso feminino. Mas Naunet, o contracéu, percorrido pelo sol à noite, é novamente idêntico a Nut [Il. 91a], pois esta não é somente o céu diurno, mas também aquela que devora o sol a oeste que regressa ao leste através de seu corpo, que é o alto céu noturno.

Nut representa as águas de cima e de baixo, a abóbada superior e a inferior, a vida e a morte, o oeste e o leste; é, ao mesmo tempo, geradora e assassina. Não é, pois, somente "a senhora que possui mil almas",[48] a que "faz as estrelas manifestarem suas almas",[49] mas também é a porca que, no ocidente, devora os próprios filhos, o sol, a lua e as estrelas.

A Grande Deusa é a unidade caudalosa da água primordial subterrânea e celeste;[50] é o mar celeste em que navegam as barcas dos deuses da luz, o mar circular gerador de vida, acima e abaixo da terra. A ela pertence todo tipo de água – arroios, nascentes, lagos e fontes –, bem como a chuva. Ela é o oceano vital, com suas marés portadoras da vida e da morte; a vida é seu filho, um peixe que nada eternamente em suas águas, tal como as estrelas no oceano celeste da Mayauel mexicana,[51] e como os homens no viveiro de peixes da Igreja-Mãe, em uma manifestação posterior do mesmo arquétipo.

Como abóbada celeste, ela recobre a prole sobre a face da terra, da mesma forma que o faz a galinha em relação à ninhada. Por essa razão, é chamada não só "a porta", mas também "a que recobre o céu".[52] Em inúmeras representações, as asas estendidas de Ísis – forma básica da Grande Mãe – abraçam, agasalham, envolvem e protegem Osíris, e com ele todos os mortos.

A deusa Nut [Ils. 90b, 91b], representada no soalho dos sarcófagos como aquela que toma os mortos nos braços dentro dos caixões depositados nas covas feitas na terra, é a mesma mãe da morte que conhecemos do contexto cristão como a Pietá, a Madona que sustenta no colo o Cristo morto, o filho da morte que a ela retorna [Il. 94].[53] E é idêntica ao vaso e à urna primitiva que abrigam em si tanto a criança como os adultos.[54]

---

[48] Idem, p. 147, Obs. 1.

[49] Idem, p. 226.

[50] Idem, p. 72 e p. 226, Obs. 4.

[51] Vrf. adiante, cap. 14, "A Transformação Espiritual – A Mulher como Figura Mana", p. 284.

[52] Budge, *The Gods*..., loc. cit., vol. II, p. 106.

[53] Encontramos uma manifestação mais moderna desse arquétipo na magnífica escultura de Epstein [Il. 95], "A Noite", no alto da porta de entrada dos escritórios centrais do metrô de Londres.

[54] p. 122s.

A terra, considerada revestimento que recolhe os mortos em si, é invocada já no *Rig-veda* com as palavras:

> Tal qual a mãe que cobre o filho com a barra de sua veste, cobre-o tu, ó terra.[55]

Aqui como em toda parte predomina a noção de que o Grande Feminino contém em si e *é* o céu, a terra e a água como céu noturno. Só mais tarde, com a separação dos pais primordiais,[56] advém o nascimento da luz, do sol e da consciência e, com eles, a diferenciação. Somente agora existe o céu superior e o inferior, Nut e Naunet e, entre ambos, Geb, o disco terrestre; Shu, a atmosfera, e Rá, o sol, filho da água primordial e da vaca.[57]

No âmbito matriarcal, o céu diurno é o reino onde o sol nasce e morre, e não, como veio a se tornar mais tarde, o território que ele domina.

Ele corresponde ao lapso de tempo durante o qual existe a vida, que começa e termina na noite; dentro dela, o filho luminoso deve descrever seu arco de luz, que sempre acaba em morte.

O céu noturno é o reflexo da terra.[58] Juntos constituem a caverna primitiva de onde se originam os seres humanos, as plantas e as divindades luminosas.

Isso se mostra mais evidente no México, onde Huitzilopochtli, o deus-sol asteca, compartilha do destino do deus da lua e de todos os outros deuses de luz. Vezes e vezes seguidas ele deve "converter-se em ossos", isto é, morrer tanto na superfície quanto no interior da Mãe Terrível da escuridão noturna e terrena.

Os deuses da luz, porém, não são distinguíveis dos jovens deuses da vegetação – do milho e das flores –, pois, da mesma forma que as estrelas são as flores e o milharal do céu, também as flores e os milharais representam as estrelas da terra.[59] Esses jovens deuses moribundos da vegetação que encontramos no México em todos os sentidos e, em particular, na dependência fatal da Grande Mãe, a Adônis, Tamuz e a outros deuses moribundos das flores e do grão, do mundo antigo.

Somente depois que o mundo solar e patriarcal se impôs foi que a manhã passou a designar o momento do nascimento do sol. Mesmo então, é interessante observar, a contagem do tempo não se inicia com o nascimento do sol, mas muito antes, à meia-noite.[60]

---

[55] Vrf. Karl F. Geldner, *Vedismus und Brahmanismus* (Bertholet, Relionsgeschichtliches Lesebuch, nº 9) Tübingen, 1928, *Rig-veda*, X, 18, 45.

[56] Neumann, *História da Origem da Consciência*, loc. cit., p. 117.

[57] Cf. acima, p. 214s, e, adiante, p. 268.

[58] Krickeberg, *Märchen...*, loc. cit., p. 312.

[59] Neumann, *História da Origem da Consciência*, loc. cit., p. 64.

[60] A mitologia solar, em que a concepção de um dia completo é o conjunto de uma noite e um dia, é uma abstração posterior. Originalmente, existia a unidade da noite, com seu processo lunar, e a unidade do dia, com o arco solar, em cujo início se dão o nascimento e, no fim, a morte. No mito da viagem noturna pelo mar, já encontramos uma integração dos opostos, dia e noite, consciência e inconsciência, masculino e feminino.

Entretanto, na esfera matriarcal – onde quer que haja o domínio da mitologia noite-lua –, a contagem do tempo se inicia e termina no entardecer.[61] Por essa razão é que, também no Egito, o entardecer é considerado o momento do nascimento,[62] pois para os homens primitivos o surgimento das estrelas e da lua é o "nascimento" visível, e a manhã, com o desaparecimento do mundo da luz e das estrelas, representa a fase de morte, em que o céu diurno devora os filhos da noite.

Essa concepção, universal entre os homens primitivos, é compreensível se nos libertarmos da correlação dia = sol. O sol é filho do céu diurno feminino, da mesma forma que a lua é filha do céu noturno. O céu feminino é o elemento estável, constante e permanente; os luminares – tanto o sol como a lua e as estrelas – que sobem e descem dentro do ovo cósmico preto e branco do Grande Feminino são transitórios e perecíveis.

A associação do céu estrelado noturno com o Feminino rege toda a antiga concepção do mundo, quer falemos da existência de uma "Via Láctea", quer outorguemos a existência desta porção do céu à Senhora da Noite – para os nórdicos, a deusa Hel,[63] que lhe atribuíram o nome de "caminho" ou "portal" de Hel.[64]

No zodíaco de Dendera [Il. 93], representação ulterior da imagem celeste egípcia, encontra-se uma espiral em que se organizam os deuses estelares e as imagens de animais, e em cujo centro estão a Grande Mãe matriarcal, Ta-urt, e a perna do touro, como símbolo do polo Norte.[65]

Nesse caso, trata-se de uma projeção sobre o céu da situação matriarcal da Grande Mãe com seu filho-amante sacrificado. A perna do touro, que originalmente era uma perna de hipopótamo,[66] é a "perna" fálica de Set,[67] a partir de onde corre o Nilo; mas também é a lua avariada, que precisa se tornar cheia novamente.[68]

Nesse mesmo sentido, Set, sob a forma de hipopótamo vermelho, não é só o inimigo, o mal, o vermelho, o pecado, o deserto, a lua escura e a voracidade das trevas que traga Osíris-lua;[69] ao contrário, como "Grande Deus", ele também desempenha a função original de deus bom, característica de Osíris. Além disso, antes de se desenvolver a relação patriarcal Ísis-Osíris, diante da qual Set representa o demônio, existia uma relação entre Ísis e Set que não corresponde, em hipótese nenhuma, à imagem de uma "Ísis bondosa".[70]

---

[61] Comp. c/ Bachofen, *Das Mutterrecht*, loc. cit., vol. II, índice s.v. "Mond", "Nacht".
[62] Kees, loc. cit., p. 225.
[63] Cf. cap. 10, "O Caráter Elementar Negativo", p. 151.
[64] Ninck, *Wodan...*, loc. cit., p. 177s.
[65] Kees, loc. cit., p. 321.
[66] Idem, p. 321, Obs., e p. 331, Obs. nº 1.
[67] Idem, p. 321.
[68] Idem, p. 424.
[69] Briffault, loc. cit., vol. II, p. 768.
[70] Neumann, *História da Origem da Consciência*, loc. cit., p. 79ss.

A perna decepada é símbolo de castração, além de que coxa, perna e lua são também símbolos fálicos do princípio procriativo. Originariamente, Set está vinculado a Ta-urt, à mãe-porca e ao hipopótamo; é o javali procriador e o hipopótamo macho. Seu sacrifício foi mais tarde substituído pelo sacrifício de Osíris.

Esse simbolismo matriarcal do céu foi mantido, no Egito, por milhares de anos após a teologia solar patriarcal já se haver tornado a visão de mundo oficial. Encontramos uma situação análoga no México, onde o polo celeste era considerado o "furo" em que se introduz um bastão, para, friccionando-o entre as mãos, produzir fogo.[71]

Muito tempo depois de o patriarcado se haver tornado dominante em todas as esferas, ainda encontramos a concepção matriarcal segundo a qual os céus e os mundos giram em torno do "furo" – o Grande Feminino –, de onde se origina a vida.[72] E na Índia, em um plano superior, a imortalidade é obtida a partir do mar de leite feminino "batido", a respeito de que se diz: "A água é o leite vital do corpo do mundo, e o espaço cósmico é um mar de leite."[73]

Agora que já temos uma noção razoável do amplo escopo do Grande Feminino, que, na verdade, abrange quase tudo – céu, água e terra, e até o fogo – na forma de filho por ele gerado e nele contido –, compreende-se por que esse Feminino não pode ser identificado, em hipótese nenhuma, com o telúrico-ctônico, com o meramente terreno e inferior, no que tanto insiste posteriormente o mundo patriarcal masculino, com suas religiões e filosofias.

A totalidade do Grande Feminino vai muito mais além da projeção em que une os elementos terra, água, ar e fogo.

A DEUSA DO DESTINO

Depois de tudo o que foi apresentado, não é difícil ver que o espaço é uma das projeções mais primorosas do Grande Feminino como totalidade; o próprio caráter essencial de vaso recipiente e ovo cósmico já evidencia tal fato. Entretanto, o Grande Feminino também é a senhora do tempo e, por conseguinte, do destino.

O símbolo em que se interligam arquetipicamente tempo e espaço é o céu estrelado, que, desde os primórdios, tem sido inundado de projeções por parte da humanidade. Nesse contexto, é indiferente se – como no Egito, na Babilônia, na Arábia, na Índia, na China e na América – os céus eram interpretados como ocorria originalmente, segundo as vinte e oito estações primordiais da lua, ou como mais tarde,

---

[71] Krickeberg, "Das mittelamerikanische Ballspiel...", loc. cit., p. 153.

[72] Cf. p. 235.

[73] Zimmer, *Maya, der indische Mythos*, Stuttgart e Berlim, 1936, p. 101.

segundo as doze estações do sol; também não importa se as projeções predominantes são de animais ou plantas, de rio ou mar.[74]

O mais importante é que todas essas projeções do céu foram vivenciadas como parte da vida do próprio Grande Feminino, que gera e contém tudo o que existe.

Entre as experiências mais impressionantes da humanidade estão aquelas relacionadas com a dependência que todos os corpos luminosos e todos os poderes celestes e deuses têm da Grande Mãe, bem como sua ascensão e seu declínio, seu nascimento e sua morte, sua transformação e sua renovação. Não só a alternância noite-dia, mas também a mudança dos meses, das estações e dos anos estão subordinados à onipotente vontade da Grande Mãe.

Essa é a razão pela qual o Grande Feminino, não só como a Tiamat mesopotâmica, mas em todo o mundo, detém as tábuas do destino, as constelações do céu, que tudo determina, céu que, por sua vez, é o próprio Feminino. A Grande Mãe adornada com a lua e com o manto de estrelas noturnas também é, por esse motivo, a deusa da fortuna, que tece a vida e o destino.

O Grande Feminino é a senhora do tempo, uma vez que governa o crescimento. Eis por que a Grande Deusa também é a senhora da lua, pois lua e céu noturno são as manifestações evidentes e observáveis do processo temporal no cosmo, e a lua – não o sol – é o legítimo cronômetro do alvorecer dos tempos. A qualidade temporal e o elemento água devem ser atribuídos ao Feminino, cuja natureza fluida é clara no símbolo "o correr do tempo".

Pela menstruação e sua suposta ligação com a lua, a gravidez e mais além, a mulher se organiza pelo tempo e dele depende, sabendo, por isso, dosá-lo melhor que o homem, com sua tendência para a conquista do tempo, para a intemporalidade e para a eternidade.[75]

Outrossim, o mistério primordial de tecer e fiar[76] também tem sido vivenciado na projeção sobre a Grande Mãe, que tece a teia da vida e fia a meada do destino, independentemente de ela aparecer como grande fiandeira ou, como ocorre tão frequentemente, se apresentar numa tríade lunar.

Não é por acaso que falamos dos "tecidos" do corpo e de seus "ligamentos", pois o tecido fabricado pelo Grande Feminino no "veloz tear do tempo", no cosmo, em grande escala, e no útero da própria mulher, em pequena escala, são a vida e o destino. Ambos se colocam em movimento, simultaneamente, no momento do nascimento, tal como ensina a Astrologia, que é o estudo do destino governado pelas estrelas.

Logo, as Grandes Deusas são consideradas tecelãs, tanto para os egípcios quanto entre os gregos, os povos germânicos e os maias americanos. Tendo em vista que o

[74] Vrf. p. 47s, p. 211 e p. 236.

[75] Comp. c/ Neumann, "Über den Mond...", loc. cit.

[76] Cf. cap. 14, p. 279ss.

produto[77] elaborado pelas Grandes Tecelãs é a "realidade", as atividades como o tecer, o trançar, o coser e o alinhavar pertencem ao rol das atividades da mulher que governam o destino, cuja natureza é ser a Grande Tecelã e a Grande Fiandeira, como revelou Bachofen.[78]

Cruzar os fios da linha é o símbolo da união sexual – ainda hoje nos referimos ao cruzamento de animais e plantas –, e o ato de cruzar[79] os sexos é a forma básica por intermédio da qual o Grande Feminino "produz" a vida. Assim, o Grande Círculo é o útero criador e continente do mundo, em que o corpóreo, o real e o material são elaborados pela própria Grande Mãe.

O momento temporal de nosso nascimento – a época – e o corpo – a constituição – são os componentes da existência individual que mais fortemente marcam o destino do indivíduo e também devem ser aceitos por todo aquele que busca uma compreensão fundamental das contingências da vida individual.

O significado de tecer – como tudo que é arquetípico – é tanto positivo quanto negativo, e todas as Grandes Mães do Mundo – Neith, Netet e Ísis; Ilitíia ou Atena; Urd, Holda, Percht ou Ixchel, até mesmo as bruxas dos contos infantis – são as fiandeiras do destino.

Ninck escreve: "O poeta começa a 'Canção de Helgi' para indicar a grandeza do herói, referindo-se às fiandeiras do destino, as quais se ocupam de atribuir a cada um, no começo da vida, o lugar onde vão atuar de acordo com seu destino específico. As mulheres que fiam e tecem o destino se mantêm vivas, até hoje, nos contos de fadas. Seu comparecimento no momento do parto indica o conhecimento nascido da experiência de que o homem 'entra no mundo' com determinadas 'aptidões' ou 'predisposições' que lhe foram conferidas – como se diz – desde o berço.

O fato de surgirem em número de três, ou de nove (três grupos de três) – mais raramente em número de doze –, tem explicação na tríplice articulação subjacente a todas as coisas criadas; aqui, porém, refere-se mais especificamente às três etapas temporais de todo processo de crescimento: começo-meio-fim, nascimento-vida-morte, passado-presente-futuro.

Duas das Nornas fiam e enrolam a meada, e a terceira corta o fio. Duas das mulheres são bondosas e clementes, mas a terceira amaldiçoa os talentos. Gerações posteriores tentaram estabelecer uma ligação entre as três épocas – o que foi, o que será e o que está prestes a se tornar – e os três nomes das Nornas: Urth, Werthandi e Skuld. Somente o nome de Urth é antigo:

---

[77] Trabalhar (*wircan* (OE) = *Wirken* (alemão); cf. ME *wreak, wrought*) = "tecer" é a forma restrita de "trabalhar" = "realizar uma obra – opus –" = "realizar um ato sagrado". Em todas as ações, a deusa é Maya, a grande tecelã da vida.

[78] Bachofen, *Versuch*..., loc. cit., índice s.v. "Weben".

[79] Não podemos discorrer aqui sobre o simbolismo da cruz.

Foi nos primórdios dos tempos, quando as águias bramiam.
Das montanhas celestes caiu
O orvalho sagrado. Eis que lá,
Helgi, bem-disposto, foi gerado por
Borghild, no castelo de Bralund.

Já era noite no pátio, quando vieram as Nornas.
E criaram o destino para o provedor do tesouro:
Augusto soberano ele deverá se chamar,
E o mais glorioso guerreiro se tornar.

Com firmeza elas fizeram e trançaram
A meada do destino para aquele que vence as fortalezas
no castelo de Bralund;

Estenderam, então, o fio dourado,
Tal qual o Firmamento estirado,
Amarrando-o no meio do salão da lua (!)

Firmaram suas pontas no Oriente e no Ocidente
E entre ambas o Príncipe tinha o seu domínio;
Para o Norte, a filha de Neri lançou
Um dos indestrutíveis arcos".[80]

A mais antiga representação conhecida da grande tríade feminina [Il. 101a], acompanhada pela lua e talvez pela estrela Vênus [?], encontra-se em um sinete acadiano; suas correspondências são as várias deusas gregas que aparecem em trios[81] e que mencionamos anteriormente [Il. 101b], a deusa romana tecelã da fortuna [Fig. 50], e muitas outras deusas-mães tríplices, e que, como divindade tricéfala – como a Hécate –, são veneradas como as deusas das encruzilhadas.

Como Grande Fiandeira, a Grande Mãe trama não só a vida humana, mas, em igual proporção, também o destino do mundo, tanto a escuridão como a luz. Em uma antiga canção sueca temos:

O sol, antes de se erguer,
Ficou três horas sentado sobre uma pedra nua,
A fiar o seu manto dourado.

---

[80] Ninck, *Götter- und Jenseitsglaube...*, loc. cit., pp. 145-46.
[81] Harrison, *Prolegomena...*, loc. cit.

Figura 50 – Deusas do Destino, *moeda de Diocleciano, aproximadamente 300 d.C.*

e em uma canção da Estônia:

> O arremate foi dado ao meio-dia,
> A prega, na casa do alvorecer;
> O resto, no salão do sol...
> Foi feito no tear,
> Exibido com passos de dança...
> Trajes de ouro tecidos para a lua,
> Véu cintilante para o pequenino sol.[82]

Essas fiandeiras são, originariamente, as Grandes Deusas do Destino, a forma tríplice da Grande Mãe, pois em toda parte a atividade de fiar é desempenhada pelas mulheres.

O fato de a canção estoniana atribuir a tecelagem ao deus criador masculino consiste em uma das usurpações características do Patriarcado. A interpretação adequada deste e de qualquer outro material semelhante demonstra que as fiandeiras são, precisamente, as mães do sol, e não suas filhas.

Na obra de Homero, as Moiras, (as fiandeiras) deusas gregas da fortuna que estão acima dos deuses do Olimpo, também conhecidas como irmãs das Queres, espíritos femininos da fatalidade e da morte violenta. As Moiras, que ainda se mantêm vivas nas crenças populares neo-helênicas,[83] têm sido indevidamente classificadas por Nilsson como pós-homéricas. É possível que elas o sejam em caráter de deusas, configuradas, mas não como poderes indefinidos a fiarem o destino. Nesse sentido, o próprio Nilsson se refere às "enroladas no fuso":

> A expressão significa, portanto, que o homem se veste com alguma coisa – podemos dizer que se "enrola" em algo –, se isso não sugerisse uma imagem diferente como a rede ou o laço.[84]

[82] Kerényi, *Töchter der Sonne*, Zurique, 1944, p. 81s.
[83] Nilsson, *Geschichte...*, loc. cit., vol. I, p. 340, Obs. nº 3.
[84] Idem, p. 340.

É exatamente essa "imagem diferente" que, assim como a "daquela que veste", pertence ao caráter das fiandeiras do destino, pois a mulher tem que se ocupar realmente não só da vestimenta do homem, em sentido literal, mas também de revesti-lo com um corpo fiado e tecido por ela. É por essa razão que se diz da Grande Deusa "Vestideira é o seu nome".[85]

Sobre as Moiras, as fiandeiras, Kerényi declara:

> O aparecimento da tecelã em pinturas simbólicas feitas em túmulos romanos comprova o fato de que "tecer" pode ser uma expressão da criação da vida ou do corpo humano; nesse sentido, também a palavra grega *mithos*, que designa o sêmen masculino como fio tecido e que é o nome do primitivo noivo cabírio.[86]

A deusa egeia do nascimento, Elitíia, é uma fiandeira,[87] bem como as Moiras, as deusas gregas do destino[88] que são "fiandeiras".

"O domínio no qual essas entidades escuras têm sua morada é mostrado de forma inequívoca por outra genealogia, que encontramos em Hesíodo (*Teogonia*, 211ss.): elas são as filhas da deusa primordial da Noite, que também gerou Moros e as Erínias, que, em Ésquilo (*Eumênides*, 960), também são as irmãs das Moiras pelo lado materno. Outrossim, o 59º hino órfico as designa por filhas da noite... Afrodite Urânia é descrita como a 'mais velha das Moiras' (*Pausânias* 1, 19, 2). Seu parentesco com as Erínias também aparece no culto: no bosque das Eumênides, no caminho do Sigeu, as Moiras tinham um altar, onde lhes eram oferecidos sacrifícios semelhantes aos ofertados às Eumênides, ou seja, aqueles característicos das divindades terrenas e ctônicas (*Pausânias* 2, 14, 4)."[89]

Mais uma vez, encontramos a unidade Feminino-Noturno quando Otto se refere à correlação entre os nomes das Moiras: Kratea indicado Krato, a mãe de Cila, "cuja afinidade com o mundo inferior é evidente e que deve descender da Hécate, segundo alguns. Este é um evidente paralelo com a ligação da Moira com á Noite, as Erínias e outras entidades da esfera sombria".[90]

---

[85] V. acima, p. 163-64.

[86] Kerényi, *Töchter...*, loc. cit., p. 84.

[87] Thomson, loc. cit., p. 335.

[88] O conceito de destino apresentado por Thomson em seu primoroso livro mostra-se insuficiente, ao ser exclusivamente sociológico. "A divisão da caça, dos prisioneiros, da terra e do trabalho, entre os clãs" (p. 33) não serve como fundamento para explicar por que as Moiras presidem exatamente a iniciação, o casamento e a morte. Quando Thomson, seguindo J. Harrison, estabelece relação entre aquelas e o demônio e o gênio, o *Ka*, isto é, precisamente o "espírito guardião individual", nos deparamos aqui – como já foi explicado em outra ocasião – com a situação em que o destino individual coincide com a forma primeira e autêntica, o próprio corpo, onde os elementos psicobiológicos da constituição, condicionados pelos antepassados, se tornam o destino do indivíduo.

[89] Walter F. Otto, *Die Götter Griechenlands*, Frankfurt, 1947, p. 260s.

[90] Idem, p. 264.

A Grande Trindade das Moiras está associada aos três momentos decisivos da vida: "Começo e fim, nascimento e morte são as grandes estações das Moiras e, como terceiro estágio, as núpcias."[91]

Somente depois de esclarecido o fato de que esses momentos de crise são relativos à vida feminina, e não à vida masculina, é que se pode reconhecer que as deusas do destino são sempre deusas ligadas ao nascimento, e que para as mulheres existe uma conexão essencial entre o parto e a morte, bem como entre o casamento e a morte. Isto significa que as figuras das Moiras não manifestam uma reflexão "filosófica" abrangente sobre o início e o fim da vida, mas representam situações numinosas das quais depende a vida e a morte da mulher, mas não do homem.

Quando, porém, o poder que as Moiras têm sobre o destino não atinge as mulheres, mas se exerce sobre os homens, arrebata-os principalmente em sua qualidade de guerreiros para os quais elas tecem uma morte sangrenta, tal como o simbolismo mexicano primitivo que vincula os destinos dos guerreiros com o da mulher parturiente, vista como a heroína sob aspecto de harmonia fatal. Aqui, a natureza do Grande Feminino, na qualidade de deusa que tece o destino, funde-se com a deusa sanguinária da guerra e da morte.

As Valquírias, cuja importância primária para a mitologia germânica foi esclarecida pela obra de Ninck,[92] também são fiandeiras. A canção das Valquírias[93] originou-se na visão que teve um cidadão do norte da Escócia, na qual havia doze figuras cavalgando em direção a uma tecelagem e lá desaparecendo. Ele olha por uma fresta e vê doze mulheres trabalhando num tear espectral, cantando de forma assustadora o refrão:

> Tece, tece,
> a teia de lanças.

de uma canção das Valquírias que começa da seguinte maneira:

> Estendida em todo o seu tamanho está a trama que pressagia a matança, a nuvem de poeira do tear.
>
> Está chovendo sangue. A teia cinzenta das hastes se insurge enfurecida, empunhando lanças, a teia que as amigas de Odin tecem em vermelho.
>
> Sua trama é feita das vísceras do gladiador, e seu peso é grande, tantos são os crânios dos combatentes.
>
> As lanças de guerra tintas de sangue são as traves de aço do cilindro do tear.
>
> As varetas são flechas.
>
> Insuflemos com gládios a teia da carnificina!

---

[91] Idem, p. 261.

[92] Ninck, *Wodan...*, loc. cit.

[93] *Thule, altnordische Dichtung und Prosa*, XXIV vols., org. por F. Niedner, Jena, 1912-1928, vol. II, p. 48ss.

e de cujos últimos versos temos:

> Já foi tecida a obra
> e o campo de batalha ficou vermelho;
> ondas de devastação humana se estendem pelas terras.
> Resta agora observar com pavor o que se apresenta ao redor:
> Nuvens de sangue vagam errantes pelo céu;
> O ar se faz rubro do sangue dos heróis,
> sobre os quais recaiu o destino
> por nós imposto, como forma de expiação.

Tecer o destino tendo o sangue como "matéria-prima" é um traço característico da mitologia germânica, com seu funesto e cruel pendor pela morte sombria. Na maior parte das mitologias, o aspecto natural e gerador de vida da Grande Deusa, como fiandeira, predomina sobre o aspecto negativo.

Curiosamente, este aspecto do Feminino como o que tece o destino pode ser constatado até na posterior caracterização da Madona cristã. Embora a intenção consciente do artista fosse, provavelmente, a de retratar a Madona às voltas com os afazeres femininos comuns, forças inconscientes levaram seu propósito a se transformar inesperadamente em uma produção de grandeza arquetípica.

Nesta antiga obra catalã sobre a Anunciação [Il. 96], a Madona ainda se apresenta, por completo, como a Grande Deusa que tece o destino, embora, nesse contexto, destino se refira à salvação do mundo. A mão erguida do anjo da anunciação e as mãos abaixadas daquela que personifica como serva a humanidade expectante acentuam a posição central da Madona.

Em outra pintura da Madona, do alto período alemão [Il. 97], a atividade de fiar também poderia se apresentar, à primeira vista, sob uma feição idílico-doméstica. Mesmo nesse caso, todavia, a estrutura arquetípica se impôs, e, considerando ainda que o fio oblíquo – intencionalmente ou não – passa pelo centro da Madona, onde está crescendo a criança radiante, esse fiar readquire o verdadeiro significado original, e a mãe torna-se, portanto, a deusa que tece o destino, enquanto a criança que está em seu ventre se torna o tecido de seu corpo.

Mas ainda nesse caso persiste um aspecto negativo junto do positivo, pois a aranha também é símbolo da Mãe Terrível.[94] A rede e o laço são, igualmente, armas típicas do poder terrível que o Feminino tem de atar e deter; outrossim, o nó é o audaz instrumento utilizado pela feiticeira.

Onde quer que o fanatismo antivital do princípio espiritual masculino seja dominante,[95] o Feminino adquire feição negativa e perversa, precisamente no aspecto criador, mantenedor e intensificador de vida.

---

[94] Comp. c/ cap. 10, "O Caráter Elementar Negativo", p. 151ss.

[95] Neumann, *História da Origem da Consciência*, loc. cit., p. 139ss.

Isto significa que a vida – e o Grande Feminino é seu arquétipo – fascina e prende, seduz e encanta. Os impulsos e instintos naturais subjugam os seres humanos e o princípio masculino da luz e da consciência, usando, para isso, a trama da vida, o véu de Maya, a ilusão "encantadora" da vida neste mundo. Por essa razão, o Grande Feminino, que deseja a permanência, e não a mudança, a eternidade e não a transformação, a lei, e não a espontaneidade criadora, é discriminado e visto, para seu descrédito, como demoníaco por um tal princípio masculino da consciência.

Assim procedendo, contudo, o princípio masculino consciente deprecia por completo o aspecto interior espiritual do princípio feminino, que exalta o homem mundano pela transformação espiritual e o glorifica,[96] ao conduzi-lo ao seu mais elevado significado.

Estranhamente, o moinho tem a mesma acepção que o tear como símbolo do destino e da morte. Cozinhar, assim como tecer, é um dos mistérios primordiais do Feminino. A mulher fornece alimento e o transforma. Todavia, verificamos, ao mesmo tempo, um significado negativo no símbolo do moinho da morte, como atributo da Mãe Terrível.

A morte do deus do grão no moinho, cuja imagem foi mais tarde transferida para Cristo, ainda sobrevive na balada inglesa de "John Barleycorn", em que se concebe o moinho como a deusa da morte.[97] Sua relação com a fatalidade chegou até nossos dias através do provérbio: "Os moinhos de deus moem lentamente", cuja origem mítica ainda é perceptível no âmbito germânico.

Na "Canção do Moinho",[98] as filhas do gigante trabalham no "moinho dos deuses", no sentido de produzirem paz e prosperidade, por meio de magia. Essas virgens cativas e guerreiras, sobre as quais temos que:

> Ao longo de nove invernos
> crescemos fortes, sob a terra,
> a nos divertir,

são consideradas, porém, forças do destino que transformam a prosperidade em maldição e, tal como anteriormente, quando maceravam a vida e a felicidade de maneira mágica, agora maceram a morte e a decadência.

O moinho adquire, portanto, o caráter simbólico de roda negativa da vida, o Samsara indiano, a repetição sem sentido.[99]

Essa ciclicidade desordenada também é um aspecto do Grande Círculo, que, na Índia [Fig. 51], como em outros lugares, tem a forma positiva como a Grande Mãe do Mundo que a tudo abrange e que, como a deusa beócia, a "Vierge Ouvrante", e a Madona

---

[96] Cf. adiante "A Transformação Espiritual".

[97] Jacob, loc. cit., p. 58.

[98] *Thule*, loc. cit., vol. I, p. 175.

[99] Compare com o mesmo simbolismo existente na alquimia (Vrf., por ex., Lucas Jennis, *Dyas Chymica tripartita*, Frankfurt a.M., 1625, in: "Ein güldener Traktat vom philosophischen Stein", p. 60).

Figura 51 – "Mãe Bhavani-Trimurti"; *Índia, séc. XIX ou anterior a este.*

da Misericórdia [Ils. 134, 177, 178], se apresenta com os braços abertos e acolhedores. Elas também se referem ao arquétipo das deusas com os braços erguidos.

O Grande Círculo, representado como a Roda da Vida tibetana [Il. 98], é sustentado por um demônio da morte, que também é considerado feminino e tem o nome de Feiticeira Srinmo.[100] A respeito de uma pintura análoga à nossa, escreve Bleichsteiner: "A imagem mostra a serva demoníaca do espírito da morte, o mangusto vermelho, como chamam os mongóis àquele que segura a Roda dos Mundos entre suas longas presas e patas. Uma concepção semelhante foi adotada na confecção de amuletos, já na antiga Babilônia, os quais apresentam o mundo nas garras de uma imagem teriomórfica alada.

"Segundo Grünwedel, a 'mulher-cósmica' aparece em monumentos maniqueístas no Turquistão e em representações jainas, na Índia, sob a forma de uma bela jovem ricamente adornada, cujo ventre está aberto, de forma que suas vísceras estilizadas podem ser vistas para assim servirem de representação do contorno do mundo.

[100] Robert Bleichsteiner, *Die gelbe Kirche*; Viena, 1937, p. 220.

"Poder-se-iam estabelecer outros tipos de correlações – das quais não podemos nos ocupar nesse contexto – que nos conduziriam ao mundo das ideias vigentes na Europa medieval. A propósito, entre os tibetanos, o demônio da Roda do Mundo é considerado igualmente feminino e interpretado como a Feiticeira Srinmo. Isso é em parte devido à tendência misógina do budismo que considera a mulher o principal obstáculo à salvação, pelo fato de ela gerar continuamente novas vidas e de ser o instrumento da paixão sob o jugo do qual padece o mundo.

"No livro das lendas do Padmasambhava, encontra-se a seguinte passagem, traduzida por Grünwedel: 'As mulheres são a corrente ininterrupta do Samsara. Elas são as ogras do ser humano; têm o rosto negro e se parecem com pessoas. O seu corpo é o caldeirão de cobre das bruxas, no qual têm lugar todos os sofrimentos, necessários à purificação pelo fogo... Nesse caldeirão de cobre separa-se o bem do mal. Mulher é o nome desse caldeirão do inferno, feito de cobre; mulher é o nome do cárcere da Mara (a morte); mulher é o nome do ardil de que se utiliza o deus da morte para a captura'. De acordo com esse estranho simbolismo, o caldeirão de cobre das bruxas dentro do corpo feminino deve ser equiparado à Roda do Mundo, no meio de cujos raios os seres experimentam todo tipo de sofrimento imaginável, em virtude de suas paixões.

"Os símbolos da Roda estão dispostos na forma de três anéis concêntricos. O círculo menor e mais interior, o eixo da Roda, contém três imagens simbólicas de animais que, sem dúvida, foram originalmente imaginados como representantes dos três reinos – terra, água e ar –, pois é assim que se manifestam nas lendas de vários povos. São eles o porco,[101] o galo e a serpente, os quais simbolizam, numa perspectiva religiosa, os três males, ou pecados mortais, sob cujo poder definham o mundo e os seres vivos, uma vez que, como consequência de atitudes pecaminosas, mantêm o ciclo contínuo dos renascimentos para uma nova vida. Na verdade, o porco significa a ignorância; o galo, a luxúria; e a serpente, a ira.

"Da mesma forma que a divindade que governa o mundo, nos hinos do Veda, está assentada no cubo da Roda, no centro do universo, ali estão no círculo mais interior cada uma das três origens do mal; como regentes do mundo, eles despertam o interesse do ser humano para o mundo dos sentidos, destituem-no de sua sensata compreensão quanto à irrealidade do mesmo e impedem-no que atinja a salvação, o nirvana. Eles são o eixo em torno do qual gira a Roda do Mundo, com todos os seus reinos e habitantes.[102]

---

[101] Em nossa concepção, o porco corresponde a um animal fantástico e com o mesmo significado. Caracteristicamente, o ouroboros dos três animais constitui o centro negro.

[102] Encontramos uma concepção análoga a esta em Hieronymus Bosch, onde, em uma ilustração da Criação, verificamos a existência de uma coruja assentada no meio do poço da vida, este localizado no centro, sendo que a coruja sempre aparece como símbolo do mal. Nunca se mostrou tão clara, como na representação de Bleichsteiner e na citação de Grünwedel, a correlação entre as porções do inconsciente relativas ao impulso e ao afeto, e o Feminino.

"Afastando-nos centripetamente deste mais interior dos três círculos, vemos as seis zonas do mundo distribuídas em volta dos seis raios desse círculo e classificadas como regiões dos deuses, dos titãs (em sânscrito, *asuras*), dos homens, dos animais, dos espíritos e, por fim, a do inferno. Em algumas representações, o inferno ocupa toda a metade inferior do anel central. Cada uma das regiões do mundo, em separado, é dominada por um pecado mortal que corresponde ao caráter de seus habitantes.

"No meio de nossa ilustração temos o mundo dos deuses; à direita, o mundo dos titãs ou *asuras*, e oposto a este, o mundo dos seres humanos. Abaixo do mundo dos humanos encontra-se o dos espíritos e, embaixo do mundo dos titãs, o dos animais. Na parte inferior, em oposição ao mundo dos deuses, está o inferno.

"No fino anel exterior da Roda símbolos simples retratam os doze nidanas (sânsc. *nidâna* = 'cordão, cadeia, fundamento, causa'), que contêm o cerne da filosofia budista, e personificam o seu doloroso encadeamento de nascimento, envelhecimento, morte e renascimento – o ciclo eterno que só pode ser interrompido quando se consegue distinguir que o conhecimento obtido pela percepção sensorial do mundo – frequentemente chamado de 'vazio' – é ilusão. Os nidanas são com maior frequência explicados também sob o ponto de vista astrológico.

"Se começamos nossa interpretação dos nidanas pela borda inferior esquerda da roda, prosseguindo no sentido horário, distinguimos os símbolos a seguir:[103]

> "1. Mulher velha e cega que se apoia em uma bengala. Ela representa a ignorância ou a cegueira das criaturas.
>
> 2. Oleiro moldando um vaso: sugere o surgimento de produtos amorfos.
>
> 3. Macaco subindo em uma árvore e colhendo uma fruta: símbolo de como o homem toma conhecimento dos objetos existentes no mundo, através da consciência e da ação.
>
> 4. Barco com tripulantes: o consciente se diferencia do inconsciente.
>
> 5. Casa vazia sem dono (homem). Dentro do traje não há ninguém.
>
> 6. Mãe com filho: símbolo do apego ao mundo (!).
>
> 7. Homem atingido no olho por uma flecha: a percepção sensorial comunica impressões agradáveis e desagradáveis.
>
> 8. Homem bebendo vinho: sede de vida, o anseio apaixonado gera um empenho deliberado que se torna cada vez mais ávido.
>
> 9. Homem colhendo frutas: símbolo do prazer da vida.
>
> 10. Casal de amantes em união sexual: símbolo da perpetuação da vida obtida dessa maneira.
>
> 11. Nascimento: sempre haverá o surgimento de uma nova vida e a continuação do ciclo.

[103] A descrição é abreviada e, de acordo com ela, foram feitas algumas modificações na sequência e na forma de apresentação da nossa ilustração.

12. Cadáver embrulhado sendo carregado: o sofrimento e a morte permanecem ligados à vida, que se renova eternamente."[104]

A mandala de movimento circular se fundamenta no mundo dos elementos inferiores – água, terra e ar –, e acima, à direita e à esquerda pairam as forças redentoras antagônicas dos Budas e da "Roda Contrária", a roda positiva do ensinamento que neutraliza a roda feminina negativa da vida.

E aqui Mefistófeles, "o estranho filho do caos", se apresenta de forma direta como a sombra do Buda:

> Acabou-se e nada mais. Que monotonia absurda!
> Que sentido existe, então, em criar a obra eterna,
> Se logo é tomada e lançada ao Nada?!
> "Acabou-se!" O que significa isso?
> É tão perfeito como se nunca houvesse existido,
> Muito embora gire em círculo como se, de fato,
> existisse.
> Prefiro, então, o Eterno Vazio.[105]

Na Idade Média ocidental, encontramos um símbolo que corresponde exatamente à Roda da Vida tibetana: é a Roda da Vida, no aspecto negativo, como a "Roda da Mãe Natureza" [Il. 99],[106] na qual está representado o ciclo ascendente e descendente da vida humana.

A roda é sustentada, na parte inferior, pela Deusa-Terra, e acima reina o Tempo tricéfalo, cujas asas são os meses, os quais fazem com que a vida revolva na alternância de dias e noites. Analogamente, a décima carta do tarô é regida pela esfinge coroada, conhecido símbolo da Grande Mãe, a qual está similarmente entronizada sobre a Roda da Fortuna, com suas configurações ascendentes e descendentes.

Apresentamos o castiçal de bronze etrusco como representação final do Feminino no caráter de Grande Círculo,[107] cujo centro – a cabeça da Górgona [Il. 100] – é circundado por uma intrincada coroa de figuras. Agradecemos ao Professor Leisegang pela interpretação minuciosa dessa peça.[108]

O *gorgoneion* é o sol da meia-noite do mundo inferior – a face terrível da Grande Mãe. Em torno desse centro há um primeiro círculo, onde um grifo e um leão, alternadamente, dilaceram um animal, que é a vida terrena destinada à morte.

---

[104] Bleichsteiner, loc. cit., pp. 224-25.
[105] Goethe, *Faust II*, ato V.
[106] Rudolf Bernoulli, "Die Zahlensymbolik des Tarot-systems", in: *Eranos-Jahrbuch 1934*, II, p. 407s.
[107] Trata-se da parte de baixo do castiçal.
[108] Hans Leisegang, "Das Mysterium der Schlange", in: *Eranos-Jahrbuch 1939*, VII, p. 245ss.

O segundo círculo, a região das águas com sua coroa de vinte e oito ondas (as fases da lua, portanto), é habitada por oito golfinhos. O número oito forma a transição para a região do ar e do fogo, onde reinam oito sereias com asas de aves e rosto humano:

> De cócoras sobre um pedestal em três degraus, revestido de finos traços que eu interpretaria como chuva caindo das nuvens e sendo levada pelo vento. Junto a cada sereia existe um sátiro acocorado tocando uma flauta e com o falo ereto, simbolizando a fecundação que cai do céu e se derrama sobre a terra, em forma de chuva.
>
> Sobre a cabeça de cada uma das dezesseis imagens podem-se ver um sol e dez estrelas, indicando o reino dos astros, que se incandescem em dezesseis chamas na parte superior, precisamente sobre a cabeça das sereias e dos sátiros, queimando como fogo e luz reais, sugerindo a representação do espaço luminoso supracelestial para onde se dirige a alma depois de ter transposto a coroa celeste exterior.[109]

O castiçal representa, portanto, a estrutura ascendente do mundo, disposta em elementos, cujo centro inferior é constituído do *gorgoneion*. Leisegang relaciona essa representação a um trecho significativo da *República*, de Platão. De acordo com o mito visto por Platão, as oito esferas celestes estão presas a um fuso, e, segundo ele, "o fuso gira no colo da Necessidade".[110]

Isto significa, mais uma vez, que a deusa do destino governa o mundo sentada em seu trono, acima de tudo, e que o eixo do mundo gira – como no México e na Índia – no seu útero onipotente.[111]

---

[109] Idem, p. 246s.

[110] Platão, *Politeia*, loc. cit.

[111] Cf. acima, p. 100.

Capítulo Doze

A SENHORA DAS PLANTAS

O Grande Círculo é o universo, são as trevas primordiais e o céu noturno fecundo. É, sobretudo, a água e a terra, as forças ctônicas do mundo, geradoras de vida. Ainda que a teologia egípcia oponha a divindade masculina do disco terrestre à deusa celeste Nut, o Feminino é, não obstante, a terra negra que necessita ser fecundada, e a rainha é a senhora do campo.

Entretanto, essa mesma terra geradora é, por si própria, rebento do oceano primordial das águas. O oceano primordial, cujo aspecto de origem e noite já conhecemos, gera a colina primordial, que significa, no plano cosmológico, a terra, e, no psicológico, a consciência que se eleva a partir do inconsciente, o alicerce do ego diurno. Essa é a razão pela qual a colina primordial, como a consciência em relação ao inconsciente, é como uma "ilha" no meio do mar.

A colina primordial, idêntica ao obelisco de pedra Ben-Ben, refere-se à Benu (fênix), a garça sagrada.

> Ambos os nomes têm a mesma origem morfológica, cujo significado é "elevar-se".[1] Interpreta-se, portanto, a pedra cônica como o primeiro lugar que emergiu da inundação primordial, e a ave, como o primeiro ser vivo que se instalou nesse lugar primordial onde se iniciou o mundo.[2]

É razoável depreender por isso que também a fênix, a garça Benu, seja considerada um princípio ascendente do plano superior e esteja associada à mitologia de Osíris e Rá.

---

[1] Comp. acima com "O simbolismo do feminino terrível na Melanésia", p. 174s, acerca da relação existente entre o "elevar-se" e o princípio espiritual masculino.

[2] Kees, loc. cit., p. 217s.

A relação da colina primordial com Heliópolis e o sol aponta para uma relação entre o sol – como princípio masculino criativo – e o mundo luminoso da consciência:

> O hieróglifo egípcio que significa "a primeva colina da aparição" também denota "manifestar-se em glória". Ele exibe um monte arredondado de terra, com raios de sol que emanam a partir dele (𓈍), o que é a representação gráfica do milagre da primeira aparição do deus-criador.[3]

Em razão de a pedra Ben-Ben ser o princípio criador "manifesto" e visível, o mais sagrado de todos os templos egípcios foi identificado com essa colina primordial.

> A identidade com a colina primeva também recebeu uma expressão arquitetônica.[4] Subiam-se alguns degraus ou uma rampa, a cada entrada do pátio ou átrio, em direção ao mais sagrado dos santuários, que, por esse motivo, estava situado em um nível visivelmente mais alto do que a entrada.[5]

É verdade que o princípio criador do espírito, bem como o da consciência, também é "existência eterna" e é experimentado pelo mundo patriarcal como "autoconcebido"; antes disso, todavia, era genealogicamente considerado uma derivação do caos ou do oceano primordial do inconsciente, um princípio filial nascido do Feminino.

Assim como a colina primordial, do oceano primordial emergem a serpente primordial urobórica, a flor de lótus e Hórus, o filho do sol, como os primogênitos, como os nascimentos e renascimentos do princípio da luz. Oceano e terra são princípios geradores que se mantêm em estreita proximidade; as flores e a árvore são, como o oceano, locais arquetípicos do nascimento mítico.

A deusa, na qualidade de árvore que nutre as almas [Fig. 52; Il. 102], como o sicômoro ou a tamareira,[6] é, sem dúvida, uma figura de destaque na arte do Egito. No entanto, a maternalidade da árvore não se refere apenas ao nutrir, abrangendo também o gerar, e a deusa-árvore dá à luz o sol[7] [Fig. 53, Il. 103].

---

[3] John A. Wilson, *Ägypten*. In: Henry e H. A., Frankfort, John A. Wilson e Thorkild Jacobsen, *Frühlicht des Geistes*, Zurique, 1954, p. 60.

[4] O símbolo arquitetônico mais perfeito desse simbolismo da ascensão é o de Boro-Budur, em que espirais ascendentes partem da camada mais profunda do mundo e conduzem ao Buda invisível.

[5] H. e H. A. Frankfort, *Frühlicht...*, loc. cit., p. 30.

[6] O significado da tamareira também se mostra claro nos rituais da colheita, que, tal como é representada frequentemente em sinetes babilônicos, é executada exclusivamente por mulheres e durante a lua nova. (Comp. o exemplo in: *The Cambridge Ancient History*, 12 vols. e 5 vols. de pranchas, Cambridge e Nova York, 1923-1939, vol. de pranchas I, p. 63b.)

[7] Comp. c/ Bachofen, *Das Mutterrecht...*, loc. cit.; e Klages, loc. cit., vol. III, p. 2.

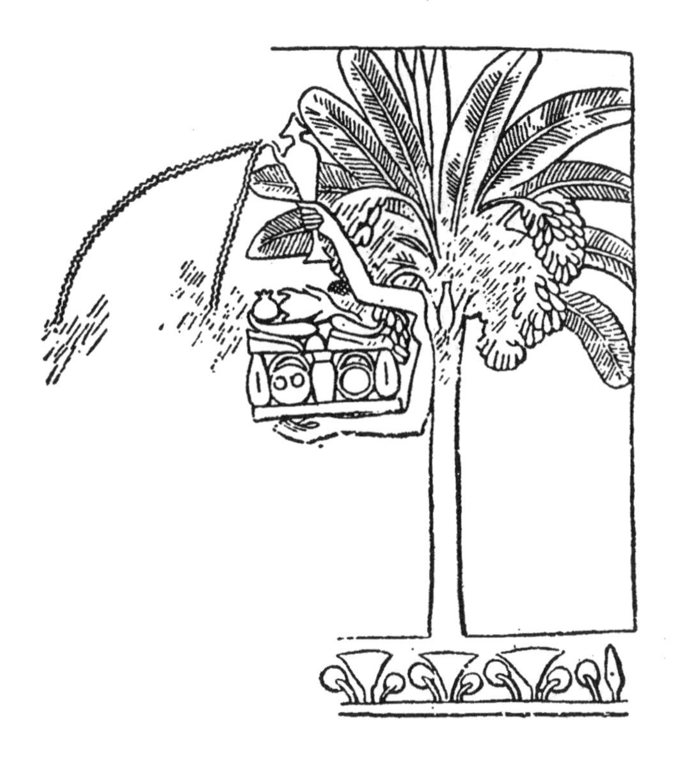

Figura 52 – A deusa representada como tamareira, doadora de alimento;
Egito, extraído de um relevo, XVIII dinastia, séc. XVI a XIV a.C.

Hathor, a deusa do sicômoro, que é "a morada de Hórus", e nessa qualidade o dá à luz, traz o sol sobre a cabeça; a copa da árvore é o lugar onde se dá o nascimento do sol, é o ninho de onde alça voo a fênix-garça.[8]

Assim os "altos sicômoros do horizonte oriental", considerados a árvore do mundo em que "estão sentados os deuses", são associados ao nascimento do deus-sol, e, de acordo com a descrição existente no *Livro dos Mortos*,[9] existem "dois sicômoros de turquesa" no portão oriental do céu, de onde Rá surge diariamente pela manhã.[10]

O sicômoro é idêntico à deusa celeste, igualmente vivenciada como árvore – como mostra uma ilustração do *Livro dos Mortos* –; a deusa-árvore Hathor que gera o sol é identificada com a deusa celeste Nut, a deusa tumular do renascimento. Ambas correspondem ao pilar *djed* de Osíris, de onde se eleva o sol, como Rá e alma, pela manhã. Com efeito, Osíris também é um deus da árvore e o deus contido na árvore.

---

[8] Neumann, *História da Origem da Consciência*, loc. cit., p. 257.

[9] Cap. CIX.

[10] Kees, loc. cit.; comp. também com Neumann, *História da Origem da Consciência*, loc. cit., "Transformação ou Osíris", p. 241ss.

Figura 53 – Veneração da árvore solar; *Egito, de um papiro de Nebseni, XVIII dinastia, séc. XVI a XIV a.C., fl. 23.*

Assim, seu esquife encerrado num cedro do Líbano é descoberto por Ísis,[11] e, como o pilar *djed*, ele é o princípio gerador do sol, análogo à Grande Deusa Árvore.

Descobrimos que também aqui – como no México – as figuras da Grande Deusa Mãe e seu filho se confundem. O sicômoro, o "lenho vital de que vivem os deuses",[12] é como o pilar *djed*, aquele que "contém o deus"[13] [Fig. 54].

Outrossim, o pilar *djed* semi enterrado, portador do símbolo da vida, cujos braços eram o *Ka* que promovem o nascer do sol, corresponde à Nut cingida pelo símbolo da vida e aclamada pelos babuínos veneradores da manhã, cujos braços erguidos fazem com que o sol se eleve a um nascimento superior.[14]

O nascimento de Osíris a partir da árvore se repete em Adônis [Il. 104]; ambos são "deuses da vegetação", assim como o Jesus-criança deitado na manjedoura feita de madeira e o deus grão da Babilônia, a espiga de trigo nascida da virgem.

Nas analogias simbólicas de um Grande Feminino emergente, que nutre, gera e se transforma, temos como elementos correlatos a árvore, o pilar *djed*, a árvore-mundo e a árvore celeste.

Essas analogias podem ser ainda mais ampliadas, considerando-se que a árvore geradora de criaturas pode se diferenciar em copa e ninho, em manjedoura e berço. Eis a razão pela qual a festa realizada na passagem de ano também é chamada, no Egito, de "dia da criança no ninho".[15] O nascimento do dia, visto como o pequeno nascer do sol, é essencialmente idêntico ao grande nascimento do novo ano.

A madeira, *hyle*, que, como manjedoura e berço, encerra o significado materno e gerador da árvore, é, por outro lado, a mãe da morte, o *sarko-fagos* – devorador de

---

[11] Idem, p. 249s.

[12] *Die alt-ägyptischen Pyramidentexte...*, loc. cit., vol. II.

[13] Van der Leeuw, loc. cit., p. 37.

[14] As árvores babilônicas da lua e do sol [Il. 108a] são símbolos análogos ao caráter de crescimento, transformação e procriação da luz.

[15] Adolf Ermann, *Die Religion der Ägypter*; Berlim, 1934, p. 370.

Figura 54 – Pilar *djed* com o símbolo da vida e com o sol nascente, na montanha do alvorecer; *Egito, extraído de um papiro de Iena, XVIII dinastia.*

carne – é o esquife que, na forma de árvore e pilar, encerra Osíris, da mesma maneira que a Nut [Ils. 91, 92], em seu caráter de esquife, guarda os mortos em sua madeira. O esboço etnológico da África oriental[16] mostra o recolhimento original dos mortos no ventre da imensa árvore maternal [Il. 105].

Como árvore celeste, Nut também é a senhora dos animais celestes do zodíaco, tal como a Diana de Éfeso [Il. 35], cujo manto e coroa são adornados por uma grande quantidade de símbolos de animais. A árvore telúrica, cujas raízes estão assentadas nas profundezas,[17] é símbolo do tempo tanto quanto é a árvore estrelar das alturas.

A recorrência da unidade noite-dia, na unidade do ano, também é constatada na árvore celeste anual da China [Il. 108b], sob cujos galhos os animais das doze constelações do céu se reúnem.

---

[16] Jerome Becker, *La vie en Afrique*, 2 vols., Paris e Bruxelas, 1887, vol. I, p. 156. Becker dá o nome de Wagogo à tribo oriunda da atual Tanganica, e a árvore é chamada de baobá.

[17] A árvore considerada tronco é masculina e feminina ao mesmo tempo, mesmo quando possui aspecto fálico – compare com o termo "árvore genealógica".

Cada um desses animais referentes a um mês regia, antigamente, duas horas de vigília durante o dia, o qual, para nós, se inicia à meia-noite. Cada vigília recebe o nome de um dos "doze ramos terrenos" e o do animal correspondente;[18] a árvore do tempo, com seus doze galhos, é tanto a árvore da noite-dia-noite como a árvore anual.

A imagem da árvore, firmemente plantada na terra que a nutre, mas que se eleva no ar, onde desenvolve sua copa, serve de motivo para a imaginação da humanidade desde o início dos tempos.[19] Todas as criaturas se abrigam e se protegem sob sua sombra,[20] uma vez que ela sacia sua fome e sua sede com os frutos que dela pendem como estrelas.

Em seus galhos fazem seus ninhos as aves, habitantes do céu, que, ao partirem da árvore com as asas abertas, pairam no espaço intermediário entre a trama dos galhos das árvores embaixo e, acima, os galhos-asas da árvore ou ave celeste que cobre o mundo.

A imagem da árvore celeste tem origem no céu noturno, e não no céu oriental do sol fecundante, nem no céu diurno. Sua sombra serve de abrigo para o mundo, e nela se recolhem, igualmente, os animais; em seus ramos brilham os frutos estrelas, e o mundo sedento se alimenta do orvalho noturno.

Essa árvore celestial que brilha à noite também é a árvore anímica do renascimento, na qual toda pessoa, depois da morte, se torna luz celeste e retorna como estrela para a eternidade do Grande Círculo. Disto resulta a ligação arquetípica entre velas e lâmpadas etc., com a festa dos mortos.

Encontramos um belo exemplo dessa ligação entre madeira e luz no simbolismo cristão-germânico da árvore de Natal, bastante conhecido, e que está ligado ao solstício de inverno. Outra ilustração deste vínculo é a árvore da morte do culto budista [Il. 109],[21] guarnecida com velas e para a festa dos mortos. A cada vela dessa árvore em sete patamares – em cuja extremidade se coloca uma flor de lótus de múltiplas pétalas – pertence uma flor de luz, uma alma iluminada e redimida entronizada na flor de lótus.

A Grande Deusa do céu noturno, que "faz com que suas almas apareçam",[22] alimenta e revigora as extenuadas e fatigadas almas dos seres vivos na sonolenta escuridão do inconsciente, a terra dos mortos, para que, na manhã oriental, da mesma forma que o sol, renasçam revigoradas e radiantes.

---

[18] Juliet Bredon e Igor Mitrophanow, *Das Mondjahr; chinesische Sitten, Braüche und Feste*, traduzido do inglês por Richard Hoffmann, Viena, 1937, p. 37.

[19] Compare c/ o papel da árvore e o ato de colher o fruto nos selos indianos primitivos e nos da religião cretense.

[20] Comp. também com a visão no livro de Daniel, cap. IV, em que o Grande Rei, o representante celeste original, é identificado com a Grande Árvore.

[21] Gustave Mensching, *Buddhistische Symbolik*, Gotha, 1929, p. 32.

[22] Cf. acima, p. 209ss.

Como árvore da vida, a Grande Deusa-Árvore do céu noturno e do mundo inferior alimenta os mortos, da mesma forma que, entre os astecas, na qualidade de "árvore lactante", ela nutre os que habitam o mundo dos mortos com o vigor do seu leite.[23]

A identidade entre mar e céu noturno, como símbolos da maternalidade geradora, ressurge no símbolo da Shekinah, o mar da divindade que se renova à noite. E aqui também a árvore do nascimento, renascimento e destino se relaciona com esses símbolos.

Em um dos principais escritos cabalísticos do século XIII que constam do *Sohar*, temos ainda:

> Novos a cada manhã – estes são os homens que se renovam a cada dia. Por quê? Porque, como prossegue o verso: "Tua fidelidade é grandiosa". Tua "fidelidade" (isto é), a Shekinah, aquele fogo devorador a partir do qual eles se renovam durante a noite. De fato ela é "grandiosa", e não diminuta, pois recolhe todas (as almas dos homens) em si e em si encerra as mais elevadas e as mais inferiores. Ela é o lugar amplo, extenso, que contém tudo em si e que nunca fica repleta, tal como o indica o verso: "Todos os rios correm para o mar e este não fica cheio" – todas (as almas) se dirigem para esse "mar" e o "mar" as recolhe e as consome, sem que com isso se torne cheio. Ela as regenera e elas partem; e é por isso que se diz (de Shekinah): Grandiosa é a tua "fidelidade".[24]

O papel da árvore é deveras importante na Cabala, na qualidade de árvore da vida e de árvore sefirótica. Esse simbolismo remonta àquele do antigo Oriente, onde a árvore da vida e do conhecimento – e da morte – ocupa o lugar central na história do paraíso, que decidiu o destino humano.[25] Essa é a razão pela qual encontramos no *Livro de Bahir* o trecho seguinte, que é um texto cabalístico relativamente antigo:

> Fui eu que plantou esta "árvore", para que o mundo inteiro com ela se deleitasse, e, com ela, criei uma abóbada sobre todas as coisas e dei-lhe o nome de "universo", pois a ela se prende o universo e este dela emana. Todas as coisas têm necessidade dela e lhe são tementes; de lá é que emanam as almas.[26]

e numa passagem análoga:

> Deus possuía uma árvore à qual estão ligados doze raios: norte-leste, sul-leste, oeste-superior, oeste-inferior, norte-oeste, sul-oeste, oeste-superior, oeste-inferior,

---

[23] Krickeberg, *Märchen...*, loc. cit., p. 30.

[24] Gershom Gerhard Scholem, *Die Geheimnisse der Schöpfung: Ein Kapitel aus dem Zohar*, Berlim, 1935, p. 75.

[25] É evidente que o símbolo da árvore, que pertence originariamente ao mundo matriarcal, tenha se ajustado ao domínio da divindade patriarcal.

[26] Scholem, *Das Buch Bahir*, Leipzig, 1923, § 14, p. 17.

norte-superior, norte-inferior, sul-superior, sul-inferior, e eles se estendem prolongando-se até o impensável e eles são os braços do mundo. No seu interior está a árvore...[27]

e ainda:

> E que "árvore" é (essa) da qual falaste? Disse-lhe ele: Todas as forças de Deus estão (apoiadas) uma sobre as outras e se assemelham a uma árvore – assim como a árvore produz os seus frutos a partir da água, também é a partir da água que Deus aumenta a força da "árvore". E o que é a água de Deus? É Chokmah (sabedoria), e esta é a alma dos justos, que se elevam da 'fonte' em direção ao "grande canal" e se ergue e prende à "árvore".[28]

Como se refletissem um ao outro, os céus aparecem como árvore, e o topo da árvore cósmica alça-se como torre em direção ao céu. Isto, porém, não esgota a relação entre ambos. É exatamente porque as raízes da árvore penetram nas profundezas que ela adquire tal conotação de fatalidade. Suas raízes assentadas na escuridão do inconsciente equivalem ao enraizamento no espaço do céu noturno.

As constelações estelares de seus "ramos" são a evidência de um destino profundo, cujo prolongamento é o mesmo tanto para cima quanto para baixo. É por essa razão que se diz que a árvore cabalística, como a cristã e a hindu, teria as raízes no céu, entre os poderes superiores, e a copa, sua expansão, no mundo abaixo.

"Para cima as raízes, para baixo os ramos, assim cresce a eterna figueira; ela é chamada a semente, Brahman, imortal; sobre ela estão assentados os mundos. Não existe ninguém que lhe seja mais elevado."[29]

Pertence a esse contexto a simbólica da árvore na alquimia [Il. 110], objeto de minuciosa dedicação por parte de Jung,[30] motivo pelo qual vamos apenas mencioná-la de passagem.

O *opus* da evolução psíquica, interpretado como *arbor philosophica* que assumiu forma no processo alquímico, é a árvore feminina do destino, cuja ramagem é idêntica ao céu estrelado, em que a Fênix ou o pelicano constroem o ninho da transformação imortal, assim como a Benu-garça, que, na árvore egípcia da transformação, torna-se a alma superior de Rá.[31]

É principalmente na alquimia que se torna claro o significado psicológico do nascimento a partir da árvore, ou da flor. Um nascimento de tal espécie é sempre o

---

[27] Idem, § 64, p. 64.

[28] Idem, § 85, p. 91.

[29] Veja: Sechzig Upanishad's des Vedas. Traduzido do sânscrito e organizado por Paul Deussen; Leipzig, 1921. Kathe Upanishad, VI, 1.

[30] Comp. c/ Jung: *Psychologie und Alchemie*, loc. cit., e também "Der Philosophische Baum", in: *Von den Wurzeln...*, do mesmo autor, loc. cit.

[31] Comp. c/ Neumann: *História da Origem da Consciência*, loc. cit., p. 257s.

resultado final de processos de evolução e de transformação, que não podem ser atribuídos à esfera instintiva animal.

Ele se origina do estrato psíquico em que – a exemplo de como se dá com as plantas – os elementos são sintetizados e atingem nova forma e unidade, através de uma transformação governada pelo inconsciente. Eles pertencem à "consciência matriarcal",[32] cuja natureza e simbolismo estão intimamente ligados ao mundo vegetal e ao mundo do Feminino.

Seus processos psíquicos – que ocorrem de forma consideravelmente independente do ego e da consciência – são, como a fruta, o surgimento de uma qualidade luminosa na consciência, especificamente relacionada ao tempo e ao fenômeno do destino.

Essa relação entre destino e árvore é particularmente evidente na mitologia germânica.

"A árvore é um símbolo do destino porque está enraizada nas profundezas. É importante destacar que ela cresce com o tempo, desenvolve os seus ramos – como em uma árvore genealógica – e ano após ano acrescenta um novo anel, assim revelando a sua idade. Sobranceira, ergue-se Yggdrasill [Fig. 55] – 'a melhor e a mais esplêndida de todas as árvores' – na concepção mítica de mundo do Edda, que ergue para o alto sua coroa, para que 'os ramos se elevem para além do céu' e atinjam as profundezas insondáveis com suas três raízes que alcançam o mundo inferior (Niflheim), o reino de Asgard e Jotunnheim, o reino dos gigantes de gelo..."[33]

"O destino se forma lentamente a partir delas como uma árvore que, profundamente enraizada, se desenvolve e se avoluma, assim como o freixo que, tendo crescido e se tornado alto e vigoroso, remonta à Idade da Pedra e abarca os nove reinos do mundo com suas três raízes poderosas.

"O destino é o núcleo sagrado da vida. Do seu útero fluem a riqueza e a necessidade (auþr e nauþr), a ventura e o infortúnio, a vida e a morte. O termo 'skop', do alto-nórdico, empregado no plural para designar 'destino', significa ao mesmo tempo 'genital'[34] e corresponde ao gótico 'gaskapjan', ao anglo-saxão 'scyppan', também declinado como 'skeppian', ao antigo alto-alemão 'scaffon', 'criar, ordenar, determinar', que foi mantido no atual Schöffe', 'magistrado', na 'Beschaffenheit', qualidade, e no sufixo 'schaft'.*

[32] Neumann, "Über den Mond...", loc. cit.

[33] Ninck, *Wodan...*, loc. cit., p. 215 (a ilustração da árvore que reproduzimos aqui é, evidentemente, a concepção de um homem moderno [séc. XVIII]. Não foi possível localizar nenhuma outra representação mais antiga dessa árvore.

[34] As Nornas são parteiras: "Dize-me, Fafnir... quais são as Nornas que prestam auxílio na necessidade e que, através da magia, libertam das mães o fruto de seu ventre?"; in: *Thule*, loc. cit., vol. II, p. 77.

* Sufixo empregado na língua alemã para designar estado ou condição, conjunto ou totalidade. (N.T.)

Figura 55 – Yggdrasill, a árvore da vida, no Edda"; *extraído da edição do Antigo Edda, org. por Finnur Magnusson, séc. XVIII.*

"Assim, a atividade do destino é um eterno tornar-se (Urth e Verthandi têm esse nome por essa razão), um tecer e um criar, e a tudo que existe o destino atribui uma parte na vida, de acordo com suas particularidades.

"Das irmãs, a terceira corta cruelmente o fio, e Urth, de fato, significa cólera mortal. Entretanto, as Nornas também levam à vida, e seu útero é de abundância transbordante. Elas aparecem nas 'matronas de pedra' [Il. 112] romano-germânicas, tendo no colo cestos de frutas; habitam perto da fonte de Urth, de onde colhem água e com ela irrigam diariamente a árvore, para que esta não definhe."[35]

Por enquanto, todavia, o caráter feminino do destino como árvore e noite está em primeiro plano. Como escreve Ninck,

"Por toda parte, o destino sempre foi considerado pelos germânicos como um poder feminino. O útero da mãe primordial é o que gera tudo que existe. As Nornas têm em suas mãos o poder de controlar o curso dos fatos; elas tecem o fio, cortam-no e prescrevem o devir. Algo das Nornas atua nas mulheres fazendo com que estas exponham algo de si. Cada uma delas pode ser porta-voz da mãe primordial como local de concepção, de crescimento, de amadurecimento e de nascimento.

"A mulher, mais do que o homem, é capaz de prever o curso dos fatos e de dar conselhos, no sentido de harmonizar a conduta humana com o destino. Essa é a razão da sua invulnerabilidade e da sua santidade sacerdotal, como pode ser comprovado entre os címbrios. É desnecessário repetir as célebres palavras de Tácito sobre o *sanctum et providum* das mulheres germânicas... Essa postura foi mantida no norte até o cristianismo começar a perseguição às videntes, por considerá-las feiticeiras.

"No Edda, o destino do mundo é vaticinado por Frigga e Gefjun; Groa entoa encantamentos para Thor, e Odin obtém seu conhecimento com as volvas. Nas sagas, as videntes desfrutam de grande celebridade entre os camponeses, quando vagueiam pelos campos havendo comprovação de 'que algumas delas foram inclusive exaltadas como deusas' (Tácito, *História*, IV, 61), haja visto o fato de o Jarl* Hakon ter mandado erigir um templo dedicado exclusivamente à vidente Thorgerd.

"Não apenas a vidente, porém, mas o próprio elemento é capaz de ser uma voz a intervir entre os homens e o destino já traçado (o que é uma indicação de que a mulher atinge o auge de sua missão como representante do universal e não como pessoa). Tudo o que habita as profundezas vizinhas às Nornas é prenhe de destino, e a maior parte da água que brota de tais profundezas e a árvore que nelas está enraizada. Exatamente por essa razão, água e árvore são os símbolos elementares mais importantes, dotados de uma sacralidade primordial por todas as tribos gennânicas".[36]

Em outra parte, Ninck escreve: "A relação de Odin com Mimir reflete sua ligação com a água primordialmente sagrada do destino, da mesma forma que o mito do enforcamento de Odin, na Yggdrasill, reflete sua relação com a árvore sagrada do destino. Era tão estreita sua relação com a fonte que Odin estabeleceu-a como seu trono dos julgamentos; e o nome do freixo mundial assinala a grandiosidade do significado atribuído ao mito do enforcamento, pois Yggdrasill significa 'o corcel de Uggr, aquele que amedrontou Odin'. A importância deste mito também decorre dos

---

[35] Ninck, *Wodan*, loc. cit., p. 191.

* Jarl = título de governante/rei, comum nas terras nórdicas, durante a Idade Média. [N.T.]

[36] Idem, p. 203.

sacrifícios por enforcamento mencionados anteriormente, os quais eram praticados como oferendas ao deus em relação ao ato de iniciação executado por ele mesmo, e à origem nórdica trovadoresca do nome de Odin: Hangagu þ – 'deus enforcado' –, Geigu þ r – 'o dependurado que balança' –, Galgagramr – 'o senhor do patíbulo' – e Hangi – 'o enforcado'.

"Com efeito, é possível que nenhum outro fator tenha facilitado mais a conversão dos germânicos ao cristianismo do que a aparente semelhança de seu deus enforcado com o Cristo crucificado, situação em que mais uma vez é significativo o fato de os godos e os anglo-saxões terem transcrito, para seus respectivos idiomas, a palavra 'cruz' como 'patíbulo' (gótico = *galga*; a-saxão = *gealga*).

"Também é possível comprovar a existência do mito no sul, e durante a Idade Média, ainda que suas formas e características tenham se modificado de forma singular".[37]

Os versos principais do mito do enforcamento de Odin são:[38]

Eu sei que fiquei, ao longo de nove noites,
Suspenso na árvore soberba, balançada pelo vento,
ferido pela lança
E fui consagrado a Odin.
Eu consagrado a mim mesmo.

Lá estava eu, naquela árvore,
cuja raiz ninguém talvez venha a saber
Por onde corre.
Eles não me deram comida,
Tampouco bebida;
Inclinei-me para baixo,
Apanhei as runas,
Apanhei-as, gemendo, e, então,
Eu caí.

---

[37] Ninck, *Wodan...*, loc. cit., p. 299ss. Da mesma forma que Odin adquire sabedoria ao cair da árvore, também na "Farsa do Nabo" medieval o enforcado se vangloria do fato de que, por estar dependurado pela cabeça na árvore, a verdadeira trajetória das estrelas em torno do polo e a natureza de todas as coisas, plantas, animais, pedras e elementos lhe eram reveladas. (Grimm, loc. cit., nº 146, segundo um poema latino, cuja edição mais antiga remonta ao séc. XIV, publicada por Johannes Bolte e Georg Polivka, *Anmerkungen zu den Kinder – und Hausmärchen der Brüder Grimm*; 5 vols., Leipzig, 1912-1932, vol. III, p. 170ss. Não se pode cogitar, nessa época, que um escriba tivesse conhecimento das nuvens de Aristófanes, sem contar que a árvore não encontra nenhuma analogia na comédia grega.) Também cabe nesse contexto a crença popular de haver poderes mágicos excepcionais nos restos mortais do enforcado: a corda utilizada para esse fim, sua última ejaculação involuntária e a mandrágora que deste brotava. (Sobre a mandrágora, compare com Oskar von Hovorka e Adam Kronfeld, *Vergleichende Volkmedizin*; 2 vols. – Stuttgart, 1908s., vol. I, p. 14ss.) O inglês *gallow-tree* conserva a lembrança do fato de que a concepção original da forca era uma árvore.

[38] Ninck, *Wodan...*, loc. cit., p. 299s.; Thule, vol. II, p. 170s.

Comecei a crescer
E a vicejar.
Lá tornei-me sábio.
De palavra em palavra,
Cheguei à Palavra.
De obra em obra,
Atingi a Obra.

Deve se tornar claro, agora, como sacrifício, morte, renascimento e sabedoria estão correlacionados em um novo plano.[39] A árvore da vida, a árvore-patíbulo e a cruz são, portanto, formas ambíguas da árvore maternal.

Aquilo que pende da árvore, o filho da mãe-árvore, na verdade experimenta a morte através dela; entretanto, recebe dela a imortalidade, o que lhe permite ascender ao seu céu imortal, onde compartilha de sua essência como Sofia, a doadora de sabedoria. Sacrifício e sofrimento são os pré-requisitos da transformação proporcionada por ela. Essa lei do morrer e tornar-se faz parte do núcleo da sabedoria de que dispõe a Grande Deusa dos seres vivos, a senhora de todo crescimento, físico e anímico.

O simbolismo arquetípico da árvore – independentemente de qualquer corrente teológica – se estende profundamente dentro do mundo mítico do cristianismo e do judaísmo. Assim, o Cristo suspenso da madeira da morte [Il. 114] é o fruto do sofrimento, e, nessa medida, o voto da Terra Prometida, da beatitude por si, é, ao mesmo tempo, a árvore da vida sob a forma de senhor da uva. Assim como Dioniso, Ele é o "endendros", a vida que atua no interior da árvore [Il. 115], e concretiza a dupla natureza misteriosa da árvore, que contém em si os opostos.

O mesmo é válido para a árvore do conhecimento, no mito cristão, em que é identificada com a árvore da vida e da morte, que é a cruz. De acordo com esse mito cristão, a cruz foi erguida no local onde existira a árvore do conhecimento; e Cristo, como "fruto místico" da árvore redentora da vida, substituiu o fruto da árvore do conhecimento, através da qual o pecado teve acesso ao mundo.

A gravura que apresentamos adiante, extraída de um manuscrito suíço, mostra a natureza dupla e mítica daquela que foi caracterizada como árvore do conhecimento, com sua oposição de "bem" e "mal" [Fig. 56]. Seus aspectos duplos são o judaísmo e o cristianismo, a sinagoga e a igreja, sendo que com o judaísmo, naturalmente, estão relacionados o inferno e a morte e, com o cristianismo, a salvação e a vida.

Em honra da justiça mítica – com seus paradoxos e suas ambiguidades –, a vida e a morte se encontram unidas no aspecto judeu afirmador de vida: a Eva despida. Seu ventre é a vida, simbolizada pela uva, mas na mão segura um crânio, fruto da árvore.

---

[39] Vrf. adiante, p. 299s.

Figura 56 – A árvore do conhecimento; *extraído de um manuscrito suíço do séc. XV.*

A Igreja, ao contrário, é o outro aspecto, negador da vida, mesmo que o faça de maneira desconhecida pelo artista. Ali aparece o útero da morte, caracterizado pela crucificação, pois a Igreja é a árvore e a noiva da morte. Entretanto, o fruto que ela tem nas mãos é a hóstia, o pão da vida. Essa dupla árvore do bem e do mal culmina na cruz, cuja ambiguidade é frequentemente corroborada pela presença concomitante do bom e do mau ladrão, cada um de um lado desta.

Essa feminilidade posterior e de matiz teológico ainda é o vaso simbólico da iniciação, ligado à alimentação e ao nascimento. A Igreja com o cálice [Il. 113] é, portanto, o vaso da salvação, e Eva, com a maçã, é o vaso do pecado.

Ainda no que diz respeito ao vaso de transformação do batismo,[40] o Feminino, em caráter de ocidente, inferno e mundo inferior, apresenta seu lado negativo; em caráter de oriente, céu e paraíso, revela seu lado positivo. A árvore do infortúnio, envolvida pelas serpentes e cujas folhas representam os pecados humanos, tem suas raízes na cabeça da prostituta babilônica com o cálice dourado [Il. 111] e ainda é coroada pela imagem da Luxúria segurando um de seus seios desnudos, uma figura que lembra Eva, Astarte e Gaia.

Na ilustração seguinte, Cristo eleva-se sobre a árvore maternal ambivalente [Il. 116] como o terceiro e novo elemento. Aqui os dois aspectos também estão representados por Eva e pela Igreja, que contempla o Cristo no alto como o novo Adão. A linha essencial dessa imagem é a vertical, em que Cristo aparece não pendurado na cruz, mas preso à árvore da vida, que se eleva sobre a antiga árvore do conhecimento do bem e do mal – ambivalente e bifurcada –, da mesma forma que o faz Cristo, a "serpente da salvação", que domina a antiga serpente do infortúnio.

A unidade da árvore feminina só é possível ao se unir as duas imagens de mãe, a de Eva *e* a Igreja, a telúrica *e* a transcendental, o bem e o mal, isto é, o Feminino que comete o pecado *e* promove a salvação.

Os atributos da mãe-cruz se manifestam com nitidez surpreendente na Escócia e na Irlanda [Fig. 57, Ils. 117a, 117b]. O acabamento estético da cruz escocesa realça ainda mais a semelhança com a de Diana de Éfeso e com a da deusa cretense, em que a semelhança chega, inclusive, ao enovelamento da serpente na região do ventre [Il. 56]. A terceira cruz [Il. 117b] simboliza o homem pueril "pendurado" na Grande Mãe da Morte; aqui também a mãe carrega a criança nos braços, envolvendo-a na morte tal como no nascimento.

O significado da cruz como árvore da vida e da morte é ainda mais ampliado pelo simbolismo da cruz-madeira como cama. "A cruz se tornou o seu leito nupcial; o dia de sua amarga morte traz uma doce vida para ti", declama Ephraim, dos sírios.[41]

A madeira feminina, a matéria, a substância maternal da árvore aparece como fundamento simbólico no leito nupcial, no leito de nascimento e de morte. Essa *mater-materia* é o leito do *Hieros Gamos*, local sagrado designado para o ritual da fertilidade, assim como é o leito dos nascimentos em caráter de manjedoura, berço e ninho, e o leito de morte, em caráter de árvore da morte, cruz, patíbulo, caixão e barco funerário.

---

[40] Cf. adiante, Cap. 14, p. 300s.

[41] *Mater Ecclesia: Lobpreis der Kirche aus dem ersten Jahrtausend christlicher Literatur* – org. por Hugo Rahner; Einsiedeln e Colônia, 1944, p. 118.

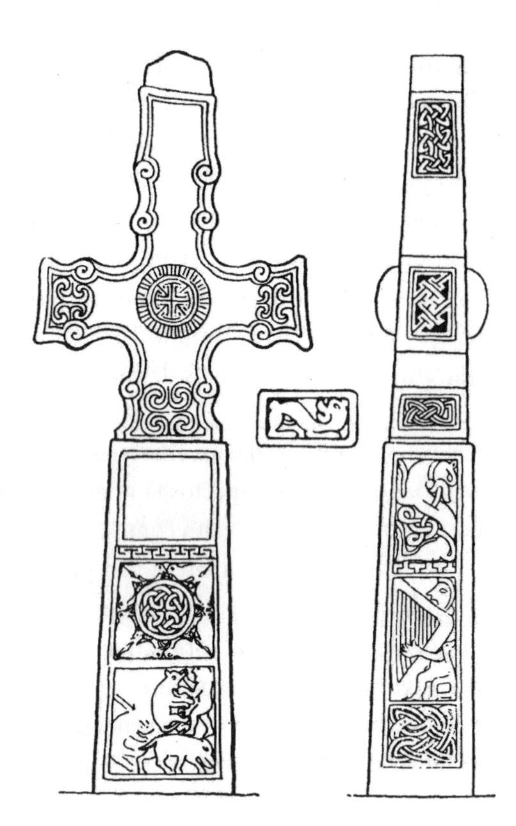

Figura 57 – Cruz de pedra; *Escócia, período anterior ao séc. XII; vistas frontal, superior e lateral.*

O simbolismo berço e manjedoura do barco [Il. 118], que conhecemos através dos mitos do herói infantil[42] abandonado e à deriva, pertence ao simbolismo nascimento da arca de Noé, preservadora da vida, simbolismo vaso do Feminino. A confirmação deste fato se dá no nível etimológico: "No antigo vernáculo, a palavra 'barco' também significa 'tina, vaso'. Um remanescente desse uso é o emprego do mesmo termo para indicar um depósito de água embutido no fogão ou no forno".[43]

Os termos para tina e barco são os mesmos em vários idiomas. De forma análoga, as raízes de "caneca" (al. *Kanne*) e "canoa" (al. *Kahn*) são idênticas. Além disso, é evidente a relação entre navio, esquife e árvore, haja vista as canoas primitivas que eram escavadas em um único tronco de árvore. Devemos acrescentar ainda, neste contexto, a identidade entre o barco e a cuba dos antigos moinhos, existente entre os nórdicos,[44] e a cama da criança recém-nascida como berço.[45]

---

[42] Comp. c/ Otto Rank, *Mythos von der Geburt des Helden*, "Schriften zur angewandten Seelenkunde", org. por S. Freud, caderno 5, Leipzig e Viena, 1922; e Neumann, *História da Origem da Consciência*, loc. cit., p. 194.

[43] Friedrich Kluge e Alfred Götze, *Etymologisches Wörterbuch der deutschen Sprache*, Berlim, 1948.

[44] Comp. c/ o que foi mencionado anteriormente sobre o moinho manual, na "Canção do Moinho", p. 230s. e, adiante, p. 282-83.

[45] Ninck, *Wodan...*, loc. cit., p. 218.

O berço apoiado em uma armação curva, que permite embalar a criança, é uma cópia do útero-navio, em que o embrião adormecido navega oscilante no mar primordial, rumo à vida, como os deuses que cruzam o mar celestial da Grande Mãe em sua barca cósmica.

A lua, barco do mar noturno, é a grande superfície iluminada da divindade feminina, que também é considerada o recipiente e o barco das almas, no qual as almas que se elevam da terra como vapor se agrupam, ascendendo e sendo entregues ao Grande Círculo.

O barco, porém, é também a nau dos mortos,

> que reconduz ao ritmo oscilante, escorregadio e sonolento da mais tenra infância, do mar primordial e da noite. Verificamos que essas práticas funerárias foram preservadas ao longo dos séculos e que o berço de ninar foi utilizado durante mais um milhar de anos. Nele, sobrevive uma concepção primordial de humanidade, à qual se apega com particular tenacidade o grupo nórdico dos povos indogermânicos. Somente dessa forma pode-se compreender com exatidão o que levou os germânicos a construírem as suas casas e templos empregando exclusivamente madeira para esse fim (tais construções eram originalmente feitas em volta da árvore do destino), desde a introdução do cristianismo e durante um longo período subsequente, e por que se dedicaram com tanto empenho, durante tanto tempo, à construção de navios e ao entalhe em madeira. Chegaram inclusive ao estilo arquitetônico do período gótico final, em que a árvore e todo o reino vegetal se tornaram os símbolos a partir dos quais se desenvolveram os conceitos fundamentais da construção naval e da arte do entalhe em madeira.[46]

Entre os povos germânicos, pode-se verificar que o sepultamento em barcos foi praticado durante um período que se estende até a Idade do Bronze,[47] e até o período normando os grandes túmulos embarcações comprovam a existência de uma conexão entre o barco e a "grande viagem" para o mundo dos mortos;[48] outrossim, os índios do noroeste americano também lançam o cadáver em barcos que consideram como esquife.[49] O mar é arquetipicamente vivenciado não só como mãe, mas também como a água primordial devoradora que toma de volta os filhos para si.

O rito de fecundidade em que a embarcação, sob a forma de carreta-bote, é puxada para terra também está relacionado com o simbolismo feminino do navio que, para o navegador, integra o caráter de abrigo e proteção do útero, da casa e da caverna

---

[46] Idem, p. 218s.

[47] Nossa ilustração nº 119 exibe o Cristo adormecido durante a tempestade; o navio, porém, evoca associações germânicas, e "a composição mais parece um enterro, pela sua atmosfera de tranquilidade". (*Miniaturen des frühen Mittelalters*, com apresentação de Hans Swarzenski, Berna, 1951, prancha XII, p. 19.)

[48] Comp. c/ "barco, angústia de morte", in: Neumann, *História da Origem da Consciência*, loc. cit., p. 299, também com a poesia de D. H. Lawrence e sua interpretação, na mesma obra.

[49] Veja a ilustração in: Frobenius, *Völkerkunde in Charakterbildern*, Hannover, 1902, p. 107, fig. 167.

com o aspecto de "bem-amado". Essa é a razão pela qual os antigos navios sempre eram "imaginados como femininos"[50] e por que seus nomes destacavam a função redentora da feminilidade. Assim, os navios gregos recebem nomes como "Salvação, Misericórdia, Portadora da Luz, Bem-Aventurada, Vitoriosa, Donzela, Pomba, Redentora, Providência e Paz".[51]

O Cristo salvador também é visto como nave,

> Essa madeira da cruz tornou-se barco e ela navega em segurança, em meio às marés dos mundos,[52]

ou o Cristo na cruz [Il. 120] é o mastro do barco, cujo significado materno a igreja, então, assume; a seguir, o Filho na Cruz torna-se a contraparte masculina, na mesma medida em que o homem com lança, nas imagens cultuais nórdicas do barco.[53]

No simbolismo cristão, o barco significa, portanto, a "bem-aventurança e o meio para a obtenção desta, isto é, a igreja, a proteção contra o dilúvio da tentação. Nesse sentido, o mastro do navio é a Cruz em que, às vezes, está pousada uma pomba".[54]

A cruz como mastro na igreja – ainda hoje nos referimos a uma parte da igreja como a nave – é uma variante da árvore da vida e do barco de luz. Cristo é o fruto solar da árvore-cruz e navega no barco cristão tal como Rá, no barco egípcio.

O barco, como local de nascimento, caminho da salvação e barco dos mortos [Ils. 118-120], é a madeira do início, do meio e do fim. É a tríplice deusa como senhora do destino e mãe-árvore que abriga a vida do ser e o leva da terra para a terra, da madeira para a madeira, mas sempre de volta para si mesma.

O barco representa um símbolo da salvação, comum a toda humanidade. A "pequena" e a "grande" embarcação são símbolos da doutrina budista da salvação; a Grande Deusa Bondosa, Tara,[55] também é a "senhora dos barcos", capaz de acalmar a correnteza. Tem a seu serviço inúmeras barqueiras que, como ela, estão nas canoas empenhadas no trabalho de salvar os náufragos. Ela fala de si: "O meu desejo é o de salvar as criaturas do oceano mundial, repleto de terrores; por isso, entre todas as criaturas sábias, os touros prestam honras a mim, como Tara".[56] Em caráter de salvadora, ela se assemelha à Madona, como stella maris, a quem os marinheiros cristãos dirigem suas preces, pedindo auxílio e proteção.

---

[50] Rahner, "Das Schiff aus Holz", in: *ZS für Katholische Theologie*; Innsbruck, 1943, LXVII.

[51] August Boeckh, *Urkunden über das Seewesen des attischen Staales,* Berlim, 1840, citado por Rahner, "Das Schiff...", loc. cit.

[52] Rahner, *Mater*..., loc. cit., p. 69.

[53] Comp. c/ Ninck, *Wodan*..., loc. cit.

[54] Wilhelm Spemann, *Kunstlexikon*, Berlim, 1905, p. 841.

[55] Vrf. adiante Cap. 14, p. 323s. (Compare com Zimmer: *Philosophies of India*, org. por Joseph Campbell, Nova York e Londres, 1951, índice s.v. "ferryboat".)

[56] Zimmer: *Die indische Weltmutter*, loc. cit., p. 195.

A importância da bétula, a árvore da primavera, e da árvore de Natal nos ritos da vegetação e nas festas onde é celebrada a fertilidade já se tornou tão notória depois das pesquisas de Mannhardt e Frazer que a nós cabe apenas uma rápida menção a ela.

O caráter feminino-numinoso da árvore também se manifesta no manticismo do sussurrar de suas folhas, não só na Grécia e nos países germânicos como também no Velho Testamento.[57] Sabemos da adoração da árvore entre os semitas, que cultuavam a árvore em lugares altos; temos conhecimento da adoração do pilar cúltico de Asherah – a deusa do céu – e da dança ritual em torno da árvore, como o atestam os relatos da polêmica a respeito, no Velho Testamento.

Segundo sua natureza urobórica, porém, a árvore não tem apenas características femininas, possuindo também atributos masculinos. Assim, seu "espírito", muitas vezes, não é somente feminino, uma dríade, mas também pode haver uma serpente que habite em seus ramos, na qualidade de princípio masculino, tal como no mito de Medeia ou no do Paraíso. A chibata, o chicote e o galho, como símbolos fálicos, com os quais o Feminino é açoitado nos rituais de fertilidade, são as formas de expressão mais conhecidas dessas inter-relações. Em outra ocasião, já nos ocupamos detalhadamente do amante juvenil como planta e árvore.[58]

Entretanto, o Masculino também está "contido" em caráter de árvore e "broto", e sua dependência do caráter feminino terra-útero continua perceptível. Embora a "árvore genealógica" se apresente frequentemente sob a forma de um falo, o reino terrestre no qual o Masculino se enraíza, e que se mantém vivo nas profundezas aquém do princípio masculino fálico, é a Grande Deusa.

Bachofen cita o juramento solene das mulheres de Priene, "na escuridão do carvalho", e prossegue:

> As mulheres invocam a mãe primordial da matéria sombria, e não o produto que desta foi dado à luz, o carvalho noturno. Mas acima da árvore dos deuses postam-se as trevas primordiais, o útero escuro que deu origem à árvore e para onde retornam os mortos e a quem as mulheres, em primeiro lugar, prestam o seu juramento mais solene.[59]

A árvore, nesse sentido, pertence àquele estrato da vida e do crescimento mais diretamente vinculado à terra. Mais antigo ainda que esse estrato só é o das pedras e montanhas sagradas, que, ao lado da água, são encarnações diretas da Grande Terra Mãe, são partes dela.

---

[57] II Samuel, cap. V, 5; 24.

[58] Comp. c/Neumann, *História da Origem da Consciência*, loc. cit., p. 64, e Kerényi, "Arbor intrat", in: *Niobe*, Zurique, 1949.

[59] Bachofen, *Das Mutterrecht*, loc. cit., vol. I, p. 427.

Essa é a razão pela qual os poderes femininos habitam não só os lagos, as nascentes, os rios e os pântanos, mas também a terra, as montanhas, as colinas, os penhascos e – com os mortos e os "ainda-não-nascidos" – o mundo inferior.

A combinação dos elementos água e terra representa, acima de tudo, um Feminino primordial; é o charco e o esterco fértil, em cuja natureza urobórica a água pode ser igualmente vivenciada tanto como masculina e fecundante como na qualidade de feminina, parideira.

O território do pântano já foi apresentado de forma tão detalhada por Bachofen, no que diz respeito ao significado simbólico,[60] que se mostra desnecessário nos aprofundarmos ainda mais nesse assunto.[61] Entre os povos germânicos, a ninfa das águas é a mãe primordial, e a correlação linguística entre mãe, mofo, pântano, alagados e mar[62] é evidente.*

A montanha, a caverna, os pilares de rocha e o rochedo – inclusive o rochedo gerador – são locais numinosos, de vitalidade pré-orgânica, vivenciados em *participation mystique* com a Grande Mãe, na qualidade de trono, assento, moradia, e como a encarnação da própria Grande Mãe.

Como dizem os índios Cagaba:[63] "Ela é a mãe do mundo e das antigas pedras irmãs". Não é meramente casual que as "pedras" sejam um dos símbolos mais antigos da Grande Deusa Mãe, desde Cibele e da rocha transportada de Pessinonta até Roma, até a Caaba do Islã e a pedra do templo de Jerusalém. Tudo isto sem mencionar os omphaloi, os rochedos-umbigo que encontramos em vários lugares, em todo o mundo.[64]

A Grande Mãe Terra é a mãe das rochas, dos utensílios de pedra e do fogo. Ainda podemos verificar reminiscências dessa concepção na "religião da obsidiana", entre os astecas [Fig. 33]. A importância sagrada da faca sacrificial de pedra, que encontramos em povos que, para outras finalidades, há muito substituíram-na por facas de metal, é a poderosa confirmação de uma antiga correlação entre utensílios de pedra – principalmente quando vinculados à morte – e o culto à Grande Mãe [Fig. 38].

Caos e noite, água e céu primordiais, terra, montanha e rocha – eis o ponto a partir do qual se inicia o crescimento de todos os seres vivos. Ocorre em todo lugar o processo mediante o qual a vida vegetativa brota das profundezas e das trevas noturnas primordiais como plantas e árvores, como estrelas e ervas.

No estágio mais remoto da vida humana, a função principal das mulheres consistia na colheita de plantas, raízes e tubérculos, na mesma proporção em que a caça pertencia aos homens. A mulher do período primordial, pela intimidade com o reino

---

[60] Idem.

[61] Neumann, *História da Origem da Consciência*, loc. cit., p. 40.

[62] Ninck, *Götter – und Jenseitsglaube*, loc. cit., p. 115.

* *Mutter, Moder, Moor, Marsch, Meer,* no original. (N.R.)

[63] Cf. abertura da parte II; e Preuss, Forschungsreise zu den Kagaba-Indianer, Viena, 1926 e posterior; p. 133s., in Preuss: *Die Eingeborenen Amerikas*, loc. cit., p. 39.

[64] Por exemplo, em Cusco, Delfos, Délhi, Jerusalém e Pequim.

vegetal, dispunha de vasto conhecimento desse reino vital, que assume papel de significado tão essencial no âmbito dos mistérios primordiais do Feminino.

Esse tipo de "divisão de trabalho", existente na humanidade primitiva, sempre é condicionado arquetipicamente e não pode ser explicado por um ponto de vista sociológico, "de fora".[65]

Não existe predisposição nem incapacidade condicionadas pelo sexo no que diz respeito a qualquer tipo de ocupação importante para o grupo. Encontramos homens ociosos e mulheres guerreiras, da mesma forma que há mulheres ociosas e homens ativos. Algumas vezes, a relação com o poder é prerrogativa dos homens e, em outras circunstâncias, das mulheres.

Os "meios de produção psíquicos" têm uma importância para a vida do grupo que, no mínimo, se equipara aos de caráter econômico. Assim, como destes depende a vida exterior, uma vida interior igualmente importante, que se expressa no estágio primitivo como um tipo de relação com os poderes, depende daqueles. A distribuição dessas tarefas de acordo com o sexo e suas alternâncias estão entre os problemas essenciais existentes no conjunto da história humana.

A Grande Deusa, como deusa da terra e da fertilidade, do céu e da chuva, cuja sacerdotisa era originalmente a representante mágica do milagre da chuva, é, em toda parte, a senhora do alimento que brota da terra, e todos os costumes atinentes à alimentação humana estão subordinados a ela. Ela é a deusa da "agricultura", seja de arroz, milho ou trigo, cevada, tapioca ou qualquer outro gênero alimentício extraído do solo.

Por essa razão, a Grande Deusa está com tanta frequência ligada a algum símbolo do reino vegetal [Il. 121]; na Índia e no Egito, com a flor de lótus; como Ísis e Deméter e, posteriormente, a Madona, com a rosa. A flor e o fruto estão entre os símbolos característicos que a deusa grega Mãe-Filha traz nas mãos.[66]

A espiga não é somente o símbolo da deusa de Ras Shamra e de Ishtar [Il. 123, Fig. 68], mas também de Deméter,[67] Ceres e Spes (Melissa) [Il. 60, Fig. 58] e da Madona [Fig. 59], que, em caráter de Mãe Terra, é a Madona com o "traje de espigas".

As maçãs, as romãs, as papoulas e outras frutas ou ramos podem servir como símbolos da fertilidade. Na Suméria, o galho e o broto germinante já se encontravam ligados à Grande Deusa [Figs. 67, 68]. Em inúmeras representações de Ishtar e da deusa cretense, os ramos e as flores surgem como objetos cúlticos da Grande Mãe. Aparece ainda no culto a Dioniso, bem como em Roma, posteriormente, essa adoração da árvore

---

[65] Onde o caráter arquetípico do Feminino como nutridor se mostra acentuado, como entre os Tchambuli, na Nova Guiné (Margaret Mead, *Sex and Temperament in Three Primitive Societies*, Nova York, 1935), pode ocorrer que as mulheres assumam a atividade da pesca, da qual depende a alimentação da população, ao passo que os homens não participam da "produção" econômica do grupo, muito embora, como regra geral, seja incomum o fato de as mulheres se dedicarem à pesca.

[66] Cf. adiante, Cap. 14, p. 301s.

[67] Veja adiante o trecho sobre os Mistérios Eleusinos.

Figura 58 – Melissa com espigas e colmeia; *de um original romano.*

Figura 59 – Madona com espigas; *entalhe em madeira, possivelmente da Bavária, aproximadamente 1450.*

Figura 60 – Árvore enfeitada com máscaras de Baco; *entalhe em gema romana.*

[Fig. 60] e também nos ritos pagãos dos camponeses medievais. E podemos constatar que, ainda hoje, se depositam em seus ramos presentes, oferendas e similares.

Em razão de a vida humana ter sido determinada, originariamente, de forma tão intensa, por sua *participation mystique* com o mundo exterior, em que rocha, planta, homem, animal e astros uniam-se formando uma única corrente homogênea, um sempre podia se converter no outro.

Da mesma maneira que os homens e os deuses nascem das árvores e nela são sepultados, eles também se convertem em plantas; os dois reinos estão de tal forma interligados que um pode se fundir no outro a qualquer momento. O homem alcançou pouca independência e ainda é muito grande sua proximidade do útero materno. Essa proximidade em relação ao útero é a causa não só da frequente transmutação mítica do ser humano em planta como também da atuação mágica por meio da qual o homem – e, no início, exatamente as mulheres – busca exercer influência sobre o crescimento das plantas.

É possível acompanhar a ligação entre a mulher e a planta em todos os estágios do simbolismo humano.

A totalidade psíquica como flor [Il. 152], lótus, lírio e rosa, a virgem como flor nos mistérios eleusinos, simboliza o desabrochamento [Il. 128b] das mais elevadas possibilidades psicoespirituais, tal como desabrocham as flores.[68] Assim, o nascimento a partir da flor feminina é uma forma arquetípica de nascimento divino,[69] quer pensemos no nascimento de Rá ou de Nefertem, no Egito [Fig. 61]; no nascimento da

[68] Vrf. adiante, p. 318.

[69] Vrf. adiante, p. 270.

"joia divina no lótus", segundo o budismo, ou no nascimento do *self* da Flor de Ouro, na China, como no homem moderno.[70]

Na fronteira entre os reinos vegetal e animal, ambos subordinados à Grande Mãe, vive a abelha. O mel produzido por ela pertence, com o leite, ao rol das mais antigas oferendas feitas às deusas da terra. Ela é um dos animais prediletos da Grande Mãe, em oposição ao sangrento simbolismo de morte do mundo animal e, de certa forma, intermediária entre o vegetal e o animal.

Depois de ter caracterizado a ligação da colmeia e do enxame com uma abelha rainha-mãe,[71] em oposição aos vários e "forasteiros" pais-zangões, Bachofen resume o significado simbólico da abelha com as seguintes palavras:

"Devido a essa qualidade, a colmeia é o mais completo protótipo da primeira sociedade humana, assentada na ginecocracia da maternidade, tal como verificamos nos povos mencionados. Aristóteles já apresentava as abelhas como superiores aos homens daqueles tempos primordiais, tendo em vista que a grande lei natural encontrava nelas expressão muito mais perfeita e precisa do que entre os próprios seres humanos.

"Surge daí – e com toda razão – a abelha como símbolo da potência feminina da natureza. Ela está ligada, prioritariamente, a Deméter, Ártemis e Perséfone, sendo ainda uma representação da terra, de sua maternalidade, de sua diligência modeladora, hábil e ininterrupta; por conseguinte, é a imagem da alma telúrica de Deméter na sua forma mais pura e elevada.

"Sua relação com a afeição materna, concebida como inteiramente física, encontra a sua expressão em um costume registrado por Heráclito.

"Nas Tesmofórias siracusianas, os participantes levavam os chamados 'mülloi', bolos preparados com mel e gergelim no formato do órgão genital feminino. Em sua monografia sobre as abelhas, Menzel alude a um hábito indiano, que classificou como comum, que consistia em untar os genitais da noiva com mel, no dia do casamento.

"Na Alemanha, a erva-cidreira melissa é chamada *Mutter-Kraut* (erva de mãe) e é empregada como medicamento especialmente nas moléstias sexuais femininas.

"As abelhas expressam os seus atributos maternos também como 'amas de leite'. Com o seu mel elas alimentam o Zeus recém-nascido.

"O mais puro produto de natureza orgânica, em que a produção oriunda dos reinos animal e vegetal se manifesta de forma tão intimamente interligada, também é o alimento mais puro para as mães, do qual se serviu a mais remota humanidade e para o qual retornam os homens de dotes sacerdotais, como os pitagóricos, Melquisedeque e João Batista.

---

[70] Jung e Richard Wilhelm, "Das Geheimnis der Goldenen Blüte", Zurique, 1929.

[71] A associação da abelha com a Grande Deusa Mãe só pode ser explicada desta forma. A concepção primitiva de um "rei abelha" era, evidentemente secundária.

Figura 61 – Nascimento do deus-sol a partir de uma flor; *Egito*.

"O mel e o leite estão relacionados com a maternidade; o vinho se refere ao princípio natural dionisíaco-masculino".[72]

A "castidade" da Grande Mãe, isto é, o fato de esta ser independente do homem, é bem evidente, em especial na colônia das abelhas da Amazônia, em que somente a rainha é fecundada pelo macho, e apenas uma vez.

Por esse motivo, e por causa da sua alimentação, a abelha é pura. Deméter, a "mãe-abelha pura"[73] e suas sacerdotisas abelhas devem ser virgens, como as Vestais e várias outras sacerdotisas da Grande Mãe.

No caso das abelhas, tal como é bastante frequente entre os animais selvagens e seres humanos, a feminilidade matriarcal assume o caráter de "terrível" na relação com o Masculino, posto que o zangão, com os outros zangões habitantes da colmeia, é exterminado pelo grupo feminino como se fosse um estranho.

A colmeia é um atributo da Grande Deusa, como Deméter-Ceres-Melissa [Fig. 58]; as sacerdotisas da deusa-lua eram chamadas de "abelhas", e acreditava-se que todo mel se originava da lua, a colmeia cujas abelhas eram as estrelas.[74]

---

[72] Bachofen, *Das Mutterrecht*, loc. cit., vol. I, p. 114s.

[73] Idem, pp. 584 e 879.

[74] Briffault, loc. cit., vol. III, p. 179.

O mel, porém, não é somente a essência vital e o alimento supremo e saboroso da mãe vegetal, pois o simbolismo da morte também se encontra ligado a ele.

A referência de Bachofen à relação existente entre o sepultamento de Glauco no mel e o princípio matriarcal da Lícia foi retomada por um autor recente.[75] O vaso da morte com o mel maternalmente nutritivo é um instrumento da morte-pelo-mel, ao embalsamamento do mel.

"Cair em um vaso de mel" significa identificar-se com "morrer".[76]

Conhecemos o costume de sepultar os mortos em um grande vaso, na Ásia Menor, já em um período pré-helênico (de 3500 a 1750 a.C.). Entretanto, a utilização do mel no culto aos mortos, bem como para o embalsamamento, era também bastante difundida.

[75] Persson, loc. cit., p. 9ss.

[76] Idem, p. 12.

Capítulo Treze

A SENHORA DOS ANIMAIS

A Grande Deusa, como Senhora dos seres vivos, não é somente a geradora da vida cósmica, nem seus desígnios se restringem aos elementos e à vegetação terrestre.

Ela também foi venerada como "Senhora dos Animais", na época matriarcal dos povos que se estenderam desde a Índia até o Mediterrâneo, na Ásia Menor, em Creta, na Grécia, na Síria, na Mesopotâmia, no Egito, na África e, dirigindo-se para o Ocidente, até Malta, Sicília e o sul da Espanha.

O que torna este aspecto – de Senhora dos Animais – significativo é exatamente a escola sociológica da Antropologia admitir a possibilidade de associar a Grande Mãe à agricultura e ao poder econômico conquistado pela mulher em função de tal atividade.

Sem dúvida, a evolução da consciência que conduz o indivíduo de psique grupal para consciência de ego e individualidade, bem como de dominância psíquica matriarcal a outra de cunho patriarcal, tem correspondência na realidade social.

A evolução do ego traz consigo não só a aquisição de uma "alma" individual, de um nome individual e de uma genealogia pessoal, mas também a conquista da propriedade privada.

Atualmente, é necessário que se retome a discussão, no sentido de esclarecer se o processo social é o fundamento e o processo psíquico é um epifenômeno ou se, ao contrário, o fenômeno psíquico é o fundamento e a evolução social, uma de suas manifestações.

A concepção materialista da história é anterior ao advento do conceito psicológico. A compreensão da psicologia profunda da natureza humana ainda era desconhecida por aqueles sociólogos que fundamentavam a percepção do mundo em bases sociológicas, tendo assim permanecido até hoje.

Ter-se relacionado todas as ideologias a seus fundamentos na natureza humana é uma das conquistas intelectuais decisivas de nossos tempos. Entretanto, para que se tenha redução autêntica e bem-sucedida, é preciso que esta culmine na realidade psíquica inconsciente dos homens, e não só numa realidade exterior, que, em grande parte, é expressão da psique humana.

Há uma vastidão quase ilimitada de dados que comprovam que as configurações mais relevantes da psique primitiva – religião, arte e ordem social – consistem em expressões simbólicas de processos inconscientes.

Apesar da inadequação, a derivação psicanalítica elaborada por Freud acerca dessas formas de expressão como produtos da psique humana foi revolucionária. Entretanto, do mesmo modo como as ciências sociais têm origem no grupo, e não em estruturas sociais posteriores do indivíduo, também a psicologia profunda deve ter origem na psique coletiva do inconsciente, e não na situação psíquica do homem moderno, em sua "constelação familiar" ou em seu inconsciente pessoal.

Durante o estágio primevo da cultura humana, a psique do grupo era dominante. Nessa situação, prevalecia uma relação de *participation mystique* entre o indivíduo e o grupo a que este pertencia e entre o próprio grupo e o meio que o cercava, principalmente o mundo das plantas e dos animais.[1]

A expressão mais nítida dessa situação é o totemismo; o grupo primitivo, em quase todo o mundo, vivenciava-se numa relação de descendência de um animal ou uma planta, com que era mantida ligação de parentesco.

Esse fenômeno era possível porque as diferenças existentes entre homens, animais, plantas e o mundo inorgânico não eram percebidas da forma como a consciência moderna hoje compreende essa diversidade.

Deve-se acrescentar aqui, mesmo que brevemente, um comentário sobre a relação existente entre o surgimento do totemismo e a psicologia do Feminino.

O Feminino, na qualidade de Grande Mãe,[2] é uma "virgem", um princípio criador independente do homem como pessoa.[3] Por vários e bons motivos, essa concepção matriarcal básica não via qualquer relação entre o nascimento de crianças e o ato sexual. A gravidez não estava vinculada à sexualidade, nas vivências femininas tanto interiores como exteriores. Tal fato é facilmente compreensível quando consideramos que essas sociedades primitivas eram caracterizadas por uma vida sexual promíscua, que se iniciava bem antes da puberdade.

A continuidade dessa vida sexual pessoal era interrompida de forma misteriosa tanto pelo início do período menstrual quanto pelo término deste e o assombro da gravidez.

Ambos os fenômenos ocorrem no íntimo da esfera feminino-matriarcal e não guardam nenhuma relação com o jogo amoroso da sexualidade, acentuadamente

---

[1] Neumann, *História da Origem da Consciência*, loc. cit., p. 120.
[2] Briffault, loc. cit., vol. III, pp. 168-71.
[3] Cf. p. 218.

prazeroso, nem com a experiência mais profunda do amor por um homem pessoal, se é que, o que é bastante questionável, em uma fase tão primitiva existisse tal indivíduo.

Por essa razão, a mulher sempre concebia, em princípio, original e essencialmente por obra de um poder transpessoal, extra-humano.

A mitologia, as histórias e as lendas de todos os povos e épocas nos apontam que o Feminino era, em geral, fecundado através do contato com animais numinosos – serpente e ave, touro e carneiro –, bem como pela ingestão de frutas, pelo vento, pela lua, pelos espíritos dos antepassados, pelos demônios e deuses etc. E o totem era um espírito fecundante e impessoal desse tipo.

A fecundação transforma a mulher num ser numinoso para si mesma e para o homem. Essa acepção matriarcal do Feminino é infinitamente mais antiga que a "fase agrícola", da qual a escola sociológica tencionou derivar o matriarcado.

A fase agrícola isoladamente, com seu ritual do casamento sagrado e da magia ligada à chuva, não foi o único fator determinante do mundo matriarcal, mas também e, em especial, os tempos primordiais e a magia da caça praticada nessa fase; encontramos desdobramentos posteriores daquele período em culturas que vêm desde os primórdios da humanidade, chegando até a fase primitiva de estabelecimento.[4]

A relação do totem com a fertilidade, com a alimentação e com os tabus relativos a esta indica que, originalmente, ele pertencia ao domínio da mulher, daquela que é a regente dos mistérios da fertilidade e da alimentação. Neste contexto, a exogamia também conquista um lugar, psicologicamente significativo, o qual já fora indicado por Briffault.[5]

A exogamia é marcada por duas características:

Primeiro, a coesão do grupo de mulheres, representado pela avó, pela mãe, pela filha e pelas crianças como veículos da psicologia matriarcal e dos mistérios, os quais se caracterizam pela relação primordial entre mãe e filha.[6]

A segunda característica é a "exclusão" dos homens, dos filhos que, dessa forma, estão sempre à margem do grupo das mulheres, às quais permanecem ligados sexualmente.[7]

A exogamia constela, portanto, não só o poder do grupo das mulheres como também a qualidade especificamente masculina dos homens, ao mesmo tempo – o que é igualmente importante – levando à diferenciação e à especialização masculinas historicamente indispensáveis e evolutivas.

Enquanto para a mulher estar contida na relação primordial com a mãe significa certo fortalecimento da sua feminilidade, a ligação incestuosa do homem com o

---

4 A mentalidade matriarcal, em que surge um Masculino numinoso e transpessoal em oposição à realidade meramente pessoal do homem como parceiro sexual, corresponde a um estrato da psique feminina que ainda podemos encontrar nas mulheres modernas.

5 Comp. c/ Briffault, loc. cit., em que é apresentado todo o material referente ao assunto.

6 Neumann, "Die Urbeziehung zur Mutter"; in: *Der Psychologie*; Berna, 1951, III, 7 e 8.

7 Neumann, *História da Origem da Consciência*, loc. cit., p. 156.

grupo das mães e das mulheres, isto é, sua permanência na relação primordial, provoca, ao contrário, enfraquecimento de sua masculinidade.[8]

Todos os processos que, ao contrário, conduzem à eliminação do Masculino pelo grupo das mulheres e à formação do grupo dos homens fortalecem e desenvolvem o lado viril do Masculino.

Essa evolução exclusivamente unilateral do Masculino promove, além de habilidade para a luta e para a caça – fundamentais para a subsistência e a proteção do grupo das mulheres –, um fortalecimento da atração sexual recíproca, em função da polaridade que cria entre o Masculino e o Feminino.

Dessa forma, a tensão entre os opostos torna-se a mais antiga forma de organização social; a exogamia frequentemente proíbe o pareamento de semelhantes simbólicos, e apenas os grupos antitéticos podem se casar, por exemplo, os clãs portadores dos símbolos do sol e da lua, do dia e da noite, do preto e do branco etc.

Entretanto, não é só a derramamentos de sangue que a deusa impele o grupo masculino. Eis o motivo pelo qual a Grande Deusa, como deusa da caça e da guerra, também é considerada pelo Masculino Deusa da Morte.

Ela magicamente desumaniza os homens e os transforma em animais selvagens, que definham até a morte, como protetores que orbitam em torno da Deusa. Sob esse aspecto, ela também é a Senhora dos Animais, e a forma orgiástica do seu culto mobiliza nos homens uma belicosidade animalesca:

> Aquela que se regozija com o clamor dos tímbales e chocalhos, com o som das flautas, com o uivo dos lobos e com os olhos faiscantes dos leões enfurecidos.[9]

Os chefes de grupos e os líderes, os sacerdotes sacrificiais e os videntes, da mesma forma que os grupos de guerreiros e caçadores, também são seus seguidores. Mesmo que apenas de forma indireta, a Grande Deusa favorece o desenvolvimento da vontade e da ação, por parte do Masculino, e promove o crescimento espiritual. Pois o espírito, quando emerge do inconsciente pela primeira vez, alimenta-se das fontes primordiais de águas subterrâneas dominadas pela Grande Mãe.

Já apresentamos detalhadamente, em outra ocasião, a maneira como o Masculino experimenta essa situação matriarcal, como a supera e quais foram os motivos que deram início ao inevitável domínio alcançado pelo grupo dos homens e pelo patriarcado.[10]

Assim que o Masculino se liberta da dominação exercida pelo grupo feminino, volta-se contra o Feminino através daquela *mesma* qualidade que, por sua vez, promovera sua diferenciação do Feminino. Além disso, o totem ancestral, o princípio

---

[8] Neumann, "Die Urbeziehung...", loc. cit.

[9] *Die Homerischen Götterhymnen*, traduzido por Thasillo von Scheffer, Jena, 1927, p. 82.

[10] Neumann, *História da Origem da Consciência*, loc. cit., s.v. "Patriarcado".

Figura 62 – A deusa sobre uma montanha;
estampa de um selo, Creta, período Palaciano posterior.

masculino transpessoal que para o Feminino fora originalmente antagônico ao Masculino terra-a-terra do grupo dos homens, é agora usurpado pelos homens e louvado como origem do espírito masculino em oposição à Grande Mãe.

Os deuses e deusas teriomórficos são somente uma expressão posterior de algo inerente à realidade psicológica totêmica do homem primitivo. Para eles, um progenitor teriomórfico numinoso é tão natural quanto o fato de a Grande Deusa dever ser dotada de uma série de atributos animais e se manifestar como animal, ou mesmo acompanhada por animais.

A princípio, parece não existir nenhuma diferença entre as divindades masculinas e femininas, posto que ambas podem assumir forma animal. Mas existe uma diferença. Enquanto no mito a divindade masculina, como o herói masculino, surge predominantemente em oposição ao animal com o qual luta e vence, a Grande Deusa, como Senhora dos Animais, domina-os, mas raramente se embate com eles.

Não existe nenhum tipo de antagonismo ou hostilidade entre ela e o mundo animal, embora esteja em frequente interação com animais tanto "selvagens" quanto pacíficos e domesticados.

Conhecemos da antiga Mesopotâmia e da Beócia uma deusa com cabeça de serpente ou de pássaro [Ils. 17, 122], ou, ainda, como entidade alada e com patas de ave [Il. 126], que, na Suméria, no Egito e em outras localidades, surge como deusa-vaca [Il. 124] e como Senhora do Rebanho.[11]

[11] Compare acima, Cap. 10, p. 160s.

Encontramos esse mesmo caráter na deusa de Ras Shamra, pois, ao se apresentar com ramos de cereais nas mãos e cercada por carneiros saltitantes [Il. 123], revela seu domínio sobre a fertilidade da vegetação e dos animais.

O pilar da Grande Deusa [Il. 124b] comprova seu domínio sobre os touros e sua influência sobre os leões [Il. 124a].

Com efeito, há milênios ela reina ou está entronizada sobre os leões, seja como Lilith, a deusa mesopotâmica da noite, do mal e da morte, com asas, patas de ave e acompanhada de corujas; ou como a deusa hitita amamentando o filho [Il. 37]; ou ainda, no portão de Micenas, onde é simbolizada por um pilar ou árvore que se destaca entre os leões; ou, em Creta, onde o papel que lhe cabe é o de brincar com um par de leões, ou o de se colocar sobre uma montanha ladeada por eles [Fig. 62], perante um adolescente que a venera.

É a mesma soberana representada na Frígia com Átis entre dois leões,[12] tendo sido adorada na Lícia, na Lídia, na Trácia, na Síria[13] e na Fenícia.

Em período posterior, ela se apresenta, em Esparta, sobre um leão [Il. 127], segurando leões sob a forma de Ártemis alada de Capua [Il. 125], ou estrangulando-os, na figura da Górgona [Fig. 80] e de Cibele [Fig. 128a]. Temos ainda sua imagem entronizada, milhares de anos mais tarde, sob a forma da Fortuna [Il. 129], em um carro puxado por leões; na Índia, ou como a Tara tibetana, estava montada em leões e, na mão, segurava o sol [Il. 130]; ou ainda sentada no trono adornado por leões, sob a forma da Madona cristã [Il. 131a].

Na *Odisseia*, a Circe afrodítica também apresenta os traços de Senhora dos Animais:

> Tinham sido transformados, tendo leões de densa juba
> E lobos da montanha à sua volta;
> Enfeitiçados que estavam pelos humores fatais
> Da poderosa Circe.
> Eles, porém, não se lançavam hostis
> Em direção aos homens; ao contrário
> Deles se aproximavam, como procurando agradar
> Abanando suas longas caudas.
> Assim, os cães agradam o seu dono
> Quando este retorna de algum banquete,
>
> Posto que ele sempre traz guloseimas.
> Eles adularam, pois, aqueles leões e lobos

[12] Karl Hoenn, *Artemis: Gestaltwandel einer Göttin*, Zurique, 1946, p. 55.

[13] Comp. c/ as imagens da Kedesha, in: Hugo Gressmann Altorientalische Texte und Bilder zum Alten Testament, Tübingen, 1909.

De afiadas presas, e brincaram.
Todavia, o que os homens sentiram foi pavor
Destas horrendas criaturas.[14]

Afrodite pertence exatamente ao mesmo grupo, tal como está descrito no hino homérico:

Seguiram-na lobos cinzentos abanando a cauda
E leões com olhos cintilantes,
Bem como ursos e ágeis leopardos,
De uma avidez insaciável por corças.
Tal quadro deleitou os sentidos da deusa,
E em seu seio despertou doce cobiça,
No sentido de que todos os pares se fizessem e,
Nas sombras do covil, se unissem.[15]

Como Senhora dos Animais de rapina e dos cervos, e como a Górgona estranguladora de aves [Ils. 132, 133], tanto quanto na qualidade de soberana dos três reinos – água, terra e ar – simbolizados pelo peixe, pela ave e pelo lobo na Beócia [Il. 134], como a Órtia espartana [Fig. 63], procedente da Anatólia,[16] assim como a deusa Hallstatt representada pela Hidra de Bronze [Il. 135], do primeiro período da Idade do Ferro, a Grande Ártemis e Diana, ela é a Senhora do Mundo Animal.

Não nos interessa discorrer aqui sobre as formas que essa Grande Deusa teria assumido nos mais variados lugares.

Os nomes que teve são incontáveis: Britomártis e Dictina, Cibele e Ma, Dindimene e Hécate, Fereia e Ártemis, Baubo e Afea, Órtia e Nêmesis, Deméter, Perséfone e Selene, Medusa e Eleutéria, Leto e Taeit, Afrodite e Bendis.

Também Hathor e Ísis, com várias outras Grandes Deusas que aparecem com formas animais, são, na realidade, senhoras dos animais.

Todos os animais são seus súditos: a serpente e o escorpião, bem como os peixes dos rios e mares, os moluscos de aparência semelhante ao útero e, ainda, o polvo agourento; os animais selvagens dos bosques e das montanhas – os predadores e as presas –, os amistosos e os de rapina. Além destes, as aves dos pântanos – o ganso, o pato e a garça [Ils. 136, 137] –, bem como o mocho noturno e a pomba.

Junte-se àqueles os animais domesticados – a vaca, o touro, a cabra, o porco e a ovelha – e também a abelha, e os animais fantásticos, como os grifos e as esfinges.[17]

---

[14] 10º Canto.
[15] Homerische Götterhymnen, loc. cit., p. 46.
[16] Thomson, loc. cit., p. 271s.
[17] Comp. c/ Hoenn, loc. cit.

Figura 63 – Ártemis-Órtia; *broche de marfim, Esparta, aproximadamente 740 a.C.*

Ao mencionarmos todos eles, estamos, na realidade, praticando uma forma bastante antiga do rito de veneração. Com efeito, a enumeração que podemos encontrar na obra de Apuleio, na qual Ísis se identifica com uma série incontável de outras deusas,[18] também consiste em uma forma de rito de adoração.

A existência de ampla variedade de manifestações é uma característica do arquétipo, e as diversas denominações pelas quais os poderes são invocados, assim como os procedimentos empregados no sentido de mobilizá-los, existentes em todos os povos, são uma expressão da sua inexprimibilidade numinosa.

Como podemos verificar em nossas ilustrações, a Senhora dos Animais se apresenta, frequentemente, dotada de asas, isto é, trata-se de uma deusa celeste, e não "ctônica".

Como senhora dos opostos, ela é o Todo e abrange os três reinos – céu, mar e mundo inferior –, os quais foram posteriormente repartidos, na mitologia grega, entre seus filhos: Zeus, Poseidon e Hades.

Apresentamos a deusa acompanhada de animais selvagens, oriunda da Jutlândia [Il. 133], como exemplo do surgimento da Senhora dos Animais num ambiente alheio ao mundo mediterrâneo.

---

[18] Apuleio, *Der Goldene Esel*, loc. cit.

No vaso de bronze encontrado na Suíça, a deusa [Il. 135], que é ao mesmo tempo a Senhora dos Gêmeos – isto é, do princípio dos opostos [Il. 45],[19] segura duas lebres, sendo que uma está voltada para cima e a outra para baixo.

A comprovação de que tal fato não é meramente casual é expressa pela deusa beócia, ladeada por lobos [Il. 134], cujas caudas em forma de espiral se dirigem uma para cima e outra para baixo, análogas à espiral no ventre da Mãe da Antiguidade [Il. 6]. A oposição vida-morte, representada pela deusa nas ânforas beócias, se evidencia pelo fato de que não só as suásticas doadoras de vida estão presentes junto dela, mas também flancos e cabeça de touro como símbolos da morte, da castração e do sacrifício.

Animais mutilados foram oferecidos a Ártemis como sacrifício, dos quais fora "extirpado o membro viril",[20] não só na Beócia, mas também em Euba e na Ática, onde se sacrificavam animais mutilados [Il. 93], e seu nome – o que é bastante plausível – pode ser derivado do verbo "artamein" (= matar, abater). A coxa do touro ou do hipopótamo, como atributo de Ta-urt,[21] os sacerdotes eunucos de Cibele e da Diana de Éfeso pertencem todos eles ao mesmo contexto.

Mas qual é o sentido que existe no fato de que a Senhora dos Animais não só domina o reino animal – mesmo quando seu caráter letal se destaca, por exemplo, quando se toma a Górgona dos animais estrangulados, mas também, pelo contrário, lhes dá abrigo e proteção, como a deusa beócia? Não basta interpretar esta figura como o princípio afrodítico da natureza que a tudo governa, ao qual está submetido o mundo inteiro, incluindo os animais e as feras. E qual é a razão de o Grande Feminino se manifestar, exatamente aqui, sob forma humana e não animal?

A Grande Deusa se manifesta frequentemente, como sabemos, como animal, na forma de vaca e ave palustre, assim como ovelha-mãe e leoa. Ela também "é" o peixe que pertence à classe dos animais de sangue frio. Tem a cauda de peixe da sereia e está ligada aos sagrados viveiros de peixes, tal como Ártemis, Afaia, Dictina, Britomartis e Atargatis; a veste e o abdômen da Grande Deusa beócia [Il. 134] são constituídos por um peixe em meio às ondas.

Entretanto, da mesma forma que ela, posteriormente, deixa de "ser" um ganso propriamente, mas se encontra nele entronizada, ou mesmo exibindo em seu traje o símbolo desse animal, ela também não "é" mais a leoa, mas se coloca sobre esta; não "é" mais a serpente, mas está acompanhada de um grande número destas. Neste estágio superior, ela se torna uma divindade em forma humana, que domina o mundo animal; ela ainda é representada, na alquimia, alimentando as feras com as mãos estendidas, na qualidade de Mãe Terra [Il. 29].

Ao caracterizarmos Ártemis como deusa do "exterior", como deusa da vida selvagem e livre, em que ela, como caçadora, domina o mundo animal, tal fato representa

---

[19] Neumann, *História da Origem da Consciência*, loc. cit., p. 110.

[20] Hoenn, loc. cit., p. 24.

[21] V. anteriormente Cap. 11, "O Grande Círculo", p. 209.

uma projeção simbólica de seu papel como senhora das forças e dos poderes inconscientes que ainda se manifestam em nossos sonhos sob a forma de animais; é o "exterior" do mundo da cultura e da consciência.

A Senhora dos Animais não é uma deusa da fase cultural e agrícola; não é a Deméter do trigo, portadora da cultura e dos costumes. Está próxima da natureza humana selvagem e primitiva, do ser que se encontra à mercê dos instintos e das pulsões selvagens, que convivia entre os animais predadores e as feras, entre as plantas silvestres que crescem em liberdade.

Enquanto a planta é o símbolo da "vida vegetativa", de uma vida em que não existem consciência nem pulsões urgentes, que reage de forma sensível ao mundo e é dotada de capacidade mínima de movimento próprio, o animal é o símbolo do próximo estágio superior da vida. Neste, predominam os impulsos e a atividade, o movimento interior e exterior, a consciência sensorial do indivíduo, bem como o sentido comunitário de coesão e condução do grupo; estes fatores, no nível humano, representam o fundamento de toda a cultura. Entretanto, esse ímpeto e essa atividade estão, ao mesmo tempo, cegamente sujeitos à vida e aos interesses da espécie, e os seres individuais, providos de extensa gama de órgãos capazes de perceber e organizar o mundo, continuam a ser vítimas inconscientes de sua própria existência, tanto na vida como na morte.

Qual é o significado, então, do surgimento deste princípio divino sob forma humana, deste Feminino que governa o mundo animal dos instintos e das pulsões e que congrega os animais debaixo de suas asas espirituais, como se fossem os ramos de uma árvore?

Muito antes de uma consciência centrada no ego tomar conhecimento do *self* como centro da totalidade psicofísica, o *self* aparece como *self*-corporal, ou seja, como totalidade diretriz do corpo e de todo o conjunto de suas funções.[22]

A ordenação teleológica de pulsões e instintos autodependentes, para a qual o corpo humano serve de protótipo, é experimentada como "natureza", quer dizer, projetada no exterior como mundo das plantas e dos animais. Até mesmo pela história das ciências naturais pode-se comprovar que a concepção que o homem faz da natureza se desenvolve em paralelo ao que experimenta acerca de sua própria natureza.

Em sua fase posterior da evolução, quando o ser humano parece estar centrado na consciência, no ego e na vontade, a natureza é "guiada" por um deus patriarcal do céu. Ao contrário disso, se estabelece uma hierarquia interna de poderes, durante a fase matriarcal inconsciente da vida, determinada pela Grande Deusa, na forma de *self* feminino. Sua imagem na psique humana manifesta a inconsciente e não deliberada, mas proposital, ordem da natureza.

Crueldade, morte e arbitrariedade encontram-se lado a lado com o supremo planejamento, a perfeita sensatez e a vida perene. Precisamente onde o ser humano é

[22] Neumann, *História da Origem da Consciência*, loc. cit., p. 309ss.

uma criatura do instinto, vivendo à margem completa ou parcial da fera selvagem, quer dizer, onde é semi ou totalmente dominado pelas pulsões do inconsciente, surge o propósito direcionador, a organização inconsciente "espiritual" do Todo na qualidade de deusa em forma humana, como a Senhora dos Animais.

O fato de o homem vivenciar a deusa sob forma humana é a primeira indicação de que ele agora sabe que a multiplicidade de direções que podem tomar seus próprios impulsos instintivos, os quais experimentara via projeção nos animais, é inferior ao princípio humano que lhe é específico. Ele experimenta a instância ordenadora e diretriz do impulso, que, na forma da Grande Deusa, como *self*-corporal, também representa todas as estruturas psíquicas superiores ao instinto. Nessa fase, o ego masculino do homem ainda não é dominante, como não o são seus desejos próprios, sua consciência e seu critério de valores patriarcais. Entretanto, já ficou claro que na natureza do ser humano atuam forças espirituais superiores ao instinto, mesmo que estas ainda não estejam plenamente disponíveis ao ego, mas devam ser vivenciadas por este como uma divindade numinosa que lhe é externa.[23]

Esse espírito feminino divino, encarnado na Senhora dos Animais, ordena o mundo de forma hierárquica. Conhece níveis de vigor e vitalidade, de teleologia e aleatoriedade, mas – diversamente da divindade masculina – resplandece de forma caridosa e maternal sobre os caminhos do bem e do mal, do justo e do injusto, por igual.

Com efeito, essa Grande Deusa tem seus favoritos, que desfrutam dos mimos que lhes proporciona, e enteados que ela aparentemente envia para a vida semiconcluídos e pouco preparados, por pura diversão, por gosto da sedução, de maneira insensível e frequentemente – tal como parece – por arbitrariedade despótica.

Entretanto, uma iniciação mais profunda em seus mistérios, muitas vezes, revela um significado que se insinua por trás de uma aparente ausência de sentido. Assim como nas histórias infantis, a árvore maternal, cujas raízes alcançam até as profundezas do mundo dos mortos, de repente despeja suas benesses sobre uma Cinderela, como uma coisa celestial, cujos poderes procedem do mundo dos antepassados e das imagens primordiais, e desabrocha inesperadamente as mais preciosas flores da vida psíquica.

Todavia, faz parte dos mistérios da Grande Deusa e da existência do seu caráter espiritual o fato de que ela só concede a vida ao passar-se pela morte, assim como a evolução para um novo nascimento só é proporcionado passando-se pelo sofrimento; como Senhora dos Animais e dos Homens, ela não se dispõe a consentir com qualquer tipo de nascimento nem de vida sem que haja sofrimento.

[23] O fato de situações culturais de tal espécie terem se mantido como projeção ritual de uma realidade psíquica, ainda por longo tempo, depois de tal realidade ter desaparecido, dificulta a datação da evolução psíquica da humanidade. A data definitiva é a da *primeira* manifestação no seio da humanidade, bem como entre culturas isoladas. Somente uma investigação especializada poderá provar se a perpetuação de uma cultura, ou de um dos seus rituais, corresponde a uma realidade psíquica viva ou se consiste apenas no resultado da tendência conservadora por parte da humanidade, que não consegue se desligar de rituais atávicos, há muito tempo praticados.

O significado cultural do Grande Feminino é exemplificado pela deusa que, em forma humana, exerce o domínio entre os animais e sobre os poderes destes. Grande parte dos dados que a intuição de Bachofen levou-o a associar à prosperidade do período de Deméter pertence a esse contexto, muito embora também ele tenha sido unilateral ao relacioná-los ao matriarcado social, reivindicado pelo Feminino. Da mesma forma que a organização hierárquica do corpo impõe a subordinação dos órgãos individuais, exigindo o sacrifício de sua autonomia em favor do todo, a Grande Deusa igualmente exige o sacrifício de forma geral. O sacrifício aqui significa, porém, entrega deliberada em prol de um contexto maior, que abrange o todo da vida e, portanto, da existência humana.

Essa é a razão pela qual o conceito de sacrifício representa um símbolo fundamental na vida dos homens primitivos. Uma vez que a uniformidade no conjunto da vida é o fenômeno central da situação psíquica original, cada interferência que ocorre nessa unidade – seja a derrubada de uma árvore, o abate ou a ingestão de um animal como refeição etc. – deve ser compensada pelos homens através de uma oferenda ritual, de um sacrifício.

Na concepção do homem primitivo, todo acontecimento depende de um sacrifício feito pela pessoa, que lhe confere a força, e do dinamismo de atividades rituais, exatamente porque a relação vívida do ser humano com o mundo e com o grupo é projetada na relação com a natureza como um todo.

Tendo em vista que os momentos decisivos na vida da mulher – a menstruação, a defloração, a concepção e a gestação – estão intimamente ligados a um sacrifício de sangue, a divindade feminina perpetua a vida exigindo sacrifícios de sangue que vão assegurar a fertilidade dos animais de caça, e das mulheres e dos campos, assim como o nascer do sol e o êxito das expedições militares. Entretanto, da mesma maneira que o Feminino, por sua própria natureza, o Masculino se predispõe ao sacrifício. Enquanto o sacrifício promove o desenvolvimento da agressão masculina, por um lado – entre os guerreiros, por exemplo –, por outro induz o Masculino ao sacrifício de sua agressividade.

A castração, que pertence ao grupo dos símbolos essenciais da Mãe Terrível, surge aqui sob um novo prisma. A tourada e o jogo realizado com o touro pertencem aos rituais do Grande Feminino, na qualidade de símbolos do poder exercido pela humanidade sobre o mundo animal. Esse ritual se fundamenta na mágica dominação dos animais, nos encantamentos ligados à fertilidade e à caça praticados nos primórdios dos tempos, podendo ser observados ao longo da cultura cretense até o mitraísmo, nas lutas romanas de gladiadores, até chegar nas touradas realizadas na Espanha.

Em Creta, o próprio Feminino triunfa no jogo com o touro, e os amantes adolescentes e efebos são seus assistentes sacerdotais e seus guardas. A Grande Deusa Tauropolos é a Senhora dos Touros e, como Fereia e Europa montadas no touro, domestica o masculino e o animalesco.

À mulher cabia cuidar dos filhotes de animais em cativeiro; o Feminino foi o precursor da pecuária, não só pela domesticação de feras, mas também porque domesticou o Masculino através dos tabus que impôs, tendo criado, assim, a mais antiga cultura de caráter humano. O domínio, a delimitação e o sacrifício dos impulsos instintivos são prerrogativa da Senhora dos Animais, a qual representa mais que o princípio da ordem natural. Ela foi mais que a protetora e geradora de animais.

Nessa medida, a força formadora do Feminino que se concretiza nessa relação provém, de fato, dos mais estreitos confins da família, da tribo e do clã, sem, porém, permanecer com isso restrita a esse âmbito. Ao contrário, ela atinge formas de transformação no decorrer da evolução humana que mostram por que as mais elevadas personificações do Grande Feminino sempre refletem a capacidade de amar e a disponibilidade do Feminino para o amor.

Com efeito, nem a exigência de sacrifícios nem o domínio sobre o mundo das plantas e dos animais, o mundo instintivo do inconsciente, representam o interesse primordial da Grande Deusa. Sobre ambos, ela exerce sua lei de transformação, pela qual sublima todos os seres vivos e os conduz a uma evolução na qual – sem perder o vínculo com as raízes e os fundamentos – atinge as formas mais elevadas da realidade psíquica.

Capítulo Catorze

A TRANSFORMAÇÃO ESPIRITUAL

Já nos referimos diversas vezes aos "mistérios primordiais do Feminino" e, apesar de uma exposição destes pertencer mais adequadamente a uma "psicologia do Feminino", devemos ao menos tentar esboçá-la, neste ponto, de forma condensada.

Briffault foi quem revelou o fato – ao qual ainda não foi conferido o devido reconhecimento – de que a cultura primitiva é, em grau bastante elevado, um produto do grupo das mulheres[1] e de como o sedentarismo relativo do grupo matriarcal de mães e filhos levou a um "enobrecimento", bem como a um processo de aculturação, do estado primitivo natural sob o ponto de vista biológico, psicológico e sociológico.

A conquista da conscientização pelo ser humano passa sempre, inicialmente, por um processo inconsciente e aparentemente significativo para o grupo e para o indivíduo, ao qual denominamos ritual.[2] Nesse sentido, toda atividade importante do homem primitivo é ritualística; tanto a caça como a preparação do alimento, o comer e o tecer, a fabricação da cerâmica, o preparo da bebida fermentada inebriante, assim como o preparo dos instrumentos de caça e outros. Uma expressão desse fato é que essas habilidades eram frequentemente transmitidas de forma secreta e pressupunham, originalmente, uma preparação especial e ritualística dos participantes. Ramificações desses atos rituais chegam até o mundo ocidental. Além das corporações e dos grupos com suas peculiaridades profissionais, costumes e códices, também as orações e os símbolos que acompanham as várias fases da vida – festividades, reuniões, procissões, cooperativas, associações e ligas – são resquícios de ritos de tal natureza.

Enquanto os mistérios do Masculino se realizam preponderantemente em ambiente espiritual abstrato, conquanto não se trate de usurpação dos mistérios originalmente femininos, os mistérios primordiais do Feminino estão mais próximos da vida cotidiana e da sua realidade.

[1] Comp. c/ Briffault, loc. cit., vol. I, pp. 447-90.
[2] Comp. c/ Neumann, "Zur psychologischen Bedeutung des Ritus", loc. cit.

Apenas em momento posterior, nos mistérios eleusinos, de Ísis e outros, é que os mistérios voltam-se também para a questão da consciência na mulher e de sua autoconsciência; de acordo com uma característica essencialmente inerente à psicologia feminina, os primeiros mistérios ocorrem no nível da experiência direta, porém inconsciente. A mulher passa por uma experiência interior ao configurar uma porção da realidade como "vida simbólica", na qual não há necessidade de se tornar consciente de qualquer um desses fatores. Somente a intensidade e o teor emocional acentuado de sua conduta, e, frequentemente, a confidencialidade da qual esta se vê revestida, denunciam seu caráter de mistério.

O Feminino, cuja essência procuramos discernir à luz das funções e dos símbolos do caráter elementar e do de transformação, torna-se criativo nos mistérios primordiais e assim atua como fator determinante no início da cultura humana.

Enquanto os mistérios ligados ao instinto envolvem os pontos centrais da vida feminina – nascimento, menstruação, concepção, gravidez, sexualidade, climatério e morte –, os mistérios primordiais projetam um simbolismo psíquico no mundo real e assim transformam-no.

Os mistérios femininos podem ser divididos nos mistérios referentes à preservação, à formação, à alimentação e à transformação.

Como já mostramos, o vaso pertence ao caráter elementar do Feminino. É o símbolo central da realização dos mistérios primordiais, em todas as etapas. Nos mistérios da preservação, esse símbolo é projetado na caverna,[3] tanto na forma de local sagrado e templo como nas formas ulteriores – habitação, aposento, tenda e, posteriormente, casa e armazém. Essa é a razão pela qual a construção e a preparação de uma moradia mostram-se, com tanta frequência, prerrogativas das mulheres.[4] A "estrutura protetora" do vaso determina a forma do túmulo, a habitação do mundo inferior, tanto quanto a do lar sobre a terra e a do templo, como morada dos poderes do mundo superior. Na Lícia e na Ásia Menor as casas são "a réplica exata das antigas sepulturas e templos; são as ruínas do que foi encontrado naquela antiga região do matriarcado".[5]

Entretanto, além do templo, do túmulo e da casa, também o pilar de fundação que sustenta a estrutura da casa é um símbolo central da Grande Mãe.

Na Mesopotâmia, por exemplo, as primeiras moradias eram feitas de esteiras sustentadas por pilastras, das quais R. Levy[6] derivou o pilar como símbolo da Grande Mãe.

Da mesma forma que o portão, o gradil e o curral,[7] a cooperativa de produção das aldeias e cidades são todos símbolos do Feminino. Sua instalação começa, origi-

---

[3] Comp. c/ Levy, loc. cit., p. 62.
[4] Briffault, loc. cit., vol. I, pp. 477-83.
[5] Idem, p. 482.
[6] Levy, loc. cit., p. 99s.
[7] Comp. acima, p. 161s.

nariamente, com a demarcação de um círculo, a conjuração do "Grande Círculo", que revela sua natureza feminina tanto na forma de periferia continente como na de útero e centro. As últimas ramificações desse simbolismo são as coroas murais das deusas e a designação feminina dada a todas as cidades. Os Penates e Lares romanos, porquanto deuses domésticos e do campo, são acompanhantes da *Mater larum*, que, em caráter de Mania, está ligada ao centro da cidade, situado nas profundezas da terra, ao *mundus* e ao muro.

Além da casa, da pilastra, da porta, da soleira e do túmulo (encontrado com frequência dentro ou sob a casa), também está relacionado com o Feminino o *penus*, as despensas que têm os Penates como seus deuses protetores.

A mulher é a nutriz por natureza e, por essa razão, é a senhora de tudo aquilo que signifique nutrição. Obter o alimento, sua composição e preparação, bem como a coleta de frutos e nozes das culturas primitivas, dizem respeito ao grupo feminino. Aos homens cabia somente o abate de animais de grande porte, mas a vida e a fertilidade dos animais estavam subordinadas ao Feminino, uma vez que a mágica da caça – a garantia da caça pelo encantamento – é da esfera feminina, mesmo quando a atividade da caça passou a ser posteriormente conduzida pelo grupo masculino.[8] Esse poderio sobre a alimentação fundamentava-se, em grande parte, no fato de que o grupo das mulheres representava o centro do lar e, portanto, a verdadeira casa à qual os homens errantes sempre retornavam.

A função de proteção e de preservação, mister a que se dedicava o Feminino e que, em grande parte, levou à criação da "moradia", era posta em prática pelas atividades atinentes a trançar fibras, fazer cestos, prender, atar e dar nós, atividades que possibilitaram a criação da esteira e da cobertura, os meios de abrigo da cultura primitiva.

O ato de vestir e de cobrir o corpo, a proteção e o revestimento deste pertencem à mesma função do caráter elementar do Feminino, que, na realidade, se mantém como atribuição quase exclusiva do grupo das mulheres. Esse processo tem início com a preparação das peles de animais e de couro, o que já desempenhava papel significativo na cultura pré-histórica, como pode ser comprovado pela existência de grande número de esfoladores (scrapers), no período em questão. Tal processo prossegue com a costura das vestimentas, a elaboração das fibras a partir da ráfia, da cortiça e de folhas, sua impermeabilização, tintura e estampagem, no curtimento das peles etc., utilizadas para as vestimentas e para a fabricação de utensílios domésticos que também servem à decoração primitiva da moradia.

A fabricação do vaso[9] está igualmente relacionada com os mistérios primordiais do Feminino ligados à alimentação, em que aquele objeto é utilizado para recolher alimentos e transportar água, entre outros usos, ocorrendo uma evolução paralela que

---

[8] Aqui se estabelece, portanto, o início da emancipação do grupo dos homens, cuja evolução levou mais tarde ao patriarcado. Comp. c/ Neumann: *História da Origem da Consciência*, loc. cit., p. 461s.

[9] Cf. Cap. 9, "O Caráter Elementar Positivo", p. 127s.

parte da utilização da casca de frutos para a produção de algibeiras, tubos e redes, atingindo a fase de confecção da cerâmica primitiva. Esses utensílios aplicados para a conservação são importantes para outro ciclo posterior da dominação Feminina, cujo significado é definitivo para a evolução da cultura, a saber, o armazenamento de víveres. Eles representaram não só uma postura de precaução, no sentido de resguardar o grupo contra a fome, no período em que a caça era improdutiva, como também serviram de base para o desenvolvimento do conceito de propriedade, pois essas "provisões" pertenciam, sem dúvida, às mulheres, cuja dominação foi assim fortalecida, como nutrizes. A partir do momento em que se começou a praticar o aprovisionamento de víveres, a jardinagem e a agricultura se desenvolveram – o que possivelmente ocorreu por acaso, em um momento inicial, quando os grãos e tubérculos estocados germinaram e criaram raízes –, passando, mais tarde, a ser orientadas de forma consciente pelo grupo relativamente sedentário das mulheres.

Entretanto, a manutenção e o cuidado do fogo ocupam ainda o núcleo dos mistérios presididos pelo grupo das mulheres. A área que simboliza o domínio do Feminino encontra-se tanto nos arredores da casa como no centro desta, o local onde está aceso o fogo, sede do calor, e onde é preparado o alimento, a "lareira" que também é uma forma característica do altar primitivo. Esse elemento básico do matriarcado foi preservado na Roma antiga, de forma especialmente clara, no culto a Vesta[10] com seu templo circular.

Essa é a "antiga casa ou tenda circular com a lareira no centro. Foram encontrados modelos desse tipo de moradia pré-histórica no Fórum romano, na forma de urnas cinerárias".[11]

O terceiro símbolo de destaque no domínio do Feminino é o leito, a "cama", o lugar da sexualidade e do ritual de fertilidade a ela associado. A existência da família até hoje se fundamenta na centralidade desses símbolos, que constelam o domínio feminino no seio da família: a casa, a mesa – ou fogão – e a cama.

A utilização do fogo como símbolo e instrumento da transformação leva à transformação do vaso, à origem da cerâmica, e agora o alimento começa a ser mais elaborado pela torrefação, pelo grelhar e pelo cozer, bem como pelo procedimento posterior de assar, que tem estreita ligação com os mistérios da agricultura: o grão e o pão.[12] O Feminino torna-se, portanto, a Senhora da Transformação, no âmbito dos mistérios primordiais, e estabelece os fundamentos da cultura humana, que é a natureza transformada.

Já nos referimos ao significado funesto do moinho, bem como à conotação de fertilidade associada ao bolo e aos símbolos a ele correlatos. A popular e sinistra

---

[10] V. também as obras de Angelo Brelich: *Die geheime Schutzgottheit von Rom e Vesta*, ambas in: "Albas Vigiliae, Neue Folge", nº 6 e nº 7, Zurique, 1949.

[11] Van der Leeuw, loc. cit., p. 374.

[12] Comp. também c/ Jacob, loc. cit.

canção da "Bela Moleira" cabe neste contexto, da mesma forma que, em Roma, na Grécia e durante a Idade Média, moinhos e padarias estavam frequentemente ligados a bordéis.[13] Toda a extensão desse simbolismo repousa na profunda identidade entre o Feminino doador e o transformador do alimento, não só na forma negativa do moinho, mas também sob um aspecto positivo com o forno, principalmente aquele utilizado para assar alimentos, e o próprio pão.

Nesse ponto, atemo-nos somente ao aspecto de transformação do forno, em que este surge como o vaso sagrado de transformação da vida, tal como o mistério do útero. Assim, a deusa do forno, na mitologia romana, e sua celebração, a *fornacalia*, desempenham importante papel na relação com o pão comum da Antiguidade, o *far*.* A ligação existente entre transformação, nascimento do pão, alimentação e Feminino é tão evidente que diz o antigo provérbio: "O forno é a própria mãe". Diz-se de uma mulher quando está prestes a dar à luz que "o forno logo se esvaziará" e também, segundo vários costumes folclóricos, diz-se que os inválidos e mutilados devem ser "levados novamente ao forno".[14] É da profunda identificação com o Grande Feminino que o forno adquire valor "profético", pelo qual é consultado acerca do destino.

Nesses mistérios primordiais do Feminino, todos eles inseridos no plano material da natureza, a mulher já se revela como a Senhora da Transformação. A transformação da matéria e da vida está subordinada a ela, seja como Senhora da Água e "aquela que promete dilúvios",[15] que comanda a magia dessa chuva; seja como Senhora da Terra, que comanda a fertilidade do solo, como Senhora dos Animais, que governa a fecundidade das bestas, ou como Senhora do Sangue, que governa a transformação deste naquele que está para ser concebido, e do sangue em leite ou em chuva.[16]

---

[13] Iwan Bloch, *Die Prostitution*, Berlim, 1912, p. 277.

* *Far, fartis*, s. n.: "trigo, farinha, cereal". (N.T.)

[14] O fato de os antigos mistérios poderem ser vivenciados ainda hoje como tais é comprovado por uma passagem de um conto do escritor tcheco K. Capek, "Die Nadel" (in: *Der gestohlene Kaktus*, Leipzig e Viena, 1937): "Você não pode avaliar quão bela é a arte de assar brioches e, principalmente, pães. Existem dois, três grandes mistérios quase divinos, na arte de assar o pão. O primeiro mistério está em se preparar o fermento. Ele fica no recipiente onde será preparada a massa, e que é coberto; e o preenche então por completo, como por uma transformação mágica que acontece por baixo da tampa. Depois de se acrescentarem a farinha e a água, é só esperar até que ele se torne uma massa viva. Essa massa é, então, misturada a outra e levada ao cilindro para ser revolvida. Isso também dá a impressão de ter algo de religioso, assim como uma dança cúltica ou coisa semelhante. Tudo isso é coberto, então, com um pano, e a massa começa a crescer. Ocorre aí a segunda transformação misteriosa: a maneira como a massa cresce majestosamente, e durante esse processo não se pode levantar o pano para olhar e satisfazer à curiosidade – posso lhes assegurar que tudo isso não perde em beleza nem é menos original que uma gravidez. Sempre achei que havia algo de feminino naquela forma de pão. E o terceiro mistério é o próprio ato de assar, o que acontece no forno com aquela massa, macia e pálida! Minha nossa, não é uma maravilha as pessoas tirarem do forno um pão desses, dourado, com um aroma tal que nem um bebê tem um perfume tão delicioso? Acho que deveríamos celebrar nas padarias as três mudanças, da mesma forma que celebramos a elevação da hóstia nas igrejas, com tilintar de sininhos".

[15] Comp. c/ Richard Pietschmann, *Geschichte der Phönizier* (Allgemeine Geschichte in Einzeldarstellungen, vol. I, livro 4), Berlim, 1889; p. 235, Observação.

[16] Spence, *The Religion...*, loc. cit., p. 27.

Além disso, ela transforma a natureza em um princípio mais elevado, de atuação espiritual, que ela é capaz de fazer surgir a partir do substrato natural da matéria.

Na forma de deusa dos cereais e das plantas alimentícias, das ervas e frutas, ela, portanto, é a transformadora numinosa desses elementos básicos em bebidas inebriantes, curativas e venenosas. É tão evidente o fato de que a preparação e o armazenamento dos alimentos tenham ensinado às mulheres o processo de fermentação e a origem da bebida inebriante quanto é o de ter passado da qualidade daquela que apenas colhe para a daquela que cultiva as ervas, as plantas e as frutas e que, posteriormente, se tornou a selecionadora e guardiã das primeiras plantas e bebidas de efeito curativo, dos primeiros medicamentos e também venenos.[17] Já entre os sumérios, Innana é a "deusa mãe celeste do vinho", assim como a deusa do grão, e ambas correspondem, sob o ponto de vista astronômico, e astrológico à virgem com as espigas.[18] A deusa, portanto, não é só a senhora do fruto nobre da terra, mas também da matéria espírito da transformação, a qual está personificada no vinho. Com isso, o caráter de transformação do Feminino se eleva do plano da natureza para o plano espiritual. Os mistérios primordiais, como forja da cultura, culminam em uma realidade espiritual que completa o aspecto misterioso do Feminino.

A MULHER COMO FIGURA MANA

Assim desenvolve-se diante de nós um mundo magnífico de evolução da cultura feminina, mas que também representa o desenvolvimento do seu poder. Este assume sua forma em torno do Grande Feminino em círculos sempre novos de fascinação numinosa, que, como divindade, representa o núcleo do grupo das mulheres e o *self* da psique individual. No início, a imagem do Grande Feminino como deusa e o Grande Círculo preenchiam o horizonte da humanidade. Agora, porém, com o avanço do desenvolvimento, o veículo humano e terreno desse numinoso, a mulher como figura dotada de mana, se estabelece em primeiro plano, no centro da consciência humana. O Feminino, venerado inicialmente na forma de leoa, ursa, ave, serpente etc., vai paulatinamente se tornando uma divindade antropomórfica, tendo por acompanhante ou atributo o animal. E hoje verificamos que, de forma análoga e definitiva, o símbolo principal do Feminino, o vaso, torna-se, em grande extensão, seu atributo e instrumento. Como é comum, operam aqui em conjunto os fatores psíquicos, simbólicos e sociológicos objetivos. O vaso é, por um lado, a forma dentro da qual a matéria passa por uma transformação evidente, seja por ser cozida ou fermentada, ou por ser

---

[17] É por essa razão que, em quase todos os povos primitivos, o grupo das mulheres é que prepara a bebida inebriante e obtém o conhecimento das ervas curativas e venenosas; a figura da anciã se manteve até hoje como conceito – e realidade – da mulher e da feiticeira das ervas, preparadora de venenos.

[18] Comp. c/ Herbert Langdon, *Tammuz und Ishtar*, Oxford, 1914, p. 43s.

preparada como poção curativa, venenosa ou inebriante. Ao mesmo tempo, e isto é fundamental, o fenômeno básico dessa transformação, interpretada como mágica, só pode ser efetuada pela mulher, pois é ela que, na própria corporalidade, corresponde ao "Grande Feminino"; é o caldeirão onde se dá a encarnação, o nascimento e o renascimento. Por esse motivo é que o caldeirão e o pote mágicos estão sempre na mão da figura mana feminina, a sacerdotisa, ou, mais tarde, a "feiticeira".[19] Hélios viajava pelos céus no caldeirão [Il. 138] da transformação, para o qual retornava a cada final de tarde, quando se punha, e no qual ele originalmente se renovava durante a noite. Da mesma forma que Pélops, depois de cozinhar no caldeirão sagrado [Il. 139], foi renovado com a ajuda de Cloto, a Deusa da Fortuna, ou de Reia, a Deusa Mãe, também Dioniso tornou-se, analogamente, "completo e perfeito" depois de sua recomposição[20] pelo cozimento num caldeirão mágico de transformação.

Medeia é a figura mana feminina da Antiguidade que representa o princípio da forma mais clara da transformação. Nela, porém, o matriarcado em declínio já está desvalorizado pelo princípio patriarcal, e a realidade mítica que ela representa, de fato, já se encontra nela personalizada,[21] isto é, reduzida ao nível meramente pessoal e, assim, negativizada. Da mesma forma que Circe, que originariamente era deusa, ela se tornou "feiticeira" no mito de nuanças patriarcais.

O caldeirão da transformação é idêntico ao recipiente usado para os sacrifícios e cujo sangue nele contido é indispensável para que a sacerdotisa atinja seu objetivo mágico. Aqui, o sangue ainda não tem a conotação "espiritual" de oferenda sacrificial, que adquiriu posteriormente, mas preserva uma acepção mágica: ele "contém" a alma – o que também é ensinado no Velho Testamento. A necessidade de sua utilização se fundamenta na crença matriarcal de que um ser humano não pode ser criado sem sangue, nem mesmo no ventre materno.[22] Por isso é que a caldeira do México [Il. 76], os recipientes para o sangue, bem como os do mundo inferior,[23] são as caldeiras da transformação [Fig. 46], as taças sacrificiais[24] das quais dependem a vida, a fertilidade, a luz e a transformação.

Strabo discorre, de forma análoga, a respeito dos Cimbros do norte da Europa:[25]

> Suas mulheres, que viajavam com eles, eram acompanhadas por sacerdotisas sagradas, grisalhas, com trajes brancos, tendo sobre os ombros um grande lenço branco de linho, usavam um cinturão de bronze e caminhavam descalças. Essas sacerdotisas, empunhando uma espada, recebiam os prisioneiros de guerra quando

---

[19] Comp. c/ Cap. 9, p. 127s, a respeito da divindade como vaso.

[20] Briffault, loc. cit., vol. III, p. 451, Obs. nº 3.

[21] Neumann, *História da Origem da Consciência*, loc. cit., p. 221s.

[22] V. acima, Cap. 3, p. 45.

[23] V. acima, Cap. 10, p. 191.

[24] V. acima, Cap. 10, p. 190, nota 152.

[25] Strabo, "The Geography of Strabo", com tradução inglesa de H. L. Jones, Londres, 1917; Livro VII, Cap. 2.

estes eram trazidos para o acampamento e, depois de golpeá-los na cabeça, levavam-nos até uma bacia de cobre, cujo tamanho era equivalente ao de trinta ânforas. Havia uma escada em que subia a sacerdotisa e, estando sobre a bacia, ela degolava os prisioneiros, um a um, à medida que os recebia nas mãos. Com o sangue que jorrava para o interior da bacia, elas faziam uma profecia.

Na Jutlândia foi encontrado um caldeirão mágico [Il. 140] dessa natureza, feito de prata, onde está representada a cena do sacrifício. A deusa nela reproduzida, e que Briffault descreve como deusa da lua,[26] nós a conhecemos como a Senhora dos Animais. Existem dois tipos de Feminino claramente distintos nas reproduções em questão: primeiro, as velhas sacerdotisas, cujo penteado é igual ao da Grande Deusa dos Animais, à qual eles recorrem; elas são, obviamente, as legítimas sacerdotisas da fertilidade e das profecias. Ao lado destas, observamos duas figuras femininas juvenis "que flutuam", semelhantes à imagem das bruxas jovens, que, mais tarde, apareceram montadas em um cabo de vassoura. Têm a natureza das amazonas Valquírias, deusas da caça à semelhança de Ártemis. Uma delas luta com uma fera; a outra, empunhando um gládio, abate um bisonte, ao que parece. Vamos discorrer mais sobre essa oposição entre as sacerdotisas – ou até divindades –, a donzela e a anciã, bem como sobre a relação que existe entre elas.[27]

O caldeirão mágico é um símbolo original da fertilidade, que pertence ao caráter elementar do Feminino. Como tal, fornece o alimento, é a cornucópia; mesmo na forma final cristianizada e sublimada como o Graal, em que seu significado primordial de caldeirão mágico-cúltico da sacerdotisa quase se extinguiu, sua existência preserva o aspecto de fonte de alimentos. Essa capacidade de nutrir é atributo de vários caldeirões mágicos, como relatam algumas lendas irlandesas;[28] outrossim, o próprio Graal alimentou, segundo a lenda, não só José de Arimateia durante o seu cativeiro como também serviu ao mesmo fim no castelo onde era conservado: "Ele se dirigia para todos os lados no salão e, conforme se aproximava das mesas, supria estas com todo tipo de alimento que um homem pudesse desejar".[29]

Desde o início, o caráter elementar do vaso mágico atua ao lado do caráter de transformação. Não foi somente com o passar do tempo que mais tarde se estabeleceu uma "concepção" sublimada ou espiritual; ao contrário, o caráter de transformação está ligado, desde o princípio, à acepção mágica da mulher como figura mana, pois parece indispensável à visão mágica de mundo o fato de o Feminino poder gerar a vida dentro de si a partir de razões desconhecidas, isto é, numinosas.

---

[26] Briffault, loc. cit., vol. II, p. 542.

[27] V. adiante, p. 302s.

[28] Briffault, loc. cit., vol. III, p. 452.

[29] Idem.

Como apontou Briffault, todo tabu tem origem, primordialmente, no tabu da menstruação, que as mulheres impuseram a si e ao Masculino durante o período em questão. Assim como durante a época matriarcal em que prevaleceu o motivo feminino do totemismo, a exogamia, o tabu e o princípio dos ritos de iniciação também parecem estar originalmente relacionados com instituições básicas do grupo das mulheres. Uma indicação disso é a apropriação de muitos mistérios femininos efetivada pelos homens,[30] e o fato de que em vários mistérios os homens ainda usavam trajes originalmente femininos,[31] e, até mesmo, por tradições que persistem entre os habitantes primitivos da Terra do Fogo, por exemplo. Segundo as tradições mencionadas, os primeiros mistérios eram, originalmente, mistérios da deusa lua, contra os quais se rebelaram os homens sob a liderança do sol, assassinando todas as mulheres adultas e permitindo que sobrevivessem somente as meninas, desprovidas de conhecimento e não iniciadas.[32]

Ao examinarmos as condições psicológicas que poderiam, ou melhor, deveriam fazer surgir a iniciação da puberdade, os vários ritos secretos e a segregação, não encontramos nada de semelhante no processo normal da evolução masculina, ao passo que a misteriosa ocorrência da menstruação, a da gravidez e, sobretudo, a de um acontecimento em que existem riscos como o parto representam, definitivamente, uma coerção psicológica, por isso tornam imperioso que a mulher inexperiente seja iniciada por aquelas que conhecem o assunto. A "segregação" mensal que ocorre no recinto feminino sagrado e fechado, cercado de tabu, é somente um prosseguimento lógico da iniciação que se deu nesse local, quando da primeira menstruação. O nascimento acontece no mesmo lugar, que é o centro natural, social e psicológico do grupo das mulheres, regido pelos mais velhos e experientes. Da mesma forma, é absolutamente natural o fato de que o conhecimento sobre as propriedades das ervas, frutas e outros, tenha sido empregado, primeiramente, no sentido de deter sangramentos, curar ferimentos e como analgésico.

No início, no auge da época matriarcal, a existência coletiva do grupo estava em primeiro plano, e a individualidade era, de certa forma, tão pouco desenvolvida quanto as relações individuais entre mulheres e homens. Nessa época, o teor dos mistérios da mulher consistia principalmente na universalidade dos rituais de fecundidade, orientados para a comunidade como um todo. Além disso, mais tarde, os mistérios primordiais foram tradicionalizados em cultos, como sabemos, mantidos em segredo pelas mulheres.[33]

---

[30] Idem, vol. II, pp. 543-55.

[31] Idem.

[32] Idem. Comp. também com Wilhelm Koppers, "Zum Ursprung des Mysterienwesens im Lichte von Völkerkunde und Ideologie", in: *Eranos-Jahrbuch 1945*, XIII.

[33] Ainda se podem observar tendências desse tipo, nos tempos modernos, na transmissão secreta de receitas e similares, em uma mesma família.

Em um momento ainda posterior, os ensinamentos sobre o intercurso sexual, sobre métodos de contracepção e, finalmente, sobre feitiços para o amor tornaram-se parte do conjunto dos mistérios da iniciação das mulheres.

Para uma efetiva compreensão da atuação mágica da mulher, e desta como figura mana, é importante ter em mente o fato de que ela necessariamente se vivencia como sujeito e objeto de fenômenos enigmático-numinosos e como vaso de transformação. Os enigmáticos fenômenos da sua corporalidade – os mistérios do instinto inerentes à sua existência – são propriedade exclusiva do Feminino. Afora sua força e destreza técnica, o Masculino não tem qualquer segredo equivalente a oferecer; isto só se modificou a partir do desenvolvimento da consciência especificamente masculina.

A eficácia mágica do Feminino não está confinada [Il. 141], porém, ao caráter elementar nem ao ritual de fertilidade; ao contrário, a atuação da divindade feminina, na forma de Grande Círculo, vai muito além da fertilidade dos animais e dos seres humanos, da terra e do céu, ou seja, é a garantia do aprimoramento e do renascimento da vida. A noite que, passando pela morte e pelo sono, conduz à cura e ao nascimento renova o ciclo da vida; mas ao transcender a escuridão terrena sublima a própria essência da vida ao irromper das profundezas daquelas forças que permitam ao ser humano atingir nova dimensão do espírito e da luz, na embriaguez e no êxtase, na poesia e na inspiração, no manticismo e na sabedoria.

Várias vezes nos referimos a esse lado espiritual do caráter de transformação feminino que, pelo sacrifício e pela destruição, pelo sofrimento e pela morte, conduz, então, o que é mortal a se transformar em imortal, renovado e renascido. Uma transformação de tal sorte só é possível, porém, quando aquilo que está por se transformar penetra totalmente no Grande Feminino, isto é, morre na mãe-vaso quando a ela regressar, seja aquela terra, água, mundo inferior, urna, esquife, caverna, montanha, barco ou caldeirão mágico. Na maioria das vezes, alguns desses símbolos de continência estão até mesmo combinados entre si; estes, porém, estão, por sua vez, contidos na realidade psíquica todo-abrangente, no útero materno da noite ou do inconsciente. É possível que o renascimento possa ocorrer através de um sono na caverna noturna, da descida a um mundo subterrâneo em direção aos espíritos dos antepassados, de uma viagem pelo mar noturno ou mesmo de um torpor provocado por qualquer meio – de qualquer forma, a retomada de um processo de renovação só é possível depois de morta a antiga personalidade. O enredo sempre gira em torno da recorrência da mesma constelação arquetípica, seja como em Malta, muito antes dos dias de cura passados nos santuários gregos de Asclépio, em que o enfermo se submetia a um sono "de incubação", no decurso do qual entrava em contato com a divindade curadora em forma de serpente; seja se atingia o renascimento ao passar por um dólmen, um portal de pedras, ou mediante algum outro expediente.

Mesmo quando mais tarde, no velho Oriente, por exemplo, a renovação do reinado divino se tornou uma instituição de importância vital para a coletividade, tal renovação consistia no renascimento do rei a que estavam ligados símbolos e ritos milenares: ele subia ao trono, que representa a Grande Mãe; era puxado para o alto através da pele de um animal; era executado um ritual de morte, como o do Egito, em que o rei era identificado com o Osíris morto e que, como este, deveria ser despertado pela Grande Deusa Ísis.

Todo processo mágico pressupõe a existência de um ritual, e todo ritual, por sua vez, pressupõe uma mudança da personalidade humana, que a torna receptiva aos rituais e capaz de lançar mão de forças que, normalmente, não estão ao seu alcance.[34] Não nos interessa aqui se esse ritual de renascimento era praticado, originalmente, pelo grupo de mulheres, individualmente por sacerdotisas, ou por toda a comunidade, uma vez que se pode constatar que, em quase todo lugar sobre a Terra, se atribui à mulher um poder mântico e mágico peculiar. Isso também é inteiramente compreensível sob o ponto de vista psicológico, pois, enquanto o feito específico dos homens está no desenvolvimento da consciência masculina e da mente racional, a psique da mulher depende em muito maior grau da produtividade do inconsciente, o que está estreitamente ligado ao que, por consenso, designamos como consciência "matriarcal".[35] Essa consciência matriarcal que se baseia, consideravelmente, na *participation mystique* do ser humano com o mundo ao seu redor e na qual atuam numa indissociabilidade quase total a psique humana e o mundo extra-humano,[36] também constitui exatamente o fundamento do poder mágico-mântico da personalidade humana. Originalmente, a consciência matriarcal, por estar mais próxima dessa realidade e de sua grande receptividade aos poderes do inconsciente, é mais intensa precisamente na mulher e, em menor escala, encoberta pela forma abstrativa da consciência patriarcal.

Não nos é possível citar aqui todo o material capaz de atestar o imenso papel desempenhado pela mulher no seio da humanidade, na qualidade de figura mana, como a soberana de atuação mágica tanto positiva quanto negativa, como sacerdotisa ou feiticeira. Basta apontar para o fato de que, nos primórdios, ela desempenhava esse papel na Suméria, na Assíria, na Babilônia, no Egito, na Grécia e em Roma; entre os povos celtas e germânicos; na África, na Ásia, em toda a América, na Indonésia, na Polinésia, na Austrália; resumindo, em todo o mundo civilizado ou não.[37] Nossa verdadeira tarefa é, muito mais, esclarecer as razões psicológicas que levaram a essa função do Feminino como figura mana.

Nesse caso, também Bachofen foi o primeiro a perceber algo de fundamental, quando pela primeira vez escreveu sobre a natureza da mulher, muito embora o tenha feito segundo um critério de valores seguramente parcial e moralista:

[34] Comp. c/ Neumann, "Zur psychologischen Bedeutung des Ritus", loc. cit.
[35] Idem, "Über den Mond...", loc. cit.
[36] Idem, "Die Psyche und die Wandlung der Wirklichkeitsebenen", in: *Eranos-Jahrbuch 1952*, XXI.
[37] V. Briffault, loc. cit., vol. II, pp. 502-70.

> Aquela *mania* de Baco, como nos descreve Eurípedes, e cujas manifestações físicas estão representadas em tantas obras de arte, está assentada no fundo da vida emocional da mulher, e a união indissolúvel destas duas que são as maiores forças, a emoção religiosa e o fervor sexual, elevam-na ao frenesi do entusiasmo, à embriaguez vertiginosa, que eram costumeiramente interpretados como a imediata revelação dos deuses supremos. Abalada no mais íntimo recesso de seu ser, a mulher eleva aos céus um clamor que ultrapassa as mais altas e silenciosas montanhas, buscando em toda parte aquele deus revelado, que também prefere trilhar as alturas... A intensidade do ardor orgiástico, misto de religião e sensualidade, mostra como a mulher, apesar de mais fraca que o homem, é capaz, com o passar do tempo, de atingir planos mais elevados que ele. Através de seu mistério, Dioniso capturava a alma feminina com sua inclinação por tudo que é sobrenatural, por tudo que desafia a lei natural; através de sua ofuscante e sensual epifania, ele atua sobre a capacidade de imaginação que, para a mulher, constitui o ponto de partida para todas as suas emoções interiores, e para suas sensações eróticas, sem as quais ela nada consegue realizar, mas à qual, sob a proteção da religião, ela permite uma expressão avassaladora, que ultrapassa todas as barreiras.[38]

Várias vezes nos referimos à relevância do "princípio masculino transpessoal", o ouroboros patriarcal,[39] a camada mais profunda daquilo que C. G. Jung caracterizou como o aspecto *animus*,[40] a porção espiritual masculina do Feminino. O aspecto espiritual do inconsciente confronta a mulher na forma de um espírito masculino invisivelmente estimulante e excitante, fecundante e inspirador, quer esse Masculino se manifeste como totem ou demônio, espírito dos antepassados ou deus.[41] Toda situação psíquica que conduza a uma estimulação do inconsciente ou a um *abaissement du niveau mental* aciona, na mulher, as estruturas patriarcais inconscientes do *animus* e, por trás destas, o mundo do ouroboros patriarcal. É irrelevante se, nesse caso, se trata de uma aptidão constitucional, de habilidades desenvolvidas através de iniciação, de um processo natural de debilitação (menstruação, parto, doença, fome) ou de mudanças na personalidade normal condicionadas pelo envelhecimento, por situações de necessidade ou outras disposições particulares.

Sabemos que disposições dessa natureza estão relacionadas com a preparação mágico-mântica, sejam elas o isolamento, a fome, a tolerância a dores, a ingestão de

---

[38] Bachofen, *Das Mutterrecht*, loc. cit., vol. I, p. 587s.

[39] Neumann, *Ein Beitrag zur seelischen Entwicklung des Weiblichen*, loc. cit., p. 133s. e p. 142.

[40] Jung, *Die Beziehungen*, loc. cit., p. 117ss.

[41] Não é por acaso que as mais antigas deusas egípcias, a deusa-abutre Nekhbet e a deusa-serpente de Buto, são chamadas "aquelas ricas em magia". O abutre que supostamente só se mostra como fêmea fecundada pelo vento é, exatamente como a deusa-abutre Mut, a mãe celeste protetora e nutriz do filho do rei. Seu pai é a divindade que, no período matriarcal, é experimentada como "ouroboros patriarcal", como princípio transpessoal anônimo, aqui como "vento-espírito" e, posteriormente no patriarcado, na forma de "sol-espírito". No tocante à serpente, compare com vários trechos mencionados anteriormente. A "magia" provém da união do Feminino com o princípio transpessoal.

diferentes drogas estimulantes, de sangue, a intoxicação resultante de mascar determinadas plantas, como o louro e a hera, ou da ingestão de venenos vegetais, como o ópio, o tabaco ou inúmeras outras substâncias do reino vegetal obtidas a partir de frutas, folhas, tubérculos e sementes. A manipulação desse tipo de substâncias tem feito parte do saber primordial do Feminino, desde seu mais antigo ciclo de dominação, exercido através do ritual do crescimento, até a feiticeira do período de decadência do matriarcado, que conhece e utiliza ervas terapêuticas.

Todos esses recursos somente colocam em ação uma potência natural à psique feminina, através de cuja posse ela sempre influenciou a humanidade como xamã, sibila, sacerdotisa e velha sábia. Essa situação psicológica é reforçada ainda pelo fato de que os homens projetam nas mulheres a figura de *anima* que neles existe[42] ou vivenciam-na naquelas. Essa figura de *anima*, como também atesta a psicologia do homem moderno, é, em grande parte, formada pela mulher como jovem sacerdotisa, Sofia ou jovem bruxa. Quanto mais inconsciente é o homem, mais a figura de *anima* permanece fundida ou conectada à figura mana da mãe ou da velha. Assim, a psique inconsciente do homem passa a ser dirigida pelo efeito mágico exercido por um conjunto de mulheres jovens e velhas. Encontramos a concretização desse tipo de constelação na vida externa da humanidade primitiva, na dominância mágico-mântica do grupo das mulheres. Produz-se, psicologicamente, um tipo de hierarquia de potências e níveis de poder "mágico-espirituais", nos quais a "Grande Mãe" ocupa o nível mais elevado, tendo próximo a ela o *animus* do masculino transpessoal como princípio atuante. A realidade mágico-espiritual do grupo das mulheres depende desse mundo do *animus*, que tem como foco a figura da lua, na qualidade de "Senhor das Mulheres". Todavia, esse grupo de mulheres cuja importância prática é ainda mais fortalecida pela projeção do princípio masculino domina – durante a fase matriarcal sobre a qual estamos discorrendo – o mundo todo dos homens, os quais, na sua evolução, ainda não chegaram a se identificar com o princípio masculino transpessoal vivenciado pela mulher.

Quando a consciência e a razão não podem ser mobilizadas para a resolução de uma situação, como se dá em fase posterior do desenvolvimento da consciência humana, o Masculino recorre à sabedoria do inconsciente, fonte de inspiração do Feminino; assim, o inconsciente é invocado no rito e no culto e posto em ação. É evidente que nessa fase a supremacia do Feminino – independentemente de sua situação e de seu significado sociológicos – é inabalável, pois, quanto menos desenvolvida for a consciência da humanidade, tanto mais ela necessitará da orientação dada pelo inconsciente, quer dizer, os poderes transpessoais. Mesmo em fase posterior, o xamã ou vidente masculino ainda é, em grande medida, "feminino", uma vez que depende de sua *anima*. Por essa razão, ele se veste frequentemente com roupas femininas.[43]

[42] Comp. acima, p. 39ss.

[43] Nesse sentido, o aspecto arquetípico do Feminino, da forma como se apresenta em ambos os sexos, é o que, para nós, é significativo, sob o ponto de vista psicológico. Mesmo quando mais tarde o mântico se

A mulher é, assim, a vidente primordial, a Senhora das Águas disseminadoras da sabedoria, oriundas das profundezas; das Fontes murmurantes e das nascentes, pois "o" – ou, antes, *um* – "pronunciamento primordial da vidência é a linguagem da água".[44] Não obstante, a mulher também conhece o sussurro das árvores e todos os sinais da natureza a cuja vida está tão fortemente ligada. O rumor da água das profundezas é somente um aspecto "externo" do murmúrio interior do próprio inconsciente, que nela se "eleva espiritualmente" como a água de um gêiser.

Ela é o centro da magia, do cântico mágico e, enfim, da poesia, pois a situação extática da vidente resulta de ela ser dominada por um espírito que irrompe dentro dela, o qual se pronuncia a partir dela, ou melhor, que nela se denuncia e se manifesta em forma de invocação rítmica e intensa. Ela é a fonte de onde Odin obteve as runas da sabedoria, bem como é a Musa, a origem das palavras que fluem do âmago do poeta, e sua *anima* inspiradora.[45]

Como força inspiradora, ela pode se manifestar isoladamente, na forma tríplice que já conhecemos, e ainda num contexto plural indeterminado. As Cárites, as ninfas, as sereias, as musas, as três graças, as moiras e outras inúmeras figuras são as forças melodiosas, dançantes e proféticas dessa mulher inspiradora e inspirada na qual o Masculino, muito mais distante das origens, busca sabedoria quando impelido pela necessidade. E vezes e vezes seguidas encontramos essa mulher mântica ligada aos símbolos do caldeirão e da caverna, da noite e da lua [Il. 141].

Com efeito, o caldeirão não é só o vaso da vida e da morte, da renovação e do renascimento, mas também da magia e da inspiração. O caráter de transformação que lhe é inerente passa pela decomposição e pela morte para chegar à intensificação extática e ao nascimento do espírito eloquente, o qual conduz, sob inspiração extática, à visão e à palavra, ao cântico e à profecia, como sintomas do renascimento.

A palavra também é destino, pois anuncia aquilo que foi decidido pelos poderes; além disso, a maldição e a bênção dependem dos rituais mágicos que estão sob o domínio das mulheres. Aquilo que mais tarde passamos a chamar de poesia teve origem na fórmula dos sortilégios e nos cânticos mágicos que emergem espontaneamente das profundezas do inconsciente, de onde trazem à tona suas formas características, seu próprio ritmo, além do vigor e da sensualidade peculiares de sua imagem.

Thomson, no primoroso capítulo intitulado "The Art of Poetry" [A Arte da Poesia], de sua obra tantas vezes citada[46] – especialmente no parágrafo "Improvisation and Inspiration" [Improvisão e Inspiração] –, acompanha o percurso da realidade psíquica do poeta até a dos profetas, e desta à "possessão", que é idêntica à inspiração,

---

define no homem, ou se coloca, no mínimo, em pé de igualdade com a mulher, é com a ajuda deste aspecto feminino, da *anima* presente nele, que ele vai atingir a camada mais profunda do inconsciente.

[44] Ninck, *Wodan...*, loc. cit., p. 305.

[45] Comp. c/ Robert Graves, *The White Goddess*, Nova York e Londres, 1948, além das obras de Briffault e Thomson citadas anteriormente.

[46] Thomson, loc. cit., p. 454ss.

na fase primitiva. Atualmente, tomando por base nosso conhecimento de Psicologia Profunda, podemos compreender essa "possessão" de forma mais clara que antigamente. É a possessão por aquilo que a Psicologia Analítica denomina de "alma parcial", componente inconsciente da psique humana que se estabelece no lugar de um ego ainda relativamente fraco e frouxamente fixado na consciência.

Não podemos nos dedicar aqui a uma averiguação de como é possível emergirem do inconsciente, durante essa possessão, conteúdos integrados e até mesmo superiores à consciência vigente e, e não produtos desprovidos de sentido ou "para corresponder a caprichos". De qualquer maneira, o fenômeno básico de que o inconsciente transpessoal também é gerador de cultura e enriquece a consciência do indivíduo e do grupo – de fato, todas as culturas primitivas e quase toda a cultura, de forma geral, têm origem nas incursões do inconsciente – é que faz exatamente com que o portador da "palavra inconsciente" se torne figura mana, o "Grande Indivíduo", o instrumento exaltado dos poderes.

O relacionamento universal existente entre acesso, fúria, espírito e poesia encontra-se representado minuciosamente no exemplo de Wotan-Odin.[47] Seu nome é derivado, na realidade, de uma extensão da raiz etimológica "Wut", fúria, cólera, a respeito da qual temos:

> "Wut", do antigo alto-alemão *wuot*, 'raiva'. De par com este, temos o adjetivo *wuot* do antigo alto-alemão, *wod* do anglo-saxão; do alto-nórdico *oor*, 'enfurecido', o gótico *wöds*, 'possuído, insano'. Em relação com essa família está o anglo-saxão *wöp*, 'voz, canto', o alto-nórdico *öör*, 'afeto, poesia'. O significado permite o emprego do latim clássico *vates*, 'trovador de inspiração divina' (alto-irlandês *faith*, 'poesia'); compare com o alto-irlandês *api-vatagáti*, 'estimula espiritualmente, faz compreender', com o avest. *aipi-vat*, 'compreender'. É possível que o nome do deus Wotan (alto-nórdico 'Odin') pertença à mesma família.[48]

É importante o complemento de Ninck, de que o significado de *Brunst*, "ardor" – no médio-neerlandês "irado, furioso, de avidez intensa, ardente de amor" –, também pertence a esse tronco. A correlação etimológica existente entre fúria, ímpeto, excitação, embriaguez, ardor, vidência e poesia deve se estender ainda à raiz de espírito-lua,[49] com a qual também está relacionado Mimir, o sábio do poço, assim como o significado da palavra "espírito":

> Como significado primitivo, deduz-se "agitação" do alto-nórdico *geisa*, "enfurecer-se" (de fogo e de paixão), e do gótico *usgaisjan*, "sair de si", do inglês *aghast*, "fora de si".[50]

[47] Ninck, *Wodan...*, loc. cit., v. índice s.v. "Wodan".
[48] Comp. c/ Kluge e Götze, loc. cit., p. 700.
[49] Comp. c/ Neumann, "Über den Mond...", loc. cit., p. 342s.
[50] Comp. c/ Kluge e Götze, loc. cit., p. 194.

Acrescente-se ainda a essa correlação de significados o grupo relacionado com o "cantar":

> O radical germânico *sengw*, do indo-germânico *sengah*, parece ter um cognato somente no grego όηφή (de songuba), "voz divina, oráculo".[51]

Todas essas correlações etimológicas e semânticas entre acesso, fúria, paixão, espírito, canto, fervor, o estar-fora-de-si, poesia e oráculo caracterizam o lado criativo do inconsciente, cuja atividade coloca o homem em movimento, impressiona-o profundamente e o torna seu instrumento. A supremacia das forças avassaladoras do inconsciente, quando se apresentam espontaneamente, eliminam o ego e a consciência em maior ou menor intensidade, isto é, as pessoas são atingidas por tais forças e por ela possuídas. Uma vez, porém, que tal possessão viabiliza na pessoa a manifestação de forças "mais elevadas" e supraconscientes, esse estado se torna o objeto metodicamente buscado no culto e no ritual.

A dança como expressão do acesso natural do homem primitivo desempenha papel crucial nesse contexto. Originariamente, todo ritual era sempre uma dança em que a totalidade da psique corporal era literalmente "posta em movimento".[52] Assim, era exatamente durante a dança – sobretudo a dança excitante, estimulante e orgiástica – que se prestavam honras à Grande Deusa.

Encontramos o mais antigo exemplo desse tipo de dança [Fig. 64] – claramente ligada a uma imagem fálica de rapaz – já nas pinturas rupestres da era glacial. Na cultura mexicana [Il. 143] temos, analogamente, a dança das mulheres em torno de imagens masculinas com bastões. A deusa arcaica da Beócia [Il. 144] ocupa o centro na dança executada pela roda das mulheres, e, no penteado da deusa cipriota [Il. 145], adornada com cabeças de Hathor e rosáceas, faunos e mulheres realizam uma dança circular e orgiástica.

Uma vez que o acesso pressupõe, em grande parte, amplo desligamento da consciência vígil normal, a Grande Deusa da Noite, como regente do inconsciente, é não só a Senhora dos venenos e da bebida inebriante, mas também do estupor e do sono.

Sua sacerdotisa é a doadora original da incubação, o sono da cura, da transformação e da ressurreição, cuja intervenção é imprescindível em toda situação onde o intercurso com os poderes exige o libertar-se do corpo, no sonho ou no êxtase.

Já nas palafitas da Idade da Pedra encontramos evidências do cultivo da papoula, a planta característica da Grande Deusa em Creta, de Deméter, Ceres e Melissa [Fig. 58, Il. 60].[53] Homero nos legou igualmente o conhecimento sobre o efeito de uma poção encantada que levava ao entorpecimento. Curiosamente, Telêmaco se familiariza com essa bebida *nepenthes*, na Esparta matriarcal. Essa bebida está

---

[51] Comp. idem, p. 564.

[52] Comp. c/ Neumann, "Zur psychologischen Bedeutung des Ritus", loc. cit.

[53] Comp. c/ Louis Lewin, *Phantastica: Die betäubenden und erregenden Genussmittel*, Berlim, 1924; p. 41.

Figura 64 – Grupo de dança; pintura rupestre, Cogul, Espanha, Paleolítico.

relacionada tanto com Helena de Troia, a quem era oferecida, quanto à sua terra de origem, o Egito da etapa matriarcal.[54]

> No mesmo instante colocou no vinho, do qual eles bebiam, uma droga potente para afugentar a aflição, a discórdia e qualquer tipo de recordação que evocasse sofrimento. Aquele que o sorvesse, depois de ter sido preparado no cântaro, não teria, por todo um dia, sua face umedecida pelas lágrimas. Nem mesmo se morrido tivessem sua mãe ou pai, ou diante de si o seu próprio irmão, tampouco se fosse seu mais amado filho ferido de morte por vil metal, e seus olhos tal cena registrassem. A posse de tal droga cabia a ela, a nobre Rainha, que a recebera da filha de Thon, Polydamna, uma egípcia...[55]

O dragão que vigia o templo das Hespérides é narcotizado pela sacerdotisa com a ajuda do ópio;[56] o efeito mágico da papoula é um conhecimento secreto da mulher.

---

[54] Thomson, loc. cit., p. 416.

[55] Homero, *Odyssee*, loc. cit., 4º Canto.

[56] V. Virgílio, *Aeneis*, 4º Canto, verso 486. Entretanto, não é somente Troia, Esparta e Egito, mas toda a região do alto Mediterrâneo e principalmente Malta, que formam um conjunto homogêneo com seu culto incubatório. Esse culto (Levy, loc. cit., p. 134ss.) é praticado em um território que abrange o Mediterrâneo ocidental, a África, a Sicília e a Sardenha, estendendo-se à Irlanda, à Escócia, ao sul da Inglaterra, ao norte da França, a Portugal e às Ilhas Canárias. Maiores detalhes encontram-se em A. Hefel, "Der unterirdische Vielkammerbau in Afrika und im Mittelmeergebiet", in: *Archiv für Völkerkunde*, Viena, 1946, vol. I.

Em um local situado no México, totalmente independente da cultura mediterrânea quanto a tempo e espaço, encontramos a mesma correlação arquetípica com o Grande Feminino. No México, a deusa da bebida inebriante feita do ágave, Mayauel, possuía o segredo da planta cujo sumo passa por um processo de fermentação e, com isso:

> a erva ou "medicamento", que atribuía qualidade narcotizante à bebida *octli*, que, tal como se acreditava, "estrangulava" ou sufocava aquele que a bebia. A planta em questão tem a aparência de uma corda.[57]

Ela é a Sufocadora, e todos os homens sucumbiram ao prazer, à magia e à embriaguez que ela proporciona; todavia, também é a Curadora, e seu marido é "aquele que vem da terra dos remédios". Assim como Tlazolteotl, a divindade do prazer e da morte, acompanhada por curandeiros, médicos, videntes e magos, Mayauel também é, a um só tempo, inebriante e mortífera.

A deusa da bebida inebriante é mais uma vez a Grande Deusa, a deusa-mãe-terra-noite; por isso Mayauel é o colosso terrestre, a deusa da terra e do milho, e também do céu noturno.[58] Na forma de deusa com os "quatrocentos", isto é, com os inumeráveis seios, ela alimenta, como mãe celeste, as estrelas, que são os peixes do oceano celeste, idênticos aos quatrocentos deuses do *octli* ou pulque, seus filhos.[59]

Os mais jovens eram proibidos de consumir pulque, e aquele que se apresentasse embriagado em público era punido com a morte. Era consumida de forma moderada, na verdade, em muitas festas; todavia, sua verdadeira importância consiste no fato de que os guerreiros bebiam da pulque inebriante antes de se dirigirem à batalha, bem como os prisioneiros, antes de serem sacrificados.[60] A força mágico-encantadora da bebida é um recurso de que se valia a deusa da guerra para tornar mais aguerridos os homens aptos para o combate, mas também era o símbolo do poder mortífero do próprio Feminino, em que embriaguez e morte se interligam de forma sinistra. A conotação de "belicosidade" ligada à bebida inebriante, que pode ser observada em todo canto da Terra até em um período histórico posterior, aparece com clareza na crença mexicana de que o homem que nascesse sob o signo da planta medicinal pul-

---

[57] Spence, *The Religion...*, loc. cit., p. 117.

[58] Idem.

[59] Pelo fato de ela estar ligada à lua, pois esta se nutre do vinho do ágave (Krickeberg, loc. cit., p. 324), Mayauel aparece sentada com frequência sobre uma tartaruga, o animal maternal da lua e da terra, que, como a lua, se recolhe na escuridão (idem, p. 368). Isto também é arquetípico, posto que a tartaruga se encontra tanto em oposição ao sol, no Egito (*The Book of the Dead*, loc. cit., cap. CXLI), como pertence ao mesmo contexto na China, na forma de animal oracular.

[60] É característico que ainda hoje, no México, durante a preparação marcadamente ritual da pulque, seja mencionada a "extirpação do coração" da planta, dando o nome de "castração" a tal procedimento (Frances Toor, *A Treasury of Mexican Folkways*, Nova York, 1950, p. 16). A afinidade existente entre castração, sacrifício e fertilidade, para cuja exposição arrolamos tamanha quantidade de material no capítulo sobre o caráter elementar negativo, também se repete aqui.

que seria um bom guerreiro.[61] O frenesi da belicosidade, porém, não é sempre e exclusivamente uma consequência do entorpecimento provocado por uma bebida inebriante, muito embora esse tipo de "recurso" tenha se disseminado, com certeza e em grande medida, em sociedades secretas.

Várias vezes já aludimos às figuras belicosas acompanhantes da Grande Mãe os guardiães masculinos que representam seu lado destrutivo. Conhecemos o frenesi da belicosidade, especialmente a dos guerreiros impetuosos dos povos germânicos, transubstanciado em ursos ou lobos.

É impossível fazer, ainda hoje, uma análise psicológica do êxtase bélico desses guerreiros (*berserkers*) "que o ferro não feria",[62] que consistia em um incontrolável acesso de fúria guerreira.[63] Só para citar um exemplo, conta-se o seguinte a respeito de doze desses guerreiros navegantes:

> E era um hábito deles, quando estavam sós, o de irem para terra firme quando pressentiam que seriam atacados pela loucura. Arremetiam então contra florestas e gigantescos rochedos, pois já tinha havido ocasiões em que haviam chacinado sua própria gente e despojado seus próprios navios.[64]

Quando de outro guerreiro se relata que, na fúria da guerra, ele engolia brasas ardentes e caminhava através do fogo crepitante, entre outros feitos, tal fato corresponde por completo aos fenômenos descritos como comuns entre os povos primitivos, os quais eram realizados após a iniciação, em determinadas comunidades clandestinas.[65]

O mesmo tipo de transe ocorre na corrida *amok* dos malaios e na invulnerabilidade dos dançarinos balineses durante o transe, da mesma forma que o acesso de fúria bélica do ilustre guerreiro grego Ajax, que, estando em meio ao gado, o confunde com os inimigos e o abate cego de cólera; ademais, houve Hércules que, em sua loucura, matou a própria mulher e filhos. É marcante a frequência com que se repete o relato de que o final desses transes de ira assassina é uma situação de esgotamento completo que chega à depressão.[66]

---

[61] Spence, *The Religion...*, loc. cit., p. 117. Existe uma evidente analogia em nossa cultura no que se refere ao álcool. No relatório de viagem de Pierre Belon, feito no século XVI, temos que "não existe um só turco que hesite em gastar seu último vintém para comprar ópio, o qual leva consigo em tempos de guerra e de paz. A razão para o consumo do ópio é a convicção de que assim se tornarão mais ousados e que será menor o temor diante dos perigos da guerra". (Cit. em Lewin, loc. cit., p. 45.) A bebida *nepenthes* tinha o mesmo significado.

[62] Egils Saga Skallagrimssonar, In: *Thule...*, loc. cit., vol. III, p. 44.

[63] Ninck, *Wodan...*, loc. cit., p. 34ss.

[64] Idem, p. 37.

[65] Z. B. Buschan, *Die Sitten der Völker*, 4 vols., Stuttgart, Berlim, Leipzig, 1914-1922, vol. I, p. 46s.

[66] Comp. c/ Ninck, *Wodan...*, loc. cit., a respeito dos fenômenos que ocorriam concomitantemente, como o latir, o salivar, a sede de sangue, a perda da sensibilidade etc.

Sob o ponto de vista psicológico, pode-se cogitar da possibilidade de se inserirem, nesse mesmo contexto, as lutas dos heróis e reis orientais com animais selvagens. Subjugar o animal num combate solitário é uma das façanhas heroicas que legitimam a autoridade do rei como tal, e a fúria bélica pode originalmente ter sido um traço distintivo do líder guerreiro.

De qualquer forma, esse é um fato inquestionável, pelo menos entre os povos germânicos. A fúria bélica de dentes a ranger torna-os, ao mesmo tempo, príncipes entre os nórdicos, isto é, os chefes de guerra, pois "raiva" (al. *Grimm*) está bastante próximo de "rancor" (al. *Gram*) = príncipe (al. *Fürst*). Ao mesmo radical pertence "careta" (al. *Grimasse*), a expressão facial desfigurada pela paixão, pois os que são arrebatados pela ira bélica se tornam animais. Transformam-se em lobos, ursos, javalis e touros. Uma metamorfose de tal natureza é uma característica também da transformação mágica da alma, obra da Grande Deusa.

Dessa forma, compreendemos hoje por que, no caldeirão da Jutlândia, com a deusa na forma de Senhora dos Animais, estejam representados, além dela, a cena do sacrifício, além de guerreiros que seguem a pé e outros a cavalo. Nesse caso, trata-se claramente de uma mágica para a guerra e a luta ligada à oferenda de sangue pelo sacrifício e ao dom da profecia executada através dele.

> As pinturas rupestres nórdicas, as provas mais antigas da existência germânica, estão impregnadas de luta e caráter beligerante. Uma laje de granito, em Litsleberg, exibe um atirador de lanças, de tamanho maior do que o normal, cercado de animais e navios. O membro viril desse guerreiro se ergue imponente (tenha sido ele um deus ou um herói humano) como símbolo do seu êxtase bélico e não de sua fertilidade, como julgávamos. É exatamente esse componente extático, esse caráter demoníaco e indecifrável, que torna o deus Wotan aquilo que ele é; e isso está, inclusive, manifesto em seu nome.[67]

Na verdade, não existe nenhuma contradição entre o êxtase bélico e a fertilidade. A existência masculino-fálica é indispensável para a manutenção da vida, da forma como é vivenciada pelo matriarcado. A mulher não pode prescindir do homem caçador, guerreiro, assassino e sacrificador, a "faca da Grande Deusa", o falo que abre a mulher de forma sangrenta e do arado que rasga a terra; pois o Feminino é idêntico ao campo arado três vezes, sobre o qual se entrega ao Masculino para a fecundação e do qual faz um uso indiferente.[68] Observamos essa dupla qualidade, bélica e geradora, do Masculino e sua função essencial no seio da comunidade, precisamente no

[67] Franz Altheim, *Die Soldatenkaiser*, Frankfurt a. M., 1939, p. 87s.

[68] O fato de os rituais de fecundidade, na agricultura, estarem sempre ligados ao intercurso sexual praticado sobre o campo tem fundamento na identidade da mulher com a terra e com o sulco, e do homem com o arado. A deusa despida e recostada é a própria terra.

rei-deus primitivo, idêntico ao vigor fálico masculino, que precisava demonstrar sua força no combate, pois do contrário seria sacrificado.

O Masculino permanece inferior e à mercê do Feminino, que se opõe àquele como força do destino. Assim, o rei era deposto e assassinado quando não conquistava a vitória na guerra ou quando a terra lhe negava a colheita abundante pela qual era responsável. Como todos os varões, ele era somente um "vassalo" dos poderes, de cujos favores dependia incondicionalmente.

O símbolo de Wotan pendente da árvore do destino é característico dessa fase – de evidência singular no âmbito germânico –, durante a qual o rei-herói era tão somente caracterizado por uma aceitação do destino. O Masculino, que nessa fase permanece amplamente inconsciente, vive num mundo fatalista, impulsionado e envolvido pelo vento do destino.

> Outra evidência de que o destino sempre é vivenciado apenas de forma passiva é o termo *werden* (tornar-se), de uso corrente na língua germânica, que apresenta os radicais dos nomes das duas Nornas mais velhas (Urth e Verthandi) e que, em nórdico antigo, ainda era empregado, em termos remotos, com a conotação de "ter de.../ ser obrigado a..." sendo, ao mesmo tempo, o verbo auxiliar mais utilizado na construção da voz passiva![69]

Esse destino se mostra como a mulher velha, maternal, que preside o passado e o porvir, ou uma forma jovem e fascinante – a alma. Aparentemente, acompanha o ego masculino como Valquíria, "espírito companheiro", ou como fúria bélica avassaladora. Na verdade, é a força diretriz a quem o ego masculino obedece.

A dependência em relação aos poderes e ao inconsciente é uma verdade irrefutável; o que muda é a relação do ser humano com ela. Na fase matriarcal, acentua-se no Masculino a característica de ser dominado, invadido e oprimido. A peculiaridade desse fato se manifesta na vivência que os homens têm desse componente opressor, experimentado não como algo que lhes seja próprio, mas como fator "diferente", estranho e, por isso, feminino.

Isto é verdadeiro em todas as transformações por que passa o Masculino, seja quando se converte em animal, isto é, em uma espécie de vida inferior, mas de homogeneidade perfeita, seja ao perder seu "princípio específico" e ser castrado, ou por desempenhar sua função em trajes de mulher – identificando-se com o Feminino, com a Grande Deusa, com a *anima* e com a sacerdotisa.

Por essa razão, diz-se sobre Wotan:

> Sua poesia, assim como o seu conhecimento das runas e a sua magia, vêm da água, da árvore, da Norna, da volva, dos mortos. Sua poesia também tem fonte

[69] Ninck, *Wodan...*, loc. cit., p. 198.

feminina, como foi amplamente reconhecido na Antiguidade. Gunnlöd lhe estende a taça depois de três noites de núpcias, na escuridão da montanha; a volva entoa a canção mais importante do Edda, por desejo e ordem de Odin... A poesia é um ato de tecer, urdir, atar e alinhavar, como confirma grande quantidade de expressões da língua alemã, sendo, portanto, uma atividade feminina, um mister das Nornas; mas certamente mesmo nas mãos da volva o bastão masculino também é necessário para "despertar" e "estimular" a canção."[70]

O bastão é o símbolo masculino na mão da mulher; a taça, o vaso, o Feminino. A poção mágica do amor, o elixir do poeta, a poção inebriante e mortífera proporcionados por essa mulher na forma de soma, néctar e outros são veículos transformadores, artifícios para a transformação da água da vida, que é, por sua vez, o próprio Feminino. O Masculino atinge, por intermédio destes, o estágio de uma existência espiritualizada, extática, visionária, criativa, e um estado de "autotranscendência" no qual se torna instrumento dos poderes superiores, sejam estes "bons" ou "maus".

A Mana física, ou emanação da força espiritual da energia feminina é ambígua e pode tanto orientar o Masculino como *des*orientá-lo. A sublimação vem com a degradação, por exemplo, na teriomorfização em que o ser humano sucumbe à supremacia de uma força bestial. Além disso, a mitologia, a história da religião e a vida de inúmeros grandes homens sobre os quais talentos vindos das profundezas causaram infortúnio atestam quão próximos estão o êxtase e a loucura, o entusiasmo e a morte, o ímpeto criativo e a psicose.

A VIVÊNCIA DA MULHER POR ELA MESMA E OS MISTÉRIOS DE ELÊUSIS

Na apresentação do caráter de transformação, destacamos até o momento a reação do objeto masculino da transformação. Não podemos nos esquecer, contudo, da importância que tem a experiência vivida pela mulher acerca de si mesma quanto ao próprio caráter de transformação e o que isso representa para a compreensão de si mesma.[71]

A mulher se vivencia, antes de tudo e principalmente, como fonte da vida. Moldada à semelhança da Grande Deusa, está ligada ao princípio vital gerador de tudo que existe, que consiste na união da natureza criadora com o princípio gerador de cultura. A íntima relação que existe entre mãe e filha, cerne do grupo das mulheres, reflete-se na manutenção da "relação primordial" entre ambas. O Masculino é um estranho aos olhos desse grupo feminino, pois vem de fora e, pela violência, arranca

[70] Idem, p. 328.

[71] Tanto aqui como em relação aos mistérios primordiais, podemos somente fazer um esboço daquilo que deveria ser desenvolvido a contento em ampla "psicologia do Feminino".

a filha da mãe, mesmo quando aquele vive no mesmo espaço ocupado pelo grupo de mulheres e, em medida ainda maior, quando rapta a mulher, levando-a para seu próprio grupo.

Rapto, estupro, núpcias de morte são os temas de destaque que, no mito do rapto de Core – a separação entre mãe e filha –, definem o núcleo dos Mistérios eleusinos. Apesar de tardios e de terem sido, em certo sentido, usurpados pelos homens, é a estes que devemos grande parte do conhecimento dos mistérios do estágio matriarcal. Sem dúvida, a evolução patriarcal, que se instituiu bem cedo, apagou ou, no mínimo, adulterou muitos vestígios da antiga cultura matriarcal, de maneira que, tal como no estudo de um palimpsesto, precisamos eliminar, primeiro, a camada superior, para que possamos atingir, mais embaixo, a cultura matriarcal mais profunda. A cultura grega e a cretense-micênica apresentam tais vestígios inequívocos do matriarcado mais antigo, apesar de não termos conhecimento dos rituais de Creta.

Entretanto, sabemos que a Grande Deusa era venerada por sacerdotisas, que também realizavam as lutas e os jogos com animais, e por efebos, que, frequentemente, se apresentavam em trajes femininos, e, ainda, que o símbolo principal do culto, o machado de duas lâminas, era usado unicamente por mulheres.

O conhecimento que temos sobre os filhos-amantes e os efebos não provém somente da mitologia,[72] mas também dos afrescos e dos sinetes cretenses, nos quais raramente aparecem "homens", a não ser na qualidade de guerreiros. Esses guerreiros estão equipados com o escudo extraordinário, de forma característica e bem evidente, o qual é adorado como símbolo do aspecto protetor da Grande Mãe [Il. 131b] e venerado como ela mesma. O escudo-ídolo é, por um lado, símbolo do poder acolhedor e protetor do caráter elementar do Feminino, e, por outro, sua forma é uma "abreviação" arcaica da deusa da Antiguidade, como confirmam nossas imagens em forma de violino [Il. 24] e o ídolo primitivo análogo [Il. 157a], proveniente de outro contexto cultural.

Em outra passagem,[73] já mencionamos o fato de que também na Síria a deusa se apresenta acompanhada de uma menina [Fig. 26] – da filha, como supomos –, de que a figura "genealógica" da mãe com a filha sobre a cabeça, das ilhas Cíclades, pertence ao mesmo contexto. Encontramos com tamanha frequência em sinetes micênicos a deusa acompanhada de uma ou duas meninas [Ils. 146a, 146b], de modo que não há como pôr em dúvida sua significação ritualística. Esse tema se mantém na escultura de Deméter-Core, proveniente da Beócia, que corrobora a existência de uma relação entre Core-criança e Deméter [Il. 147], o que ainda pode ser confirmado pelos bem conhecidos relevos, em que a Core adulta aparece de forma quase idêntica à mãe virgem, Deméter. Virgem e mãe estão frente a frente como flor e fruto [Il. 148] e essencialmente se completam na transformação de uma em outra.

---

[72] Neumann, *História da Origem da Consciência*, loc. cit., índice s.v. "Grande Mãe", "Filho-amante".

[73] Comp. acima, p. 146.

Dificilmente se pode distinguir as duas com o fruto e com a flor; por esse motivo, o conjunto Deméter-Core também é venerado sob o nome de "as Deusas", e, nas imagens em que ambas aparecem juntas, é impossível definir de início – quando não se conhecem seus atributos – quem é a mãe e quem é a filha. Somente depois de se destacar uma diversidade, a partir de determinadas indicações, temos que a donzela se caracteriza pela flor, e a outra, mais velha, é a deusa madura com o fruto. No admirável relevo em que as duas se entreolham sorridentes e coniventes [Il. 149], ambas carregam flores. Core, na representação inicial, carrega uma flor [Il. 150b], e a forma posterior de Afrodite, jovem e entronizada, tem o fruto na mão; mas é precisamente nessa deusa, entronizada com esfinges e adornada com flores, que se manifesta a unidade de ambas as deusas. Enquanto na imagem de Afrodite [Il. 153] a figura da Grande Mãe, como Senhora das plantas e dos animais, vem em plano secundário, em primeiro plano ela é sempre a jovem deusa sedutora e feminina. Entretanto, mesmo nessa forma, ela não representa tanto o caráter transformador da *anima*, inerente ao Feminino, mas o princípio do amor não individual e o princípio sexual, os quais regem o mundo.

Em um culto feminino, representado em um relevo singular em seu gênero, ambas as deusas entronizadas [Il. 150a] se destacam como o duplo aspecto da unidade mãe-filha. O significado dessa unidade é esclarecido pela representação da vaca e da novilha, nos moldes do estilo cretense, e pela abundância de símbolos que já conhecemos e pertencem a esse contexto: flor, fruto, ovo e vaso. O conjunto está impregnado pela autocontida unidade transformadora de mãe e filha, Deméter e Core. Essa unidade Deméter-Core se mostra como o núcleo central dos Mistérios de Elêusis.

O grande motivo essencial dos Mistérios de Elêusis e, portanto, de todos os mistérios matriarcais é a *heuresis*, a redescoberta de Core por Deméter, a reunião de mãe e filha.[74]

Esse "reencontro" significa, sob o ponto de vista psicológico, anular o assédio e o rapto masculinos e reconstituir a unidade matriarcal de filha e mãe, *depois* do casamento. Isso significa que a hegemonia do grupo matriarcal – legitimada pela relação primordial da filha com a mãe –, que fora colocada em risco pela incursão do homem no mundo das mulheres e pela reação destas àquele, é renovada e assegurada no Mistério. Nesse caso, a permanência de Core no Hades significa não só o rapto por parte do Masculino – pois, originalmente, Core-Perséfone era a própria Rainha do mundo inferior –, mas também a fascinação exercida pelo lado terreno do Masculino, isto é, pela sexualidade.

No mito, isso se reflete em dois símbolos: a romã e o narciso. Pelo pudor, a romã simboliza o útero feminino, e a abundância de sementes em sua polpa é a fertilidade daquele. Quando Core é iludida por Hades, que a persuade a saborear de "um

[74] Comp. c/ Neumann, *Ein Beitrag...*, loc. cit.

alimento dos mais doces" – a polpa da romã –, ela consuma seu casamento com ele e lhe pertence, ao menos durante parte do ano. Com relação ao outro símbolo, o do narciso sedutor, "o que fascinou a donzela", temos:

> Magnífico no perfume e no porte, fazia ajoelharem-se aqueles que o contemplavam:/ Imortal como os deuses, tal qual os humanos nascidos da fugacidade./ De sua raiz fez brotar uma centena de brotos,/ exalando o seu hálito mais doce até muito além do céu./ Todos lhe sorriam, a terra e as vagas salgadas do mar estreito./ Ela, porém, estava abismada./ E lançou as mãos adiante,/ a fim de que o objeto de tamanho esplendor pudesse alcançar: e a terra bocejou...[75]

É através dessa concretização da sedução que invade o mundo todo e do desejo arrebatador de tomar o falo nas mãos que ela se "entrega" a Hades e é raptada de Mycone, o sítio lunar de seus sonhos de menina.

O reaparecimento de Core [Figs. 65, 66] do interior da terra – o tema arquetípico da primavera – significa sua redescoberta [Il. 154] por Deméter, para quem Core havia "morrido", e a reunião das duas. Entretanto, o verdadeiro mistério através do qual se restabelece, enfim, a relação primordial, mas em novo plano, consiste na filha que se torna idêntica à mãe; ela se torna a mãe, transformando-se, assim, em Deméter. É exatamente em função de Deméter e Core serem polos arquetípicos do Eterno Feminino – a mulher madura e a virgem – que o mistério do Feminino se torna capaz de uma renovação infinita. Dentro do grupo das mulheres, as anciãs são sempre Deméter, a Mãe, e as jovens, sempre Core, a Donzela.

O segundo elemento do mistério é o nascimento do sol. Neste, a mulher vivencia um autêntico milagre, essencial à orientação do matriarcado: não é só o Feminino que descende da mulher, o homem também. Esse milagre do Masculino contido no Feminino se expressa com naturalidade no nível primitivo pela autoevidente subordinação do Masculino ao Feminino: ele continua, efetivamente, a ser seu filho, mesmo na qualidade de amante e marido. Mas também é o falo fecundante que, no plano mais espiritual, será experimentado como instrumento de um princípio masculino transpessoal e suprapessoal. Dessa maneira, no estágio mais baixo do matriarcado, o descendente do sexo masculino se mantém apenas como o elemento indispensável para a fertilidade.

Entretanto, no plano dos mistérios em que Core ressurge renovada e não é mais apenas a desaparecida e raptada, mas a transformada em todos os sentidos, seu nascimento também está transfigurado, e o filho, como um ser muito peculiar, é o filho luminoso, o "filho divino".[76]

---

[75] *Die homerische Götterhymnen*, loc. cit., p. 54.

[76] Comp. c/ Jung e Kerényi, *Einführung*..., loc. cit.

Figura 65 – A ressurreição de Core; *ilustração de um sinete, Beócia, período Heládico posterior.*

O princípio masculino luminoso é vivenciado pela mulher de duas formas: como fogo e como luz superior. Neste contexto, o fogo, cuja guarda em todos os lugares cabe à mulher, é um fogo inferior, fogo da terra, contido na mulher, e que o homem só precisa dela "extrair". Também a "libido" que se incandesce na sexualidade, o fogo interior que leva ao orgasmo e tem sua mais elevada correspondência no orgasmo extático, é, nesse sentido, um fogo que repousa "no" Feminino e que o Masculino apenas precisa pôr em movimento.[77]

Essa associação é provavelmente tão antiga quanto o ato de atear fogo, frequentemente interpretado como ato sexual, no qual o fogo é produzido na madeira feminina, ou melhor, nasce dela. Para a mentalidade primitiva, o fogo não "se produz" por fricção, é somente "chamado" assim. Dessa maneira, o "ardor" da mulher, seu "calor", também pode se manifestar arquetipicamente como poder diabólico maligno, cujas chamas consomem o homem.

Assim como Agni, o deus hindu do fogo, "o que intumesce na Mãe (na madeira de atrito)",[78] encontramos por toda parte o significado de luz e fogo do filho divino até em Cristo, que diz: "o que está próximo de mim, está próximo do fogo" e "rache a lenha, e lã estou".[79]

[77] V. acima, pp. 217s.

[78] Paul Deussen, *Allgemeine Geschichte der Philosophie*, vol. I, 1-3, Leipzig, 1920, 1, p. 88s.

[79] De Orígenes, "Homilie zu Jeremias", III, 3; e de um Papiro Oxirrinco, I, 5.

Figura 66 – A ressurreição de Core; *desenho de um vaso, Ática, séc. IV a.C.*

A relação entre fogo e filho, madeira e feminino-maternal também se revela pelo fato de que Deméter, assim como a Hécate e inúmeras outras deusas [Ils. 156, 161 e 162], conduzem uma tocha como seu símbolo. O fogo da tocha, o filho luz fogo inferior da madeira, corresponde aos filhos luminosos superiores, que são rebentos da noite, na forma de estrela, lua e, por fim, também como sol.

Desse modo, a imagem alada da deusa celeste cartaginesa Tanit [Il. 157b], se encontra sob o arco do céu e do zodíaco, tendo nas mãos a lua e o sol, e é ladeada por pilastras, os símbolos da Grande Deusa Mãe. No plano inferior da coluna encontramos a mesma deusa estilizada com braços erguidos, provavelmente à maneira do símbolo egípcio da vida, a árvore. Ela tem o sol como cabeça, uma alusão ao nascimento do sol a partir da árvore, e está acompanhada de duas pombas, os pássaros-símbolo característicos da Grande Deusa.[80]

Os filhos – fogo e luz – fecundam a escuridão materna, da qual nasceram. Entretanto, o incesto matriarcal mãe-filho não se realiza somente no plano inferior da fertilidade, mas também em um plano superior. Tocha e luz são igualmente símbolos espirituais fecundantes; e, no rito católico da consagração da água – o princípio gerador materno –, quando a vela acesa está prestes a ser mergulhada na água para ser ali apagada, são proferidos os seguintes dizeres:

[80] A mão direita na parte de cima da coluna é o símbolo da divindade masculina.

ab immaculato divini fontis utero in novam renata creaturam progenies coelestis emergat.[81]

[emerge do imaculado útero, divina fonte, renascida em nova criatura da corte celestial.]

Através do *Hieros Gamos* com a luz e o fogo, os princípios femininos superior e inferior se inflamam, e Maria ainda é *igne sacro inflammata*, a inflamada pelo fogo sagrado.[82] Vezes e vezes seguidas, a escuridão do Feminino noturno é iluminada e fecundada pelo fogo e pela luz, e, mesmo que o abraço da luz represente núpcias de morte para o Feminino, sua morte se transfigura num novo nascimento.

O que existe de misterioso nesse processo é que a mulher sempre reconhece a luz fecundante dentro de si também como filho dela nascido, e esse mistério do incesto mãe-filho compõe o secreto e sinistro pano de fundo dessa experiência espiritual do Feminino. Desse modo, também Cristo é o noivo de Maria – a Mãe Igreja que é e continua a ser sua mãe.

Este antigo mistério matriarcal do nascimento do filho-luz vive nas palavras:

A Virgem concebeu; a luz cresce.[83]

O nascimento do filho divino, receba ele o nome de Hórus, Osíris, Hélios, Dioniso ou Aion, era celebrado em Alexandria, no Koreion, santuário sagrado de Core, e, precisamente, no dia do solstício de inverno, dia do nascimento da luz divina.

Uma das representações mais antigas da divindade materna com o filho [Il. 157c] é um relevo oriundo da Acádia, de meados do terceiro milênio.[84] Existem mais duas outras representações relacionadas com a mencionada anteriormente, uma das quais mostra o filho no colo da deusa mãe [Fig. 67], que está próxima a uma árvore, e, a outra, a deusa com a filha (?), em pé atrás de si [Fig. 68]. Ambas se caracterizam pelos rebentos germinantes simbolizando árvore ou terra. O anel de Creta, em que se vê a adoração do filho divino [Fig. 69], pertence a este grupo de representações – aqui a filha também está atrás da mãe – da mesma forma que o anel cristão, cerca de dois mil anos mais tarde, mostrando a adoração dos reis [Fig. 70].

Apresentamos, como analogia adicional, a imagem hindu [Fig. 71] na qual mãe e filho estão sentados sobre a lua crescente, ambos circundados pelo anel urobórico com inscrições dos signos do zodíaco. Essa imagem representa a soberania da deusa -lua na constelação do ano e também retrata o nascimento do filho-luz. A ave sobre

[81] J. O. O'Connell e H. P. R. Finberg, *The Missal in Latin and English*, Londres, 1949.

[82] Ernesto Buonaiuti, "Maria und die jungfräuliche Geburt Jesu", in: *Eranos-Jahrbuch*, 1938, VI, p. 359.

[83] Gressmann, "Tod und Auferstehung des Osiris nach Festbräuchen und Umzügen", in: *Der alte Orient*, Leipzig, 1923, XXIII, 3, p. 24.

[84] Jeremias, loc. cit., p. 255.

Figura 67: Deusa-Mãe com o filho; *Acadiano, sinete de basalto.*

o leão solar[85] é, possivelmente, símbolo da mãe celeste, cuja entronização sobre o leão *sempre* significa, com grande probabilidade, o domínio da lua-mãe sobre o sol.[86]

O solstício de inverno, ocasião em que o sol é gerado pela Grande Mãe, ocupa o ponto central dos mistérios matriarcais. No solstício de inverno a lua está cheia e assume o ponto mais alto de seu ciclo; o sol está no ponto mais baixo, e a constelação de Virgem sobe a leste.[87]

> De acordo com esse conceito, o primeiro mês do mais antigo calendário semítico-babilônico encontrado até hoje, e que se inicia com o solstício de inverno, tem o nome de *muhur ilê*, o confronto dos deuses. Dessa posição básica resulta o fato de que, na mitologia astral, a lua tem caráter de mundo superior, e o sol, de mundo inferior. A lua significa vida, o sol denota morte.[88]

O nascimento do filho-sol e a concepção mitológica do ano que lhe corresponde são relativamente tardias e abstratas. A mitologia lunar é anterior a estes, com suas fases mensais bastante evidentes, que podem ser vivenciadas claramente no decurso do mês. Desse modo, o radiante nascimento do sol anual corresponde, em época anterior, ao júbilo do "autêntico" nascimento matriarcal, ao nascimento da "nova luz", quer dizer, a lua nova. Registros a respeito têm chegado até nós de todas as partes do mundo.

Em uma fase matriarcal remota, a lua era considerada o filho, o filho-amante e senhor das mulheres e, finalmente, aquele que era sacrificado e desmembrado. O princípio maternal era a deusa portadora da luz. Posteriormente, o conflito entre o

---

[85] V. acima, p. 270.
[86] V. acima a alusão à imagem hindu da deusa carregando o sol, montada no leão [Il. 130].
[87] Jeremias, loc. cit., p. 74.
[88] Idem.

Figura 68 – Deusa com a filha; *sinete acadiano.*

matriarcado e o princípio masculino começa a se refletir na oposição entre lua e sol. Mas nesta fase a orientação ainda é matriarcal na medida em que a lua significa vida, e o sol, morte. A morte da lua feminina, a lua negra, é idêntica, pois, ao rapto que sofreu por parte do sol-morte masculino (Hades), que é o mundo inferior.

Essa união corresponde, mitologicamente, às núpcias de morte da lua moribunda com o sol; ela se reveste de sua morte e é raptada para o mundo inferior pelo sol, que, como princípio masculino negativo, rapta o Feminino, estupra-o e o assassina. Nasce um filho como resultado das núpcias de morte, nas quais o ouroboros patriarcal se manifesta na forma de um abraço do sol mortal. A autofecundação primordial do Feminino é substituída pela fecundação a cargo do Masculino transpessoal dentro do Feminino. Então, no patriarcado, que é o estágio seguinte da evolução, o sol se torna símbolo dominante e positivo.[89]

A lua-mulher combalida desempenha ainda seu papel como figura mitológica no cristianismo, segundo, porém, a reavaliação de um critério de valores patriarcais que a modifica para a forma de *luna patiens*,[90] pois dela se diz – como no México acerca da mãe moribunda que gera um guerreiro[91] – que "ela, agonizante, dará à luz".[92]

---

[89] Não julgamos que fenômenos astrais tenham criado, porventura, essa mitologia nem que tenham sido nela descritos; ao contrário, verificamos – como sempre – a projeção de um processo psíquico em uma realidade "objetiva" assimilada por esse processo psíquico. A propósito, ambos os fatores presentes na "apercepção mitológica" do homem primitivo, os quais experimentamos como duas condições distintas – psique e objeto –, são nele reunidos em um só processo. Aqui é projetada a porção típica da psicologia feminino-matriarcal, em que o Masculino negativo impele o Feminino às núpcias de morte; todavia, este dá à luz em seguida, e Core, a virgem, torna-se mãe.

[90] Rahner, "Das christliche Mysterium von Sonne und Mond"; in: *Eranos Jahrbuch 1943*, X.

[91] Cf. acima, p. 198.

[92] Rahner, "Das christliche Mysterium...", loc. cit., p. 399.

Figura 69 – Adoração do filho divino; *Beócia, Minoico, impressão do sinete de um anel.*

O "sínodo" nupcial de sol e lua, quando a Rainha da Noite, Selene, morre na lua nova, é um tema bastante conhecido dos antigos como morte do Feminino durante as núpcias. Eis a razão pela qual esse período foi considerado o mais oportuno para o casamento,[93] pois, como ainda escreve Ambrósio: "A luz míngua para dar às coisas sua plenitude".[94]

A virgem parturiente, a Grande Mãe como unidade de mãe e virgem, já aparece num período bastante primitivo como a virgem com a espiga, com o ouro estelar celeste, que corresponde ao ouro terrestre da espiga do trigo.

Essa espiga dourada é símbolo do filho luminoso que na camada mais baixa se apresenta como grão gerado da terra e na manjedoura e, na camada superior, aparece no céu como filho luminoso imortal da noite.

Dessa forma, a virgem com a espiga e a que leva a tocha – Phospora – são idênticas à virgem que carrega a criança.

O tema do "nascimento sobrenatural", de uma concepção ou gestação que não se realiza por meios terrenos inferiores, pertence à esfera arquetípica da Deusa-Mãe--Virgem, pois a dimensão espiritual superior está contida no filho luminoso. Como sempre, na interpretação matriarcal primitiva, a Virgem concebe por intervenção do

[93] De acordo com Rahner, "Mysterium Lunae" (in: *ZS für Katholische Theol.*, Innsbruck, 1940, vol. LXIV), no "Procluskommentar zu Hesiod".

[94] De acordo com Rahner, "Mysterium Lunae", loc. cit., no "Exameron", livro 4, cap. 8, 3.

Figura 70 – Adoração dos três reis; *reprodução de litogravura feita por um sinete de anel encontrado em Nápoles, séc. VI d. C.*

Espírito Santo, o Masculino transpessoal do ouroboros patriarcal; a "semente", transmitida pela comida, pelo contato, pelo beijo, entra pelo ouvido etc. Desse modo, o próprio nascimento também não é "natural", apresentando-se, ao contrário, como a criança que brota do rochedo, da árvore,[95] da terra, da boca, do dorso etc. Esta é a expressão simbólica de uma realidade pneumatológica-espiritual do cristianismo primitivo, e não a de uma "castidade" hostil ao corpo.

Grande parte desses temas da psicologia matriarcal se repete nos Mistérios eleusinos, alguns dos quais foram ricamente interpretados em essência na obra de Jung e Kerényi,[96] que, porém, não os insere no contexto da psicologia matriarcal. Otto[97] e Kerényi se referiram minuciosamente à correlação arquetípica – no caso da dança com tochas, por exemplo – existente entre o mito grego do rapto de Core e o mito de Hainuwele, de Ceram,[98] em que o rapto e o assassinato da jovem estão igualmente ligados à sua ascensão aos céus como lua e à garantia de fertilidade para o mundo.

---

[95] V. acima, p. 239ss., e Ilustr. 84.

[96] "Einführung...", loc. cit.

[97] Otto, "Der Sinn der Eleusinischen Mysterien". In: *Eranos Jahrbuch 1933*, I.

[98] Hainuwele: *Volkserzählungen von der Molukken-Insel Ceram*, org. por Adolf E. Jensen e H. Niggenmeyer; Frankfurt a.M., 1939.

Figura 71 – Rainha do céu com seu filho; *Índia*.

A crença de que "uma mulher mítica deve morrer para que de seus membros inertes germinem os frutos do campo"[99] é, segundo nos parece, o fundamento da forma matriarcal primitiva do "ritual das rainhas", em que a mulher devia se sacrificar em nome da fertilidade do mundo. Esse ritual das rainhas, segundo as informações de que dispomos, são núpcias simbólicas de morte em que o casal real de cada ano era assassinado.[100]

A respeito do acontecimento principal que tinha lugar na escuridão dos Mistérios eleusinos, diz-se que: "A comunidade esperava sua redenção através do que ocorria

[99] Otto, "Der Sinn...", loc. cit., p. 94.

[100] Raglan, loc. cit., p. 123. Assim como em período posterior o deus-rei anual não tirava mais a própria vida, como antes, mas era substituído por outra pessoa sacrificada em seu lugar, é provável e razoável, sob aspecto simbólico, que também a rainha matriarcal, a representante do Imutável e da Grande Mãe, não fosse mais assassinada, mas tão só seu parceiro masculino, que mudava com a lua e com o ano. Todavia, à medida que a posição matriarcal se enfraquecia e o princípio "masculino negativo" se tornava mais forte, o tema das núpcias de morte ia ocupando o primeiro plano, e com ele a morte da donzela lunar.

no espaço subterrâneo". Acreditava-se que esse acontecimento central fosse um casamento forçado, ritualmente realizado pela hierofante, a sacerdotisa de Deméter, e pelos que estavam para ser iniciados. Esse evento do *hieros gamos*, porém, era simultaneamente experimentado como circunstância de morte, pois a celebração dos Mistérios de Elêusis era comparada a "uma horripilante celebração da noite da morte".

Nossa interpretação também se confirma pelo fato de que os pequenos mistérios, festejados como os mistérios da descida, da morte e do ocultamento de Perséfone, ou seja, o rapto de Core, precediam os célebres Grandes Mistérios de Elêusis[101] como condição prévia para a celebração destes com seu casamento à força.

Após a busca empreendida por Deméter e sua penosa peregrinação, após o período de ansiosa espera nas trevas da morte, inicia-se a ação central. Em meio a trevas insondáveis soa o gongo, convocando Core a vir do mundo inferior; o reino dos mortos se abre de par em par. Segue-se a *heuresis*. Subitamente, as tochas criam um oceano de luz e fogo, e um grito é ouvido: "A sublime deusa deu à luz uma criança sagrada, Brimo gerou Brimos". Essa criança, seja ela Iaco, Pluto, Dioniso, Zeus-Zagreu ou Fanes-Eros, é a criança divina, idêntica ao centro da visão, a *epopteia*,* a espiga exibida em silêncio que, de acordo com interpretação posterior, mas essencialmente correta, é "a grande luz perfeita que procede do Irrepresentável".[102]

O mistério das núpcias de morte, relacionado com a *heuresis*, a redescoberta de Core por Deméter ou, antes, a reunião de ambas exprime o caráter de transformação do Feminino, manifesto na experiência de, ao crescer, passar de menina a mulher. Ser raptada, vitimizada, a decadência da menina, a morte e o sacrificar-se ocupam o centro desses acontecimentos, quer ao serem experimentados através do deus impessoal, o "ouroboros patriarcal", quer, como mais tarde, já personalizados e situados numa relação com o Masculino, "desconhecido" em todos os sentidos.

Core, porém, não é apenas dominada pelo homem; sua aventura é, no mais profundo dos sentidos, um ser entregue à feminilidade, à Grande Deusa como o *self* feminino. Somente depois que isso é percebido ou emocionalmente sofrido no mistério é que logra êxito a *heuresis*, a reunificação da jovem Core – tornada mulher – com Deméter, a Grande Mãe. Só então está concluída a transformação fundamental do Feminino, não tanto pelo fato de ela se tornar mulher e mãe capaz de gerar – o que afiança a fertilidade da terra e a existência da vida –, mas, sim, por se encontrar em estágio superior, unida à dimensão espiritual feminina, o aspecto Sofia da Grande Mãe, o que lhe permite se tornar deusa lunar.

Com efeito, a Core que renasce não habita mais sobre a terra como no início ou exclusivamente no mundo inferior, como Perséfone; ao contrário, ela se torna, com

---

[101] Comp. c/ Kerényi, "Mysterien der Kabiren", loc. cit.

* Em grego, Εποπτεια, ας , s.f. = "contemplação"; o mais alto grau da iniciação nos Mistérios de Elêusis, (N.T.)

[102] Hippolytus, "Apostolische Überlieferung über Gnadengaben", Livro V, cap. 9.

Deméter, a Core do Olimpo, o princípio imortal e divino, a luz gloriosa. Com isso ela se torna, como a própria Deméter, a Senhora dos três mundos: da terra, do mundo inferior e do céu.

Essa transformação se encontra em típica oposição ao Masculino, cuja transfiguração se mostra como iluminação da sua cabeça – a *solificatio*, a *coronatio* e o halo. Fiel à natureza feminina, Core torna-se uma "portadora" da luz. Seu aspecto luminoso, o "fruto" do seu processo de transformação, torna-se o filho luminoso, o filho-espírito divino, que por ela é concebido e parido espiritualmente e que repousa em seu colo ou lhe é entregue por sua dimensão Mãe-Terra criativa [Il. 158].

Com o nascimento filho, a mulher efetiva o milagre da natureza, que é dar à luz algo inteiramente distinto dela e oposto a si mesma. Esse filho divino, além disso, é algo completamente novo, não só pelo sexo como também em qualidade. Ele não só engendra, enquanto ela concebe e gera, mas também é luz em oposição à natural escuridão daquela, e movimento em contraste com seu caráter estático. Assim, a mulher experimenta seu poder de gerar a luz e o espírito, de gerar um espírito de luz que é eterno e imortal, apesar de todas as transformações e quedas.

O gozo resultante de sua capacidade para gerar um ser vivo, o filho que a complementa por ser o outro, se acentua em seu ainda maior contentamento por criar espírito, luz e imortalidade, o filho divino, mediante a transformação de sua própria natureza. Pois, no mistério, aquela que dá à luz também se renova. Sem dúvida, no clamor dos eleusinos "A sublime Deusa deu à luz uma criança sagrada, Brimo gerou Brimos", manteve-se o nome de uma deusa antiga e ainda mais "primitiva". Todavia, a ação do mistério ensina que a Core que ressuscita já não é uma Core passível de ser raptada por Hades. No mistério, a posterior constatação psicológica de que a consciência matriarcal é o verdadeiro solo nativo dos processos de crescimento espiritual[103] torna-se o "conhecimento" da mulher, e não é por acaso que sua vivência desse Masculino, o Brimos, seja apenas uma variante de sua própria natureza como Brimo.

A mulher dá à luz esse filho divino como seu próprio lado espiritual inconsciente; ela o arremessa para fora de si não para poder se tornar ela mesma espírito nem para seguir o caminho deste, mas, sim, para poder ser por ele fecundada, para acolhê-lo e permitir-lhe que cresça dentro de si, para depois enviá-lo adiante em um novo nascimento, sem, porém, jamais se converter nele por completo.

Pois, mesmo que o Feminino tenha dado à luz a lua, o filho luminoso, ou mesmo que seja ele próprio a lua, continua sendo o Grande Círculo noturno, e sua dimensão luminosa representa somente *um* de seus aspectos, da mesma forma que Sofia é apenas *um* aspecto do Grande Feminino. A psicologia masculina, conforme a própria natureza masculina, tomará Sofia como o aspecto "mais elevado" do Feminino e assim

[103] Neumann, "Über den Mond...", loc. cit.

Figura 72 – Triptólemo em sua carruagem; *Grécia, desenho de uma ânfora.*

a louvará. A Grande Mãe, todavia, permanece fiel à sua obscuridade essencial, eterna e de mistério insondável.

Somente quando partimos de uma relação filial entre esse Masculino e o Feminino é que podemos compreender também qual é a função mais elevada, para o Masculino, dos Mistérios do Feminino. Nos Mistérios eleusinos, o Feminino instrutor é quem concede a Triptólemo [Fig. 72] a espiga, para que seja disseminada por todo o mundo. É muito significativo que a subserviência do menino Triptólemo às duas Grandes Deusas [Il. 148] seja tão evidente em todas as representações.

A investidura que mencionamos não é, portanto, de um rito "agrícola", ainda que possa ter havido essa correlação em uma época remota, mas algo muito mais substancial – pelo menos no mistério. É a investidura do Masculino em sua função de inseminador ctônico e espiritual que lhe é outorgada pelo Feminino.

Com isso, o filho investido é a própria espiga de trigo dourada desta semente, e é a Grande Terra-Mãe, a partir da qual ele se desenvolveu, que lhe outorga sua verdadeira existência como deus e filho, inferior e superior, da fertilidade.[104] Esse é o motivo pelo qual sua carruagem é conduzida pelas serpentes-dragões, pelo poder da Grande Mãe, e o ouro da espiga que ele espalha não é somente o ouro da espiga terrena, cujas sementes são plantadas na terra-útero da Grande Mãe para que ali morram e, assim, se transformem e ressurjam. Triptólemo, em sua carruagem celeste, também é o portador do ouro espiritual, da espiga supraterrestre, cuja semente de mistério conduz, através da morte na Grande Mãe, à transformação e à ressurreição nos prados celestes do firmamento noturno, onde o masculino terreno ascende na forma de estrela-semente-ouro imortal.

Em um canto dedicado ao deus asteca, Xipe, dos mexicanos, temos:

> Pode ser que eu parta, que desapareça e me deteriore, eu, o jovem pé de milho. Meu coração é uma pedra preciosa de cor verde,[105] mas terei a aparência de ouro, e só estarei satisfeito quando tiver amadurecido: nasceu o chefe guerreiro.[106]

As transformações de Xipe são tanto do milho como as da luz, em que ambas emergem do fundo das trevas terrenas para atingir a maturidade. Aqui, o verde deus Xipe do milho e do jovem sol se transforma em Huitzilopochtli, o deus guerreiro, pois Xipe amadureceu e com ele também o milho, o ouro, o sol.[107] A simples frase: "Meu coração é uma pedra preciosa de cor verde, mas terei a aparência do ouro", contém um simbolismo de transformação que se repete na transformação do Osíris verde no Rá-sol-ouro,[108] assim como na transformação alquímica da "pedra verde" em ouro. Segundo o *Rosarium Philosophorum*:

> Nosso ouro não é o ouro comum. Mas tu indagaste a respeito da qualidade verde (*viriditas*), supondo que o bronze fosse um corpo leproso por causa da cor verde que ele apresenta. Eis por que te digo que somente aquele verde do bronze é o que há de perfeito no metal, pois tal verde se transforma, pelo nosso método (*magisterium*), no nosso ouro mais autêntico.[109]

---

[104] Encontramos a mesma constelação no Egito, onde o deus-lua Khanau é o filho da Grande Deusa-Abutre--e-Celeste Mut, que é a mãe do rei na dimensão de deusa-abutre protetora, Nekhbet (Kees, loc. cit., p. 355). O santuário desse deus filho-lua se chama Benent, interpretado tanto como "local da ascensão", na acepção que já conhecemos, como na de "semente". No Egito, já se mostra evidente, portanto, o simbolismo filho-lua-luz-grão da fase matriarcal.

[105] De forma análoga, uma pedra verde era incrustada no tórax de várias esculturas astecas de deuses.

[106] Preuss, *Die Eingeborenen Amerikas*, loc. cit., p. 52.

[107] Essa transformação em ouro e em luz é característica da mitologia mexicana, sobre a qual Preuss diz "que a transformação de figuras noturnas em deuses solares é motivo dominante na religião mexicana de forma geral; sem eles não seria possível compreender as festas cúlticas anuais". (Preuss, *Die Eingeborenen Amerikas*, loc. cit.; cit. por Danzel in: *Magie...*, loc. cit.)

[108] Neumann, *História da Origem da Consciência*, loc. cit., Índice s.v. "A Transformação ou Osíris".

[109] Cit. por Jung, in: *Psychologie und Alchemie*, loc. cit., p. 152.

O "leão verde" da alquimia também é a forma do deus do milho quando jovem, bem como a forma do sol é a luz.

Podemos, com isso, responder à questão de *por que* os homens teriam sido iniciados nos Mistérios eleusinos, e qual significado teriam para eles tais mistérios, cujos fundamentos giram em torno dos fatos essenciais da vida feminina, tão cheia de segredos. De fato, ao observarmos no hino homérico a Deméter:

> Bem-aventurado é aquele que, entre os homens sobre a face da terra, presenciou tais mistérios. Não obstante, aquele que não compartilha da bênção sagrada da iniciação jamais desfrutará de sorte igual, nem ao morrer na podridão do Hades.[110]

E, se considerarmos a veneração habitual dos antigos por esses mistérios, fica claro que estes devem ter se constituído numa genuína experiência dos mistérios também por parte dos homens.

Um dos caminhos para essa averiguação consiste no fato de que o iniciado do sexo masculino procurava se identificar com Deméter, com o próprio lado feminino, o que se pode depreender de várias características detalhadas nos relatos. Há que destacar, nesse caso, que a experiência dos mistérios em Elêusis, como aliás em todos os outros lugares, acontece de forma predominantemente emocional e inconsciente, de maneira que, inclusive em época posterior, em que a consciência masculina já era havia longo tempo patriarcal, uma vivência pré-patriarcal de tal natureza era possível no mistério.

Consideramos que outro fator essencial reside no fato de que, nos mistérios, o Masculino tinha a chance de vivenciar a si mesmo como filho do Grande Feminino, ao experimentar a força criadora, transformadora e regeneradora deste, e até mesmo de se identificar tanto com o filho espírito divino recém-nascido, na qualidade de filho da Grande Deusa, quanto com Triptólemo, o filho por ela investido com a espiga de ouro.[111]

Nesse sentido, os Mistérios de Elêusis dos quais participavam homens e mulheres situam-se entre os antigos mistérios matriarcais, destinados somente às mulheres (os quais se conservaram em Roma, por exemplo, no culto à Bona Dea), e os mistérios exclusivamente masculinos (como os de Mitra, por exemplo), com sua fundamentação patriarcal. Somente como observação gostaríamos de nos remeter a três obras de arte, que, nesse contexto, ilustram tal evolução. Trata-se de um ritual de fertilidade no qual o líquido fecundante, proveniente de um jarro – nos Mistérios eleusinos, os homens eram os carregadores do jarro –, era vertido em um grande vaso postado em pé, o Vaso-Mulher.

---

[110] *Die Homerischen Götterhymnen*, loc. cit., p. 69.

[111] É tempo de averiguar com precisão, portanto, até que ponto, na evolução dos mistérios, as modificações, os adendos e outros, foram psicologicamente condicionados pelos novos comportamentos dos indivíduos que tomavam parte destes.

Em Creta e na Beócia, esse ritual era praticado somente por mulheres [Il. 159a]; as figuras de mãe e filha ficam à direita, e a figura inseminadora, à esquerda, está igualmente vestida com trajes femininos. No relevo eleusino, vemos a deusa mãe filha [Il. 159b] e, junto a ela, o rapaz segurando o jarro, cujo conteúdo despeja no vaso grande. Na pintura do vaso grego cabírico [Il. 159c], temos o rapaz com o jarro vertendo seu conteúdo no recipiente grande. Atrás dele, porém, está sentada uma figura paterna. Desde a obra de K. Kerényi sobre Hermes,[112] temos conhecimento da existência da unidade do princípio masculino cabírico, o pai, o rapaz e o espermatozoide, onde é inquestionável o sentido fálico do rapaz "vertedor". Apesar de Kerényi aludir à "fonte masculina de vida" (e, nessa acepção posterior, também denominamos essas ilustrações "patriarcais"), ele mesmo as referiu ao seu antigo fundamento matriarcal.

> A tradição mitográfica clássica, que se esquiva deliberadamente da clareza de informações sobre os deuses presentes nos mistérios, dá o nome de Cabiro à mãe primordial dos cabiros e, além disso, fala da existência de três "ninfas cabiras". Assim se dilui, portanto, a forma tríplice da mesma maneira clássica que um escultor, ao confeccionar uma estátua da Hécate cercada de três imagens de meninas a bailar e um outro já a representa como três deusas menores separadas, dotadas dos atributos inerentes à Grande Deusa. Essa é a mesma relação entre as "ninfas cabiras" e Mãe dos cabires. Em Tebas, a Grande Deusa se chama Deméter Cabira, demonstrando, com isso, tanto sua relação com o reino dos mortos como com os cabires. Em todas essas formas de manifestação ela é a fonte feminina primordial do princípio masculino absoluto (do cabirismo), como nos esclareceu o mitologema do Hermes primitivo.[113]

A naturalidade com que a investidura do jovem rapaz pela mulher era aceita torna-se ainda mais evidente que no anel micênico, na representação de Teseu, o herói patriarcal do helenismo, na qual ele é conduzido por Atena a Anfitrite [Il. 160], para que desta receba um anel de ouro.[114] Não vemos aqui um homem ou guerreiro [Il. 146c] com uma história de vida repleta de atos heroicos, mas, ao contrário, um rapaz protegido e obsequiado por deusas.

SOFIA

A duplicidade da Grande Deusa, como mãe e filha, pode modificar de tal forma sua ligação original e arraigada com o caráter elementar que ela também se torna uma espécie de Sofia, um puro espírito feminino, uma totalidade espiritual feminina em

[112] Kerényi, "Hermes des Seelenführer: Das Mythologem vom männlichen Lebensursprung", in: *Eranos Jahrbuch 1942*, IX.
[113] Idem, p. 90.
[114] Hebert J. A. Rose, *A Handbook of Greek Mythology*, Londres, 1950, p. 265.

que já foi superado todo tipo de peso e materialidade. Com efeito, ela então não só cria a terra e o céu naquela retorta que chamamos vida, e não só é em si também a roda circular que gira dentro desta como é a essência e a destilação mais sublimes em que a vida deste mundo é capaz de se transformar.

O Feminino-Sofia que atinge na forma da flor a mais sublime expressão de seu desenvolvimento[115] não desaparece na abstração nirvânica de um espírito masculino; ao contrário, seu espírito continua ligado ao fundamento terreno da realidade, como o aroma sempre está ligado à flor. Vaso da transformação, flor, Deméter reunida a Core, Ísis, Ceres, as deusas da lua, cujo lado iluminado supera a própria escuridão noturna – todas são formas de expressão desta Sofia, a mais elevada sabedoria feminina.

Sofia é colocada em último lugar, no âmbito cristão patriarcal, fundamentalmente pela divindade masculina;[116] todavia, aqui também se impõe o arquétipo feminino da transformação espiritual. Dessa maneira, a rosa branca sagrada que pertence à Madona [Il. 163], no poema de Dante, é o mais exímio rebento de luz que se manifesta acima do céu noturno estrelado, na qualidade de suprema evolução espiritual daquilo que é terreno. Outrossim, na Madona-lua crescente [Il. 164], o Feminino permanece outra vez como centro das esferas terrena e celestial. O mesmo é verdadeiro na pintura medieval da Filosofia [Il. 165], uma das formas medievais de Sofia, em que esta se encontra no meio da ilustração congregando as artes em torno de si, instruindo os filósofos e dando inspiração aos poetas. Além disso, é bastante singular o fato de essa imagem do século XII ainda ser tricéfala, como a da Hécate. Esse Feminino ainda é a Grande Mãe, mesmo quando caracterizada como Filosofia que traz no ventre a roda do mundo [Il. 166], o zodíaco, os planetas, o sol e a lua (o que é, nos mínimos detalhes, uma precisa imagem reversa da Roda Tibetana negativa do mundo) [Il. 98]. Na forma de Senhora com o filho no colo [Il. 167], entronizada no centro do paraíso, cercada pelos evangelistas e pelas virtudes, é novamente o *self* feminino como o centro criador da mandala.[117]

O simbolismo do vaso também surge, sem dúvida, no estágio mais elevado, na forma do vaso da transformação espiritual. Esse simbolismo matriarcal sobreviveu, muito embora o cristianismo tenha se empenhado ao máximo em reprimi-lo, e não só no cálice da Santa Ceia ou no Graal mítico.

Já o significado da imersão na água, anterior à era cristã, é o de retorno ao útero do Grande Feminino, misteriosamente pleno de água vital. O banho de imersão, cujo significado foi preservado nos rituais do judaísmo até os dias atuais, tornou-se no

[115] V. acima, p. 260.

[116] Analogamente, na Grécia patriarcal, Atena, cuja relação com o círculo cretense da Grande Mãe, a serpente terrena, e com o tecer é tão inquestionável quanto sua autoctonia e sua autoconcepção, se torna filha de Zeus, nascida da cabeça deste.

[117] V. a obra de Jung e de sua escola no tocante ao significado psicológico da mandala, especialmente Jung e Wilhelm, loc. cit.; e *Gestaltungen des Unbewussten* sobre o simbolismo da mandala.

Figura 73 – Batismo; *ilustração da Bíblia de Roda, Manuscrt. Lat 6, séc. XI.*

cristianismo o banho batismal da transformação, que consiste no retorno ao ovo primordial do início dos tempos, como o demonstra ainda uma obra de arte da época [Fig. 73]. Eis a razão pela qual a pia batismal [Il. 168] é um vaso da transformação;[118] ela é não só a copa da árvore da vida como também a fonte vital, a qual se torna o vaso alquímico da renovação por intermédio da água superior descendente do Espírito Santo [Il. 173]. Também o Paraíso é interpretado como situação de transformação "no vaso" [Il. 169]. Entretanto, como o "pecado original" não está ligado à árvore da vida e, sim, à árvore-morte do conhecimento, o vaso-vida do Paraíso se torna, por meio daquela, um vaso-morte da transformação negativa, que conduz para baixo, para o mundo inferior, para a garganta aberta do inferno. Nesse círculo cristão, o vaso é, na verdade, aquele que contém os opostos;[119] todavia, como recipiente do poder inferior, este se defronta com um poder superior, o qual se lança fecundante sobre o inferior, na forma de Espírito Santo, pomba e água superior [Il. 173]. Em oposição a isso, en-

[118] Comp. também com a Fonte da Vida, na ilustr. 179.

[119] Comp. c/ Jung, *Psychologie und Alchemie*, loc. cit., Índice s.v. "Gegensätze"; e "Der Geist Mercurius", in: *Symbolik des Geistes*, loc. cit.

contramos mais tarde na alquimia o reaviventar do simbolismo matriarcal primitivo, do vaso que contém o todo. Esse importante aspecto da alquimia há que ser tratado em outra passagem; esperamos que, por ora, seja suficiente nos remetermos a uma única imagem e ao simbolismo que lhe é inerente. Trata-se de uma representação do antigo ovo cósmico [Il. 70], o símbolo universalmente conhecido do mundo matriarcal primordial que, como Grande Círculo, contém o universo. Na sua base está o dragão-caos da matéria; o nível mais elevado, igualmente teriomórfico, é o espírito, que, na forma de pomba, de "pássaro-espírito sagrado", é a quintessência do que irá provir daquele ovo. O desenvolvimento que conduz a ele é indicado por dois símbolos de crescimento. As árvores do sol e da lua significam os princípios masculino e feminino da tensão polar que deve chegar a uma síntese; e as três figuras – corpo, alma e espírito – que se entremeiam e, ao mesmo tempo, estão hierarquicamente dispostas são também símbolos da transformação ascendente no útero do Grande Feminino. A pomba do Espírito Santo, na qualidade de princípio espiritual supremo, é o pássaro superior da Grande Mãe, pairando acima da figura do espírito, com seus braços abertos que unem os opostos.

O princípio alquímico do crescimento também é, em várias outras imagens, simbolizado pela serpente ascendente. A serpente – não só na história bíblica do paraíso – é frequentemente tanto o "espírito" da árvore como o vaso.[120] A ligação entre bastão e serpente, já encontrada no Egito pré-dinástico, aparece em diversos mitos como espírito divino, ambíguo, mas sempre numinoso, de um processo de crescimento cuja finalidade é inacessível à inteligência.[121] Esse fenômeno é dominante no simbolismo do "pecado original", que conduz à consciência, da mesma forma que na simbólica da alquimia.[122]

Em nossa ilustração, o processo de transformação que sobe do vaso [Il. 171] é representado pelo pilar-árvore, em torno do qual se enovela a dupla serpente dos opostos, os quais devem ser religados.[123] Essa árvore é coroada por uma Rainha-Mercúrio que empunha um cetro. Esse cetro é um misto do caduceu curativo de Hermes, um bastão envolto por serpentes, com o cetro de lírio que, em Creta, já era o símbolo da deusa e da rainha. A bissexualidade de Mercúrio tem analogia na natureza urobórica feminino-masculina do Grande Feminino, que combina em si a forma da deusa virgem (lírio) com o caráter de transformação e cura geradoras (o caduceu de Hermes).

---

[120] Comp. c/ Zimmer, *Myths and Symbols in Indian and Civilization*, org. por Joseph Campbell; Nova York e Londres, 1946, ilustr. 70.

[121] Comp. c/a serpente Kundalini ascendente, do Tantra Ioga, e o simbolismo corporal da serpente da medula, na alquimia chinesa, no Talmude etc., p. 122.

[122] Comp. c/ Jung, *Psychologie und Alchemie*, loc. cit.

[123] Comp. c/ as serpentes sol-lua da coluna vertebral da psicologia hindu, que são igualmente unidas através de um processo alquímico.

* Em grego, Κρατήρ = "vasilha". (N.T.)

Ambos os símbolos reaparecem na imagem posterior da Anunciação [Il. 172]. Aqui o anjo é o portador do bastão que promove a fecundação salvadora, e que, ao mesmo tempo, é o bastão da cura e da transformação. Junto a Maria há um vaso que, na verdade, é ela própria. O bojo desse vaso contém a hóstia com o nome do filho divino, e acima deste projeta-se o lírio da deusa virgem cretense. Isso quer dizer que esse vaso é a própria deusa que carrega o filho-sol divino, e Maria – sem que houvesse qualquer intenção consciente por parte do pintor – reaparece como a deusa dos primórdios.

O vaso feminino, na forma de vaso permanente do renascimento e da transformação superior, torna-se Sofia e o Espírito Santo. Ele acolhe em si não só o que está por se transformar, na tentativa de promover sua espiritualização e divinização, como no *krater** da Gnose, mas é também a força que nutre o que foi transformado e renasceu.

Da mesma forma que na fase elementar inferior a corrente nutriz da terra[124] aflui para o animal e a força fálica do seio jorra [Il. 29] para a criança gerada,[125] o adulto recebe o "leite virginal" de Sofia no nível da transformação espiritual [Il. 174].

Essa Sofia é também o "espírito e a noiva" do Apocalipse [Il. 173], onde se lê:

> e aquele que tem sede venha; e lá, quem assim o desejar, que beba à vontade da água da vida.

Ela é a entidade inspiradora e criadora que, como em nossa ilustração, dá de beber a seres terrenos e sobrenaturais.

Nesse estágio superior surge um novo símbolo, em que o caráter elementar e o caráter de transformação do alimento atingem o plano espiritual mais elevado: o coração-fonte de Sofia, o alimento do meio. Essa torrente central brota de Sofia [Ils. 165, 175] tanto na imagem da nossa Filosofia como naquela de *Mater Ecclesia* e na da Mãe do Mundo nas representações hindus [Fig. 51]. Um novo "órgão" se evidencia, o coração que oferece a "central" sabedoria do sentimento, capaz de alimentar o espírito, e não a sabedoria "superior" da cabeça.

Nesse estágio mais elevado, o Grande Feminino perde cada vez mais o caráter arquetípico primitivo como deusa e parece tornar-se primeiramente conceito e alegoria. Sofia, como a Filosofia, e, na esfera judaica, a Torah – a doutrina – e Chokmah, o símbolo central da sabedoria na Cabala, tendem a seguir essa direção, ao passo que na Shekinah a glória viva de Deus no exílio e em sua personificação, a Raquel que chora por seus filhos, o caráter pessoal ainda é preservado ou, antes, novamente se impõe.

Aqui, entretanto, símbolos abstratos como o de Maat, a deusa da sabedoria no Egito, por exemplo, não devem ser necessariamente produtos de época posterior. Ao contrário, eles parecem estar situados no início do desenvolvimento do espírito

---

124 V. acima, p. 60s.

125 V. acima, p. 136.

humano, o qual começa com a ênfase da natureza visionária dada à figura simbólica e acaba com o conceito abstrato.

Falamos de lei da compensação, em termos psicológicos, no momento em que o inconsciente, nos sonhos e nas visões, nas reações e nos mecanismos determinadores de ações, equilibra os desvios unilaterais doentios da personalidade consciente centrada no ego. Isto significa que o inconsciente não só representa perigo para o ego, pela força superior dos impulsos e instintos, mas também se mostra, por outro lado, benéfico como forma de auxílio e redenção.

Os estudos da Psicologia Profunda demonstraram que a consciência e suas aquisições são um "filho" recente do inconsciente, e que a evolução da humanidade, como um todo, e da personalidade humana, em particular, transcorre – como é necessário – numa situação de dependência em relação às forças psíquicas adormecidas no inconsciente. Desse modo, o homem moderno descobre – em um novo plano – a mesma coisa que o homem primitivo vivenciou através de formas intuitivas avassaladoras, a saber, que na força feminina geradora e abastecedora, protetora e transformadora do inconsciente atua uma sabedoria infinitamente superior à da consciência humana vígil, a qual intervém na vida do ser humano, convidada ou não, como fonte da visão e do símbolo, do ritual e da lei, da poesia e da vidência, para salvar o homem e dar sentido para sua vida.

Essa sabedoria feminino-maternal não é um conhecimento abstrato e "desinteressado", mas a sabedoria de amorosa participação. Da mesma forma que o inconsciente reage e responde, e o corpo "reage" à alimentação correta ou ao veneno, também Sofia é uma divindade de presença viva e próxima, amorosa e constante, sempre solícita e disposta a intervir; não é um tipo de divindade viva, mas que se revela inatingível aos homens, mantendo uma distância numinosa, e nem demonstra indiferença com o mundo.

Eis a razão pela qual Sofia, como poder espiritual, é amorosa e redentora; de seu coração transbordante brotam sabedoria e alimento, ao mesmo tempo. A vida-alimento que ela propicia é uma vida do espírito e da transformação, e não de materialidade apegada ao inferior. Como mãe-espírito ela não está, como a Grande Mãe da fase elementar, interessada preponderantemente no recém-nascido, na criança e nos seres humanos imaturos, que a ela se apegam nesse estágio. Seu desejo, como deusa do todo que governa a transformação da fase elementar para a espiritual, é que pessoas completas conheçam a vida em toda a amplidão, desde a fase elementar até a da transformação espiritual.

Ao longo da evolução judaico-cristã patriarcal, com sua tendência às abstrações de caráter monoteísta-masculino, a deusa, como figura da sabedoria feminina, foi destronada e reprimida. Sobreviveu somente de forma secreta, principalmente através de expedientes heréticos e revolucionários, cuja averiguação transcende à nossa tarefa. Não podemos descrever de que forma a Grande Mãe substituiu como bruxa nem seu retorno durante a Renascença e seu ressurgimento nos tempos modernos.[126] Devemos nos contentar com algumas imagens da esfera cristã para ilustrar a irreprimível vitalidade arquetípica da Grande Mãe.

A "Vierge Ouvrante" [Ils. 176, 177], que externamente é a conhecida imagem da mãe humilde com seu filho, revela, ao se abrir, o mistério herético que abriga dentro de si. Deus Pai e Deus Filho, habitualmente representados como os senhores do céu que, num gesto de pura piedade, elevam a "meramente terrena mulher" para estar com eles, mostram-se contidos nela, provam ser "conteúdos" do seu ventre que a tudo acolhe.[127]

Entretanto, a natureza continente do caráter elementar da Grande Mãe se mantém viva não só na Madona citada anteriormente, nem se restringe às várias "Madonas de Manto" [Il. 178], as quais abrigam a humanidade desamparada sob seus véus estendidos. Ela ainda pode ser identificada em outra figura cristã, conquanto esta circunstância tenha quase passado despercebida.[128]

Nas imagens da "Trindade de Santa Ana" [Il. 180][129] repete-se a coesão do "grupo das mulheres", composto de mãe, filha e criança, Deméter, Core e o filho divino, grupo dotado de toda grandeza mítica. E, muitas vezes, nessas pinturas, o caráter Core-filha da Madona, em relação à Ana como Grande Mãe, também é frequentemente acentuado no plano externo pelo fato de que a Madona se encontra sentada segurando Cristo nos braços, no colo de Ana, e esta mesma aparece como uma criança pequena [Il. 181]. A qualidade pueril da Virgem é ainda mais enfatizada em certos exemplos de escultura cristã folclórica procedentes de países latinos.

Em oposição a este desenvolvimento ocidental, onde o elemento patriarcal quase sempre se antepõe ao matriarcal, e com grande frequência quase o extingue, no Oriente a estrutura matriarcal fundamental demonstrou tal vigor que quase em toda parte a supremacia patriarcal, ao longo do tempo, quando não foi anulada, tornou-se bastante relativizada. Tal fato pode ser comprovado não só ao longo da evolução do hinduísmo como também no budismo, inicialmente tão patriarcal, contemplativo e hostil à natureza. Aqui, Kwan-yin, a deusa que "ouve os clamores do mundo" e que sacrifica seu estado búdico por amor ao mundo que padece, é a Grande Mãe na forma de Sofia amorosa.

Na Índia, a antiga deusa matriarcal surgiu no tantrismo, não só na forma de Shakti, como força primordial feminina; ao contrário, reafirmou-se e reconquistou sua posição como Grande Mãe e como "Grande Círculo". A própria deusa hindu Kali [Il. 182], em seu aspecto positivo e não terrível, é uma figura espiritual, cuja liberdade, supremacia e independência não encontram nada equivalente no Ocidente. Mais

---

[126] V. Neumann, "Die Bedeutung des Erdarchetyps für die Neuzeit"; in: *Eranos Jahrbuch 1954*, XXIII.

[127] Com efeito, a representação da Trindade como fruto do ventre de Maria foi logo repelida como heresia.

[128] Devemos essa descoberta à Sra. Fröbe-Kapteyn.

[129] É necessário fazer um estudo especial, de um exemplo bastante singular e significativo da Trindade de Santa Ana, de Joos von Cleve, bem como da famosa imagem de Leonardo, que representava essa mesma santa com a virgem e o filho. (Comp. c/ Neumann, "Leonardo da Vinci", loc. cit.)

adiante, porém, o significado da imagem da deusa se estende, e aparece a "nívea Tara" [Il. 183] simbolizando a forma mais elevada da transformação espiritual através da feminilidade.

Tara [Il. 184] é celebrada como "a que, na mente de todos os iogues, conduz para cima (*tarani*), superando as trevas do apego, como a força primordial do autodomínio e da redenção".[130] Enquanto em um "estágio inferior" ela é a protetora e redentora, *tarati iti Tara* – "é com satisfação que ela transporta para o outro lado, e por isso é que se chama Tara"[131] –, por outro lado é, em plano superior, aquela que liberta do envolvimento mundano do *samsara* que ela mesma criou em forma de Maia. Assim, ela "surgiu no torvelinho do mar do conhecimento, do qual é a quintessência".[132]

> A célebre Maia, como a "redendora" (Tarini), envolve num perpétuo abraço de amor Shiva, 'o inabalável', que representa de forma divina a postura do liberto, na cristalina inacessibilidade de sua meditação iogue.
>
> Tara é a sublime feminilidade superior no âmbito dos Budas e Bodhisattvas, como "perfeição do conhecimento" – Prajnaparamita – que concede a iluminação e o nirvana, sendo especialmente louvada no Tibete matriarcal...
>
> No budismo tântrico, ela atinge integralmente o zênite do panteão: como Prajnaparamita, é a mãe de todos os Budas, e seu significado nada mais é do que a própria iluminação que torna alguém um Buda; "*paramita*"; isto é 'conduzido (*ita*) à outra margem (*param*), ela conduz a alma que atravessa a corrente do *samsara* rumo à distante margem do nirvana. Como sabedoria da iluminação, seu emblema é o livro sobre a flor do lótus, junto ao seu ombro, enquanto suas mãos formam um círculo que significa a contemplação interior da verdadeira doutrina (*dharma-chakra-mudra*).[133]
>
> A Grande Maya, célebre feiticeira que se compraz em iludir a todos, aprisionando-os nos horrores do *samsara*, não pode ser condenada em seu papel de sedutora que enfeitiça as almas e as leva à existência todo-abrangente das múltiplas formas, ao oceano da vida, de cujos horrores somente ela pode incessantemente salvar as criaturas em seu aspecto de "Senhora do Barco", pois o mar da vida inteiro é o brincar cintilante e ondulante de sua *shakti*. Dessa torrente desordenada de vida emergem, em todas as épocas, alguns indivíduos que já estão amadurecidos para a salvação, na metáfora de Buda, à semelhança das flores de lótus que se erguem do espelho das águas e abrem suas pétalas à ininterrupta luz celeste.[134]

Ela é não só poder da divindade como a roda giratória do destino, na totalidade portadora do nascimento e da morte, mas também é a força do centro que no seio deste ciclo impele à transformação e à iluminação, à consciência e ao conhecimento.

---

[130] Zimmer, *Die indische Weltmutter*, loc. cit., p. 194.

[131] Idem, p. 195.

[132] Ibid., p. 196.

[133] Ibid.

[134] Ibid., p. 198.

Assim Brahma ora à Grande Deusa:

> És o espírito divino, cuja natureza é o estado de graça; és a natureza máxima e a clara luz do céu que ilumina e interrompe a auto-hipnose do ciclo terrível do renascimento, e és tu quem oculta o universo, por todo o tempo, na tua própria escuridão absoluta.[135]

Essa iluminação, porém, não consiste em nenhum raio de luz ou dom oriundo do céu; é um processo vivo de crescimento, cujas raízes se fixaram no lodo das profundezas da terra, e que se desenvolve lentamente, alimentado com a água numinosa da vida; apresenta ainda fechado um botão que somente no fim vai se abrir, já desenvolvido, como a flor de lótus, "à ininterrupta luz celeste".

O Grande Feminino no indivíduo desenvolve-se como a própria humanidade. No início, é a deusa primitiva, imóvel na materialidade do caráter elementar, que nada conhece além do mistério de seu útero; no fim, é Tara segurando na mão esquerda o lótus aberto da transformação espiritual, enquanto a mão direita está aberta para diante, numa postura de dádiva ao mundo. Com os olhos semicerrados, durante sua meditação, voltada tanto para o mundo exterior como para o interior, ela representa a eterna imagem do espírito feminino redentor. Ambas formam juntas a unidade do Grande Feminino, que, na totalidade da evolução, preenche o mundo desde a fase elementar mais inferior até a suprema transformação espiritual.

Na imagem hindu de Trimurti [Fig. 74] encontramos no nível mais baixo o símbolo terreno da tartaruga materna, sobre a qual repousa a Grande Mãe, em seu caráter terrível, a cabeça de caveira com as duas chamas antagônicas que dela irradiam e, acima desta, a Grande Mãe como lótus-Sofia. Jung escreve sobre essas imagens:

> A imagem toda é uma analogia do *opus* alquímico, em que a tartaruga simboliza a *massa confusa*, a caveira é o *vas* da transformação e a flor simboliza o *self*, a totalidade.[136]

Todos esses símbolos – tartaruga, vaso de morte e flor – são símbolos matriarcais de transformação do Grande Feminino. Aparecem de forma apenas levemente modificada na nossa ilustração de Tara [Il. 185], em que se reúnem todos os estágios de transformação.

Cada etapa da transformação se assenta no alicerce de uma unidade entre lótus e cobra, entre força doadora de vida e poder letal. A base consiste no mundo material da tartaruga, o mundo lunar de terra e água; sobre este se apoia a árvore da vida

[135] Zimmer, *The King and the Corpse*, org. por J. Campbell, Nova York e Londres, 1948, p. 264.
[136] Jung, *Psychologie und Alchemie,* loc. cit., Ilustr. 75, p. 147.

Figura 74 – Trimurti; *Índia*.

envolta pelos dois dragões antagônicos,[137] o mundo da vida nos seus opostos. A copa dessa árvore é formada pela segunda flor de lótus, sobre a qual se posiciona, imponente e pleno de força, o leão solar do espírito masculino dele nascido. Mas acima desses leões se ergue a deusa, Tara-Sofia, não mais montada sobre eles, mas entronizada na própria flor de lótus. Ela reluz envolta pela auréola de um círculo espiritual, no qual o princípio animal do mundo inferior, começando com o leão, se transforma em luz vegetal, na plena e crescente iluminação característica do seu ser.

Na mão, segura flores e, acima dela, se abre o ígneo dossel de luz incandescente, salpicado pelas flores de prata das estrelas. E esse dossel é ela mesma na forma de lua, lótus e a Tara do conhecimento supremo.

Se agora na conclusão revirmos o mundo arquetípico do Feminino com toda a riqueza de seu simbolismo e a trama tecida por suas imagens e constelações, poderemos, a princípio, nos impressionar mais com sua diversidade que com sua ordem e coesão. Esperamos, porém, que a estrutura de referência apresentada na Parte I tenha sido corroborada pelo material descrito, de tal forma que a imagem do Grande Feminino possa ter se cristalizado em toda sua majestosa grandeza.

Vimos a conhecer os estágios da autorrevelação do *self* feminino, sua objetivação no mundo dos arquétipos, dos símbolos, das imagens e dos ritos, apresentando-nos um mundo que se pode ler como histórico e eterno. Os níveis progressivamente mais elevados de símbolos através dos quais o Feminino, com caráter elementar e de transformação, torna-se visível como Grande Círculo, como Senhora das Plantas e Animais e, finalmente, como a Sofia-nutriz, matriz do espírito, correspondem às fases da

[137] Comp. c/ Ilustr. 171.

autoevolução da natureza feminina. Isso se revela na mulher como o "eterno feminino" que infinitamente transcende todas as suas encarnações terrenas, todas as mulheres e todos os seus símbolos individuais. Entretanto, essas manifestações do Grande Feminino, em todas as épocas e culturas, quer dizer, entre todos os indivíduos dos mundos pré-histórico e histórico que se lhe seguiu, também se manifestam na realidade viva da mulher moderna, em seus sonhos e visões, em suas obsessões e imagens de fantasia, em suas projeções e relacionamentos, nas suas fixações e transformações de personalidade.

A Grande Deusa – se com essa designação tivermos resumido tudo que procuramos apresentar como a unidade arquetípica e a multiplicidade da natureza feminina – é a encarnação do *self* feminino que se desenvolve ao longo da história da humanidade, bem como na história de vida de cada mulher; sua realidade é que estabelece os parâmetros da vida tanto individual como coletiva. Esse mundo psíquico e arquetípico, abrangido pelas múltiplas formas da Grande Deusa, é o poder subjacente que ainda hoje governa – em parte com os mesmos símbolos e na mesma ordem de autodesenvolvimento, em parte através de mudanças e variações dinâmicas – a história psíquica do homem moderno, mas principalmente a da mulher moderna.

ÍNDICE DAS FIGURAS DO TEXTO

ÍNDICE DAS ILUSTRAÇÕES

Embora cerca de metade das ilustrações tenha originalmente sido escolhida entre as gravuras do Arquivo Eranos, muitas foram substituídas por fotografias tecnicamente mais satisfatórias, obtidas em museus, junto a fotógrafos profissionais etc. (A abreviação *f* significa "fotografia"). Nos casos em que foram reproduzidas as gravuras constantes do Arquivo Eranos, é indicada sua fonte, quando conhecida; foram envidados todos os esforços possíveis no sentido de localizar as fontes originais, para assim apresentar os créditos apropriados. Referências mais completas a livros e artigos aparecem na Bibliografia deste volume.

A DEUSA PRÉ-HISTÓRICA

3. *Mulher adormecida*
Estatueta em argila, Malta, Neolítico
Valetta Museum, Malta. *f*: De Luigi Ugolini, in Dedalo (Milão, Roma), XII, fasc. 7 (agosto de 1932), pp. 557, 578.

4. *Ísis com o Rei*
Egito, templo de Seti I, Abydos, XIX dinastia, séc. XIV-XIII a.C. *f*: fonte desconhecida.

5. *Henry Moore: Madona e Filho*
Bronze, maquete (altura 18 cm) para uma estátua em Clayden, Inglaterra, 1943. Coleção particular. *f*: Cortesia do escultor.

6. *Deusa*
Argila, Trácia, Bulgária, Neolítico
Sofia Museum. *f*: Naturhistorischen Museum, Viena, de molde nesse Museu.

7*a*. *Estatueta feminina*
Terracota, Peru, Pré-colombiano
Geffron Collection, Art Institute of Chicago. Desenho extraído de Holländer, *Aeskulap und Venus*, p. 164.

7*b*. *Desenho feito por um psicótico*
Alemanha, séc. XX
Coleção da Clínica Psiquiátrica de Heidelberg. Extraído de Prinzhorn, *Bildnerei der Geisteskranken*, p. 92, fig. 45.

8. *Deusas*
Argila, Chipre, aproximadamente 2500 a.C.
British Museum, *f*: Museum.

9. *Fragmentos de figuras da deusa Beltis*
Pedra, Susa, Irã, séc. VII a.C.
f: Extraído de Holländer, *Aeskulap und Venus*, p. 206.

10-11. *Deusas*
Terracota, Mesopotâmia, aproximadamente séc. XXIV a.C.
Louvre. *f*: Arquivos fotográficos.

12*a*. *Deusa*
Chumbo, Troia, "cidade queimada", III estrato: provavelmente importada da Mesopotâmia.
Antigamente, no Museum fur Vor-und Frühgeschichte, Berlim (perdido na Segunda Guerra Mundial).
f: Extraído de Schmidt, *Schilemann's Sammlung Trojanischer, Altertümer*, p. 255, cortesia do Museu.

12*b*. *Astarte*
Ouro, placa em relevo repussé, Ras Shamra, Síria, aproximadamente séc. XIII a.C.
f: Extraído de Syria, *Revue d'art oriental et d'archeologie* (Paris), X (1929), Ilustração LIV, fig. 2.

13. *Deusa*
Terracota, encontrado em uma caverna perto de Lapethos, Creta.
British Museum, *f*: cortesia de V.C.C. Collum.

14. *Deusa*
Terracota, Sídon, Fenícia, aproximadamente 2500 a.C.

15. *Deusas mães*
Argila, Índia, 1000-300 a.C.
Curzon Museum, Muttra. *f*: Museu.

16. *Estatuetas femininas*
Terracota, Ur, aproximadamente 3000 a.C.
British Museum. *f*: Museu.

17. *Estatueta feminina*
Terracota, talvez Egito, aproximadamente 2000 a.C.
Louvre. *f*: Museu.

18. *Cabeça*
Bronze, Benin, Nigéria.
British Museum. *f*: Museu.

19. *Cabeça*
Bronze, Benin, Nigéria.
Pitt-Rivers Museum, Franham, Inglaterra. *f*: John Harris, Bournemouth.

20. *Deusa*
Argila, Klicevac, Iugoslávia, Idade do Bronze
Antigamente no National Museum, Belgrado (perdido na Primeira Guerra Mundial).
f: Museu, extraído de Ebert, *Reallexikon*, vol. VI, ilustr. II.

21. *Deusa*
Argila, vitrificada e entalhada, Chipre, aproximadamente 2500-2000 a.C.
Louvre. *f*: fonte desconhecida.

22. *Figura feminina*
Pedra, St.-Sernin, sul da França, talvez final do Neolítico.
Archaelogical Museum, Rodez, França. *f*: Extraído de Revue Anthropologique
(Paris), XLI (1938), p. 348, fig. 27.

23. *Estatuetas femininas*
Pedra, Cíclades, Ilhas do Egeu, aproximadamente 2500 a.C.
British Museum. *f*: Museu

24. *Estatuetas femininas*
Mármore, Amorgos, Cíclades, Ilhas do Egeu, aproximadamente 2500 a.C.
National Museum, Atenas. *f*: Alison Frantz, American School of Classical Studies,
Atenas.

25. *Figura feminina*
Argila, de um túmulo egípcio, Pré-dinástico.
Staatliche Museen, Berlim.
Desenho extraído de Holländer, *Aeskulap und Venus*, p. 165.

26. *Estatuetas femininas com braços levantados*
Terracota, Egito, Pré-dinástico.
a, b: Brooklyn Museum; *c:* British Museum. *f.* Museus.

27*a*. *Vaso com efígie.*
Terracota, Troia, IV estrato.
Desenho extraído de Hoernes, *Urgeschichte*, p. 361, fig. 8.

27*b*. *Deusas mães*
Argila, Creta, período Minoico
f: Extraído de *Jahrbuch des deutschen archäologischen Instituts* (Berlim), LI (1936), fig. 5, 6 (pp. 225, 226).

28*a*. *Deusa dentro de urna*
Terracota, palácio em Knossos, Creta, final do período Minoico
Desenho extraído de Evans, *Palace of Minos*, vol. II, Ilustr. 1, fig. 63.

28*b*. *Vaso com efígie*, Rhyton
Terracota pintada, Mallia, Creta, início do III período Minoico
f: Extraído de Picard, "Die Grosse Mutter", *Eranos Jahrbuch 1938*, p. 98, fig. 3.

29. *Terra*
Detalhe de um manuscrito (MS, Add, 30337) iluminado na Abadia de Monte Cassino, 1070-1100.
British Museum. *f:* Museu.

30*a*. *Pintura de um psicótico*
Aquarela, Alemanha, séc. XX.
Coleção da Clínica Psiquiátrica de Heidelberg. Extraído de Prinzhorn, *Bildnerei der Geisteskranken*, p. 245.

30*b*. *Desenho de uma criança*
Israel, contemporâneo
Coleção do autor.

O CARÁTER ELEMENTAR POSITIVO

31*a*. *Figura feminina cúltica*
Argila, Prússia, séc. IX-VII a.C.
Antigamente no Museum für Vor-und Frühgeschichte, Berlim (perdido na Segunda Guerra Mundial). *f:* Museu.

31*b*. *Vaso com efígie*
Argila, Tlukom, Polônia (antiga Prússia), 750-400 a.C.
Antigamente no Museum für Vor-und Frühgeschichte, Berlim (perdido na Segunda Guerra Mundial). Desenho por cortesia do Museu.

32. *Mãe e filho*
Terracota, Chipre, séc. XIX-XVII a.C.
Louvre. *f*: Arquivos fotográficos.

33*a*. *Vasos em efígie*
Terracota, Chipre, respectivamente séc. XII, X-VIII e VI a.C.
Louvre. *f*: Arquivos fotográficos.

33*b*. *Deusa da chuva, com deus do clima na carruagem*
Impresso de um sinete cilíndrico, sul da Mesopotâmia, período Acadiano.
Pierpont Morgan Library, Nova York. (Cf. Porada e Buchanan, *Corpus of Ancient Near Eastern Seals*, vol. I, fig. 220.). *f*: Biblioteca.

34. *Vaso com quatro seios*
Terracota, Trujillo, Peru, cultura Chimu (pré-colombiana)
Museum für Völkerkunde, Berlim. *f*: Museu.

35. *Diana de Éfeso*
Alabastro e bronze, Roma, séc. II d.C.
Museo Nazionale, Nápoles. *f*: Anderson.

36. *A deusa Nut*
Relevo pintado em teto, Templo de Hathor, Dendera, Egito, período Romano.
f: fonte desconhecida.

37. *Deusa segurando criança, sobre leão*
Bronze, hitita, sul da Mesopotâmia, aproximadamente 1500 a.C.
Coleção das Antiguidades do Oriente Próximo, Staatliche Museen, Berlim.
f: Museu.

38. *Ísis com Hórus*
Cobre, Egito, aproximadamente 2040-1700 a.C.
Seção Egito, Staatliche Museen, Berlim. *f*: Cortesia do Museu.

39. *Mãe e filho*
Madeira, provavelmente Congo Belga
Antigamente no Museum für Völkerkunde, Berlim. *f*: Museu.

40. *Mãe e filho*
Vaso em efígie, Peru, cultura Chimu, pré-colombiana.
Museum für Völkerkunde, Berlim. *f*: Museu.

41. *Mãe e filho*
Vaso em efígie, Peru, cultura Inca (pré-colombiana)
Gaffron Collection, Art Institute of Chicago. *f*: Cortesia do Instituto.

42. *Mãe e filho*
Madeira, Iorubá, Nigéria.
Horniman Museum, Londres. *f*: Layton, Londres (c) London County Council.

43. *Mãe e filho*
Báculo de sacerdote, madeira, Iorubá, Nigéria.
Coleção de René d'Harnoncourt, Nova York. *f*: Soichi Sunami, cortesia do Museu de Arte Moderna de Nova York.

44. *Ísis-Hathor amamentando Hórus*
Bronze, Egito, séc. VIII-VI a.C.
Louvre. *f*: Vizzavona, Paris.

45. *Deusa mãe celta*
Pedra, séc. II d.C.
Museum Carolino-Augusteum, Salzburgo. *f*: Fonte desconhecida.

46. *Deusa com jovem deus*
Bronze, San Vittorio de Serri, Sardenha, pré-histórico
Museo Archeologico Nazionale, Caligari. *f*: Extraído de Zervos, *La Civilisation de la Sardaigne*, Ilustr. 455.

47. *Deusa com jovem deus morto*
Bronze, próximo a Urzulei, Sardenha, pré-histórico
Museo Archeologico Nazionale, Caligari. *f*: Extraído de Zervos, *La Civilisation de la Sardaigne*, Ilustr. 459.

48. *Estatuetas de Baubo*
Terracota, Priene, Ásia Menor, séc. V a.C.
Museum für Völkerkunde, Berlim. *f*: Fonte desconhecida.

49. *Deusa*
Alabastro, Pártia, aproximadamente séc. I-II.
Louvre. *f*: Giraudon.

50. *A deusa da terra Tlazolteotl*
Asteca, *Codex Borbonicus*, fol. 13, data desconhecida
Chambre des Députés, Paris. Desenho extraído de Danzel, *Mexiko*, vol. I, Ilustração 37b.

51. *Hécate-Ártemis como cadela*
Gema negra em forma de escaravelho, estilo jônico arcaico
Coleção do dr. Rudolph Reitler, Haifa. *f*: Cortesia do proprietário.

52. *Deusa alada*
Terracota, México (*Colima complex*), pré-colombiano
Coleção da sra. Henry Moore. *f*: Cortesia da sra. Moore e de Curt Valentin.

53. *Estatueta feminina*
Argila vermelha, Ixtlán de Rio, próximo a Tepic, México, pré-colombiano
Museum für Völkerkunde und Vorgesichichte, Hamburgo. *f*: Museu.

54. *A deusa nua*
Impressões de sinetes cilíndricos em hematita (exceto *c*, jaspe verde); *a-c* Babilônia, I dinastia; *d-g* Síria, aproximadamente 1450 a.C.
Pierpont Morgan Library, Nova York. (Cf. Porada e Buchanan, *Corpus of Ancient Near Eastern Seals*, vol. I, resp., figs. 504, 503, 505, 944 (invertida aqui), 945 (invertida aqui), 946, 937.) *f*: Biblioteca.

55*a*. *Figura desnuda entronizada*
Terracota, Santuário de Delfos, talvez pré-histórico
Delphi Museum. *f*: Extraído de *Fouilles de Delphe*, vol. V (Paris, 1908), fig. 60, p.14.

55*b*. *Vaso: Figura feminina com serpente*
Terracota, louça vermelha, encontrado em túmulo em Kournasa, Creta, início do II período Minoico
f: Extraído de Evans, *Palace of Minos*, vol. IV, Pt. I, fig. 121, p. 163.

56. *Deusa serpente*
Faiança, Palácio em Knossos, Creta, metade do II período Minoico
Candia Museum. *f*: British Museum, a partir de um molde restaurado de sua propriedade.

57. *Vaso alquímico*
Codex Pluto 89, sup. 35, fol. 2ob, séc. XIII
Biblioteca Medica Laurentiana, Florença. *f*: Fonte desconhecida.

58. *Deusa serpente*
Terracota, Grécia, séc. VI a.C.
Museum Antiker Kleinkunst, Munique. *f*: Fonte desconhecida.

59. *Atargatis, ou Dea Siria*
Bronze, Roma
Museo Nazionale delle Terme, Roma. *f*: Alinari.

60. *Ceres*
Relevo em terracota, helênico, Magna Grécia
Museo Nazionale delle Terme, Roma. *f*: Anderson.

61. *Culto a Ceres*
Afresco, Pompeia, Itália
Museo Nazionale, Nápoles. *f*: Alinari.

62. *O triunfo de Vênus*
Pintura em bandeja dodecagonal, Escola de Verona, início do séc. XV
Louvre. *f*: Museu.

63. *Sereia como íncubo*
Relevo helenístico
Atual localização desconhecida. *f*: Extraído de Schreiber, *hellenistische* Reliefbilder, vol. II, Ilustr. 61.

O CARÁTER ELEMENTAR NEGATIVO

64. *A deusa Rati*
Madeira pintada, Bali, séc. XIX
Coleção Von der Heydt, Rietberg Museum, Zurique. *f*: Kunstgewerbemuseum, Zurique.

65. *Kali, dançando sobre Shiva*
Argila pintada, Índia, séc. XIX
Victoria and Albert Museum, Londres. *f*: Fonte desconhecida.

66. *Kali, a devoradora*
Molde em cobre, norte da Índia, séc. XVII-XVIII
Victoria and Albert Museum, Londres. *f*: Fonte desconhecida.

67. *Kali*
Molde em cobre, sul da Índia, séc. XIX
Victoria and Albert Museum, Londres. *f*: Museu.

68. *A deusa terra Coatlicue*
Pedra, asteca, México, pré-colombiano
Museo Nacional de Mexico, Cidade do México. *f*: Museu.

69. *Coatlicue com saia de serpente*
Pedra, asteca, pré-colombiano
Museo Nacional de Mexico, Cidade do México. *f*: Eliot Elisofon.

70. *Górgona*
Relevo em mármore, Templo de Ártemis, Corfu, início do estilo arcaico, aproximadamente séc. 600 a.C.
Museu de Corfu. *f*: Extraído de Zervos, *L'Art en Grèce*, Ilustr. 142.

71. *Rangda roubando crianças*
Aquarela de cidadão balinês contemporâneo
Museum für Völkerkunde, Basileia. *f*: Museu.

72. *Ta-urt*
Xisto verde, Tebas, XXVI dinastia
Museu do Cairo. *f*: Extraído de Schäfer e Andrae, *Die Kunst des Alten Orients*, Ilustr. XXII.

73*a,b*. *Portão alado*
Impressões de sinetes, dolomita ou serpentina de ardósia, Akkad, c. 3000-2500 a.C.
Pierpont Morgan Library, Nova York. (Cf. Porada e Buchanan, *Corpus of Ancient Near Eastern Seals*. Vol. I, figs. 224 e 233.) *f*: Biblioteca.

73*c*. *Estábulo com novilhas aparecendo*
Khafaje, Mesopotâmia, aproximadamente 3000 a.C.
Instituto Oriental, Universidade de Chicago. (Cf. Levy, *The Gate of Horn*, Ilustr. 102). *f*: Instituto.

74. *Libações perante o rei (acima) e perante a porta do santuário (abaixo)*
Relevo em calcário, Ur, período Lagashita, aproximadamente 3000 a.C.
British Museum. *f*: Museu.

75*a*. *Hermes como psicopompo, condutor das almas dos mortos*
Detalhe de um vaso (*lekythos*) em terracota, Ática
Universitäts-Museum, Jena. *f*: Extraído de Deubner, *Attische Feste*, Ilustr. 8, fig. 2.

75*b*. *Figura ancestral*
Crânio decorado, Nuku Hiva, Ilhas Marquesas
Coleção Dumoutier. *f*: Emmanuel Sougez, extraído de *Leenhardt, Arts of Oceanic Peoples*, fig. 82.

76. *Taça para sangue sacrificial: sapo comum*
Pedra, México, pré-colombiano
Naturhistorisches Museum, Viena. *f*: Extraído de Danzel, *Mexiko*, vol. III, Ilustr. 90.

77. *A terra dos mortos*
Asteca, *Codex Bórgia*, fol. 26.
Museo Borgiano, Vaticano. Desenho extraído de Danzel, *Mexiko*, vol. I, Ilustr. 54.

78. *Apoio de cabeça*
Madeira, tribo Manyema, Congo Belga
Museum für Völkerkunde, Frankfurt sobre o Main. *f*: Museu.

79. *Deus Céu nas mandíbulas do Monstro Terra*
Relevo de um monolito em arenito, maia, Quirigua, Guatemala, séc. VIII
f: British Museum.

80. *Górgona ladeada por leões*
Fragmento de um relevo em bronze de uma carruagem, Perugia, séc. VI a.C.
Museum Antiker Kleinkunst, Munique. *f*: Fonte desconhecida.

81. *Almas na garganta do inferno*
Detalhe de um banco em madeira para coro, França (?), medieval (origem desconhecida)
f: Fonte desconhecida.

82*a*. *Deus coruja, com cabelo penteado como luas crescentes encimando pirâmides com escadas*
Vaso em argila, Peru, cultura Chimu, pré-colombiano
Coleção Bässler, Staatliche Museen, Berlim. *f*: Orell Füssli Verlag, Zurique.

82*b*. *Deus caracol*
Vaso em argila, Peru, cultura Chimu, pré-colombiano
Museum für Völkerkunde und Vorgeschichte, Hamburgo. *f*: Museu.

83*a*. *Caranguejo marinho com deus estrela*
Vaso em argila, Peru, cultura Chimu, pré-colombiano
Museum für Völkerkunde, Berlim. *f*: Museu.

83*b*. *Caranguejo marinho com deus estrela*
Vaso em argila, Peru, cultura Chimu, pré-colombiano
Antigamente no Museum für Völkerkunde, Frankfurt sobre o Main
(destruído durante a Segunda Guerra Mundial). *f*: Fonte desconhecida.

84*a*. *Serpentes estrangulando (?) o deus estrela*
Vaso em argila, Peru, cultura Chimu, pré-colombiano
Museum für Völkerkunde und Vorgeschichte, Hamburgo.
f: Extraído de Furhmann, *Peru II*, Ilustr. 74.

84*b*. *Deusa Górgona com serpentes*
Ânfora em argila, Peru, cultura Chimu, pré-colombiano
Coleção etnológica, Universidade de Zurique. *f*: Extraído de Leicht, *Indianische Kunst*, p. 243, fig. 6.

84*c*. *Deusa caranguejo dando à luz*
Vaso em argila pintada, Peru, cultura Chimu, pré-colombiano
Antigamente no Museum für Völkerkunde, Frankfurt sobre o Main (destruído na Segunda Guerra Mundial). *f*: Extraído de Fuhrmann, *Peru II*, Ilustr. 95.

85. *A barca do sol passando pelas montanhas a oeste*
Detalhe de um papiro egípcio (?)
f: Desenho extraído de Maspero, *The Dawn of Civilization*, p. 197.

86. *Estatuetas femininas*
Argila, asteca, México central, cultura média inferior
American Museum of Natural History, Nova York. *f*: Cortesia do Museu.

O GRANDE CÍRCULO

87. *Deusa*
Figura em alabastro com concha e olhos em lápis-lázuli. Templo de Ishtar, Mari, Síria, aproximadamente 3000 a.C.
Aleppo Museum. *f*: Extraído de *Syria, Revue d'Art Oriental et d'Archéologie*, 1935, Ilustr. 10, fig. 1, após p. 26.

88. *Figura funerária*
Basalto, Tell Halaf, Mesopotâmia, aproximadamente 900 a.C.
Institut für Vorderasiatische Altertumskunde, Freie Universität, Berlim.
f: F. Paul Mann, Berlim.

89. *Esfinge velada*
Pedra, Tell Halaf, Mesopotâmia, aproximadamente 900 a.C.
Institut für Vorderasiatische Altertumskunde, Freie Universität, Berlim.
f: Extraído de Oppenheim, *Tell Halaf*, Ilustr. XI.

90. *Sarcófago pintado:*
a. Parte externa: retrato do falecido
b. Parte interna: a deusa Nut
Madeira, Tebas, séc. II
British Museum. *f*: Museu.

91*a*. *A deusa Nut-Naunet*
Pintura interna de sarcófago, Egito, XXI dinastia
Aegyptologisches Institut, Universidade de Heidelberg. *f*: H. Wagner, Heidelberg.

91*b*. *A deusa Nut*
Pintura interna de sarcófago, Egito
British Museum. *f*: Museu.

92. *A deusa Nut*
Tampa de sarcófago de Uresh-Nofer, sacerdote da deusa, diorito cinza, Egito, XXX dinastia, 378-341 a.C.
Metropolitan Museum of Art, Nova York. *f*: Fonte desconhecida.

93. *Zodíaco*
Relevo em arenito, Templo de Hathor, Dendera, Egito, período romano
Louvre. *f*: Fonte desconhecida.

94. *Pietà*
Itália, séc. XIV
Museo Cristiano, Vaticano. *f*: Fonte desconhecida.

95. Jacob Epstein: *A Noite*
Pedra de Portland, London Transport Executive Building, 1929.
f: Picture Post Library, Londres.

96. *Anunciação*
Fragmento de um afresco, Igreja de Sorpe, Espanha, séc. XII
Museo de Arte de Catalunha, Barcelona. *f*: Museu.

97. *A Virgem Maria*
Pintura, Mestre do Alto Reno, Alemanha, aproximadamente 1400.
Antigamente no Gemäldegalerie, Staatliche Museen, Berlim. *f*: Museu.

98. *A roda da vida*
Pintura, Tibete.
Coleção de Theos Bernard, Nova York: *f*: Fonte desconhecida.

99. *A roda da Mãe Natureza*
Página de um manuscrito francês (detalhes indisponíveis)
Bibliothèque Nationale, Paris. *f*: Fonte desconhecida.

100. *Lâmpada com cabeça de Górgona*
Bronze, Etrusco, Itália, 475-400 a.C.
Museu, Cortona, Itália.

101*a*. *Três deusas*
Impressão a partir de selo cilíndrico serpentino negro, sul da Mesopotâmia, período acadiano
Pierpont Morgan Library, Nova York (Cf. Porada e Buchanan, *Corpus of Ancient Near Eastern Seals*), vol. I, fig. 234e). *f*: Biblioteca.

101*b*. *As Eumênides*
Relevo em calcário retirado do reboco de uma igreja a leste de Argos, Grécia
Argos Museum. *f*: Extraído de *Mitteilungen des kaiserlichen archäologischen lnstituts in Athen*, IV (1879), Ilustr. 9.

A SENHORA DAS PLANTAS

102. *A veneração das três deusas*
Estela em calcário, Egito, XVIII dinastia
Kestner Museum, Hanover. *f*: Atelier Eidebenz, Basileia.

103. *Nut como deusa-árvore, com o disco solar*
Vaso em bronze, Egito, período saíta, 663-525 a.C.

104. Bernardino Luini (aproximadamente 1475-1532): *O Nascimento de Adônis*
Detalhe de um afresco, escola lombarda
Pinacoteca di Brera, Milão. *f*: Alinari.

105. *Enterro primitivo em árvore*
Tribo Wagogo, Tanganica
Desenho (aproximadamente 1880) extraído de Becker, La Vie en Afrique, vol. I, de frente para p. 156.

106. "A origem do lingam"
Pedra, sul da Índia, séc. XIII
Musée Guimet, Paris. *f*: Museu.

107. *Lingam revelando a deusa*
Pedra, Cambodja, séc. XIV
Musée Guimet, Paris. *f*: Museu.

108*a*. *Árvore do sol e da lua*
Impressão de selo cilíndrico serpentino negro, Assíria.
Pierpont Morgan Library, Nova York (Cf. Porada e Buchanan, *Corpus of Ancient Near Eastern Seals*, vol. I, fig. 640e). *f*: Biblioteca.

108*b*. *Árvore anual com os doze animais do zodíaco*
Teca e porcelana, China
Museum für Völkerkunde, Viena. *f*: Museu.

109. *Árvore dos mortos*
Madeira, China
Antigamente no Museum für Völkerkunde, Berlim (destruído pelo fogo em 1945). *f*: Museu.

110. *Árvore alquímica*
Extraído de MS. L. IV, 1, fol. 263, séc. XVI (talvez de um rascunho de Hieronymus Reusner, Pandora, Basileia, 1582).
Universitätsbibliothek, Basileia. *f:* Biblioteca.

111. *Árvore do vício*
Página de MS. Pal. Lat. 565 (*Peregrinus*, Speculum Virginium seu Dialogus cum Theodora virgine), séc. XIII
Biblioteca do Vaticano. *f:* Fonte desconhecida.

112. *Matrona de pedra*
Relevo em escultura, romano, Catedral de Bonn
Rheinisches Landesmuseum, Bonn. *f:* Museu.

113. *Pia batismal*
Arenito, esculpida por "Majestatis", Gotland, séc. XII
Desenho extraído de Roosval, *Die Steinmeister Gotlands*, Ilustr. 44.

114. *Cristo como cacho de uvas*
Detalhe esculpido em porta de igreja, Castelo de Valére, Sion, Suíça, séc. XIII.
f: Fonte desconhecida

115. *O cálice de Antióquia*
Prata, coberto com folhas de ouro, séc. I-IV
The Cloisters, Metropolitan Museum of Art, Nova York. *f:* Giraudon.

116. Giovanni da Modena (1420-51?): *A Restituição da Maçã Mística à Árvore do Conhecimento*
Afresco, igreja de Santo Petrônio, Bolonha
f: A. Villani, Bolonha.

117*a*. *Cruzes de São Patrício e Santa Colomba*
Pedra, Kells, Condado de Meath, Irlanda, séc. X.

117*b*. *Cruz de Graiguenamanagh*
Pedra, condado de Kilkenny, Irlanda, talvez séc. IX.

118. *Madona como nave*
Miniatura de um livro de salmos, Iugoslávia (detalhes indispensáveis)
Antigamente Biblioteca Nacional, Belgrado. *f:* Fonte desconhecida.

119. *Cristo adormecido em navio*
Miniatura (fol. 22) extraída do Parikopenbuch, um lecionário, Salzburgo, séc. XI Bayerische Staatsbibliothek, Munique. *f: Miniaturen des frühen Mittelalters*, Ilustr. 12, p. 19.

120. *Navio com cruz como mastro*
Página de *Codex Palatinus Latinus* 412, fol. 69^{r} (Wymandus de Stega, Adamas colluctancium aquilarum), séc. XV
Biblioteca do Vaticano. *f:* Fonte desconhecida.

121. *Libação ao vaso com galhos e deusa sentada*
Relevo em pedra, Lagash, Suméria, aproximadamente 3000 a.C.
Louvre. *f*: Coppola.

A SENHORA DOS ANIMAIS SELVAGENS

122. *Deusa com o Filho*
Terracota, Beócia, período arcaico
Louvre. *f*: Fonte desconhecida.

123. *Deusa da fertilidade*
Fragmento de uma tampa de caixa em marfim, micênico, Ras Shamra, Síria, séc. XIII a.C.
Louvre. *f*: Archives photographiques.

124. *Símbolo da Grande Mãe com animais*
a. Relevo em tigela de pedra. *b*. Fragmento restaurado de relevo numa gamela votiva para alimentos, em pedra. Suméria, aproximadamente 3000 a.C.
British Museum. *f*: Museu.

125. *Ártemis*
Pedra, Cápua, Itália, aproximadamente 500 a.C.
British Museum. *f*: Museu.

126. *Lilith, a deusa da morte*
Relevo em terracota, Suméria, dinastia Larsa, aproximadamente 2000 a.C.
Coleção do Coronel Norman Colville. *f*: Fonte desconhecida.

127. *Deusa com aves da alma, de pé sobre leão*
Espelho de mão em bronze, Hermione, Grécia, aproximadamente 550 a.C.
Museum Antiker Kleinkunst, Munique. *f*: Museu.

128*a*. *Cibele numa carruagem de procissão tirada por leões*
Bronze, Roma, séc. II d.C.
Metropolitan Museum of Art, Nova York. *f*: Museu.

128*b*. *Ísis ou Deméter numa carruagem de procissão de rodas em forma de rosas*
Bronze, etrusco, Itália
British Museum. *f*: Museu.

129. *Fortuna*
Codex Palatinus Latinus 1066, fol. 236
Biblioteca do Vaticano. *f*: Fonte desconhecida.

130. *Deusa sobre leão cósmico*
Miniatura extraída de um manuscrito em folha única, Délhi, Índia, séc. XVII-XVIII
Pierpont Morgan Library, Nova York. *f*: Cortesia da biblioteca.

131*a*. *Madona sobre trono em forma de leão*
Adorno de parede, 1300-1350
Historisches Museum, Berna. *f*: Polygraphisches Institut A.-G. Zurique.

131*b*. *Adoração da deusa do escudo*
Tabuleta pintada em calcário, encontrada em domicílio particular em Micenas, início do período micênico
Museu Nacional de Atenas. *f*: *Mitteilungen des kaiserlichen deutschen archäologischen Instituts*, Athenische Abteilung, XXXVII (1912), Ilustr. 8.

132*a*. *Senhora dos Animais Selvagens*
Detalhe de uma pintura em vaso de terracota, o "François-vase", assinado por Kleitias, Chiuso (Toscana), séc. VI a.C.
Museo Archeologico, Florença. *f*: Furtwängler and Reichhold, *Grieschishe Vasenmalerei*, Pr. 1, Pls. 1 e 2.

132*b*. *Senhora dos Animais Selvagens*
Parte interior de um prato, Rhodes
British Museum. *f*: Museu.

133. *O caldeirão de Gundestrup*
Prata, com placas douradas em relevo, Jutlândia, séc. III-II a.C.
a: Placa interna: deusa com animais. *b: Placa externa:* deusa. *c: Placa inferior:* caçada dos auroques.
Nationalmuseet, Copenhague. *f*: Museu.

134. *A senhora dos animais selvagens*
Detalhe de pintura em ânfora de terracota, Beócia, séc. VII a.C.
Museu Nacional de Atenas. *f*: Alison Frantz, American School for Classical Studies, Atenas.

135. *A senhora dos animais selvagens*
Vaso de bronze para água, grego ou pré-romano, 600 a.C.; encontrado em Grächwil, Suíça
Historisches Museum, Berna. *f*: Museu.

136. *A senhora dos animais selvagens*
Figura em terracota com pernas móveis, Beócia, período arcaico
Louvre. *f*: Extraído de *Encyclopedie photographique*, nº 16 (Paris, 1937), fig. C., p. 165.

137. *Afrodite sobre o ganso*
Terracota, Beócia, período clássico
Louvre. *f*: Extraído de Encyclopedie photographique, nº 16 (Paris, 1937), p. 171.

A TRANSFORMAÇÃO ESPIRITUAL

138. *Hércules na viagem marítima noturna, no vaso dourado de Hélios*
Pintura na base de vaso em terracota, Attica, aproximadamente 480 a.C.
Museo Gregoriano Etrusco, Vaticano. *f*: Alinari.

139. *Revivificação do carneiro sacrificado*
a. Detalhe de pintura em ânfora com figuras em preto, Attica, séc. VI a.C.
British Museum
b. Detalhe de uma pintura em vaso com figuras em vermelho, Attica, Vulci, séc. V a.C.
Museum Antiker Kleinkunst, Munique
Ambos os desenhos extraídos de Gerhard, *Auserlesene griechische Vasenbilder*, vol. III, ilust. 157.

140. *O caldeirão de Gundestrup*
Prata, com placas douradas em relevo, Jutlândia, séc. III-II a.C.
Nationalmuseet, Copenhague. *f*: Museu.

141. *Juramento à deusa lua da Tessália*
Detalhe de uma pintura em vaso de terracota, grego
British Museum. *f*: Museu.

142. *Deusa nua reclinada*
Pedra, Megara (?), séc. VI a.C.
Antiquities collection, Staatliche Museen, Berlim. *f*: Fonte desconhecida.

143. *Grupo de dança*
Argila, México, cultura tarascana, pré-colombiano
Museo Nacional de Mexico, Cidade do México. *f*: Soichi Sunami, para o Museum of Modern Art, Nova York.

144. *Deusa em forma de sino*
Terracota, Tanagra, Beócia, período arcaico
Louvre. *f*: Braun and Cie, Nova York e Paris.

145. *Deusa*
Calcário, Chipre, final do séc. VI a.C.
Worcester Art Museum, Worcester, Massachusetts. *f*: Museu.

146. *A Grande Mãe*
Impressões de anéis em sinete, aproximadamente 1500 a.C.
a. De um sítio em Micenas, o Tesouro da Acrópole. *b.* De Thisbe, na Beócia.
c. De um túmulo da Cidade Baixa de Micenas.
Museu nacional de Atenas, Desenhos extraídos do *Journal of Hellenic Studies* (Londres); *a,c:* XXI (1901), figs. 4, 5.; *b:* XLV (1925), fig. 11.

147. *Deméter e Core*
Tebas, Beócia
Louvre. *f*: Fonte desconhecida.

148. *Deméter e Core*
Relevo votivo em pedra, Elêusis, séc. V a.C.
Museu, Elêusis
f: Alinari.

149. *Deméter e Core* (?)
Estela tumular em mármore (denominada "Elevação da Flor"), Farsalus, Grécia, início do séc. V a.C.
Louvre. *f*: Alinari.

150*a*. *Túmulo harpia*
Relevo em mármore, Xanthos, Lícia, aproximadamente 500 a.C.
British Museum. *f*: Museu.

150*b*. *Deusa com flor*
Calcário, Chipre, séc. V a.C.
Louvre. *f*: Archives photographiques.

151. *Deusa com romã*
Mármore, provavelmente procedente de Attica, 575-500 a.C.
Antiquities collection, Staatliche Museen, Berlim. *f*: Museu.

152. *Deusa como virgem das flores*
Pedra, Elêusis, período romano
Museu, Elêusis, *f*: Alinari.

153. *Afrodite com Romã*
Terracota, Chipre, séc. VI-V a.C.
British Museum. *f*: Museu.

154. *Ascensão de Core*
Detalhe de um vaso (*lekythos*) com figura em negro, Grécia
Bibliothèque Nationale, Paris. *f*: Bibliothèque.

155. *O nascimento da deusa*
Relevo em mármore (denominado *Ludovisi Throne of Venus*), Roma (estilo grego), 480-450 a.C.
Museo Nazionale delle Terme, Roma. *f*: Alinari.

156. *Deméter, Triptolemus, Core*
Relevo em mármore, Elêusis, aproximadamente 450 a.C.
Museu Nacional de Atenas. *f*: Alison Frantz, American School for Classical Studies, Atenas.

157*a*. *Ídolo*
Argila, Gezer, Canaã, pré-histórico
f: Extraído de Benzinger, Hebräische Archäologie, fig. 414.

157*b*. *Estela votiva*
Relevo em pedra, Templo da deusa Tanith, Cartago
Bibliothèque Nationale, Paris. Desenho extraído de *Gazette archéologique* (Paris), VI (1880), Ilustr. 3.

157*c*. *Deusa mãe com filho*
Impressão de sinete cilíndrico serpentino negro, Mesopotâmia, período Akkad
Pierpont Morgan Library, Nova York. (Cf. Porada e Buchanan, *Corpus of Ancient Near Eastern Seals*, Vol. I, fig. 239*e*.)

158. *Nascimento de Erictônio*
Detalhe de pintura em vaso de terracota, Attica, aproximadamente séc. V a.C.
Museum Antiker Kleinkunst, Munique
Desenho (em negativo) extraído de Furtwängler e Reichhold, *Griechische Vasenmalerei*, Vol. III, Ilustr. 137.

159*a*. *Deusa e libação*
Impressão de um selo em forma de conta de ouro, micênico, extraído de um túmulo em Thisbe, Beócia
f: Extraído de *Journal of Hellenic Studies*, XLV (1925), Ilustr. 2, fig. 2.

159*b*. *Banquete fúnebre*
Relevo votivo (dedicado, em inscrição, por Lysimachides "ao deus" e "à deusa"), Elêusis
Museu Nacional de Atenas. Desenho extraído de *Ephemeris Archaeologikae* (Atenas), VI (1886), Ilustr. 3, fig. 1.

159*c*. *Grupo cabírio*
Fragmento de um vaso grego pintado do santuário cabírio, Tebas, Grécia, séc. IV a.C.
f: Extraído de *Mitteilungen des kaiserlichen deutschen archäologischen Instituts in Athen*, XIII (1888), Ilustr. 9.

160. *Teseu, Atenas, Anfitrite*
Detalhe de uma tigela em terracota assinada por Eufrônio, Attica, Cerveteri, séc. V a.C.
Louvre. *f*: Extraído de *Encyclopédie photographique* nº 16 (Paris, 1937), p. 9.

161. *Diana Lucífera*
Pedra, Roma, Itália
Farnese Collection, Museo Nazionale, Nápoles. *f*: Anderson.

162. *Ceres*
Afresco, Pompeia, Itália
Museo Nazionale, Nápoles, *f*: Alinari.

163. *A rosa branca de Dante*
Miniatura de um manuscrito da *Divina Comédia* (*Codex Urbanus Latinus* 365), Itália, séc. XV. Biblioteca do Vaticano. *f*: Fonte desconhecida.

164. Theodorus Poulakis, de Creta: *Madona*
Detalhe de pintura, segunda metade do séc. XVII
f: Em. Serraf, Atenas.

165. *Filosofia-Sofia*
Extraído de um manuscrito de Herrad de Landsberg, *Hortus deliciarum*, séc. XII Antigamente na Bibliothèque Nationale, Estrasburgo (destruída em 1870)
Desenho reconstruído a partir de Keller e Straub (orgs.) *Hortus deliciarum*.

166. *Filosofia com o disco mundial*
Miniatura de um manuscrito do texto de Santo Agostinho, *De civitate Dei* (MS 9005/06). Flandres, aproximadamente 1420.
Bibliothèque Royale, Bruxelas. *f*: Staatliche Bildstelle, Berlim.

167. *Madona como Paraíso*
De MS 665, fol. 191, séc. XIV
Universitätsbibliothek, Leipzig. *f*: Biblioteca.

168. *Batismo*
Miniatura extraída de *Les Grandes heures du duc de Berry* (MS Lat. 919), França, 1413 ou antes
Bibliothèque Nationale, Paris. *f*: Biblioteca.

169. *Paraíso como vaso*
Página de *Wymandus de Stega, Adamas colluctancium aquilarum* (*Codex Palatinus Latinus* 412), séc. XV
Biblioteca do Vaticano. *f*: Biblioteca.

170. *Vaso ovo alquímico*
Página de *De lapide Philosophorum* (MS. Sloane 1171), séc. XVI
British Museum. *f*: Museu.

171. *Vaso alquímico com árvore*
Extraído de Abraão o Judeu, *Livre des figures hiéroglyphiques* (MS. Français 14765, fol. 317), séc. XVI
Bibliothèque Nationale. *f*: Biblioteca.

172. Bertel Bruyn (c. 1493-1555): *A Anunciação*
Pintura, Colônia
Rheinisches Landesmuseum, Bonn. *f*: Museu.

173. *A efusão do Espírito Santo*
Miniatura do Comentário do Beato sobre o Apocalipse (MS. Lat. now. acq. 1366, fol. 120), séc. XII
Bibliothèque Nationale, Paris. *f*: Biblioteca.

174. *Sofia-Sapientia*
Detalhe de MS. Pal. Lat. 1066.
Biblioteca do Vaticano. *f*: Biblioteca.

175. *Ecclesia*
Desenho em folha única extraído de um manuscrito alemão do séc. XII
Coleção Forrer, Estrasburgo. *f*: Fonte desconhecida.

176-77. *"Vierge Ouvrante" fechada e aberta*
Madeira pintada, França, séc. XV
Musée de Cluny, Paris. *f*: 176, fonte desconhecida; 177 – Giraudon.

178. Giovanni di Paolo (aproximadamente 1403-1482): *A Madona da Misericórdia*
Pintura, Siena, Itália, 1437
Igreja dos Servos, Siena, *f*: Alinari.

179. *A fonte da vida*
Relevo em pedra, Alemanha, séc. IX-X
Staatliche Museen, Berlim. *f*: Dr. F. Stoedtner, Berlim.

180. Masaccio (1401-1428): *Santa Ana, a Virgem e a Criança*
Pintura, escola florentina
Galeria Uffizi, Florença. *f*: Alinari.

181. *Santa Ana, a Virgem e a Criança*
Nogueira pintada e dourada, Espanha, aproximadamente séc. XIV
Victoria and Albert Museum, Londres. *f*: Museu.

182. *Kali*
Bronze, sul da Índia, séc. XII-XV
Coleção Von der Heydt, Reitberg Museum,
Zurique. *f*: Museu, (C) Hans Finsler, Zurique

183. *Tara Branca*
Pedra, Singasari, Java Oriental, séc. XIII
Rijkmuseum voor Volkenkunde, Leiden. *f*: Fonte desconhecida.

184. *Tara*
Bronze, Tibete
Antigamente na Coleção da srta. Alice Getty, Paris. *f*: Fonte desconhecida.

185. *Tara Verde*
Bronze, Tibete
Antigamente na Coleção da srta. Alice Getty. f: Fonte desconhecida.

BIBLIOGRAFIA

ALBRIGHT, WILLIAM FOXWELL. *From the Stone Age to Christianity*. Baltimore e Londres, 1940.

ALLEN, JOHN R. *The Early Christian Monuments of Scotland*. (Rhind-Vorträge für 1892) Edimburgo, 1903.

ALTES TESTAMENT.

ALTHEIM, FRANZ. *Die Soldatenkaiser*. Frankfurt am Main, 1939.

APULEIUS. *Der Goldene Esel*. Trad. por Albrecht Schaeffer. Leipzig, 1926.

ARISTÓTELES, *De animalibus historia*. Organizado por L. Dittmeyer. Leipzig, 1907.

BACHOFEN, JOHANN JAKOB. *Das Mutterrecht*. (Obras completas, Vols. II e III.) Basileia, 1948.
– *Versuch über die Gräbersymbolik der Alten*. (Obras completas, Vol. IV.) Basileia, 1954.

BECKER, JEROME. *La Vie en Afrique*. Paris e Bruxelas, 1887. 2 Volumes.

BENZIGER, IMMANUEL. Hebräische Archäologie. (Angelos-Lehrbücher, Vol. I.) 3ª edição revista. Leipzig, 1927.

BERNOULLI, RUDOLF. "Die Zahlensymbolik des Tarotsystems." *Eranos Jahrbuch 1934*. Zurique, 1935.

BLEICHSTEINER, ROBERT. *Die gelbe Kirche*. Viena, 1937.

BLOCH, IWAN. *Die Prostitution*. Berlim, 1912.

BOECKH, AUGUST. *Urkunden über das Seewesen des attischen Staates, hergestellt und erläutert*. Berlim, 1840.

BOHMERS, A. *Die Aurignac-Gruppe*. Berlim, 1942.

BOLTE, JOHANNES, e POLIVKA, GEORG. *Anmerkungen zu den Kinder- und Hausmärchen der Brüder Grimm*. Leipzig, 1912-1932. 5 Volumes.

BREASTED, JAMES HENRY, JR. *Egyptian Servant Statues*. (Bollingen Series XIII.) Nova York, 1948.

BREDON, JULIET, e MITROPHANOW, IGOR. *Das Mondjahr; chinesische Sitten, Bräuche und Feste*. Traduzido do inglês por Richard Hoffman. Viena, 1937.

BRELICH, ANGELO. *Die geheime Schutzgottheit von Rom.* (Albae Vigiliae, série nova, nº 6.) Zurique, 1949.

______. *Vesta* (Albae Vigiliae, série nova, nº 7.) Zurique, 1949.

BRIFFAULT, ROBERT. *The Mothers.* Londres e Nova York, 1927. 3 Volumes.

BRODEUR, ARTHUR GILCHRIST (trad.) *The Prose Edda by Snorri Sturluson.* (Scandinavian Classics, Vol. V.) Nova York, 1916.

BUDGE, SIR E. A. WALLIS. *A General Introductory Guide to the Egyptian Collection in the British Museum.* Londres, 1904.

______. *The Gods of the Egyptian.* Londres, 1904. 2 Volumes.

______. e SMITH, SIDNEY. *The Babylon Legends of the Creation.* Londres, 1931.

______. (Tradutor e Organizador.) *The Book of the Dead; An English Translation of... the Theban Recension.* Segunda edição, revista e ampliada. Londres, 1949.

BUONAIUTI, ERNESTO. "Maria und die jungfräuliche Geburt Jesu." *Eranos Jahrbuch 1938.* Zurique, 1939.

BURLAND, C. A. *Art and Life in Ancient Mexico.* Oxford, 1948.

BUSCHAN, GEORG. Die Sitten der Völker, Vol. I. Stuttgart, Berlim, Leipzig, 1914-1922. 4 Volumes.

CAIRNS, HUNTINGTON (organ.). *The Limits of Art; Poetry and Prose Chosen by Ancient and Modern Critics.* (Bollingen Series XII.) Nova York, 1948.

Cambridge Ancient History, The. Cambridge e Nova York, 1923-1939. 12 Volumes e 5 Tomos de pranchas.

CAMPBELL, JOSEPH. *The Hero with a Thousand Faces.* Nova York, 1949; Londres, 1950. [*O Herói de Mil Faces*, Editora Cultrix/Pensamento, São Paulo, 1988.]

CAPEK, KAREL. "Die Nadel." In: *Der gestohlene Kaktus.* Leipzig e Viena, 1937.

CASSIRER, ERNST. *Die Philosophie der symbolischen Formen.* Berlim, 1923-1931. 3 Volumes.

CHILDE, V. GORDON. *New Light on the Most Ancient Near East.* Londres, 1934.

CUSHING, F. H. *A Study of Pueblo Pottery.* (Boletim trimestral do Setor de Etnologia.) Washington, 1886.

DANZEL, THEODOR-WILHELM. *Mexiko.* (Kulturen der Erde, Vol. XI-XIII.) Hagen e Darmstadt, 1922/23. 3 Volumes (3º Vol. de Ernst Fuhrmann).

______. *Magie und Geheimwissenschaft.* Stuttgart, 1924.

DEUBNER, LUDWIG. *Attische Feste.* Berlim, 1932.

DEUSSEN, PAUL. *Allgemeine Geschichte der Philosophie*, Vol. I, 1-3. Leipzig, 1920.

______. *Sechzig Upanishad's des Veda.* (Traduzido do sânscrito, com introduções e comentários.) Leipzig, 1921.

DREWS, ARTHUR. *Die Marienmythe.* Jena, 1928.

DUNBOYNE, LORD (editor). *The Trial of John George Haigh* (The Acid Bath Murder). (Notable British Trial Series.) Londres, Edimburgo, Glasgow, 1953.

______. *Dyas Chymica Tripartita*, Frankfurt am Main, Luca Jennis 1625.

EBERT, MAX. *Reallexikon der Vorgeschichte*. Berlim, 1924-1932. 15 Volumes.

ERMAN, ADOLF. *Die Religion der Ägypter*. Berlim, 1934.

EVANS, SIR ARTHUR J. "The Palace of Knossos." *Annual of the British School at Athens*, VII (1900/01), 1-120.

______. *The Palace of Minos at Knossos*. Londres, 1921-1936. 4 Volumes.

______. "The Ring of Nestor: A Glimpse into the Roman After-World." *Journal of Hellenic Studies* (Londres), XLV (1925), 1-75.

______. *The Earlier Religions of Greece in the Light of Cretan Discoveries*. (Frazer Lecture, 1931.) Londres, 1931.

FERGUSSON, JAMES. *A History of Indian and Eastern Architecture*. Londres e Nova York, 1899.

FOLKARD, RICHARD, JR. *Plant Lore, Legends, and Lyrics*. Londres, 1884.

FRANKFORT, HENRI. *The Art and Architecture of the Ancient Orient*. (Pelican History of Art, 27.) Harmondsworth, 1954.

______. *Kingship and the Gods*. Chicago, 1948.

______. FRANKFORT, H. A.; WILSON, JOHN A.; JACOBSEN, THORKILD. *Frühlicht des Geistes*. Zurique, 1954.

FRAZER, SIR JAMES GEORGE. *Der Goldene Zweig*. Edição resumida. Leipzig, 1928.

______. *The Worship of Nature*. (Gifford Lectures, Edinburgh University, 1924/25.) Nova York, 1926.

FROBENIUS, LEO. *Völkerkunde in Charakterbildern*. Hannover, 1902.

______. *Das sterbende Afrika, die Seele eines Erdteils*. (Publicação do Forschungsinstituts für Kulturmorphologie.) Frankfurt am Main, 1928.

______. e OBERMAIER, HUGO. *Hadschra Maktuba; urzeitliche Felsbilder Kleinafrikas*. (Publicação do Forschungsinstituts für Kulturmorphologie.) Munique, 1925. 2 Volumes.

FUCHS, E., e KIND, A. *Die Weiberherrschaft in der Geschichte der Menschheit*. Munique, 1913. 3 Volumes.

FUHRMANN, ERNST. *Reich der Inka*. (Kulturen der Erde, Vol. I.) Hagen e Darmstadt, 1923.

______. *Peru II*. (Kulturen der Erde, Vol. II) Hagen e Darmstadt, 1923.

______. v. acima, DANZEL, *Mexiko*.

FURTWÄNGLER, ADOLF, e REICHHOLD, KARL. *Griechische Vasenmalerei*. Munique, 1904.

"GALAHAD, SIR" (Pseudônimo de Berta Eckstein-Diener). *Mütter und Amazonen*. Munique, 1932.

GELDNER, KARL F. *Vedismus und Brahmanismus*. (Religionsgeschichtliches Lesebuch, organizado por Alfred Bertholet, nº 9.) Tübingen, 1928.

GERHARD, EDUARD. *Auserlesene griechische Vasenbilder hauptsächlich etruskischen Fundorts*. Berlim, 1840-1847. 3 Volumes.

GLASER, CURT. *Gotische Holzschnitte*. Berlim, 1923.

GLOTZ, GUSTAVE. *The Aegean Civilization*. Traduzido por M. R. Dobie e E. M. Riley. Londres e Nova York, 1925.

GOETHE, J. W. *Faust II*. (Werke. Weimar 1887ss., Vol. XV.)

GRAVES, ROBERT. *The White Goddess*. Nova York e Londres, 1948.

GRESSMANN, HUGO. *Altorientalische Texte und Bilder zum Alten Testament*. Tübingen, 1909.

______. "Tod und Auferstehung des Osiris nach Festbräuchen und Umzügen." *Der Alte Orient* (Leipzig), XXIII (1923): 3.

GRIFFITH, FRANCIS L. *A Collection of Hieroglyphs*. (Egypt Exploration Society, Memoir nº 6) Londres, 1898.

GRIMMS *Märchen*. 2 Volumes Manesse-Verlag, Zurique.

HALL, H. R. e WOOLEY, C. L. *Ur Excavations*. Londres, 1927.

HARRIS, FRANK. *Contemporary Portraits* (Erste Serie). Nova York, 1915.

HARRISON, JANE E. *Prolegomena to the Study of Greek Religion*. 3ª edição. Cambridge, 1922.

______. *Themis; A Study of the Social Origins of Greek Religion*. Cambridge, 1912.

HEFEL, A. "Der unterirdische Vielkammerbau in Afrika und im Mittelmeergebiet." *Archiv für Völkerkunde* (Viena), I (1946).

HEIDEL, ALEXANDER. *The Babylonian Genesis*. Edição revista. Chicago, 1951.

HEILER, FRIEDRICH. *Das Gebet*. Munique, 1923.

HENNECKE, EDGAR. *Neutestamentliche Apokryphen*. Tübingen, 1924.

HERODOT. *Neun Bücher der Geschichte*. (In: Klassiker des Altertums. 1ª Série Conrad: III, IV.) Munique, 1911. Berlim.

HOCART, ARTHUR MAURICE. *Kingship*. Londres, 1927.

HOENN, KARL. *Artemis: Gestaltwandel einer Göttin*. Zurique, 1946.

HOERNES-MENGHIN. *Urgeschichte der bildenden Kunst in Europa*. Viena, 1925.

HOLLÄNDER, E. *Äskulap und Venus*. Berlim, 1928.

HOLLIS, SIR CLAUD. *The Nandi: Their Language and Folk-Lore*. Oxford, 1909.

HOMER. *Odyssee*. Traduzido por Rudolf Alexander Schröder, Leipzig, 1918. [*Odisseia*, Editora Cultrix, São Paulo, 1968.]

______. *Ilias*. Para o alemão por Georg Meyer. Berlim, 1921.

______. *Die Homerischen Götterhymnen*. Traduzido por Thassilo von Scheffer. Jena, 1927.

HOVORKA, OSKAR VON, e KRONFELD, ADAM. *Vergleichende Volksmedizin*. Stuttgart, 1908 a 1909. 2 Volumes.

HUIZINGA, JOHAN. *Herbst des Mittelalters*. 5ª ed., Stuttgart, 1939.

JACOB, HEINRICH EDUARD. *Six Thousand Years of Bread*. Traduzido por Richard e Clara Winston. Nova York, 1944.

JACOBI, JOLANDE. "Komplex, Archetyp, Symbol", in: *Festnummer der Schweizerischen Zeitschrift für Psychologie*. Berna, 1945. [*Complexo, Arquétipo, Símbolo*, Editora Cultrix, São Paulo, 2ª ed. 1991.]

JAMES, M. R. (Tradutor). *The Apocryphal New Testament.* Oxford, 1924.

JENSEN, AD. E. e NIGGEMEYER, H. (Organ.). *Hainuwele: Volkserzählungen von der Molukken--Insel Ceram.* Frankfurt am Main, 1939.

JEREMIAS, ALFRED. *Handbuch der altorientalischen Geisteskultur.* Leipzig, 1913.

JUNG, C. G. *Wandlungen und Symbole der Libido.* Leipzig e Viena, 1912.

_______. *Psychologische Typen.* Zurique, 1921.

_______. *Die Beziehungen zwischen dem Ich und dem Unbewussten.* Darmstadt, 1928.

_______. *Seelenprobleme der Gegenwart.* Zurique, 1931.

_______. *Psychologie und Religion.* Zurique, 1942.

_______. *Psychologie und Alchemie.* Zurique, 1944.

_______. *Über psychische Energetik und das Wesen der Träume.* Zurique, 1948.

_______. *Symbole der Wandlung.* Zurique, 1951.

_______. *Symbolik des Geistes.* Zurique, 1953.

_______. *Von den Wurzeln des Bewusstseins.* Zurique, 1954.

_______. "Die Struktur der Seele." In: *Seelenprobleme der Gegenwart*, v. acima.

_______. "Seele und Erde." In: *Seelenprobleme der Gegenwart*, v. acima.

_______. "Über psychische Energie." In: *Über psychische Energetik und das Wesen der Träume*, v. acima.

_______. "Instinkt und Unbewusstes." In: *Über psychische Energetik und das Wesen der Träume*, v. acima.

_______. "Der Geist Mercurius." In: *Symbolik des Geistes*, v. acima.

_______. "*Versuch zu einer psychologischen Deutung des Trinitätsdogmas.*" In: *Symbolik des Geistes.*

_______. "Archetypen des kollektiven Unbewussten." In: *Von den Wurzeln des Bewusstseins*, v. acima. – "Theoretische Überlegungen zum Wesen des Psychischen." In: *Von den Wurzeln des Bewusstseins*, v. acima.

_______. e KERÉNYI, K. *Einführung in das Wesen der Mythologie.* Zurique, 1941.

_______. "Die Psychologie des Kind-Archetyps." In: *Einführung in das Wesen der Mythologie*, v. acima. – e WILHELM, RICHARD. *Das Geheimnis der Goldenen Blüte.* Zurique, 1929.

KARSTEN, RAFAEL. *Blood Revenge, War, and Victory Feasts among the Jibaro Indians of Eastern Ecuador.* Washington, 1923.

KEES, HERMANN. *Der Götterglaube im alten Ägypten.* (Mitteilung der Vorderasiatisch--Ägyptischen Gesellschaft, Vol. 45.) Leipzig, 1941.

KELLER, GUSTAVE, e STRAUB, AUGUST (organ.). *Herrad von Landsberg: Hortus deliciarum.* Straßburg, 1879-1899 (1901).

KERÉNYI, K. "Arbor intrat." In: *Niobe.* Zurique, 1949.

_______. "Hermes, der Seelenführer: Das Mythologem vom männlichen Lebensursprung." *Eranos Jahrbuch 1942.* Zurique, 1943.

______. “Mysterien der Kabiren.” In: *Geburt der Helena.* (Albae Vigiliae, Nova Série. Livro 3.) Zurique, 1945.

______. *Töchter der Sonne.* Zurique, 1944.

______. e JUNG, C. G., ver JUNG-KERÉNYI.

KLAGES, LUDWIG. *Der Geist als Widersacher der Seele.* Leipzig, 1929-1932. 3 Volumes.

KLUGE, FRIEDRICH, e GÖTZE, ALFRED. *Etymologisches Wörterbuch der deutschen Sprache.* Berlim, 1948.

KOHLBRUGGE, J. H. F. *Tier- und Menschenantlitz als Abwehrzauber.* Bonn, 1926.

KOPPERS, WILHELM. “Zum Ursprung des Mysterienwesens im Lichte von Völkerkunde und Indologie.” *Eranos Jahrbuch 1944.* Zurique, 1945.

KRAUSE, WOLFGANG. *Die Kelten.* (Antologia histórica da religião, organizado por Alfred Bertholet, nº 13.) Tübingen, 1929.

KRICKEBERG, WALTER. *Märchen der Azteken und Inkaperuaner; Maya und Muisca.* (Märchen der Weltliteratur.) Jena, 1928.

______. “Das mittelamerikanische Ballspiel und seine religiöse Symbolik.” *Paideuma* (Frankfurt am Main), outubro de 1948.

KÜHN, HERBERT. *Die Kunst der Primitiven.* Munique, 1923.

LANGDON, STEPHEN HERBERT. *Tammuz and Ishtar.* Oxford, 1914.

LAYARD, JOHN W. *Stone Men of Malekula: Vao.* Londres, 1942.

______. *The Lady of the Hare.* Londres, 1944.

______. “The Making of Man in Malekula.” *Eranos Jahrbuch* 1948. Zurique, 1949.

LEENHARDT, MAURICE. *Arts of the Oceanic Peoples.* Paris, 1947; Londres, 1950.

LEEUW, GERARDUS VAN DER. *Phänomenologie der Religion.* Tübingen, 1933.

LEHMANN, WALTER. *Mexikanische Kunst.* (Orbis Pictus, Vol. VIII.) Berlim, 1921.

LEICHT, HERMANN. *Indianische Kunst und Kultur.* Zurique, 1944.

LEISEGANG, HANS. “Das Mysterium der Schlange.” *Eranos Jahrbuch* 1939. Zurique, 1940.

LENORMANT, CHARLES, e WITTE, J. J. A. M. *Elite des monuments céramographiques.* Paris, 1844-1861. 4 Volumes de livro-texto, 4 Atlas.

LEVY, G. RACHEL. *The Gate of Horn.* Londres, 1948.

LEWIN, LOUIS. *Phantastica: die betäubenden und erregenden Genussmittel.* Berlim, 1924.

LÖWENFELD, VIKTOR. *The Nature of Creative Activity.* Londres e Nova York, 1939.

LUSCHAN, FELIX VON. *“Entstehung und Herkunft der ionischen Säule.” Der Alte Orient.* (Leipzig), XIII (1912): 4, 1-43.

MAGNUSSON, FINNUR. *Eddalaeren og dens Oprindelse.* Livro III. Copenhague, 1824-1826. 4 Volumes.

MASPERO, GASTON. *The Dawn of Civilization.* Londres, 1922.

MEAD, MARGARET. *Sex and Temperament in Three Primitive Societies.* Nova York, 1935.

MÉNANT, JOACHIM. *Les pierres gravées de Ia Haute-Asie*. Paris, 1883-1886. 2 Volumes.

MENSCHING, GUSTAVE. *Buddhistische Symbolik*. Gotha, 1929.

MEREDITH, GEORGE. *A Reading of Earth*, Londres e Nova York, 1888.

______. *Miniaturen des frühen Mittelalters*. Com um prefácio de Hanns Swarzenski. Berna, 1951.

______. *Missal*, ver O'CONNELL e FINBERG.

MODE, HEINZ. *Indische Frühkulturen und ihre Beziehungen zum Westen*. Basileia, 1944.

______. *Monumenti inediti, publicati dall'Instituto di corrispondenza archeologica* (Roma), XII (1884/85).

MORET, ALEXANDRE. *The Nile and Egyptian Civilization*. Traduzido por M. R. Dobie. Londres, 1927.

MORLEY, SYLVANUS G. *The Ancient Maya*. Palo Alto, Calif., 1946.

MÜLLER, NIKLAS. *Glauben, Wissen und Kunst der alten Hindus*. Mainz, 1822.

NEUMANN, ERICH. *Ursprungsgeschichte des Bewusstseins*. Zurique, 1949. [*História da Origem da Consciência*. Editora Cultrix, São Paulo, 1990.]

______. *Ein Beitrag zur seelischen Entwicklung des Weiblichen. Ein Kommentar zu Apuleius' Amor und Psyche*. Zurique, 1952. [*Amor e Psiquê*, Editora Cultrix, São Paulo, 1990.]

______. *Kulturentwicklung und Religion*. (Umkreisung der Mitte, Vol. I.) Zurique, 1953.

______. *Zur Psychologie des Weiblichen*. (Umkreisung der Mitte, Vol. II.) Zurique, 1953.

______. *Kunst und schöpferisches Unbewusstes*. (Umkreisung der Mitte, Vol. III.) Zurique, 1954.

______. "*Der mytische Mensch*." In: *Kulturentwicklung und Religion*, v. acima.

______. "Zur psychologischen Bedeutung des Ritus." In: *Kulturentwicklung und Religion*, v. acima.

______. "Über den Mond und das matriarchale Bewusstsein." In: *Zur Psychologie des Weiblichen*, v. acima.

______. "Leonardo da Vinci und der Mutterarchetyp." In: *Kunst und schöpferisches Unbewusstes*, v. acima.

______. "Die Urbeziehung zur Mutter." *Der Psychologie* (Berna), III (1951), 7 e 8.

______. "Die Psyche und die Wandlung der Wirklichkeitsebenen." *Eranos Jahrbuch* 1952. Zurique, 1953.

______. "Die Bedeutung des Erdarchetyps für die Neuzeit." *Eranos Jahrbuch* 1954. Zurique, 1955.

NIEDNER, FELIX, ver *Thule*.

NILSSON, MARTIN P. *Geschichte der griechischen Religion*. (Handbuch der Altertumswissenschaft, Vol. I.) Munique, 1941-1950.

______. *Die Religion der Griechen*. (Religionsgeschichtliches Lesebuch, organizado por Alfred Bertholet, nº 4.) Tübingen, 1927.

NINCK, MARTIN. *Wodan und germanischer Schicksalsglaube*. Jena, 1935.

______. *Götter- und Jenseitsglaube der Germanen*. Jena, 1937.

O'CONNEL, J. O., e FINBERG, H. P. R. (Organ.). *The Missal in Latin and English*. Londres, 1949.

OPPENHEIM, MAX, BARON VON. *Der Tell Halaf. Eine neue Kultur im ältesten Mesopotamien.* Leipzig, 1931.

OTTO, RUDOLF. *Das Heilige.* Munique, 1932.

OTTO, WALTER F. *Die Götter Griechenlands.* Frankfurt, 1947.

______. "Der Sinn der Eleusinischen Mysterien." *Eranos Jahrbuch* 1933. Zurique, 1934.

PATAI, RAPHAEL. *Man and Temple.* Londres, 1947.

PERSSON, A. W. *The Religion of Greece in Prehistoric Times.* (Sather Classical Lectures, nº 17.) Berkeley e Los Angeles, 1942.

PETRIE, FLINDERS. *The Making of Egypt.* Londres e Nova York, 1939.

PICARD, CHARLES. "Die Ephesia von Anatolien." *Eranos Jahrbuch* 1938. Zurique, 1939.

______. "Die Grosse Mutter von Kreta bis Eleusis." *Eranos Jahrbuch* 1938. Zurique, 1939.

PIETSCHMANN, RICHARD. *Geschichte der Phönizier.* (Allgemeine Geschichte in Einzeldarstellung, Vol. I, 4, 2ª metade.) Berlim, 1889.

PIGGOTT, STUART. *Prehistoric India.* (Penguin Books.) Harmonsworth, 1950.

PLATÃO. *Sämtliche Werke* em 2 volumes. Traduzido por F. Schleiermacher. Viena, 1925.

PLUTARCO. "De Iside et Osiride." In: *Moralia*, Vol. V. Traduzido por F. C. Babbit. (Loeb Classical Library.) Cambridge, Massachusetts e Londres, 1936.

PORADA, EDITH, e BUCHANAN, BRIGGS (organ.). *Corpus of Ancient Near Eastern Seals in North American Collections*, Vol. I: *The Collection of the Pierpont Morgan Library.* (Bollingen Series XIV.) Nova York, 1948.

PORTMANN, ADOLF. *Biologische Fragmente zu einer Lehre vom Menschen.* Basileia, 1944.

______. "Mythisches in der Naturforschung." *Eranos Jahrbuch* 1949. Zurique, 1950.

PREUSS, KONRAD T. *Die Nayarit-Expedition, Vol. I: Die Religion der Cora-Indianer.* Leipzig, 1912. – "*Die geistige Kultur der Naturvölker.* Leipizig, 1923.

______. "*Die Eingeborenen Amerikas.* (Religionsgeschichtliches Lesebuch, organizado por Alfred Bertholet, nº 2.) Tübingen, 1926.

______. "*Forschungsreise zu den Kagaba-Indianern.* Viena, 1926/27.

PRINZHORN, HANS. *Bildnerei der Geisteskranken.* Berlim, 1922.

PRITCHARD, JAMES B. (organ.). *Ancient Near Eastern Texts relating to the Old Testament.* Traduzido por E. A. Speiser et. al. Princeton, 1950.

RAGLAN, LORD (Fitzroy Richard Somerset, 4th Baron Raglan). *Jocasta's Crime.* (Thinker's Library, 80.) Londres, 1940.

RAHNER, HUGO. "Mysterium lunae." *Zeitschrift für Katholische Theologie* (Innsbruck), LXIV (1940).

______. "Das Schiff aus Holz." *Zeitschrift für Katholische Theologie* (Innsbruck), LXVII (1943).

______. "Das christliche Mysterium von Sonne und Mond." *Eranos Jahrbuch* 1943. Zurique, 1944.

______. (Organ.). Mater Ecclesia: *Lobpreis der Kirche aus dem ersten Jahrtausend christlicher Literatur.* Einsiedeln e Colônia, 1944.

RANK, OTTO. *Der Mythus von der Geburt des Helden*. Schriften zur angewandten Seelenkunde. Organizado pelo Prof. Dr. Sigmund Freud, 5º Caderno, Leipzig e Viena, 1922.

RAPHAEL, MAX. *Prehistoric Pottery and Civilization in Egypt*. Traduzido por Norbert Guterman. (Bollingen Series VII.) Nova York, 1947.

READ, HERBERT. *The Meaning of Art*. (Penguin Books.) Harmondsworth, 1949.

REICHEL, WOLFGANG. *Über vorhellenische Götterkulte*. Viena, 1897.

REITLER, RUDOLPH. "A Theriomorphic Representation of Hecate-Artemis." *American Journal of Archaelogy* (Cambridge, Mass.), LIII (1949): 29-31.

ROEDER, GÜNTHER. *Urkunden zur Religion des Alten Ägypten*. Jena, 1915.

_______. *Die Religion der Babylonier und Assyrer*. Jena, 1915.

ROOSVAL, J. A. H. *Die Steinmeister Gotlands*. (Kungliga vitterhets-historie och antikvites akademia, Monografiserie, II.) Estocolmo, 1918.

ROSCHER, WILHELM HEINRICH (organ.). *Ausführliches Lexikon der griechischen und römischen Mythologie*. Leipzig, 1884-1937. 6 Volumes.

ROSE, HERBERT J. A. *Handbook of Greek Mythology*. Londres, 1950.

ROUSE, W. H. D. (tradução.) *The Story of Achilles: A Translation of Homer's "Iliad" into Plain English*. Londres e Nova York, 1938.

_______. (Tradução.) *The Story of Odysseus*. Nova York e Londres, 1937.

ROUSSELLE, ERWIN. *Lau-Dse, Führung und Kraft aus der Ewigkeit*. Wiesbaden, 1950.

SARZEC, ERNEST DE. *Découvertes en Chaldée*. Organizado por Léon Heuzey. Paris, 1884 a 1912. 2 Volumes.

SCHÄFER, HEINRICH, e ANDRAE, WALTER (organ.). *Die Kunst des alten Orients*. (Propyläen-Kunstgeschichte, II.) Berlim, 1925.

SCHARFF, A. "Ägypten". In: W. OTTO, *Handbuch der Archäologie*, Tomo 6, vol. 1. Munique, 1939.

SCHMIDT, HUBERT (organ.). *Heinrich Schliemanns Sammlung trojanischer Altertümer*. Berlim, 1902.

SCHOLEM, GERSHOM GERHARD. *Das Buch Bahir*. Leipzig, 1923.

_______. *Die Geheimnisse der Schöpfung: Ein Kapitel aus dem Sohar*. Berlim, 1935.

SCHREIBER, THEODOR. *Die Hellenistischen Reliefbilder*. Leipzig, 1890.

SCHUMACHER, GUSTAV. *Tell el-Mutesellim*. Leipzig, 1908-1929. 3 Volumes.

SELER, EDUARD (organ.). *Codex Borgia, eine altmexikanische Bilderschrift*. Berlim, 1904 a 1908. 3 Volumes.

SELIGMANN, SIEGFRIED. *Der böse Blick und Verwandtes*. Berlim, 1910. 2 Volumes.

SETHE, KURT HEINRICH (organ.). *Die alt-ägyptischen Pyramidentexte, nach den Papierabdrücken und Photographien des Berliner Museums*. Leipzig, 1908-1922. 4 Volumes.

SMITH, SIR GRAFTON ELLIOT. *The Evolution of the Dragon*. Manchester, 1919.

SPEISER, E. A., ver PRITCHARD.

SPEISER, FELIX. *Südsee-Urwald Kannibalen*. Leipzig, 1913.

SPEMANN, WILHELM. *Kunstlexikon*. Berlim, 1905.

SPENCE, LEWIS. *The Myths of Mexico and Peru*. Londres, 1927.

______. *The Religion of Ancient Mexico*. (Thinker's Library, 107.) Londres, 1945.

______. *The Outlines of Mythology*. (Thinker's Library, 99.) Londres, 1949.

Standard Dictionary of Folklore, Mythology, and Legend. Organizado por Maria Leach. Nova York, 1949/50. 2 Volumes.

SYDOW, ECKART VON. *Die Kunst der Naturvölker und der Vorzeit*. Oldenburg, 1926.

THOMSON, GEORGE. *The Prehistoric Aegean*. Londres, 1949.

Thule: Altnordische Dichtung und Prosa. Organizado por Felix Niedner. Vols. I, II e III; Jena, 1923.

THURNWALD, RICHARD. "Primitive Initiations – und Wiedergeburtsriten." *Eranos Jahrbuch 1939*. Zurique, 1940.

TOOR, FRANCES. *A Treasury of Mexican Folkways*. Nova York, 1950.

UNGNAD, ARTHUR. *Die Religion der Babylonier und Assyrer*. Jena, 1921.

UNDERWOOD, LEON. *Bronzes of West Africa*. Londres, 1949.

VAILLANT, GEORGE C. *The Aztecs of Mexico*. (Penguin Books.) Harmondsworth, 1950.

VAN DER LEEUW, ver LEEUW.

VIGFUSSON, GUDBRAND, e POWELL, F. YORK (tradut. e organizadores). *Corpus Poeticum Boreale: The Poetry of the Old Northern Tongue*. Oxford, 1883. 2 Volumes.

VIRGIL. *Bucolica, Georgica, Aeneis, illustrata, ornata, et accuratissime impressa*. Londres, 1750. 2 Volumes.

WHITEHEAD, H. *The Village Gods of South India*. Calcutá, 1916.

Wiener Vorlegeblätter für archäologische Übungen, 4ª Série (1872).

WILHELM II. *Studien zur Gorgo*. Berlim, 1936.

WILSON, JOHN A. *Ägypten*. In: Frankfort, Henri e H. A.; Wilson, John A.; Jacobsen, Thorkild. *Frühlicht des Geistes*. Zurique, 1954.

ZERVOS, CHRISTIAN. *L'Art en Grèce*. (Editora "Cahiers d'Art".) Paris, 1946.

______. *La Civilisation de la Sardaigne*. (Editora "Cahiers d'Art".) Paris, 1954.

ZIMMER, HEINRICH. "Die indische Weltmutter." *Eranos Jahrbuch* 1938. Zurique, 1939.

______. *Maya, der Indische Mythos*. Stuttgart e Berlim, 1936.

______. *Myths and Symbols in Indian Art and Civilization*. Organizado por Joseph Campbell. Nova York e Londres, 1946.

______. *The King and the Corpse*. Organizado por Joseph Campbell. Nova York e Londres, 1948.

______. *Philosophies of India*. Organizado por Joseph Campbell. Nova York e Londres, 1951.

______. *The Art of Indian Asia: Its Mythology and Transformations*. Complementada e organizada por Joseph Campbell. (Bollingen Series XXXIX.) Nova York, 1955. 2 Volumes.

Ilustrações

IMAGENS DA DEUSA DA ERA PALEOLÍTICA

1b. VÊNUS DE MENTON
Pedra-sabão, Áustria

1a. VÊNUS DE WILLENDORF
Calcário, Áustria

1c. VÊNUS DE LESPUGNE
Marfim, França

2. VÊNUS DE LAUSSEL
Relevo em Pedra, França, Paleolítico

3. MULHER ADORMECIDA
Argila, Malta, Neolítico

4. ÍSIS COM O REI
Templo de Seti I, Abydos, XIX dinastia

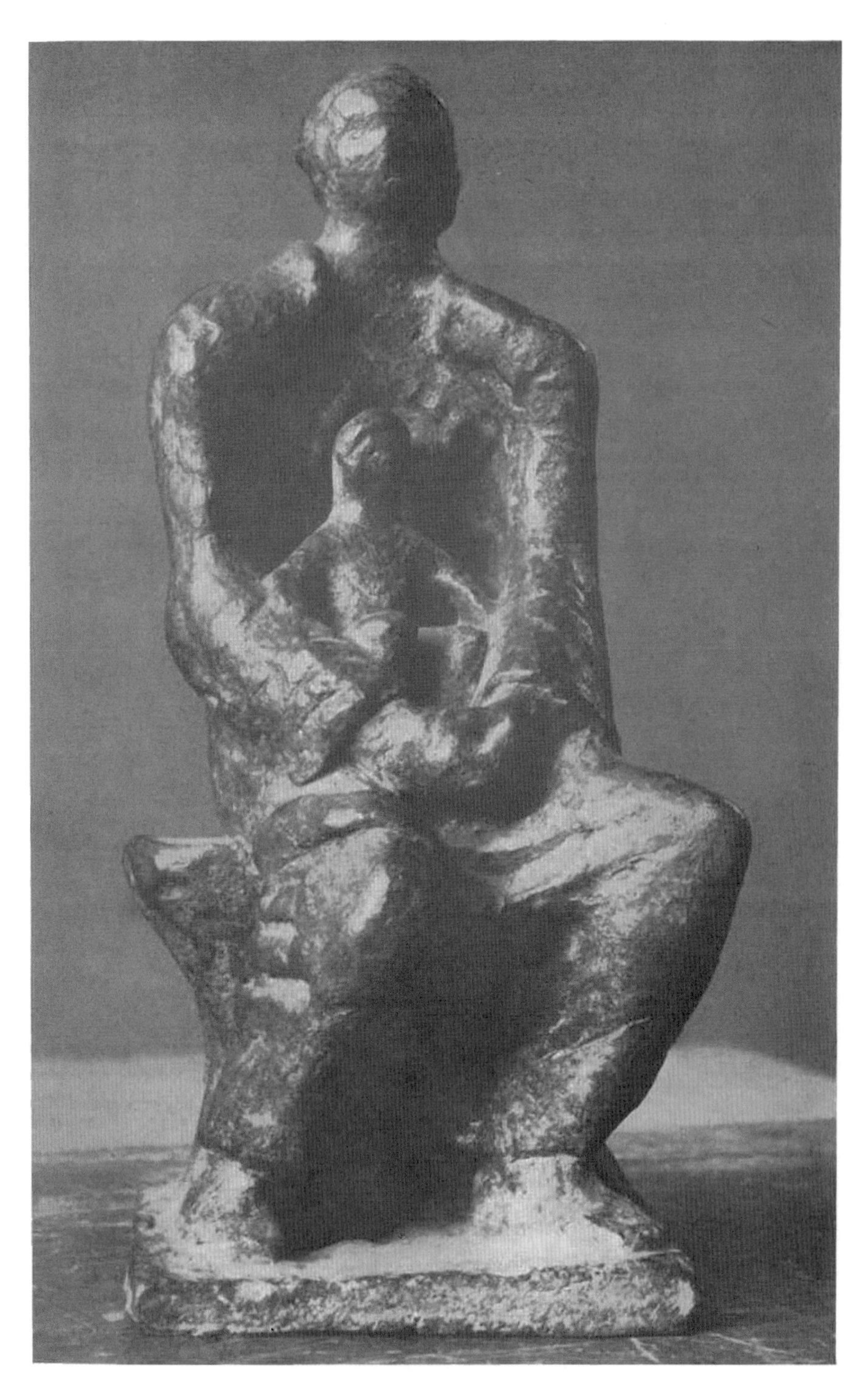

5. MADONA E FILHO
Escultura de Henry Moore, Bronze, 1943

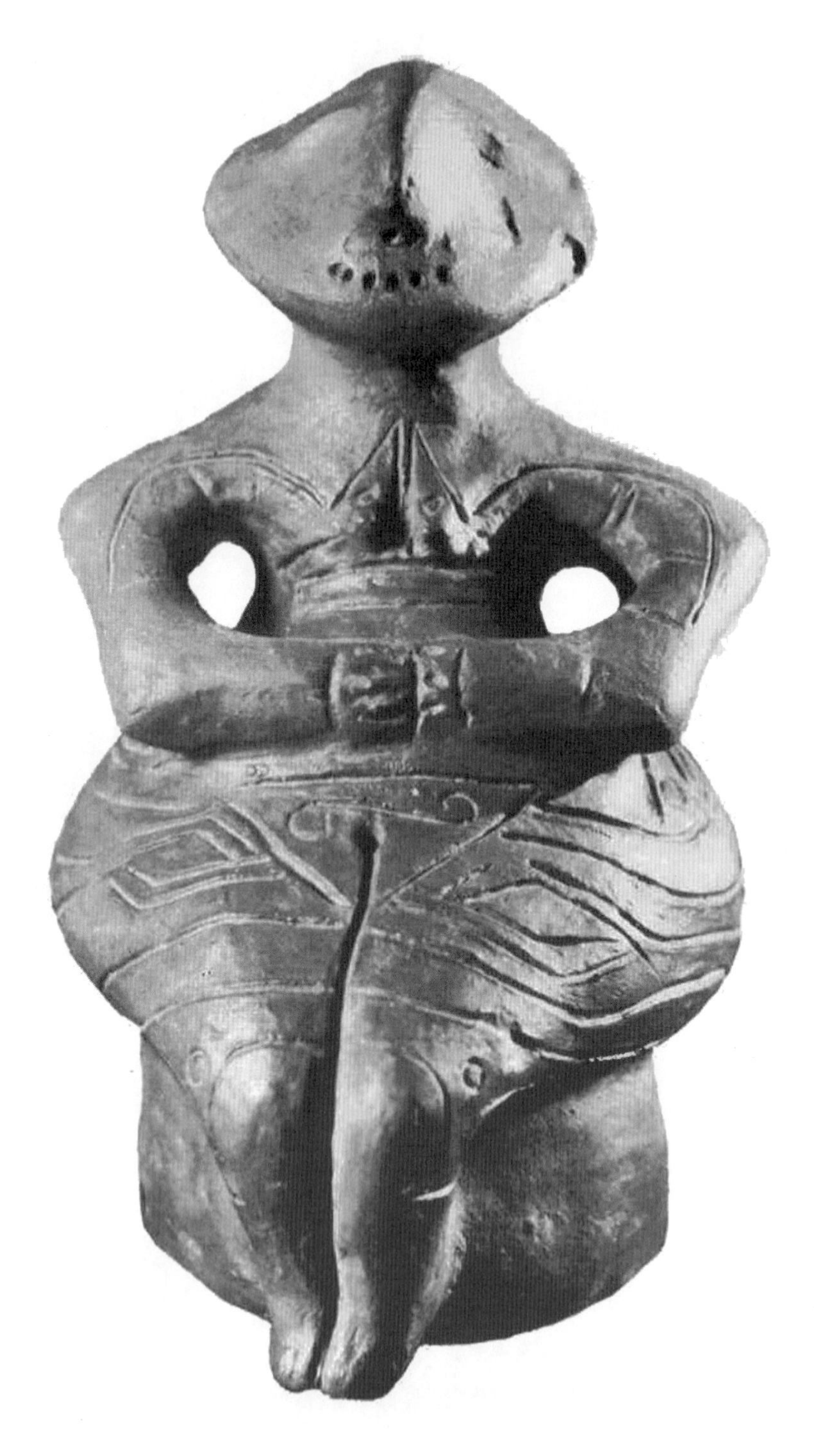

6. DEUSA
Argila, Trácia, Neolítico

7a. ESTATUETA FEMININA
Terracota, Peru, Pré-colombiano

7b. DESENHO FEITO POR UM PSICÓTICO
Alemanha, séc. XX

8. DEUSAS
Argila, Chipre, aproximadamente 2500 a.C.

9. FRAGMENTOS DE FIGURAS DA DEUSA BELTIS
Pedra, Susa, Irã, séc. VII a.C.

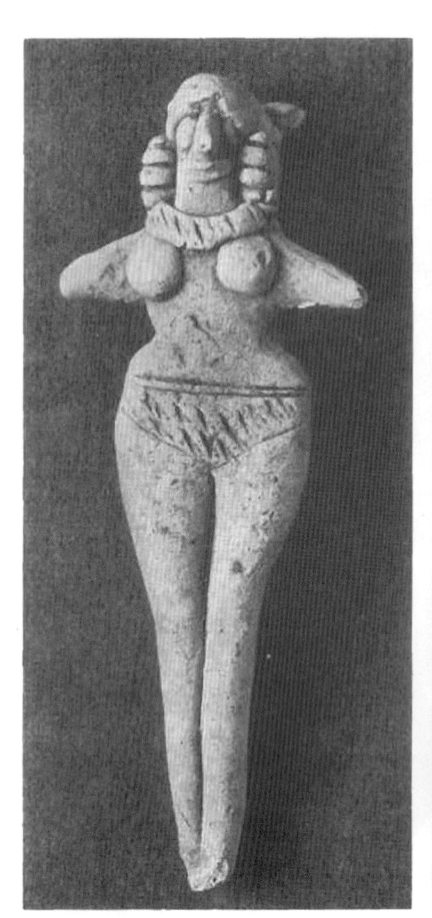

10. DEUSAS

Terracota, Mesopotâmia, aproximadamente 2400 a.C.

11. DEUSAS
Terracota, Mesopotâmia, aproximadamente 2400 a.C.

12a. DEUSA
*Troia, III Estrato,
provavelmente
importada da Mesopotâmia*

12b. ASTARTE
*Placa de Ouro, Síria,
Aproximadamente 1300a.C.*

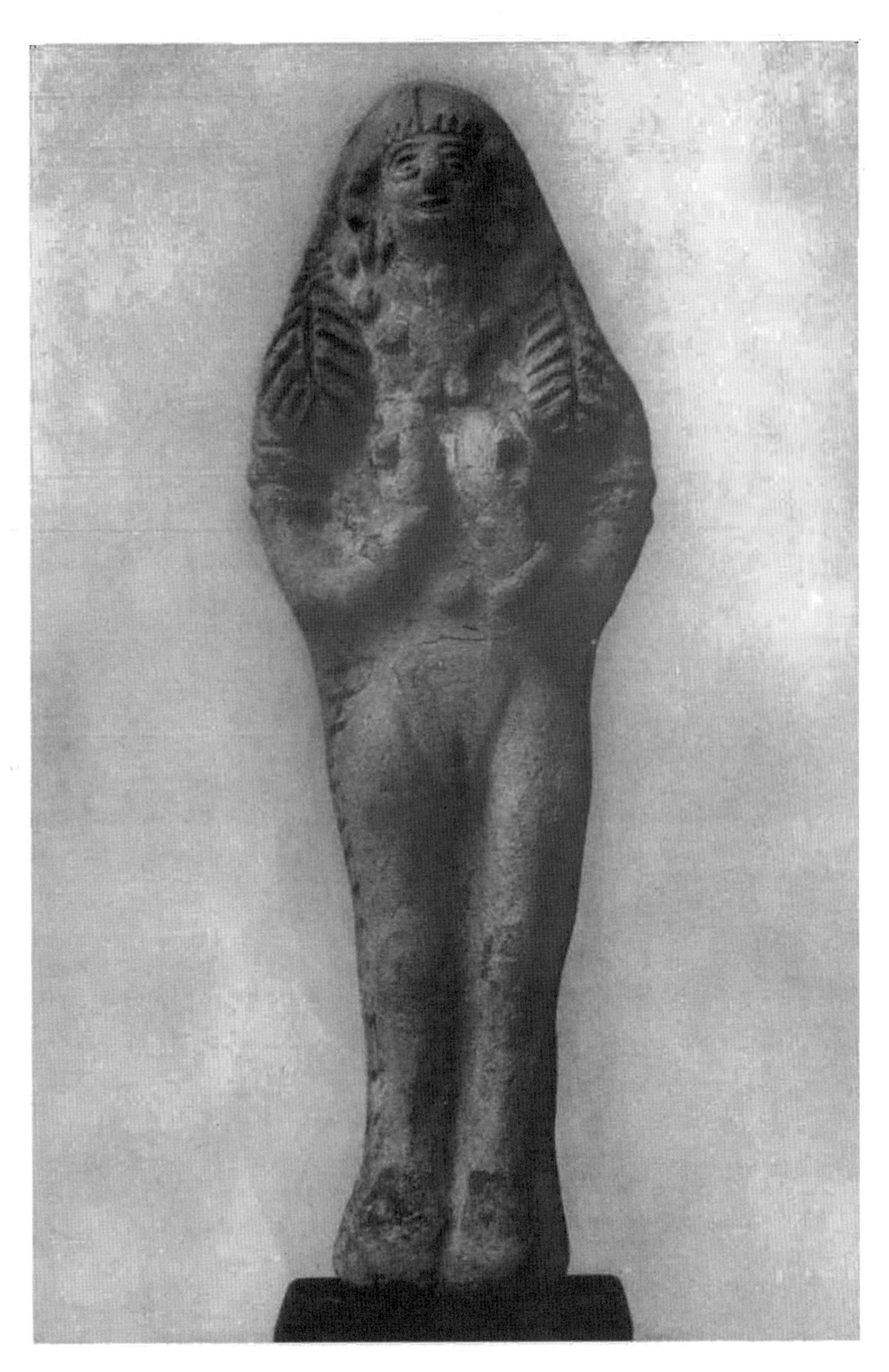

13. DEUSA
Terracota, Creta

14. DEUSA
Terracota, Fenícia, aproximadamente 2500 a.C.

15. DEUSAS MÃES
Argila, Índia, 1000-300 a.C.

16. ESTATUETAS FEMININAS
Terracota, Ur, aproximadamente 3000 a.C.

17. ESTATUETA FEMININA
Terracota, talvez Egito, aproximadamente 2000 a.C.

18. CABEÇA
Bronze, Benin, Nigéria

19. CABEÇA
Bronze, Benin, Nigéria

20. DEUSA
Argila, Iugoslávia, Idade do Bronze

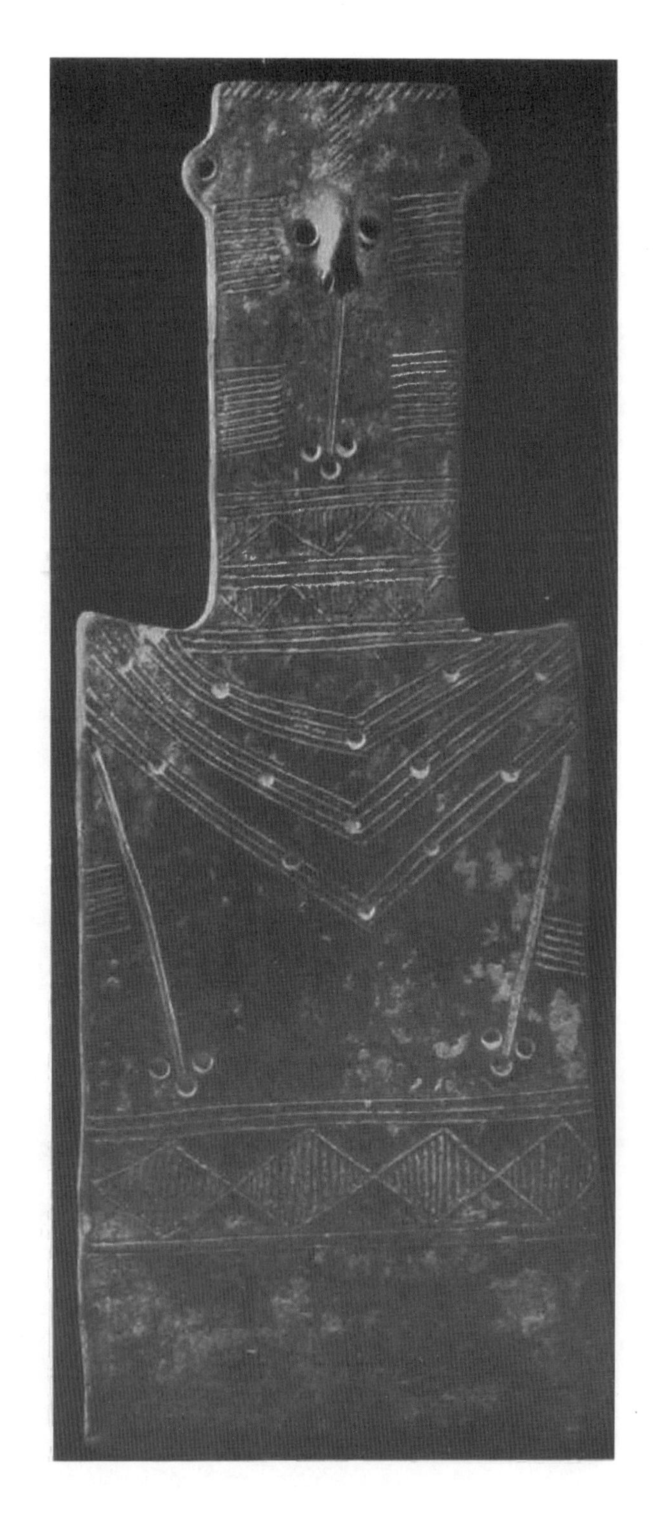

21. DEUSA
Argila, Chipre, aproximadamente 2500-2000 a.C.

22. FIGURA FEMININA
Pedra, Sul da França, talvez final do Neolítico

23. ESTATUETAS FEMININAS
Pedra, Ilhas do Egeu, aproximadamente 2500 a.C.

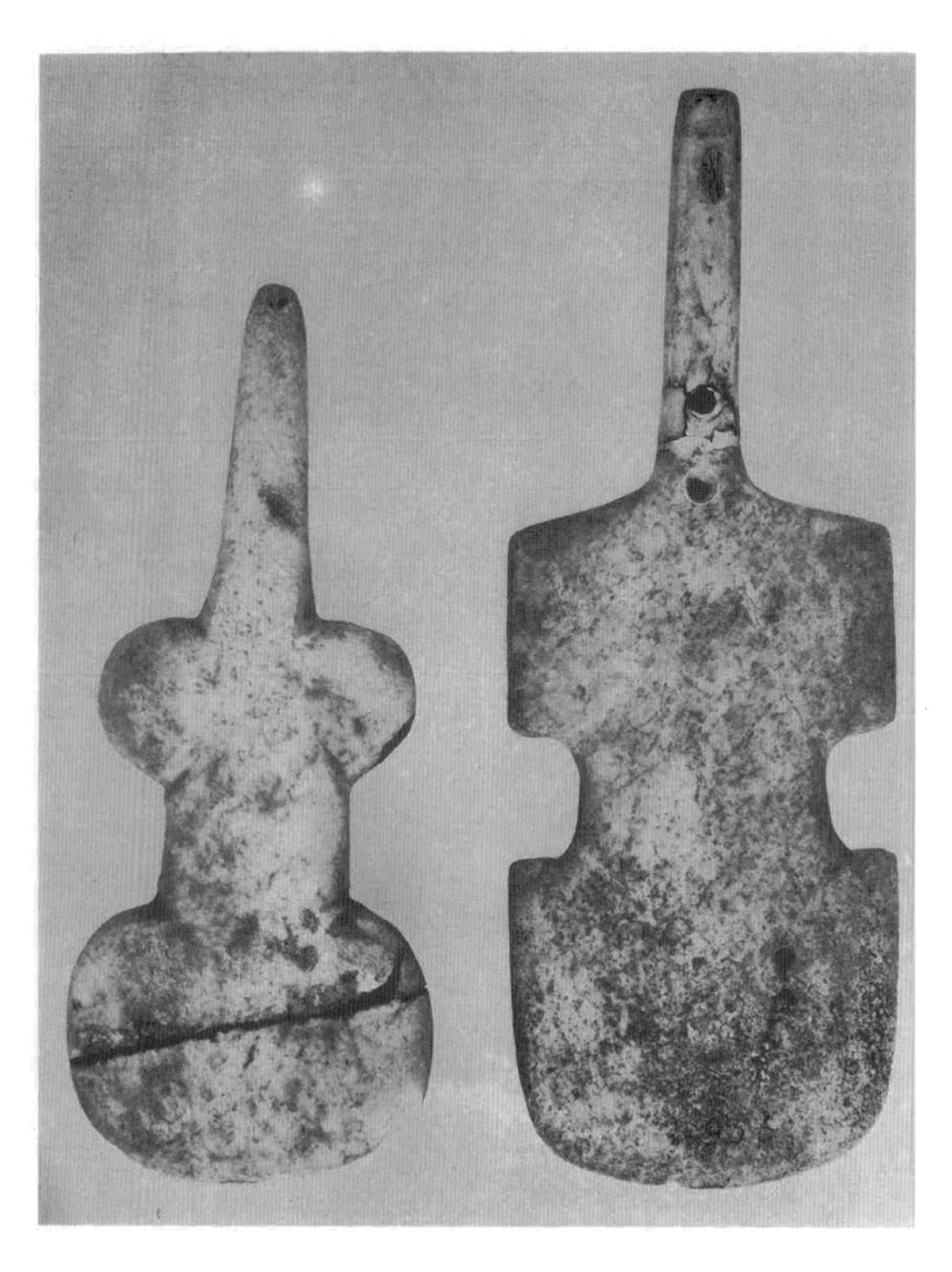

24. ESTATUETAS FEMININAS
Mármore, Ilhas Cíclades, aproximadamente 2500 a.C.

25. FIGURA FEMININA
Argila, Egito, Pré-dinástico

26. ESTATUETAS FEMININAS COM BRAÇOS LEVANTADOS
Terracota, Egito, Pré-dinástico

27a. VASO COM EFÍGIE
Terracota, Troia, IV estrato

27b. DEUSAS MÃES
Argila, Creta, Período Minoico

28a. DEUSA DENTRO DE URNA
Terracota, Creta

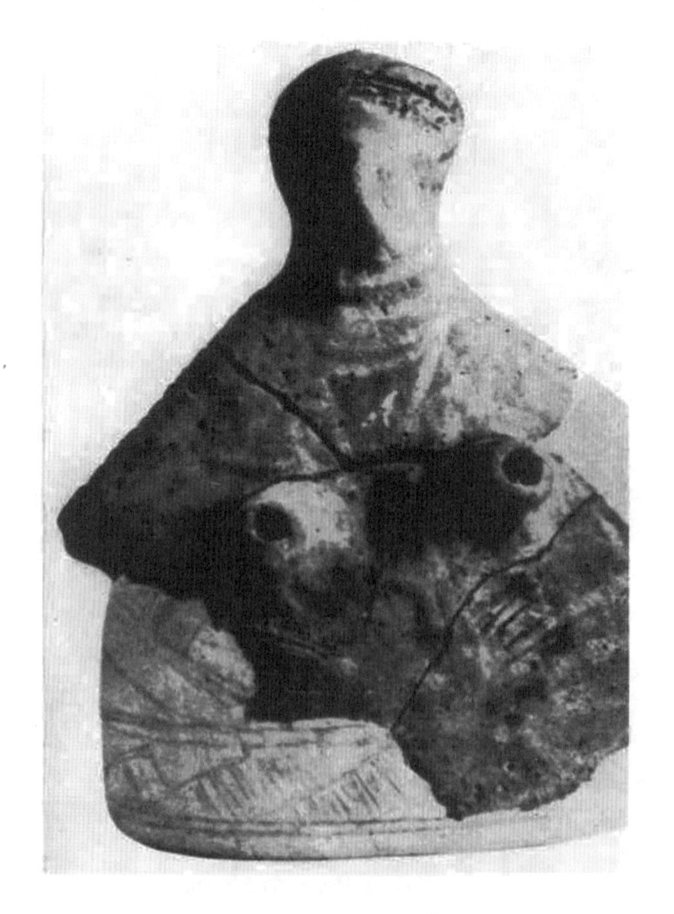

28b. VASO COM EFÍGIE
Terracota, Creta, início do III período Minoico

29. TERRA
Detalhe de um manuscrito, iluminura da Abadia de Monte Cassino, séc. II

30a. PINTURA DE UM PSICÓTICO
Alemanha, séc. XX

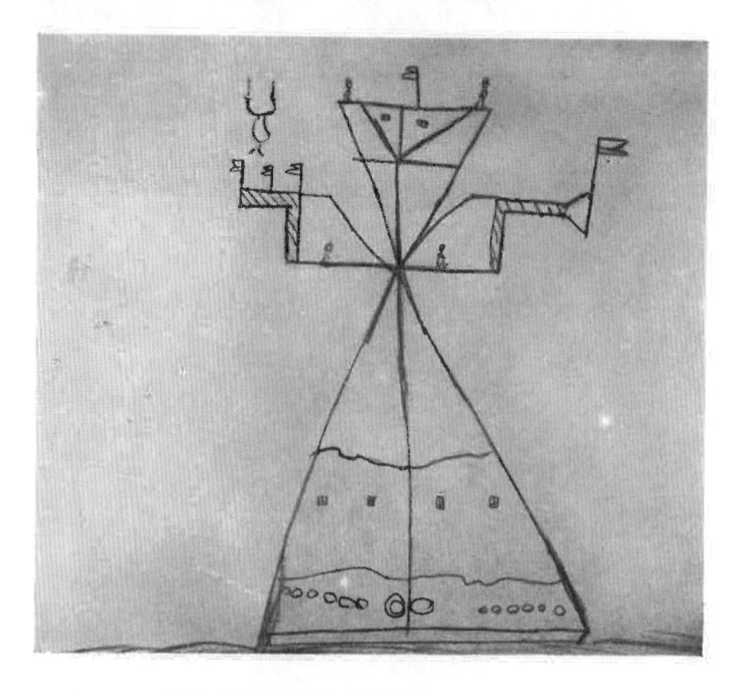

30b. DESENHO DE UMA CRIANÇA
Israel, séc. XX

31a. FIGURA FEMININA CÚLTICA
Argila, Prússia, séc. IX-VII a.C.

32b. VASO COM EFÍGIE
Argila, Polônia, séc. VIII-IV a.C.

32. MÃE E FILHO
Terracota, Chipre, séc. XX-XVIII a.C.

33a. VASOS EM EFÍGIE
Terracota, Chipre, séc. XII-VI a.C.

33b. DEUSA DA CHUVA, COM DEUS DO CLIMA NA CARRUAGEM
Selo Cilíndrico, Mesopotâmia, Período Acadiano

34. VASO COM QUATRO SEIOS
Terracota, Peru, Pré-colombiano

35. DIANA DE ÉFESO
Alabastro e bronze, Nápoles, séc. II d.C.

36. A DEUSA NUT

Relevo Pintado em Teto, Templo de Hathor, Dendera, Egito, Período Romano

37. DEUSA SEGURANDO CRIANÇA, SOBRE LEÃO
Bronze, Hitita, aproximadamente 1500 a.C.

38. ÍSIS COM HÓRUS

Cobre, Egito, aproximadamente 2040-1700 a.C.

39. MÃE E FILHO
Madeira, Congo Belga

40. MÃE E FILHO
Vaso em Efígie, Peru, Pré-colombiano

41. MÃE E FILHO
Vaso em Efígie, Peru, Pré-colombiano

42. MÃE E FILHO
Madeira, Iorubá, Nigéria

43. MÃE E FILHO
Madeira, Iorubá, Nigéria

44. ÍSIS-HATHOR, AMAMENTANDO HÓRUS
Bronze, Egito, séc. VIII-VI a.C.

45. DEUSA MÃE CELTA
Pedra, séc. II d.C.

46. DEUSA COM JOVEM DEUS
Bronze, Sardenha, Pré-histórico

47. DEUSA COM JOVEM DEUS MORTO
Bronze, Sardenha, Pré-histórico

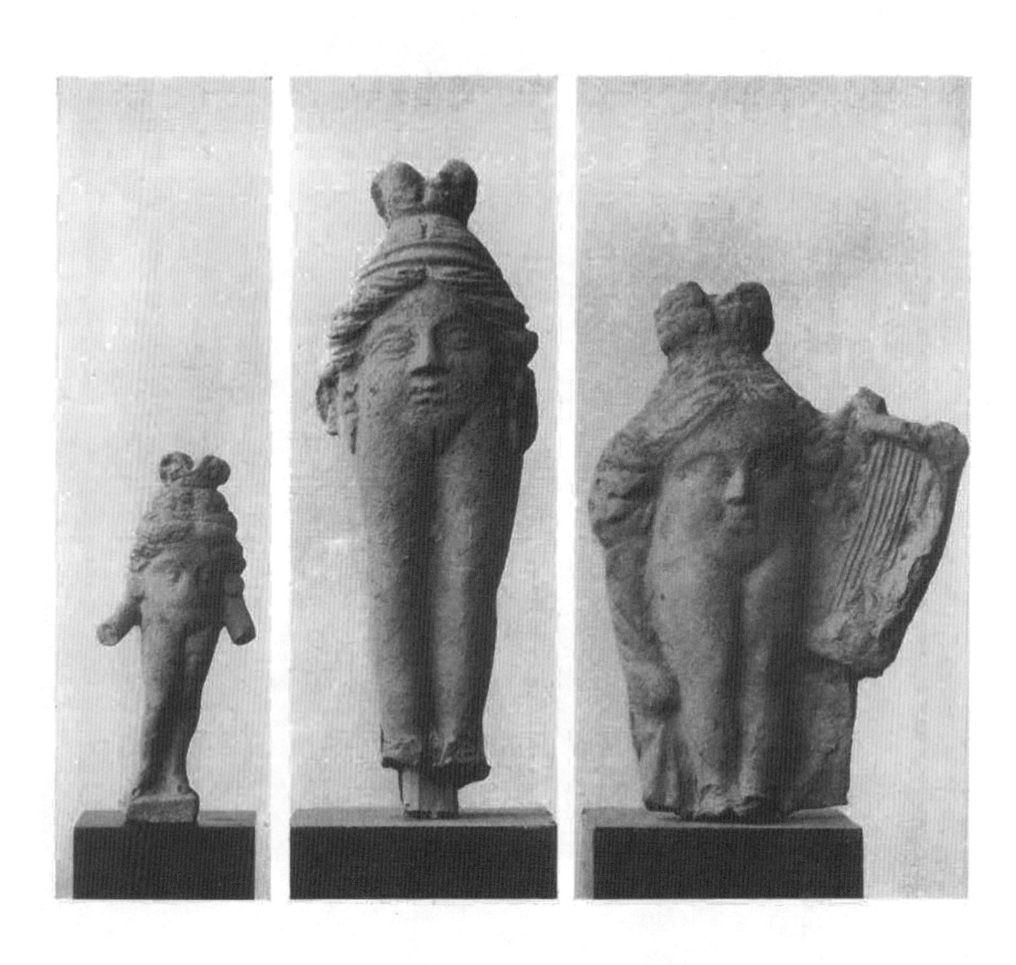

48. ESTATUETAS DE BAUBO
Terracota, Priene, Ásia Menor, séc. V a.C.

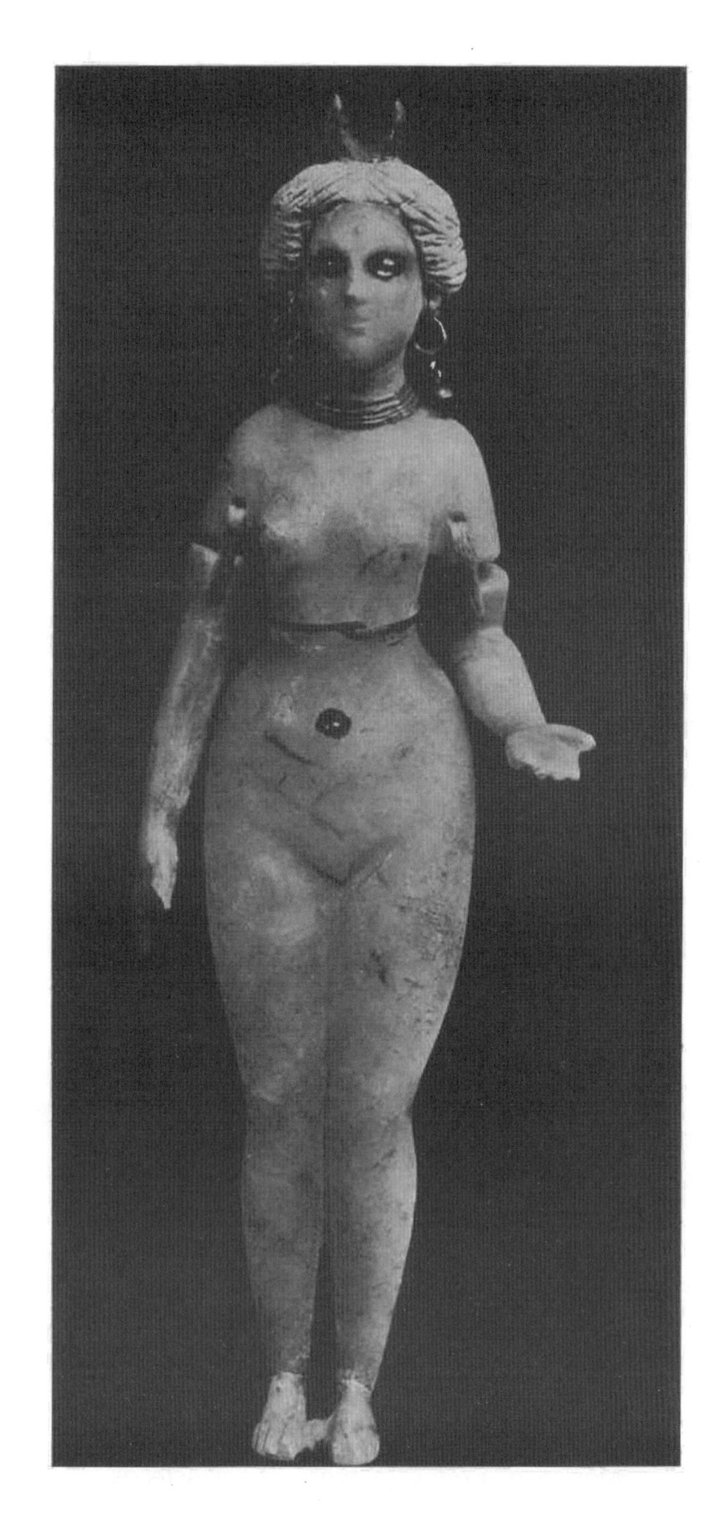

49. DEUSA
Alabastro, Pártia, aproximadamente séc. I-II d.C.

50. A DEUSA DA TERRA TLAZOLTEOTL
México, do Codex Bourbonicus dos Astecas

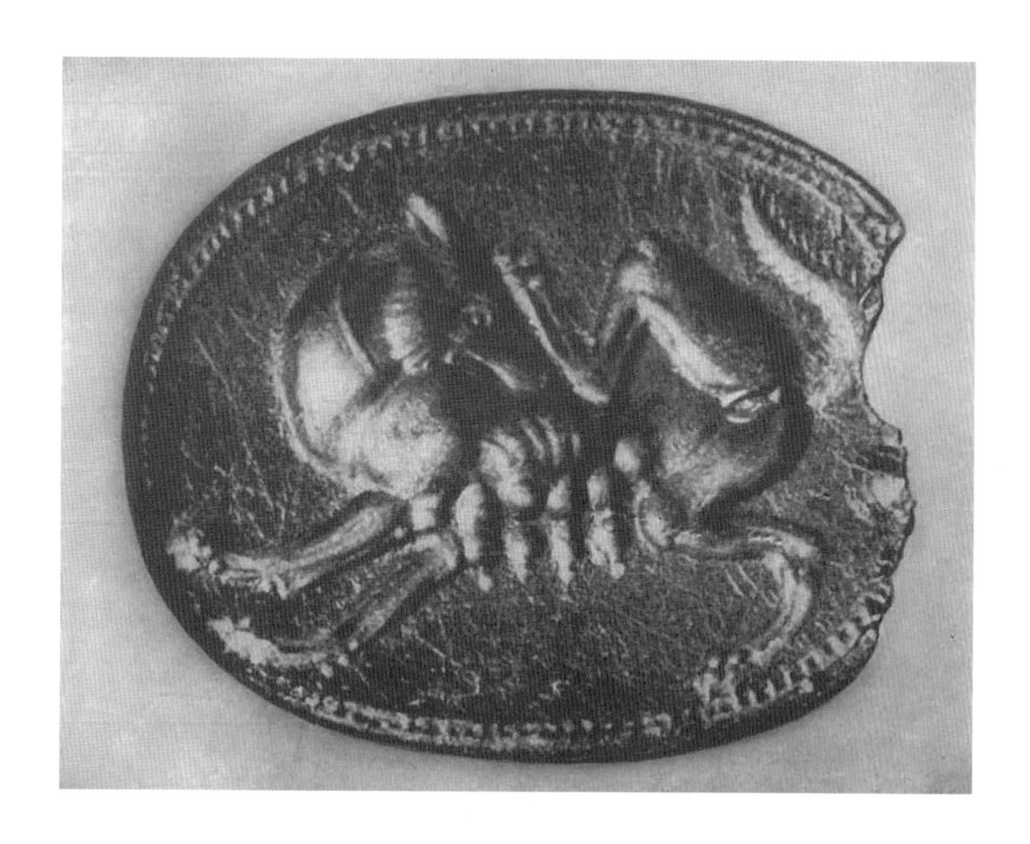

51. HÉCATE-ÁRTEMIS COMO CADELA
Escaravelho em Estilo Iônico Arcaico

52. DEUSA ALADA
Terracota, México, Pré-colombiano

53. ESTATUETA FEMININA
Argila, México, Pré-colombiano

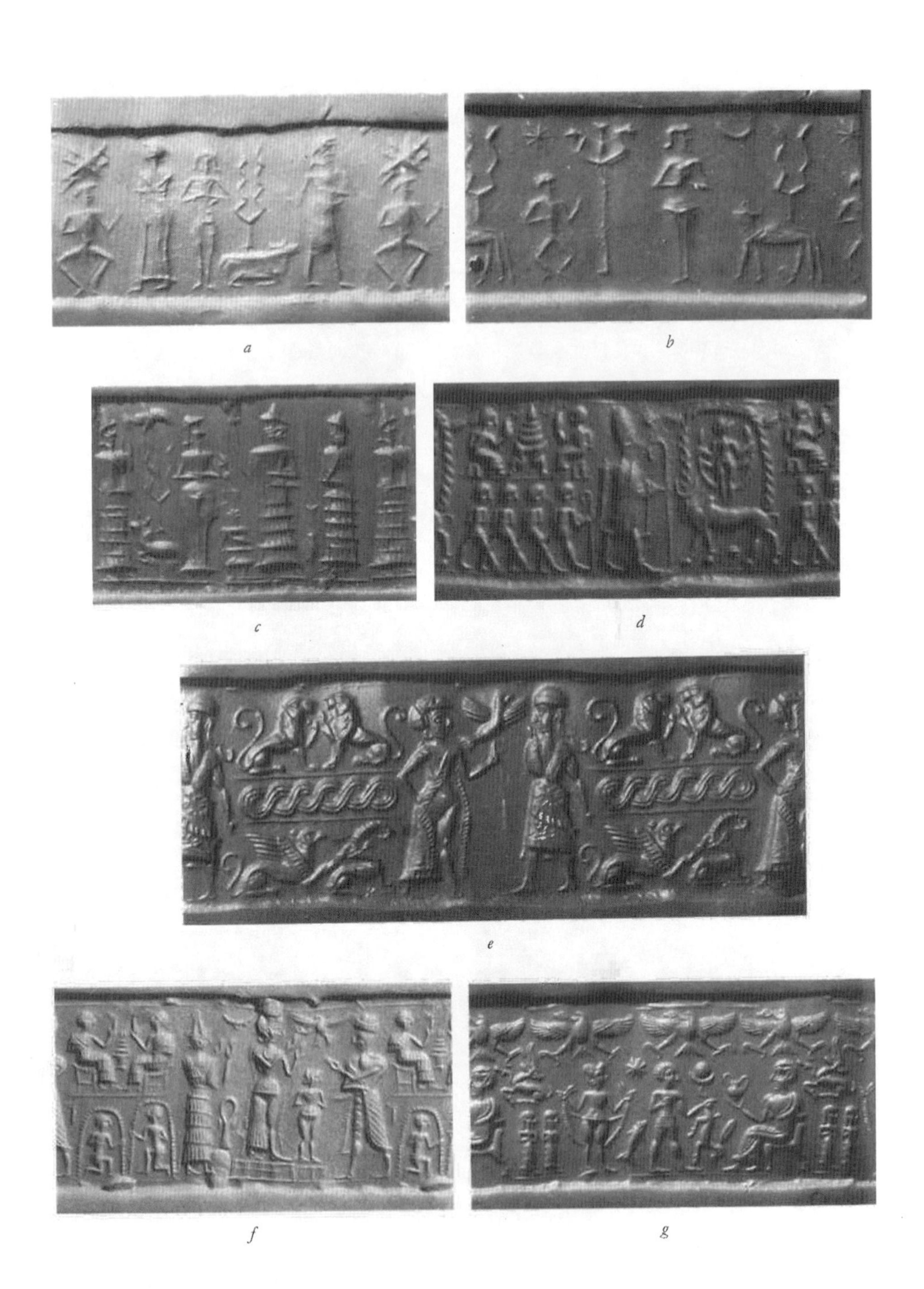

a b c d e f g

54. A DEUSA NUA

Selos cilíndricos, Babilônia, I Dinastia e Síria, séc. XV a.C.

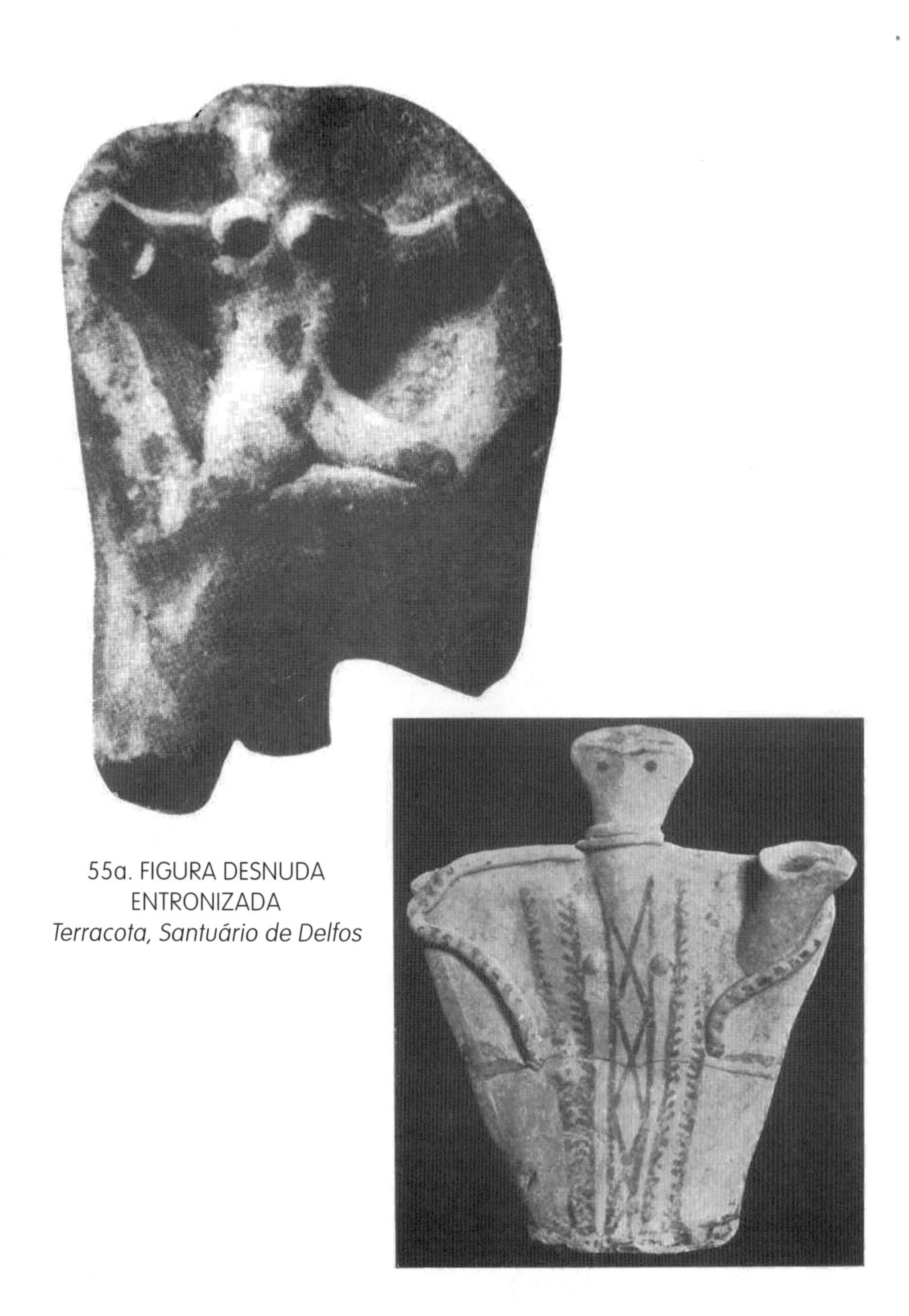

55a. FIGURA DESNUDA ENTRONIZADA
Terracota, Santuário de Delfos

55b. VASO: FIGURA FEMININA COM SERPENTE
Terracota, Creta, Início do II Período Minoico

56. DEUSA SERPENTE
Faiança, Creta, Metade do II Período Minoico

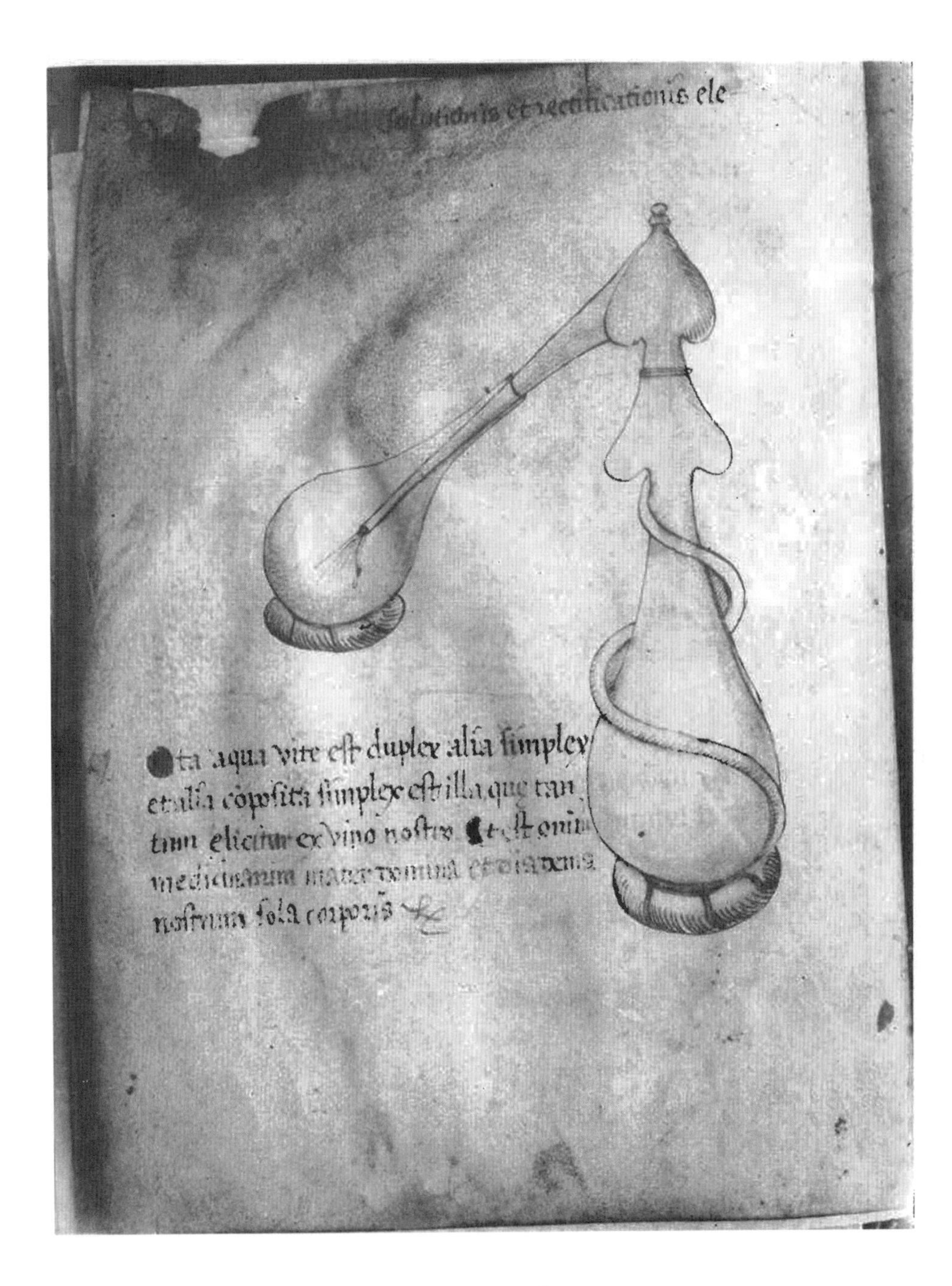

57. VASO ALQUÍMICO
De um Codex Florentino do séc. XIII

58. DEUSA SERPENTE
Terracota, Grécia, séc. VI a.C.

59. ATARGATIS OU DEA SYRIA
Bronze, Roma

60. CERES
Relevo em Terracota, Magna Grécia

61. CULTO A CERES
Afresco, Pompeia, Itália

62. O TRIUNFO DE VÊNUS
Bandeja Pintada, Escola de Verona, início do séc. XV

63. SEREIA COMO ÍNCUBO
Relevo helenístico

64. A DEUSA RATI
Madeira Pintada, Bali, séc. XIX

65. KALI DANÇANDO SOBRE SHIVA
Argila Pintada, Índia, séc. XIX

66. KALI A DEVORADORA
Molde em Cobre, Norte da Índia, séc. XVII-XVIII

67. KALI
Cobre, Sul da Índia, séc. XIX

68. A DEUSA TERRA COATLICUE
Pedra, México, Asteca

69. COATLICUE COM SAIA DE SERPENTE
Pedra, México, Asteca

70. GÓRGONA

Relevo em mármore, Corfu, aproximadamente 600 a.C.

71. RANGDA ROUBANDO CRIANÇAS
Aquarela de Cidadão Balinês Contemporâneo

72. TA-URT
Xisto verde, Tebas, XXVI Dinastia

73a. PORTÃO ALADO

73b. PORTÃO ALADO

73c. ESTÁBULO COM NOVILHAS APARECENDO
Selos Cilíndricos, Mesopotâmia, aproximadamente 3000 a.C.

74. LIBAÇÕES PERANTE O REI *(acima)* E
PERANTE A PORTA DO SANTUÁRIO *(abaixo)*
Relevo em Calcário, Ur, Período Lagashita, aproximadamente 3000 a.C.

75a. HERMES COMO PSICOPOMPO, CONDUTOR DAS ALMAS DOS MORTOS
Terracota, Ática

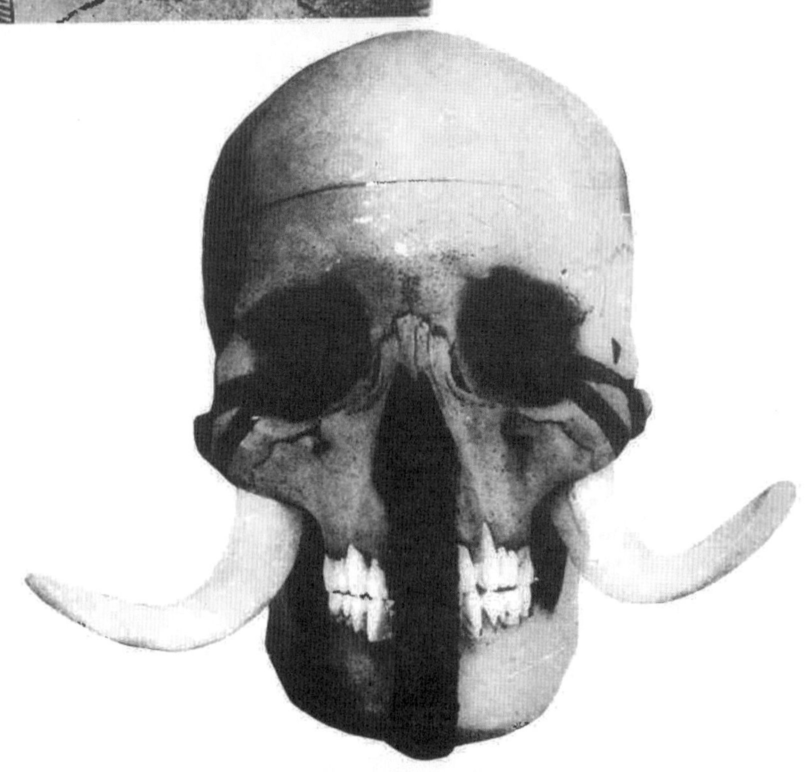

75b. ANCESTRAL
Crânio Decorado, Ilhas Marquesas

76. TAÇA PARA SANGUE SACRIFICIAL: SAPO COMUM
Pedra, México, Pré-colombiano

77. A TERRA DOS MORTOS
México, Codex de Bórgia, Asteca

78. APOIO DE CABEÇA
Madeira, Congo Belga

79. DEUS CÉU NAS MANDÍBULAS DO MONSTRO TERRA
Arenito, Maia, séc. VIII

80. GÓRGONA LADEADA POR LEÕES
Relevo em bronze, Perugia, séc. VI a.C.

81. ALMAS NA GARGANTA DO INFERNO
Detalhe de um Banco em Madeira para Coro, França (?), Medieval

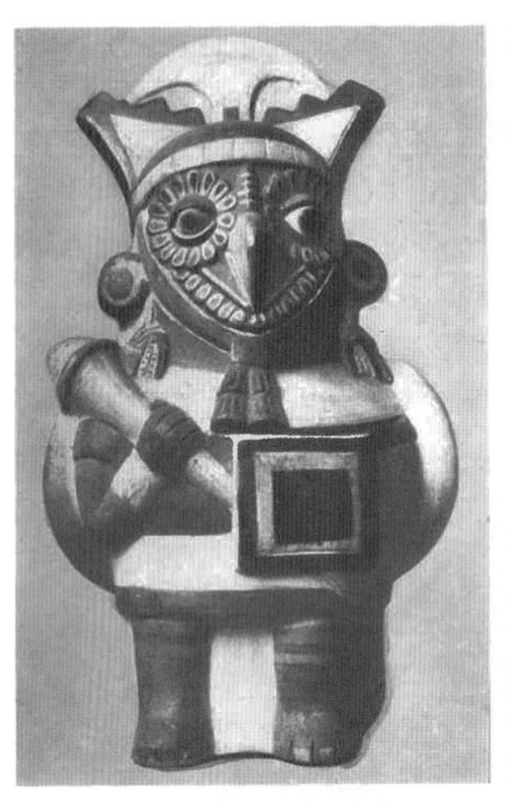

82a. *Deus Coruja*

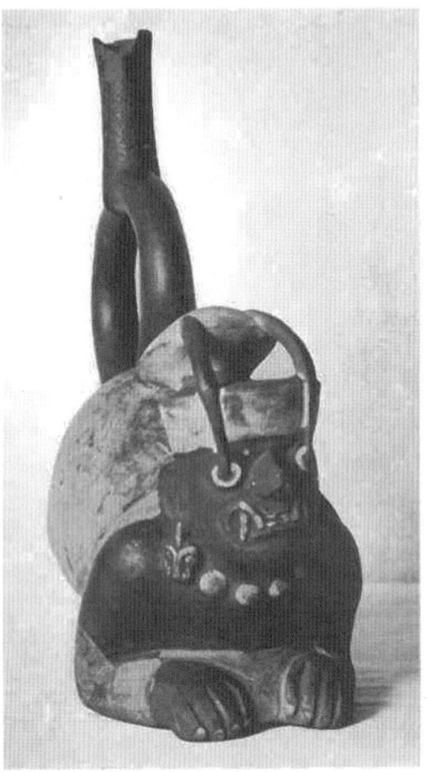

82b. *Deus Caracol*

VASO EM ARGILA
Cultura Chimu, Peru, Pré-colombiano

83a. *Caranguejo Marinho com Deus Estrela*

83b. *Caranguejo Marinho com Deus Estrela*

VASO EM ARGILA
Cultura Chimu, Peru, Pré-colombiano

84a. *Serpentes Estrangulando (?) o Deus Estrela*

84b. *Deusa Górgona com Serpentes*

84c. *Deusa caranguejo dando à Luz*

VASO EM ARGILA
Cultura Chimu, Peru, Pré-colombiano

85. A BARCA DO SOL PASSANDO PELAS MONTANHAS A OESTE
Detalhe de um Papiro Egípcio

86. ESTATUETAS FEMININAS
Argila, Asteca, início da Cultura Média

87. DEUSA
Alabastro, Mari, Síria, aproximadamente 2500 a.C.

88. FIGURA FUNERÁRIA
Basalto, Tell Halaf, Mesopotâmia, 900 a.C.

89. ESFINGE VELADA
Pedra, Tell Halaf, Mesopotâmia, 900 a.C.

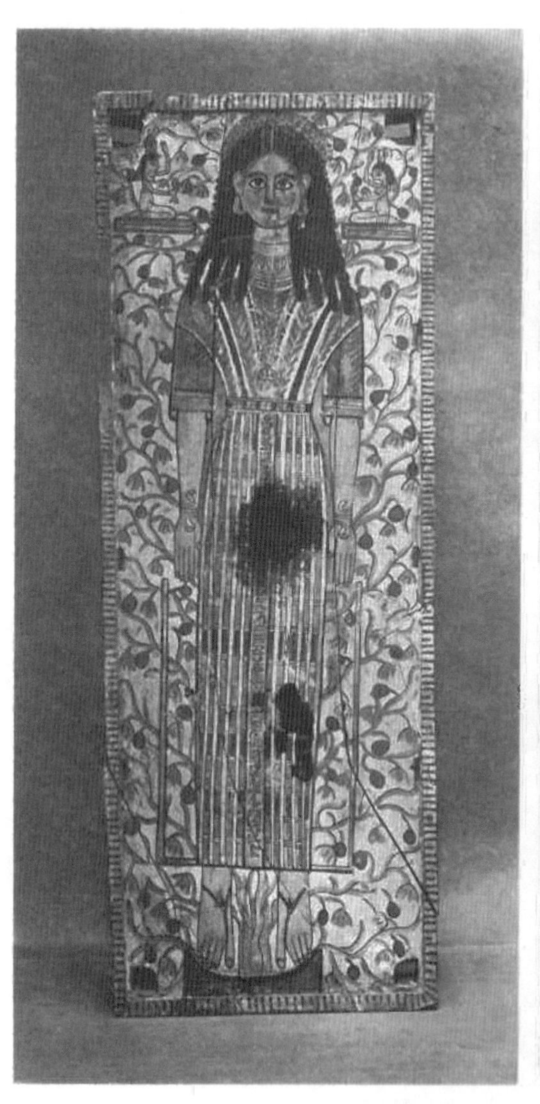

90a. RETRATO DO FALECIDO
Parte externa do Sarcófago, Tebas, Egito, 200 d.C.

90b. A DEUSA NUT
Parte Interior do Sarcófago, Egito

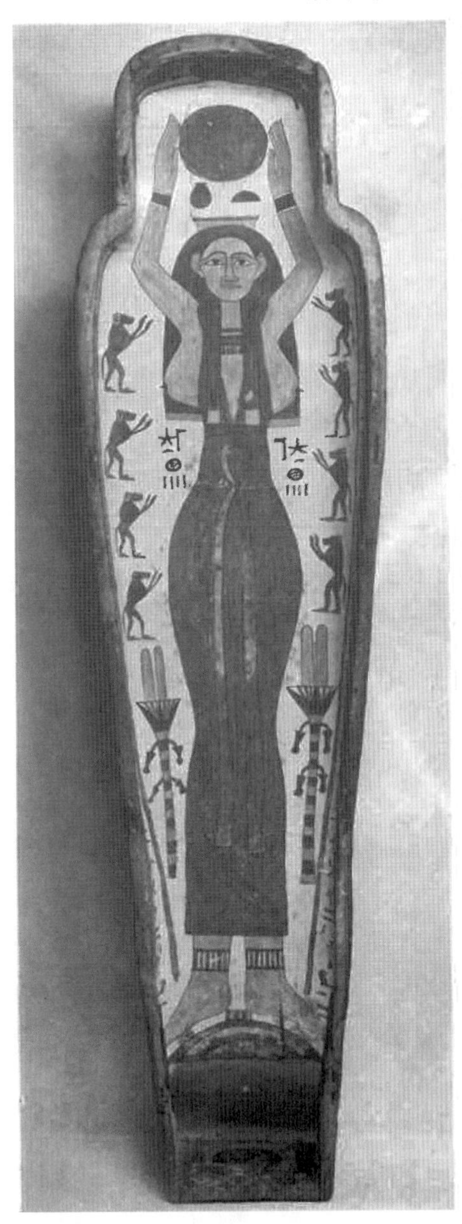

91a. A DEUSA NUT-NAUNET
Parte Interior do Sarcófago, Egito, XXI Dinastia

91b. A DEUSA NUT
Parte Interior do Sarcófago, Egito

92. A DEUSA NUT
Tampa de sarcófago, Pedra, Egito, XXX Dinastia

93. ZODÍACO
Relevo em Arenito, Dendera, Egito, Período Romano

94. PIETÀ
Itália, séc. XIV

95. A NOITE
Escultura de Jacob Epstein, Pedra Londres, 1929.

96. ANUNCIAÇÃO
Fragmento de um Afresco, Sorpe, Espanha, séc. XII

97. A VIRGEM MARIA
Pintura, Mestre do Alto Reno, Alemanha, aproximadamente 1400

98. A RODA DA VIDA
Pintura, Tibete

99. A RODA DA MÃE NATUREZA
De um Manuscrito Francês

100. LÂMPADA COM CABEÇA DE GÓRGONA
Bronze, Etrusco, Itália, séc. V a.C.

101a. TRÊS DEUSAS
Selo cilíndrico, Mesopotâmia, Período Acadiano

101b. AS EUMÊNIDES
Relevo em Calcário, Argos, Grécia

102. A VENERAÇÃO DAS TRÊS DEUSAS
Estela em Calcário, Egito, XVIII dinastia

103. NUT COMO DEUSA-ÁRVORE, COM O DISCO SOLAR
Vaso em Bronze, Egito, Período Saíta, aproximadamente 600 a.C.

104. O NASCIMENTO DE ADÔNIS
Detalhe de um Afresco de Bernardino Luini, Escola Lombarda, Itália, aproximadamente 1500 a.C.

105. ENTERRO PRIMITIVO EM ÁRVORE
Leste da África (Desenho Etinológico)

106. "A ORIGEM DO LINGAM"
Pedra, Sul da Índia, séc. XIII

107. LINGAM REVELANDO A DEUSA
Pedra, Cambodja, séc. XIV

108a. ÁRVORE DO SOL E DA LUA
Selo Cilíndrico, Assíria.

108b. ÁRVORE ANUAL COM OS DOZE ANIMAIS DO ZODÍACO
Madeira de Teca e Porcelana, China

109. ÁRVORE DOS MORTOS
Madeira, China

110. ÁRVORE ALQUÍMICA
De um Manuscrito Suiço, séc. XVI

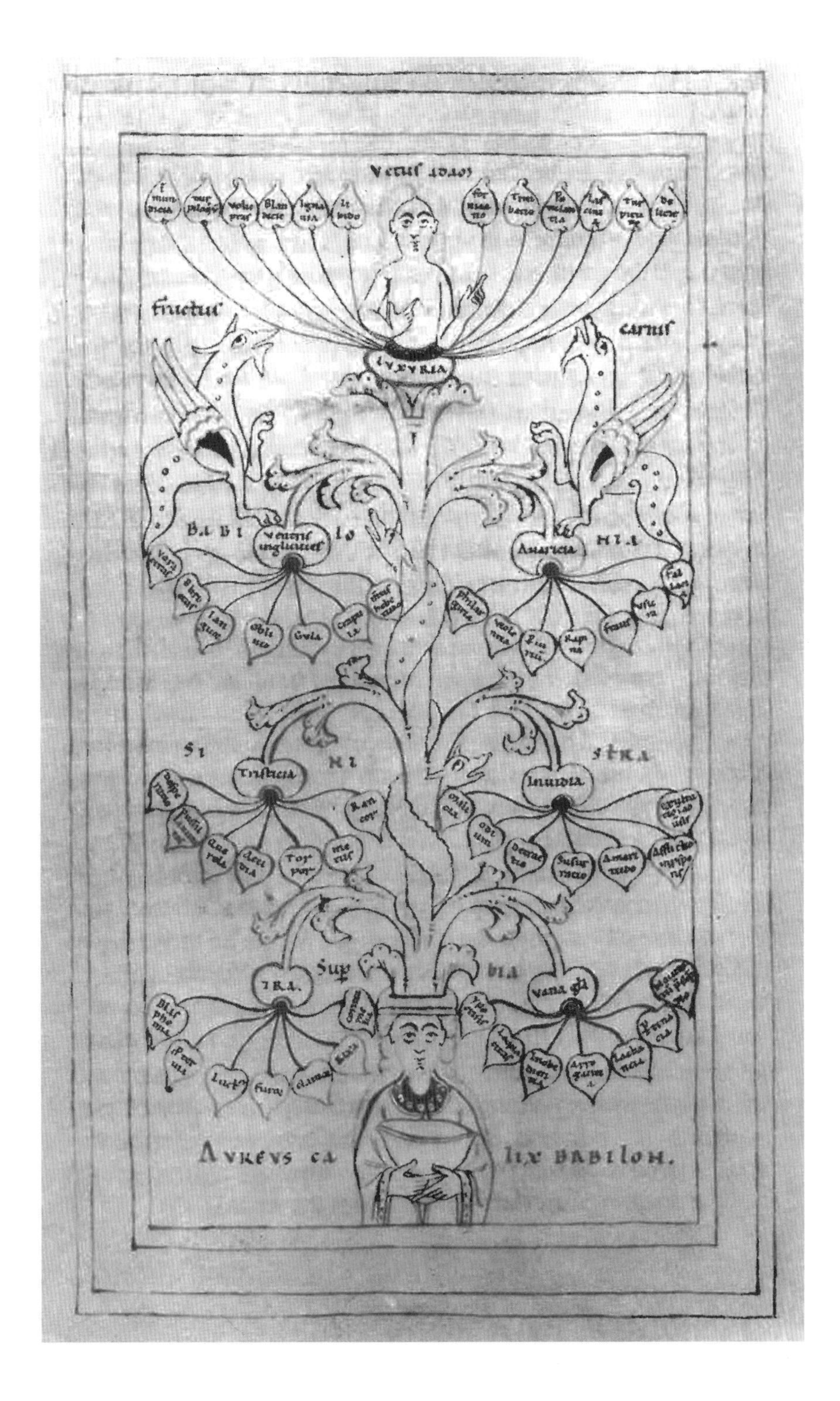

111. ÁRVORE DO VÍCIO
De um Manuscrito Italiano, séc. XIII

112. MATRONA DE PEDRA
Escultura Romana, Bonn

113. PIA BATISMAL
Arenito, Gotland, séc. XII

114. CRISTO COMO CACHO DE UVAS
Detalhe Esculpido em Porta de Igreja, Sion, Suíça, séc. XIII

115. O CÁLICE DE ANTIÓQUIA
Prata, Coberto com Folhas de Ouro, séc. I-IV

116. A RESTITUIÇÃO DA MAÇÃ MÍSTICA À ÁRVORE DO CONHECIMENTO
Afresco de Giovanni da Modena, Bolonha, séc. XV

117a. CRUZES DE SÃO PATRÍCIO E SANTA COLOMBA
Pedra, Kells, Condado de Meath, Irlanda, séc. X

117b. CRUZ DE GRAIGUENAMANAGH
Pedra, Condado de Kilkenny, Irlanda, séc.

118. MADONA COMO NAVE
Miniatura de um Livro Iugoslavo de Salmos

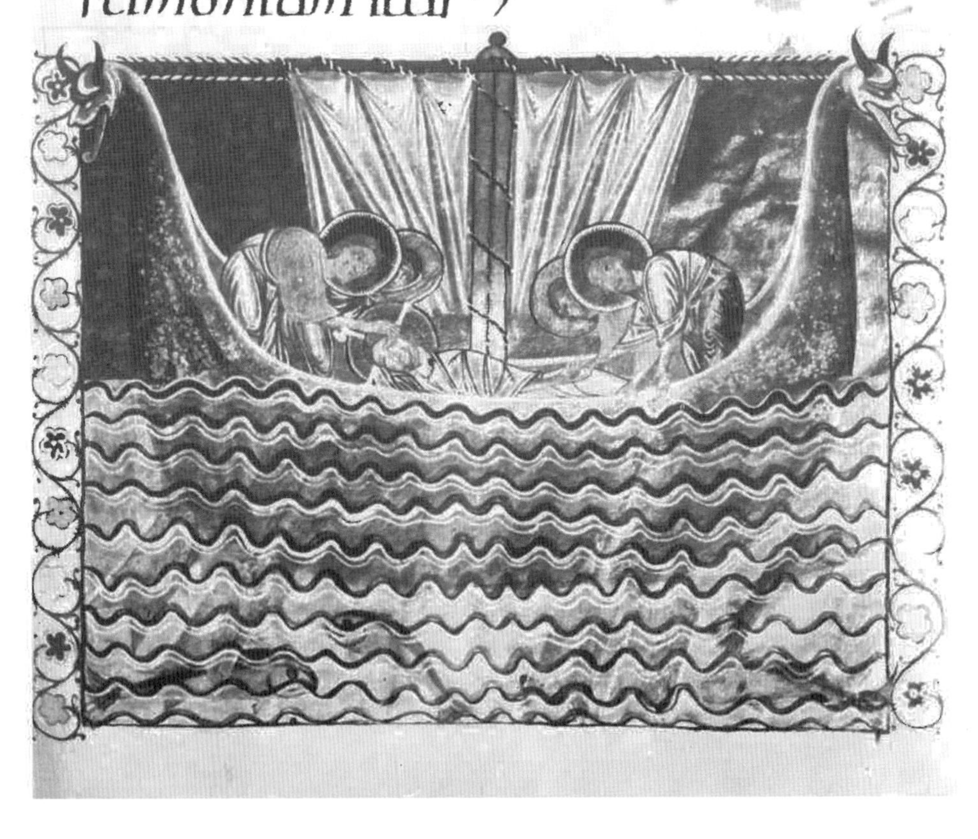

119. CRISTO ADORMECIDO EM NAVIO
Miniatura de um Lecionário Austríaco, séc. XI

120. NAVIO COM CRUZ COMO MASTRO
De um Manuscrito Italiano, séc. XV

121. LIBAÇÃO AO VASO COM GALHOS E DEUSA SENTADA
Relevo em Pedra, Suméria, aproximadamente 3000 a.C.

122. DEUSA COM O FILHO
Terracota, Beócia, Período Arcaico

123. DEUSA DA FERTILIDADE
Tampa de uma Caixa em Marfim, Ras Shamra, Síria, Cultura Micênica,séc. XIII a.C.

124a. *Relevo em Tigela de Pedra*

124b. *Relevo em Pedra numa Gamela Votiva para Alimentos*

SÍMBOLO DA GRANDE MÃE COM ANIMAIS
Suméria, aproximadamente 3000 a.C.

125. ÁRTEMIS
Pedra, Itália, 500 a.C.

126. LILITH, A DEUSA DA MORTE
Relevo em Terracota, Suméria, aproximadamente 2000 a.C.

127. DEUSA COM AVES DA ALMA, DE PÉ SOBRE LEÃO
Espelho de Mão em Bronze, Hermione, Grécia, aproximadamente 550 a.C.

128a. CIBELE NUMA CARRUAGEM DE PROCISSÃO TIRADA POR LEÕES
Bronze, Roma, séc. II d.C.

128b. ÍSIS OU DEMÉTER NUMA CARRUAGEM DE PROCISSÃO DE RODAS EM FORMA DE ROSAS
Bronze, Etrusco, Itália

129. FORTUNA

De um Manuscrito Italiano, Idade Média

130. DEUSA SOBRE LEÃO CÓSMICO
Miniatura, Delhi, Índia, séc. XVII-XVIII

131a. MADONA SOBRE TRONO EM FORMA DE LEÃO
Adorno de parede, séc. XIV

131b. ADORAÇÃO DA DEUSA DO ESCUDO
Tabuleta Pintada em Calcário, Micenas

132a. *Detalhe de uma Pintura em Vaso, Etrúria, Itália, séc. VI a.C.*

132b. *Parte interior de um Prato, Rhodes*

133a. *Placa Interna: Deusa com Animais*

133b. *Placa Externa: Deusa*

133c. *Placa Inferior: Caçada dos Auroques.*

O CALDEIRÃO DE GUNDESTRUP
Prata, Jutlândia, séc. III-II a.C.

134. SENHORA DOS ANIMAIS SELVAGENS
Detalhe de Pintura em Ânfora de Terracota, Beócia, séc. VII a.C.

135. A SENHORA DOS ANIMAIS SELVAGENS
Vaso de Bronze para Água, Grécia, 600 a.C.

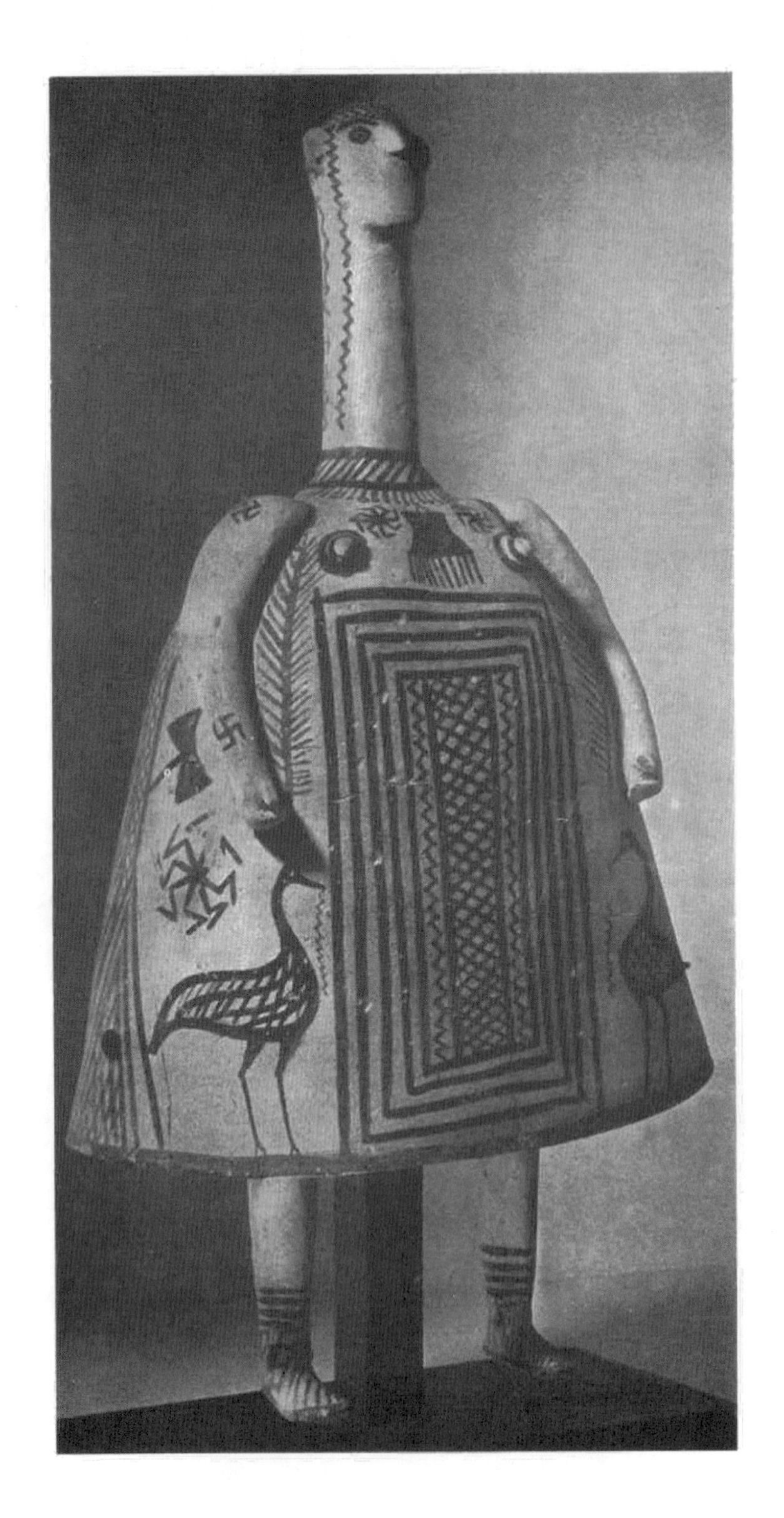

136. A SENHORA DOS ANIMAIS SELVAGENS
Terracota, Beócia, Período Arcaico

137. AFRODITE SOBRE O GANSO
Terracota, Beócia, Período Clássico

138. HÉRCULES NA VIAGEM MARÍTIMA NOTURNA
Pintura na Base de Vaso em Terracota, Attica, aproximadamente 480 a.C.

139a. *Detalhe de Pintura em Ânfora com Figuras em Preto, Attica, séc. VI a.C.*

139b. *Detalhe de uma Pintura em Vaso com Figuras em Vermelho, Attica, Vulci, séc. V a.C.*

REVIVIFICAÇÃO DO CARNEIRO SACRIFICADO

140. O CALDEIRÃO DE GUNDESTRUP
Prata, Jutlândia, séc. III-II a.C.

141. JURAMENTO À DEUSA LUA DA TESSÁLIA
Base de Vaso de Terracota, Grécia

142. DEUSA NUA RECLINADA
Terracota, Megara (?), séc. VI a.C.

143. GRUPO DE DANÇA
Argila, México, Cultura Tarascana, Pré-colombiano

144. DEUSA EM FORMA DE SINO
Terracota, Beócia, Período Arcaico

145. DEUSA
Calcário, Chipre, Final do séc. VI a.C.

146a. *Micenas*

146b. *Thisbe, Beócia*

146c. *Micenas*

A GRANDE MÃE

Anéis em Sinete, aproximadamente 1500 a.C.

147. DEMÉTER E CORE
Pedra, Tebas, Beócia

148. DEMÉTER E CORE
Relevo votivo em Pedra, Elêusis, séc. V a.C.

149. DEMÉTER E CORE (?)
Estela tumular em Mármore, Farsalus, Grécia, início do séc. V a.C.

150a. TÚMULO HARPIA
Relevo em Mármore, Xanthos, Lícia, aproximadamente 500 a.C.

150b. DEUSA COM FLOR
Calcário, Chipre, séc. V a.C.

151. DEUSA COM ROMÃ
Mármore, Attica (?), séc. VI a.C.

152. DEUSA COMO VIRGEM DAS FLORES
Pedra, Elêusis, Período Romano

153. AFRODITE COM ROMÃ
Terracota, Chipre, séc. VI-V a.C.

154. ASCENSÃO DE CORE
Vaso com Figura Negra, Grécia

155. O NASCIMENTO DA DEUSA
Relevo em Mármore, Roma (Estilo Grego), séc. V a.C.

156. DEMÉTER, TRIPTOLEMUS, CORE
Relevo em Mármore, Elêusis, aproximadamente 450 a.C.

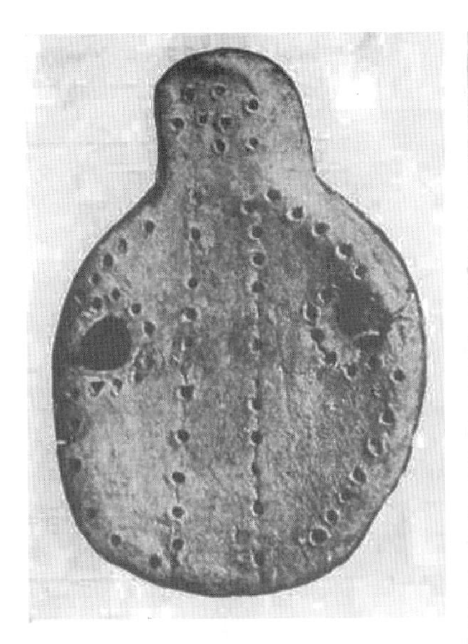

157a. ÍDOLO
Argila, Gezer, Canaã, Pré-histórico

157b. ESTELA VOTIVA
Relevo em Pedra, Cartago

157c. DEUSA MÃE COM FILHO
Sinete Cilíndrico, Mesopotâmia, Período Acadiano

158. NASCIMENTO DE ERICTÔNIO
Detalhe de Pintura em Vaso Terracota, Attica, aproximadamente séc. V a.C.

159a. DEUSA E LIBAÇÃO
Selo de Ouro, Micênico, Beócia

159b. BANQUETE FÚNEBRE
Relevo Votivo, Elêusis

159c. GRUPO CABÍRIO
Detalhe em Vaso, Tebas, Grécia, séc. IV a.C.

160. TESEU, ATENAS, ANFITRITE
Detalhe de uma Tigela em Terracota, Attica, séc. V a.C.

161. DIANA LUCÍFERA
Pedra, Roma, Itália

162. CERES
Afresco, Pompeia, Itália

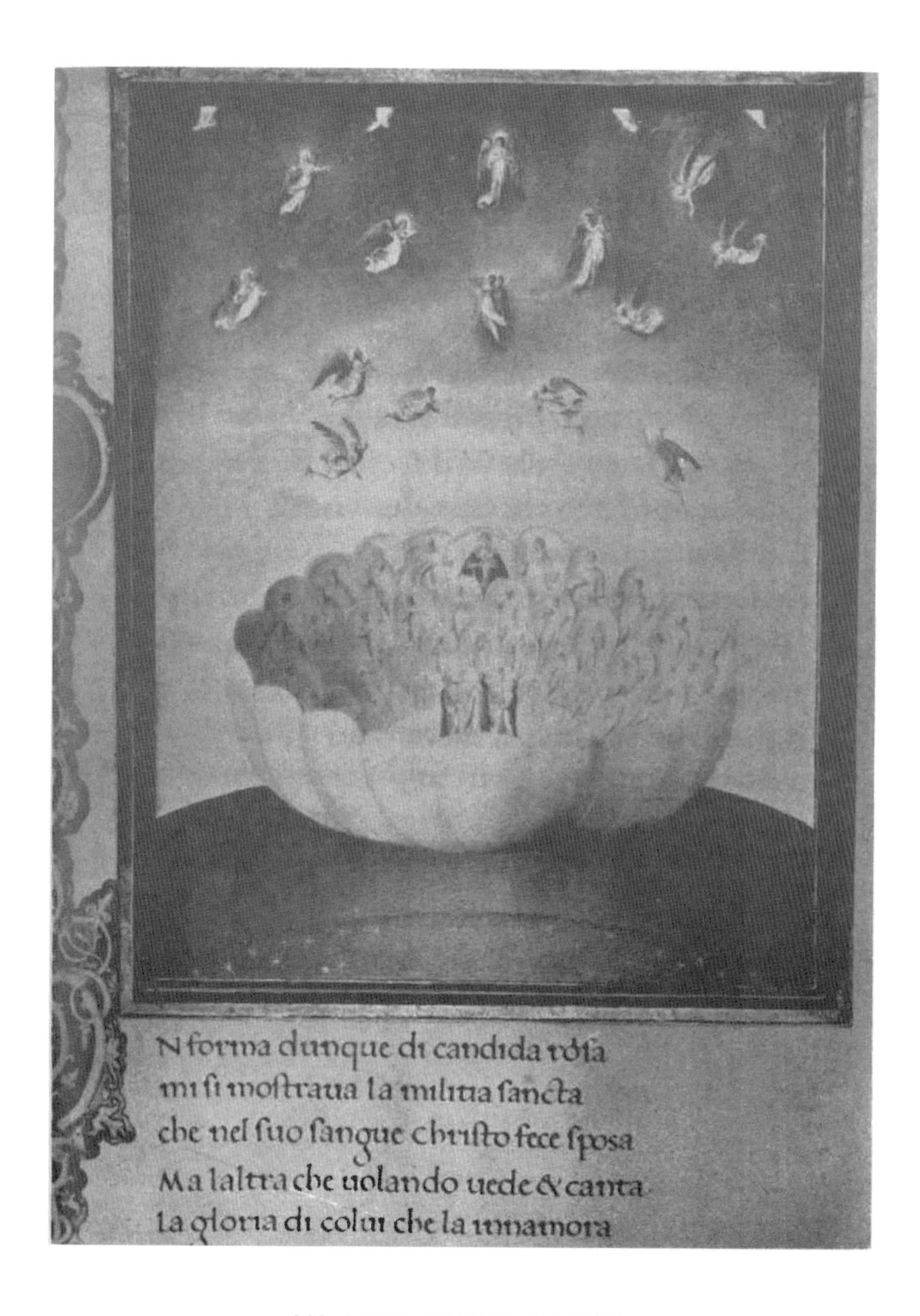

163. A ROSA BRANCA DE DANTE

Miniatura de um Manuscrito da Divina Comédia, Itália, séc. XV

164. MADONA

Detalhe de Pintura de Theodorus Poulakis, Creta, séc. XVII

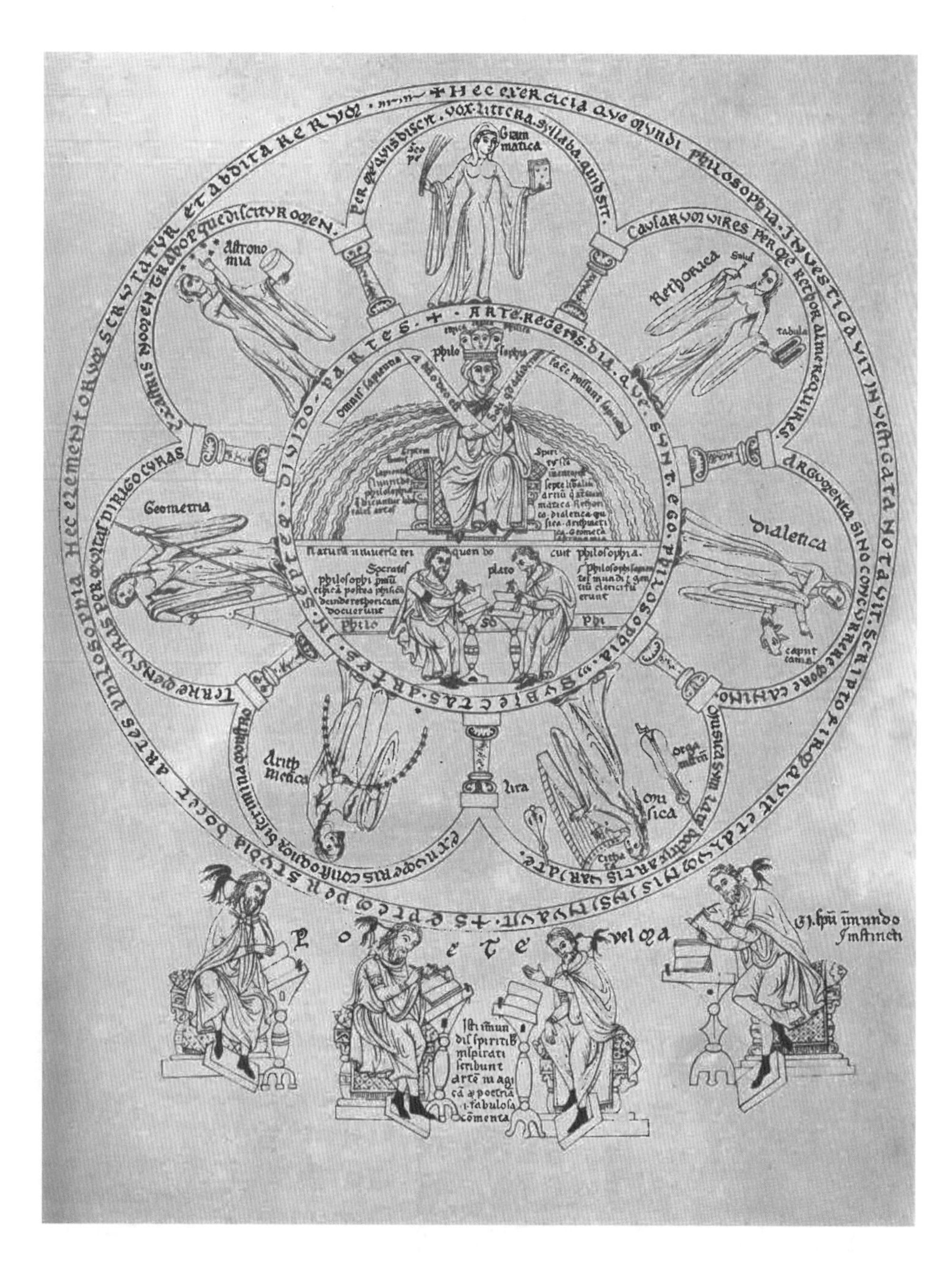

165. FILOSOFIA-SOFIA

De um Manuscrito Hortus Deliciarum de Herrad de Landsberg, séc. XII

166. FILOSOFIA COM O DISCO MUNDIAL
De um Manuscrito Flamengo, aproximadamente 1420

167. MADONA COMO PARAÍSO

De um Manuscrito Alemão, séc. XIV

168. BATISMO

De um Manuscrito "Les Grandes Heures du duc de Berry"; França, aproximadamente 1400

169. PARAÍSO COMO VASO
De um Manuscrito Italiano, séc. XV

170. VASO OVO ALQUÍMICO
De um Manuscrito "De Lapide Philosophorum" Inglaterra, séc. XVI

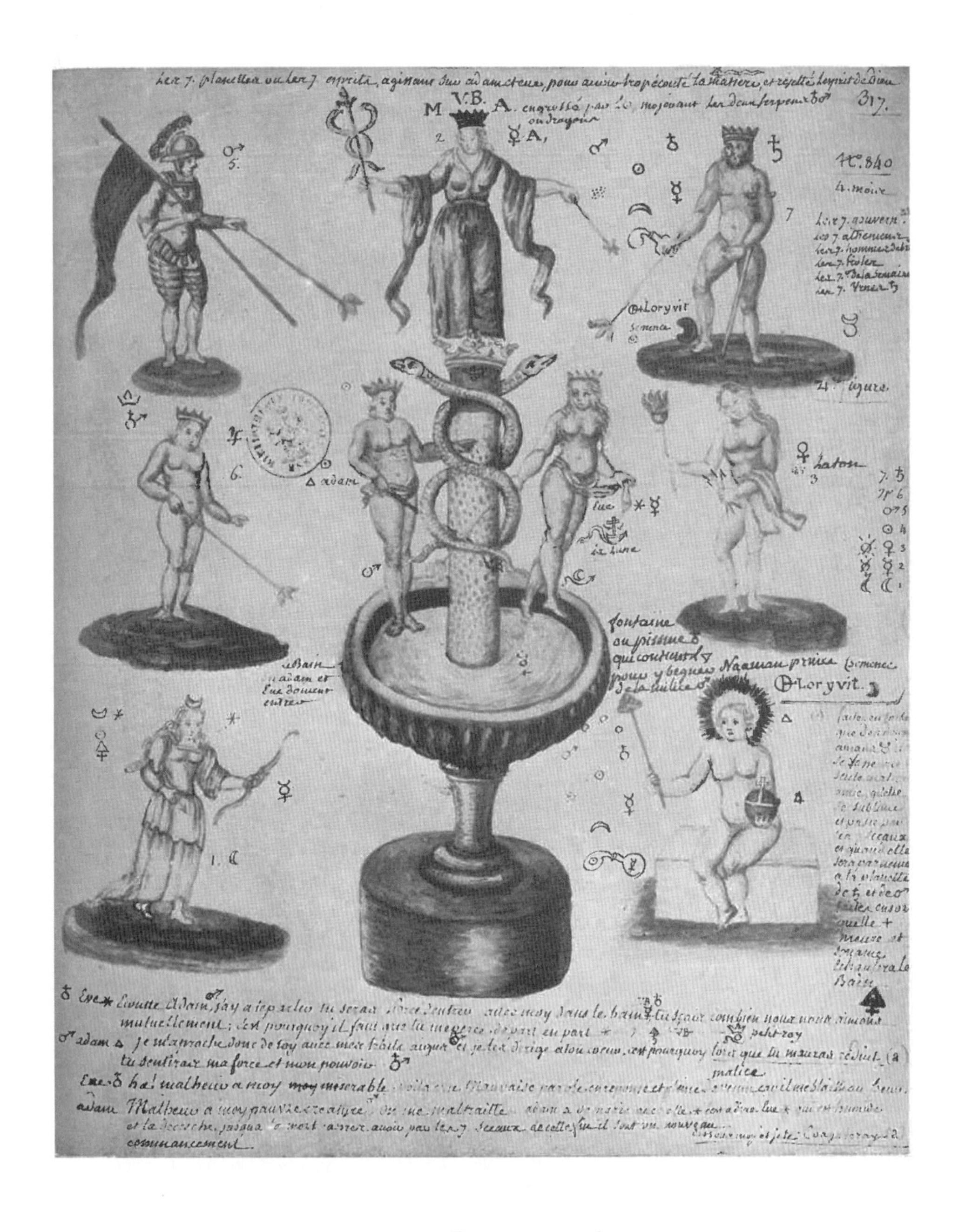

171. VASO ALQUÍMICO COM ÁRVORE
De um Manuscrito "Livre des Figures Hiéroglyphiques" Inglaterra, séc. XVI

172. ANUNCIAÇÃO
Pintura de Bertel Bruyn, Colônia, séc. XV

173. A EFUSÃO DO ESPÍRITO SANTO
Do Comentário do Beato sobre o Apocalipse, séc. XII

174. SOFIA-SAPIENTIA
De um Manuscrito Italiano, Idade Média

175. ECCLESIA
De um Manuscrito Alemão, séc. XII

176. "VIERGE OUVRANTE", FECHADA
Madeira pintada, França, séc. XV

177. "VIERGE OUVRANTE", ABERTA

178. A MADONA DA MISERICÓRDIA
Pintura de Giovanni di Paolo, Siena, Itália, 1437

179. A FONTE DA VIDA
Relevo em Pedra, Veneza, séc. IX-X

180. SANTA ANA, A VIRGEM E A CRIANÇA
Pintura de Mosaico, Itália, séc. XV

181. SANTA ANA, A VIRGEM E A CRIANÇA
Nogueira Pintada e Dourada, Espanha, aproximadamente séc. XIV

182. KALI
Bronze, Sul da Índia, séc. XII-XV

183. TARA BRANCA
Pedra, Java, séc. XIII

184. TARA
Bronze, Tibete

185. TARA VERDE
Bronze, Tibete

Índice Remissivo

B

C

D

E

F

G

H

I

J

K

L

M

N

O

P

Q

T

U

V

W

X

Y

Z

Impresso por :

Graphium
gráfica e editora

Tel.:11 2769-9056